V&R

ULRICH SCHOENBORN

Diverbium Salutis

Studien zur Interdependenz von literarischer Struktur
und theologischer Intention des gnostischen Dialogs,
ausgeführt an der koptischen „Apokalypse des Petrus"
aus Nag Hammadi (NHC VII, 3)

VANDENHOECK & RUPRECHT
IN GÖTTINGEN

Studien zur Umwelt des Neuen Testaments

Herausgegeben von Christoph Burchard,
Gert Jeremias, Heinz-Wolfgang Kuhn
und Hartmut Stegemann

Band 19

Die Deutsche Bibliothek – CIP-Einheitsaufnahme

Schoenborn, Ulrich:
Diverbium salutis: Studien zur Interdependenz von literarischer Struktur und
theologischer Intention des gnostischen Dialogs, ausgeführt an der koptischen
„Apokalypse des Petrus" aus Nag Hammadi (NHC VII, 3) / Ulrich Schoenborn. –
Göttingen: Vandenhoeck und Ruprecht, 1995
(Studien zur Umwelt des Neuen Testaments; Band 19)
Zugl.: Marburg, Univ., Habil.-Schr., 1988
ISBN 3-525-53374-8
NE: GT

Als Habilitationsschrift auf Empfehlung des Fachbereichs Evangelische Theologie
der Philipps-Universität Marburg gedruckt mit Unterstützung der
Deutschen Forschungsgemeinschaft

Vorwort

Die vorliegende Untersuchung wurde 1987 abgeschlossen und im Sommersemester 1988 vom Fachbereich Evangelische Theologie der Philipps-Universität Marburg als Habilitationsschrift angenommen. Da ich zu der Zeit am „Instituto Superior Evangélico de Estudios Teológicos" in Buenos Aires/Argentinien tätig war, konnte die Veröffentlichung nicht gleich vorbereitet werden. Erst nach meiner Rückkehr aus Lateinamerika war es möglich, den Anregungen der Gutachter nachzugehen, seitdem erschienene Literatur (bis Mitte 1992) zu sichten und einzuarbeiten, sowie das Manuskript erneut zur Begutachtung zu geben. Gegenüber der ursprünglichen Arbeit wurde auf einige Exkurse verzichtet und die Druckfassung um ein Kapitel gekürzt, in dem es um das Sprachmuster „Dialog" im religionsgeschichtlichen Umfeld des Neuen Testaments ging.

Angeregt und gefördert wurde diese Studie von Herrn Prof. Dr. W. Harnisch, dem ich herzlich danke für seine Gesprächsbereitschaft und die Mühe, die er als Erstgutachter zu tragen hatte. Danken möchte ich auch den übrigen Gutachtern, Herrn Prof. Dr. Dr. K. Rudolph und Frau Prof. Dr. U. Kaplony-Heckel. Herr Rudolph hat dieser Arbeit durch seine Veröffentlichungen zur Gnosis wichtige Anstöße gegeben. Frau Kaplony-Heckel hat in ihren Lehrveranstaltungen nicht nur an die koptische Sprache herangeführt, sondern auch Einblick in die spannenden Zusammenhänge von Geschichte, Kultur und Religion Ägyptens vermittelt.

Mein Dank gilt ferner den Herausgebern der „Studien zur Umwelt des Neuen Testaments", Herrn Prof. Dr. Chr. Burchard/Heidelberg, Herrn Prof. Dr. G. Jeremias/Tübingen, Herrn Prof. Dr. H.-W. Kuhn/München und Herrn Prof. Dr. Dr. H. Stegemann/Göttingen, für die Aufnahme meiner Arbeit in die genannte Reihe. Ich danke der Deutschen Forschungsgemeinschaft und der Evangelischen Kirche von Kurhessen-Waldeck, die mit namhaften Beiträgen die Veröffentlichung ermöglicht haben und dem Verlag Vandenhoeck & Ruprecht für ihre Durchführung. Manchen technischen Hinweis beim Schreiben des Textes der Druckvorlage erhielt ich von Frau Rita Gerstenberger. Für vielfältige Ermutigung und Verständnis in allen Phasen der Entstehung der Arbeit danke ich schließlich meiner Frau; ihr sei dieses Buch gewidmet.

Wenn gegenwärtig Texte der koptisch-gnostischen Nag Hammadi-Bibliothek in popularisierter Form zirkulieren oder gnostische Spurensicherung in der westlichen Geistes- und Literaturgeschichte unternommen werden (P. Sloterdijk/Th. H. Macho [Hg.], Weltrevolution der Seele.

Ein Lese- und Arbeitsbuch der Gnosis von der Spätantike bis zur Gegenwart, München 1991), scheint die Rede von der „Wiederkehr der Gnosis" nicht übertrieben zu sein. Aber was ist es eigentlich, das da wiederkehrt? – Der „Traum von der Selbsterlösung des Menschen" (M. Brumlik) wird als bedeutsames Element genannt. Auch die Verabsolutierung des Ich, das, aus welchen Gründen auch immer, seinen Standort jenseits aller Erlösungsbedürftigkeit nimmt. Oder das Axiom „von der Zeitlosigkeit des Heils und der Heillosigkeit der Zeit" (J. Taubes, J.B. Metz), das im Christentum Glaubenshaltung wie Forschungsperspektive beeinflußt hat. Oder Weltverneinung als fundamentale Einstellung von Individuen wie von Gruppen.

Gegenüber den abschließenden Antworten von Orthodoxie und trotz Ablehnung durch die Institution Kirche hat das gnostische Denken eine überraschende Vitalität bewahrt. Immer dann, wenn z. B. der Umgang mit Welt und Geschichte problematisch, die Theodizeefrage unerträglich und die Relation zum inkarnierten Logos des Evangeliums brüchig wurden, tauchten gnostische Denkfiguren auf und übten eine versucherische Faszination aus. Seit den ersten Jahrhunderten, als christliche Gedanken und gnostische Intentionen nebeneinander existierten und teilweise auch miteinander verschränkt wurden, sind bemerkenswerte Suchbewegungen aufgetreten. In ihnen lebte die Sehnsucht nach Bewältigung der Aporien menschlicher Existenz durch höhere Erkenntnis und Weisheit weiter.

Damit jene Rede von der „Wiederkehr der Gnosis" nicht ausschließlich plakative oder apologetische Ziele verfolgt, plädiere ich dafür, bei den Objektivationen gnostischen Denkens selbst, ihren Textwelten, einzusetzen. Die 1945 zufällig entdeckte koptisch-gnostische Bibliothek von Nag Hammadi bietet gute Voraussetzungen, um eine Antwort auf die Frage zu finden, worin in den ersten Jahrhunderten das Gnostische bestanden und wie es sich mitgeteilt hat. Daß dabei die Sprache auch auf den Umgang mit der biblischen Überlieferung oder anderen Vorgaben kommt, versteht sich von selbst. Die Ergebnisse geben Gelegenheit nachzuprüfen, ob der gegenwärtige Eindruck wiederkehrender Tendenzen zutrifft oder nicht. Gewiß übermitteln auch „Pseudomorphosen" eine Botschaft, wie H. Jonas im Anschluß an O. Spengler schrieb. Aber vielleicht ist ja das, was an Bekanntes zu erinnern scheint, in Wirklichkeit eine semantische Verzerrung.

Marburg, im März 1994   U. Schoenborn

Inhalt

1. Einleitung

In der vorliegenden Untersuchung geht es um die hermeneutische Relevanz des Sprachmusters ‚Dialog' im Horizont der Nag Hammadi-Literatur. Am Beispiel der koptisch-gnostischen Petrusapokalypse (= ApcPt) aus dem siebten Codex von Nag Hammadi (NHC VII, 3) werden die Bedingungen der Möglichkeit gnostischer Kommunikation reflektiert. Grundlage der exegetisch-religionsgeschichtlichen Auslegung ist die strukturale und kommunikationsanalytisch orientierte Interpretation der genannten Schrift. Dabei fungiert die Wahrnehmung textpragmatischer Gesichtspunkte als Korrektiv gegenüber einer Lesart des Textes, die den Dialog einseitig als Quelle für historische Rekonstruktionen beansprucht. Besondere Aufmerksamkeit wird auf die Wechselbeziehung zwischen literarischer Struktur und theologischer Intention gerichtet. Der textlich bezeugte Dialog zielt, allgemein und vorgreifend gesprochen, auf die Rezipienten sowie auf das Ereignis der Stiftung gnostischer Identität in dialogischer Sprachverwendung.

1.1 Problemstellung

1.1.1 Mit dem Wort „Dialog" bezeichnet die Antike eine Redegestalt, die als „Gespräch zwischen zwei oder mehr Personen"[1] begegnet. Bevorzugter Ort dieses Sprachgestus ist das Theater, wo in Tragödie und Komödie der Dialog sich im „Gedankenaustausch Gleichgesinnter" oder im „Aufeinanderprall widerstreitender Meinungen"[2] entfaltet. Die Dialoge des Theaters müssen von der alltäglichen Gesprächssituation unterschieden werden, obwohl mit gegenseitiger Beeinflussung zu rechnen ist. Ein Spezialfall des Dialogs stellt die literarische Form dar, in der die philosophischen Debatten z. B. des Sokrates[3] Ausdruck gefunden haben. Sie spielen einerseits in der profanen Atmosphäre des Alltags, erheben aber andererseits Ansprüche, die mit denen aus Theater, Philosophie und Religion konkurrieren. Von den sokratischen Dialogen sind inspirierende Wirkungen auf Stil und Denkbewegung der nachfolgenden Literatur[4] aus-

---

[1] Definition von Isidorus, Etymologiae 6, 8.2; zitiert bei Hermann/Bardy 1957, 928; vgl. auch E. G. Schmidt, KP II, 1575.

[2] E. G. Schmidt, ebd.

[3] Vgl. Friedländer 1954; Stenzel 1957; Gadamer 1983; Mittelstraß 1984.

[4] Zur sog. Erotapokriseis-Literatur vgl. Dörrie/Dörries 1966, 342 ff.; Berger 1984 b, 1303 f.

gegangen. Dennoch sollte sich das Interesse am Dialogischen nicht exklusiv an seiner bekanntesten Erscheinung orientieren. Denn bevor bei
den Griechen der Dialog in den Dienst der Philosophie als Lehrgespräch
bzw. als literarisches Mittel zur Wahrheitsfindung trat, hatte er schon
in der altorientalischen Literatur[5] einen festen Platz als stilisiertes All-
tagsgespräch oder vorphilosophische Mitteilung. Der Dialog korrespondiert hier der durch die Erfahrungswelt herausgeforderten Anthropologie
und stellt ihr absolute Argumente zur Verfügung. Neben die autoritative
Offenbarung tritt durch das Dialogische eine strukturelle Alternative.

Im Alten Testament ist der Dialog eine literarische Randerscheinung[6]
geblieben und hat nicht den Rang eines bevorzugten Kommunikations-
musters erlangt. Dagegen gewann dieser Sprachgestus Bedeutung im Horizont der jüdischen Apokalyptik[7], jener Strömung, die auf die Krise von
Glaube und Erfahrung reagierte. Offenbarung erging nicht mehr unmittelbar, sondern vermittelte sich über besondere Wege den Rezipienten.

Bei dem Sprachgestus „Dialog" ist also die lebendige „Form der
Sprachverwendung, ... bei der thematisch und/oder situativ bestimmte,
intentional gesteuerte ... Äußerungen an einen Partner gerichtet und
beantwortet werden"[8], von der literarischen Form des Dialogs zu unterscheiden, also der „Form von Unterredung in Prosa über ethische, philosophische oder historische Themen"[9]. Zu einer Verobjektivierung dieses
Sprachgestus kann es überhaupt kommen, weil das Element des Unmittelbaren und Lebendigen allem vorausgeht. Selbst wenn ein Dialog als
Fiktion erkannt worden ist, verweist er noch auf die plausible Sprachverwendung in der mündlichen Situation.

1.1.2 In einem literarischen Dialog beabsichtigt der Autor ohne Zweifel, über das vorgelegte Gespräch mit dem Leser in eine Beziehung, einen
Austausch oder eine Diskussion zu treten. Ihm liegt aus Gründen, die
nur das literarische Stück selbst aufdecken kann, an einer Thematisierung

---

[5] Aus Ägypten sind das Fährmannsgespräch (vgl. Donadoni, LÄ I, 1075 ff.; van Voss,
LÄ II, 86) oder das Gespräch des Lebensmüden mit seiner Seele (vgl. ANET 405–407; Otto
1969, 137 ff.; Fecht 1972, 44 ff.; Assmann 1984, 198 ff.) sowie Disput und Klage eines
Ausgeraubten (vgl. ANET 407–410; Fecht, LÄ I, 638 ff.) zu nennen. Aus der Literatur Me-
sopotamiens sind weisheitliche Dialoge (vgl. ANET 410 f.), der Dialog über das menschliche
Elend (vgl. ANET 438 f.) und der Dialog zwischen Herr und Knecht (vgl. ANET 437 f.;
Jacobsen 1981, 239 ff.; Denning-Bolle 1987) hervorzuheben.

[6] Zu nennen sind u. a. das Gespräch zwischen Jahwe und Abraham in Gen 18 oder die
Redewechsel im Buch Hiob (vgl. Würthwein 1970).

[7] Z. B. im IV. Esrabuch (vgl. Harnisch 1983 a; 1983 b) und in Dt-Ezechiel (vgl. Strug-
nell/Dimant 1988).

[8] Lewandowski 1976, 149. In der 4. Auflage wurde der Artikel überarbeitet, in der Sache
aber nicht verändert (vgl. 1984, 216 ff.).

[9] Hermann/Bardy 1957, 928.

der mitgeteilten Inhalte. Da der Autor verstanden werden will, geht er
auf den virtuellen Rezipienten ein und beteiligt ihn an der Darstellung.
Es genügt nicht, in allgemeiner Weise die Notwendigkeit der Fragestellung oder der Mitteilung zu begründen. Mit dem „erfundenen Leser" an
der Seite werden im Dialog Implikationen und Konsequenzen aufgezeigt,
so daß der Schritt über das Literarische hinaus in die Unmittelbarkeit
möglich wird. Es bedarf keiner Erklärung, daß es dabei zu Auseinandersetzungen kommt. Denn die Konformität des „realen Lesers" mit dem
„intendierten Leser" des Dialogs steht keineswegs von vornherein fest.

Die Durchführung des Dialogs arbeitet mit dramatischen Elementen
und Regiestrukturen aus der Sphäre des Theaters[10], um den Rezipienten
in die inhaltliche Thematik zu verwickeln. In direkter Rede und Gegenrede, Frage und Antwort wird die verhandelte Sache vorgeführt, so daß
der Rezipient den Eindruck gewinnt, das dargestellte Gespräch habe
tatsächlich stattgefunden und er sei dessen Zeuge geworden. Der Dia-
log-Autor hat es aber darauf angelegt, Situation A (= literarisch ent-
worfenes Gespräch) mit Situation B (= intendiertes Gespräch über den
literarischen Dialog) zu verschränken. Darum hat der intendierte Ge-
sprächsteilnehmer bereits im als „real" entworfenen Dialog seinen Platz.
In den dialogisch agierenden Figuren ist er „präsent". So wirkt im Dialogverlauf A immanent eine Regie, die über die Textgrenzen in den Verlauf von Dialog B inspirierend, motivierend, kontestierend usw. eingreifen will. Es ist nicht auszuschließen, daß Situation A unter dem Vorzeichen von Situation C, die der Autor und seine Zeitgenossen durchleben,
konzipiert worden ist.

1.1.3 Wenn in literarischen Zusammenhängen eine Formkonstante zu
beobachten ist, liegt die Vermutung nahe, daß sich darin ein signifikantes
Merkmal der zu untersuchenden Literatur anzeigt. Für den Verfasser
bzw. die Trägerkreise solcher Texte impliziert das bevorzugte Sprachmuster die idealen Bedingungen von Plausibilität und Evidenz. Die re-
gelmäßig wiederkehrende literarische Gattung muß als besonders adäquat zur Realisierung einer Mitteilung empfunden worden sein. In dem
Sprachmuster konvergieren also Sachanliegen der Botschaft und kommunikative Bedingungen.

Als besonderer Sprachgestus fällt in der koptisch-gnostischen Text-
sammlung, die 1945 in der Gegend des oberägyptischen Nag Hammadi
entdeckt[11] wurde, der Dialog zwischen dem Soter und seinen Jüngern
auf. Über diesen Sachverhalt urteilt George MacRae: „One of the most
characteristic genres of Gnostic literature is the dialogue between the

---

[10] Daran erinnert auch Denning-Bolle 1987, bes. 231 f.
[11] Zur Entdeckungsgeschichte der Bibliothek von Nag Hammadi vgl. Dart 1976; 1988;
Robinson 1977; 1979 a; 1981; 1984; 1988 a; Rudolph 1984; 1990, 40 ff.

risen Jesus and his disciples in which Gnostic teaching is revealed"[12].
Fordert das Urteil nicht dazu auf herauszufinden, worin der besondere
Charakter der Dialog-Gattung besteht? Könnte mittels dialogischer
Sprachverwendung nicht der Versuch unternommen worden sein, die
Aporie der gnostischen Existenz zu bewältigen, sich als jenseitig zu ver-
stehen und dennoch den Bedingungen des Kosmos ausgesetzt zu sein?

1.2 Forschungsgeschichte

1.2.1 Den ersten Versuch einer gattungskritischen Analyse hat *Kurt
Rudolph* 1966 in dem Artikel „Der gnostische ‚Dialog' als literarisches
Genus"[13] unternommen. Seinerzeit waren ihm nur Schriften aus NHC II
und V zugänglich. Deshalb hat er auch auf jüngere gnostische Traktate
zurückgegriffen[14]. Die Bezugstexte gehören der Gattung „Offenbarungsvortrag" an, in dem der Dialog funktional verwendet wird. Typisch für
den „dialogischen Lehrvortrag"[15] ist eine Gesprächssituation, in die der
Offenbarer mit seiner Lehrautorität die Apostel verstrickt. Diese Interaktion erinnert an das Lehrer-Schüler-Verhältnis bzw. an das didaktische
Frage-Antwort-Schema der Erotapokriseis-Literatur. Aufgrund seiner historischen und literarischen Gesamtbeurteilung hält Rudolph die gnostischen Dialoge nicht für echte Dialoge, sondern für „Fiktionen"[16], die
vom klassischen griechischen Dialog zu unterscheiden sind. Andererseits
besteht kein Zweifel daran, daß dialogische Sprachverwendung im klassischen Theater, im philosophischen Lehrgespräch und in verschiedenen
literarischen Bereichen die Entstehung der gnostischen Dialoge gefördert
hat. Die weite Verbreitung des Dialogischen in der antiken Welt belegt
einen Applikationsprozeß, dem der Dialog fortwährend ausgesetzt war
und in dem er nicht selten zur bloßen literarischen Stilform abgesunken
ist.

In der gnostischen Literatur dominiert der Offenbarungsdiskurs, d.h.
der Lehrvortrag, in dem die erlösende Wahrheit ausgeteilt und nicht
mehr problematisiert wird. „Die Wahrheit ist vorgegeben, wird nicht erst
gesucht"[17]. Diese Grundprämisse ermöglicht, daß es zu literarischen An-
näherungen und Überschneidungen mit anderen Sprachmustern kommt.

---

[12] MacRae 1976, 616; vgl. jetzt Schneemelchers Einleitung zu dem Kapitel „Dialoge des
Erlösers" in: ders. (Hrsg.) 1987, 189 ff.
[13] In: Nagel (Hrsg.) 1968, 85–107.
[14] Vgl. die Liste in: Nagel (Hrsg.) 1968, 90. NHC II lag in der Edition von Krause/Labib
1962 vor; die editio princeps von NHC V ist von Böhlig/Labib 1963 besorgt worden.
[15] 1968, 89.
[16] 1968, 90. Der Begriff „Fiktion" wird nicht weiter geklärt, sondern in einem allgemeinen
Sinn vorausgesetzt.
[17] 1968, 86.

Gnostische Autoren haben die Dialogstruktur aufgegriffen, trotz offensichtlicher Spannungen zwischen der Reziprozität im Dialogmodell und der autoritativen Mitteilung in der Offenbarungsrede.

Im Phänomen der literarischen Formenmischung manifestiert sich der innovierende Übergang auf eine neue Ebene von Sprachverwendung. „Es ist eine eigenständige Literaturform durch die Fortbildung älterer Stilformen entstanden"[18]: der dialogische Lehrvortrag bzw. das gnostische Lehrgespräch.

Das literarische Urteil wird durch historische Argumente ergänzt. Rudolph betont, daß ein Teil der von ihm untersuchten koptischen Texte[19] wahrscheinlich aus dem zweiten Jahrhundert stammt und auf griechische Vorlagen zurückgeht, die durchaus noch älter sein können. Es liegt auch nahe, bei den Verfassern einen gewissen Bildungsstand, d. h. Kenntnisse der griechischen Literatur vorauszusetzen. Diese Vermutung wird durch die Beobachtung verstärkt, daß ebenfalls in der christlichen Literatur des zweiten Jahrhunderts die Dialogform deutlich in Erscheinung tritt, z. B. in EpAp und bei Justin. Im übrigen kommt es in jener Epoche nicht nur zur Renaissance der platonischen Philosophie, sondern auch zur Verbreitung philosophischen Gedankenguts verschiedenster Provenienz. Daher sind Rudolphs Schlußfolgerungen hinsichtlich des Alters der gnostischen Dialoge nicht unbegründet: im unmittelbaren Anschluß an das erste nachchristliche Jahrhundert und unter Rückgriff auf ältere bzw. zeitgenössische Paradigmata sei der gnostische Lehrvortrag in dialogischer Gestalt entstanden.

Mehr in Form einer Vermutung[20] deutet Rudolph an, wo diese Gattung ihren Sitz im Leben gehabt haben könnte. Er ist im hellenisierten Orient, insbesondere in Syrien zu suchen. Hier muß eine Art Institution der Lehrunterweisung[21] bestanden haben, an die gnostische Gruppen anknüpfen konnten. „Die Träger sind die Lehrer und Exegeten der gnostischen Schulen, die neben vielen anderen antiken Literaturformen (wie Brief, Homilie, Diatribe) auch den Dialog und die Erotapokriseis für ihre Zwecke benutzt und entsprechend zurechtgemacht haben"[22]. Über diese Andeutungen geht Rudolph nicht hinaus. Ihm kommt es auf das Phänomen der Aneignung, der Appropriation an, das den innovierenden Übergang in die neue Gattung anzeigt.

---

[18] 1968, 89. Vgl. 106 f.: „Jedenfalls ist der gnostische ‚dialogisch gestaltete Lehrvortrag' in Form einer Offenbarung eine ziemlich eigenständige und frühe Schöpfung des Gnostizismus."

[19] Er nennt AJ, 1ApcJac, EvMar, ApcPl und SJC.

[20] Vgl. 1968, 105–107.

[21] Rudolph verweist auf Bardaisan von Edessa (154–223) und dessen Werk „Buch der Gesetze der Länder"; vgl. auch die Überlegungen von Alfred Adam, 1967, 291 ff.

[22] 1968, 106.

Die neue Gattung verdankt sich der Notwendigkeit, das theologische
Sachanliegen authentisch zur Sprache zu bringen, so daß eine Verwechslung mit dem platonischen Dialog, der Erotapokriseis-Literatur oder der
dialogischen Sprache in Hermetik und jüdischer Apokalyptik ausgeschlossen war. Auffällig in den untersuchten Texten ist, daß die Dialogpartner unter sich bleiben und Fragen klären, die nur das gnostische
Selbstverständnis und dessen Fundamente betreffen. „Eine Diskussion
mit Gegnern ist ... nicht vorhanden"[23]. Das erstaunt um so mehr, als
einige der Texte, auf die Rudolph sich bezieht, aus der Spätzeit der
Gnosis stammen, in der es Auseinandersetzungen mit dem ekklesiastischen Christentum und auch zwischen unterschiedlichen gnostischen
Standpunkten gegeben haben muß. Es liegen aber keine Anzeichen dafür
vor, daß die Dialogform der Kontroverse dient. Auch missionarische
Tendenzen fallen aus. Vielmehr zielt der Dialog ausschließlich auf Be-
lehrung und Erbauung der Gemeinde[24]. Es geht um die gnostische Identität, zu der Faktoren von außerhalb der eigenen Gruppen-Welt nichts
beitragen. Gnosis entsteht an Gnosis. Mit Hilfe eines literarischen Paradigmas wird die Einsicht in gnostische Wahrheit als jenseitige Offenbarung vertieft. Das Bemühen um Verstehen ist demnach eher ein intro-
vertiertes Unterfangen und nicht auf Kommunikation gerichtet, die ein
unwissendes Publikum aufklären soll. „Durch diese Literaturform sucht
die Gnosis sich selbst aufzuklären"[25].

Wenn Rudolph aber von der „Auflösung" des Dialogs und einer „Skle-
rose der Dialogform"[26] spricht, greift er doch auf eine Idealform als
Kriterium zurück. Auch sein Urteil über die Rolle der Fragesteller motiviert zum Nachfragen. Sind sie wirklich nur „Statisten"? Verhelfen sie
mit ihrem Fragen der Offenbarung nicht zur Identität in ihnen selbst?
Wie ist die Relation zwischen Fragesteller und Offenbarer zu verstehen
unter der Voraussetzung, daß ein Erzähler den Dialog redestrategisch
verantwortet? Offen bleibt auch, woher das Material stammt, das in
Dialogform präsentiert wird.

1.2.2 Dem theologischen Stellenwert des gnostischen Dialogs im Zusammenhang frühchristlicher Überlieferungsgeschichte spürt *Helmut Köster* nach[27]. Er geht von der Erkenntnis aus, daß sich die literarische
Entwicklung der frühchristlichen Überlieferung auf mehr als nur einer

---

[23] 1968, 89.
[24] Vgl. 1968, 90.
[25] 1968, 103.
[26] 1968, 87. Der Ausdruck stammt von M.Hoffmann 1966, 162.
[27] Vgl. die von ihm entworfenen Kapitel in: Köster/Robinson 1971, 147 ff.; 191 ff. Eine
konstruktive Auseinandersetzung mit „Entwicklungslinien durch die Welt des frühen Christentums" führen Lührmann 1972, 463 ff.; H.-M. Schenke 1978, 359 ff.; Fischer 1979, 22 ff.

Ebene abgespielt hat. Des weiteren greift er die ‚offene Frage' auf, „ob nicht die verschiedenen Gattungen apokrypher Evangelien unmittelbare Beziehungen zu viel älteren Gattungen von ‚Evangelien'literatur haben"[28]. Wenn diese besondere Art von Kontinuität vorliegt, trägt das ‚Spätere' nicht per se den Makel der Depravation, sondern kann durchaus das ‚Frühe' authentisch repräsentieren[29]. Unter der Berücksichtigung von Struktur, Topik und Disposition solcher Texte, die lange Zeit disqualifiziert im Abseits standen, gelingt es Köster, das Nebeneinander von zwei Evangeliengattungen als konsistentes Phänomen einsichtig zu machen. Sein bevorzugtes Interesse gilt der apokryphen und gnostischen Literatur, weil in ihr die Interdependenz von Struktur und Intention zu neuen Schlußfolgerungen im Blick auf die frühchristliche Literatur nötigt. Jesusworte wurden gesammelt und zusammengestellt. Von der Gattung derartiger Spruchsammlungen nimmt Köster einen Überlieferungsweg zum Dialog an, in dem so die Struktur älterer Paradigmata nachwirkt. Die Dialogtexte der gnostischen Literatur erheben Offenbarungsansprüche, sie wollen „Evangelium" sein.

Bis zu einem gewissen Grad korrespondiert diese Überlieferungsgeschichte der Entwicklung von der weisheitlichen Mitteilung über die hypostasierte Sophia zum gnostischen Erlöser[30]. Am Anfang stand das Weisheitswort, das zusammen mit verwandten Sentenzen o. ä. tradiert wurde. Im Verlauf der Geschichte trat die Gattung der Spruchsammlungen zurück, weil die mündliche Überlieferung der Jesusworte wahrscheinlich an Grenzen gestoßen war. Am Endpunkt der Entwicklung im gnostischen Bereich, in der Pistis Sophia[31], ist der Veränderungsprozeß, dem die Gattung unterliegt, deutlich zu greifen. Offenbarungsrede und Jesuslogien werden „aufgelöst", d. h. gedeutet. Kosequent kommt jene hermeneutische Anweisung zur Anwendung, mit der EvThom (NHC II, 2) beginnt: „Wer die Interpretation dieser Worte findet, wird den Tod nicht schmecken" (80, 13 f.)[32]. Auslegung versteht sich selbst als eschatologisches Ziel gnostischer Existenz. Mit den gnostischen Offenbarungsschriften beginnt die Phase einer neuen Hermeneutik, denn: „Jesus rose, as a

---

[28] 1971, 154.

[29] Paradigma dieses Gedankenganges ist die Beziehung zwischen der Logienquelle Q und dem Thomas-Evangelium einerseits, sowie Q und den kanonischen Evangelien andererseits. In Q spielt das Problem des Todes Jesu keine Rolle. Ebensowenig interessiert, daß die Worte Jesu aus einer bestimmten Geschichte stammen, die Vergangenheit geworden ist; vgl. Vielhauer 1975, 311 ff.; Köster 1980 a, 478 ff.; 584 ff.

[30] Vgl. Robinson, in: Köster/Robinson 1971, 106

[31] Vgl. Rudolph 1990, 32; 83 f.; 351 f.

[32] Übers.: Blatz 1987, 98; vgl. AJ (NHC II, 1) 31, 46; Dial (NHC III, 5) 147, 18-20; Joh 6, 63; 8, 52: „Wenn jemand mein Wort befolgt, wird er in Ewigkeit den Tod nicht schmecken."

revalidation of his word, into the Holy Spirit"[33]. Unter der Führung des
Pneuma als Kriterium von Überlieferung und Verstehen[34] konstituiert
der Dialog den Bezug zur Präsenz des Offenbarers. Jesusworte werden
aus dem Zustand des Gesagtseins in den Augenblick des Gehörtwerdens
zurückgebracht. Auf diesem Weg steigt der Dialog zum „distinctive gnostic *genre* of gospel"[35] auf.

So signalisieren die gnostischen Dialoge den Übergang von der mündlichen in die schriftliche Kommunikation frühchristlicher Überlieferung.
Warum das mündlich tradierte Herrenwort an Grenzen gestoßen ist,
wird nicht weiter verfolgt. Mit dem Hinweis auf die dialogische Sprachverwendung kommt dagegen gleich die Problemlösung in Sicht. Zwar
sind die gnostischen Dialoge „no longer genuine dialogues"[36]. Doch eignet sich die Sprachform besonders gut, um eine fiktive Gesprächssituation zu inszenieren. Angezweifelte Tradition und umstrittene Herrenwor-
te werden im Dialog appropriiert, so daß ihr Anspruch auf Gegenwart
erhalten bleibt. Der Dialog erweist sich als eine spezifische Form der
Interpretation. Durch diese Verfahrensweise[37] konstituieren die Gnostiker ihre Kontinuität mit der Überlieferung. Keineswegs darf man in der-
artig strukturierten Texten „erfundene" Offenbarungsreden sehen. Es
handelt sich bei ihnen vielmehr „um eine Weiterführung der Überlieferung der Sprüche Jesu und um ein Bemühen um ihre Interpretation"[38].

Bei Köster erscheint der Übergang in den gnostischen Horizont wie
ein dialektischer Schritt, der in der Antithese noch die These bewahrt.
Wo bleibt da das Moment der grundsätzlichen und bewußten Distanzierung von allem Vorgegebenen, die Traditionen eingeschlossen? Gehört
nicht auch die Sprache zu den objektiven Gegebenheiten des Daseins,
denen gegenüber das gnostische Denken auf Distanz gehen müßte? Es
stimmt nachdenklich, wenn gnostische Autoren derart viel Aufmerksamkeit auf sprachliche und literarische Gestaltung verwenden. Das Vorkommen des dialogischen Sprachmusters signalisiert darum weniger einen dia-
lektischen Übergang als vielmehr eine Strategie, mit der die prinzipielle
Aporie der gnostischen Literatur aufgefangen werden soll. Den Gnostikern
war sehr wohl an einer eigenen Kommunikationsweise gelegen. Sie haben
nicht auf die Mitteilung ihres Denkens überhaupt verzichtet. Darum muß
der literarischen Dimension und dem kommunikativen Charakter der Dialoge bevorzugte Aufmerksamkeit[39] entgegengebracht werden.

---

[33] Robinson 1982a, 24.
[34] Vgl. schon 1Kor 7,10–12.25.40.
[35] Robinson 1982a, 35.
[36] Ebd.
[37] Vgl. Köster 1980a, 649: „Gnosis erweist sich in der Exegese."
[38] Köster 1979, 556; vgl. Robinson 1982a, 37.
[39] In einem neueren Aufsatz befaßt Köster sich explizit mit gnostischen Dialogtexten
(vgl. 1979, 532 ff.). Einsichten aus den „Entwicklungslinien" werden nur bedingt weiterge-

1.2.3 Seitdem das Quellenmaterial von Nag Hammadi vollständig vorliegt, finden der narrative Akzent und das semantische Signal der Frage neues Interesse.

Narrative Elemente akzentuieren eine bestimmte Intention im kommunikativen Prozeß, der durch den Dialog in Gang gesetzt wurde. Rahmenhandlung bzw. Rahmenerzählung überführen eine Situation, die mehr oder weniger transparent ist, in eine Szene und provozieren die potentiellen Rezipienten. Die Situierung unterstreicht bestimmte Aussagen und Tendenzen von Materialien, die im Dialog zusammenkommen. Das konstante Auftreten der narrativen Elemente ist Ausdruck ihrer hermeneutischen Bedeutung: sie leiten schon geweckte Lese-Erwartungen. Im Phänomen des Fragens ist nicht so sehr eine stilistische Eigentümlichkeit zu sehen. Die Tatsache, daß eine Frage gestellt werden kann, impliziert auch ihre Produktivität. Denn der Sinn, der in der Artikulation einer Frage liegt, gibt die Richtung an, in der eine plausible Antwort gesucht werden kann.

Bei einer Durchsicht der Texte[40] kristallisieren sich zwei Komplexe heraus. Einmal werden die Fragebereiche von Ontologie und Lehre angesprochen. Daneben steht ein zweiter Bereich, in dem die Person des Offenbarers, das Geschick des Gnostikers und seine Rolle in der Welt thematisiert sind. Hier wirken situative Tendenzen ein. Zwischen diesem zweiten Fragebereich und der Rahmenhandlung oder -erzählung bestehen auch die meisten Verbindungslinien. Ist es undenkbar, daß solche Fragen Anhaltspunkte für den Reflexionshorizont geben, in dem der Verfasser der jeweiligen Schrift und die potentiellen Rezipienten sich bewegen?

Die Fragen breiten aus, worauf gnostische Autoren eine Antwort zu geben beanspruchen. Hinter den fragenden Artikulationen müssen ursprüngliche Aussagen und Triebfedern gnostischen Denkens überhaupt vermutet werden. Nicht von ungefähr stellt Hans Jonas als „Programmformel" der Gnosis ein Fragebündel aus den Excerpta ex Theodoto (78,2) des Clemens von Alexandrien heraus: valentinianische Kreise haben als

---

führt. Die Erörterung der Dialoge beschränkt sich auf die didaktisch-katechetische, liturgisch-initiatorische und exegetische Verwendbarkeit dieses Sprachgestus. Den Gedanken der „Entwicklungslinie" nimmt Köster wieder auf, wenn er in seiner jüngsten Monographie den literarischen Weg „From Dialogues and Narratives to the Gospel of John" verfolgt (1990, 173 ff.). Zu Kösters Vorgehen vgl. auch die Anfragen von Schneemelcher, in: ders., 1987, 190 f.

[40] Vgl. EpJac (NHC I, 2) 6, 21–28; AJ (NHC II, 1) 1, 21–29; EvThom (NHC II, 2) 81, 14–18; 82, 25–27; 84, 34; 87, 27–29; 90, 7–10; 99, 12–14; HA (NHC II, 4) 86, 26 f.; 93, 33–94, 2; 96, 18 f. 32; LibThom (NHC II, 7) 138, 4–145, 16; 142, 19 ff.; SJC (NHC III, 4) 91, 2–9; Dial (NHC III, 5) 128, 13 ff.; 138, 20 f.; 139, 14 ff. 21–23; 140, 15 ff.; 1ApcJac (NHC V, 3) 26, 2 ff.; 27, 14 ff.; 29, 1–3; 38, 16–18; EpPt (NHC VIII, 2) 134, 20–135, 2; 137, 13 ff.; PS 119, 17 ff. 28 ff.

erlösend die Erkenntnis „wer wir waren, was wir wurden; wo wir waren,
wohin wir geworfen wurden; wohin wir eilen, woraus wir erlöst werden;
was Geburt ist, was Wiedergeburt" proklamiert[41]. Programmatisch kann
diese Formel deshalb genannt werden, weil ihr das gnostische Seins- und
Bewegungsschema zugrunde liegt. „Hier haben wir, in Aufgaben für die
Spekulation umgesetzt, ... eine vollständige Schematik des gnostischen
Mythos"[42]. Abwärtsbewegung, Aufwärtsbewegung, Soteriologie in der
Korrespondenz beider Bewegungen, dualistische Spannung, der prozeß-
hafte Weg, anthropologische Zuspitzung und gnostische Identität repräsentieren die entscheidenden Elemente des Mythos. Die Liste der Fragen
bietet sich an als „Führer durch ... Mythologie und Spekulation"[43] der
gnostischen Texte bzw. als Kriterium für jene o. g. Fragekomplexe. Variationen der (valentinianischen) Grundfragen begegnen auch in anderen
Traktaten der Nag Hammadi-Sammlung[44] und belegen so ihre große
Bedeutung.

Die erkenntnisleitende Funktion der Frage-Topik äußert sich in den
dualistischen Konsequenzen, zu denen die Fragen führen. M. a. W., die
Fragen werden, einem Netz vergleichbar, über die vorfindliche Welt gelegt, um diese zu demaskieren und den gnostischen Anti-Kosmos zu
offenbaren. Ans Ziel kommt das Fragen aber nicht dadurch, daß Informationen, Aufklärung oder Wissensmitteilung einen objektiven Mangel
überwinden. Vielmehr unterwandert das gnostische Fragen jede Relation
zur vorfindlichen Welt und stellt den Gnostiker auf den Augenblick des
Umschlags ein, in dem wissendes Fragen in Gnosis übergeht. Darum
stehen mit dem gnostischen Fragen keine theoretischen Spekulationen
zur Debatte. Es geht vielmehr um die Konstituierung des gnostischen
Ich. Die valentinianische Programmformel ergreift den Rezipienten über
ihre temporale Struktur. Es gibt in ihr „kein(en) Raum für eine Gegenwart ..., bei deren Gehalt das Wissen verweilen und in seiner Anschauung den Vorwärtsschwung anhalten könnte. Es gibt Vergangenheit und
Zukunft, woher wir kommen und wohin wir eilen, und die Gegenwart

---

[41] Jonas 1964, 261; 206 Anm. 2. Nach Norden (vgl. 1913, 102 ff.) ist die gnostische
„Weltanschauungsformel" aus traditionellen Bausteinen gestaltet, „die sich als halb-philo-
sophische Umprägungen von Glaubenssätzen der althellenistischen Mysterien erweisen"
(109).
[42] Jonas 1964, ebd.
[43] Jonas 1964, ebd.
[44] Der Offenbarer ruft in LibThom (NHC II, 7): „... ergründe dich selbst und erkenne,
wer du bist, wie du bist und wie du sein wirst" (138, 8-10; Übers.: H.-M. Schenke 1989,
25). Und EV(NHC I, 3) versichert: „Wer so erkennen wird, erkennt, woher er gekommen
ist und wohin er gehen wird. Er erkennt wie einer, der, nachdem er trunken war, sich von
seiner Trunkenheit abgewendet hat. Nachdem er sich selbst zuwandte, hat er das Seine
richtig gestellt" (22, 13 ff.; Übers.: Foerster, Gnosis II, 71). Vgl. auch Noema (NHC VI, 4)
36, 27-37, 5.

ist nur der Augenblick der Erkenntnis selber, die Peripetie von der einen zur anderen in der höchsten Krise des eschatologischen Jetzt."[45] Wer sich erkennt, wird der Welt fremd. Geweckt durch die Worte des Offenbarers, transzendiert der Gnostiker sich selbst, indem er sich von sich als Teil des Kosmos distanziert. Dieser Vorgang entspricht einem Rückzug in den Ursprungsbereich, der dem Dasein entzogen ist. In dem Augenblick, in dem das Vorfindliche mit allen Implikationen als Illusion durchschaut ist, wird Gnosis zum Ereignis. Der Gnostiker erkennt seine eigene Prae-Existenz. Erlösung ist darum ein „*Wieder*-Gott-Werden des Menschen: der Mensch wird durch die Gnosis, was er ursprünglich war und eigentlich im Prinzip immer ist"[46].

Es sieht ganz danach aus, als verfolge der gnostische Dialog mit der Frage-Antwort-Struktur katechetische Interessen, sei also ein didaktisch orientierter Vorgang[47]. Dagegen sprechen aber die Vielfältigkeit des Materials, die Verschränkung mit anderen Textsorten und die Redestrategie des Modells selbst. Das gnostische Fragen hat kein Interesse an der Aufhebung eines Defizits an Information o. ä., sondern arbeitet dem Augenblick zu, in dem sich die Peripetie des vorfindlichen Daseins ereignet. Im Vollzug des Dialogs erscheint so eine Bewegung, die über die funktionale Beschreibung von Frage und Antwort hinausgeht, weil zum Prae der gnostischen Existenz zurückgeführt wird. Darum ist der Dialog im gnostischen Horizont weniger Mitteilung über etwas, sondern beansprucht, das Mitgeteilte selbst zu sein.

1.2.4 Der gnostische Dialog läßt sich nicht zurückführen auf vorgegebene Modelle, selbst wenn Parallelen zu oder Überschneidungen mit der Erotapokriseis-Literatur, dem sokratischen Vorgehen oder apokalyptischen Texten das nahelegen sollten.

Als der gnostische Dialog auftritt, befindet sich die Dialoggattung in einer wenig glanzvollen Phase. Schon die späten Dialoge Platons hatten sich zu theoretischen Abhandlungen zurückentwickelt. An die Stelle des Dialogs als philosophischer Reflexionsform sind in hellenistischer Zeit Diatribe und Brief getreten. Eine Ausnahme stellt wohl Cicero dar, der dem rhetorisch strukturierten Dialog im lateinischen Bereich einen festen Platz verschafft hat. Nach einer Zeit der Abwesenheit gewinnt dialogische Sprachverwendung im 1. und 2. nachchristlichen Jahrhundert auch im griechischen Sprachraum wieder Bedeutung. Plutarch und Lukian von Samosata[48] bedienen sich bevorzugt dieses literarischen Paradigmas. Auf

---

[45] Jonas 1963, 20.
[46] H.-M. Schenke 1975 d, 591; vgl. auch ActThom 15.
[47] Das unterstellt z. B. Tröger 1980 b, 20; vgl. auch Köster 1979.
[48] Zu Plutarch vgl. Ziegler, PW XXI, bes. 890 ff.; zu Lukian vgl. Helm, PW XIII, bes. 1728 f.; 1736 ff.; Hermann/Bardy 1957, 942.

die Dialogform als Mittel schriftstellerischer Darstellung greift auch der christliche Apologet Justin zurück. Da er dem Mittelplatonismus nahestand[49], liegt die Vermutung auf der Hand, daß mit der Renaissance der platonischen Philosophie im 2. Jh. ebenfalls das Interesse am Dialog wieder erwacht ist. In der Tat steigt Platons Dialog Timaios zum Rang eines philosophischen Lehrbuches auf. Zusammen mit Elementen aus anderen Schriften dieses Philosophen (z. B. Phaidros 245 C ff), den Werken Homers und Erwägungen der Stoiker bildet jener Dialog die Grundlage für das Denken jener Zeit. „Die platonisch-stoische Mischphilosophie ... hatte sich im 2. Jahrhundert n. Chr. weithin durchgesetzt, so unvereinbar uns auch die Transzendenz des Göttlichen bei Plato und seine Immanenz in der Stoa erscheinen mag"[50]. Wahrscheinlich hat die Popularisierung[51] philosophischer Überlegungen und Darstellungsformen das intellektuelle und religiöse Bewußtsein in besonderer Weise geprägt. Die Plausibilität der dialogischen Sprachverwendung verdankt sich in gewissem Umfang auch diesem Zeitgeist.

Ein Textbereich, der in der Geschichte der Dialoggattung wenig Beachtung findet, sollte nicht unerwähnt bleiben. Die frühchristliche Verkündigung wird zu einem nicht unerheblichen Teil von dialogischer Sprachverwendung getragen. Der Dialog begegnet z. B. als Weggespräch (Lk 24, 13 ff.), Gerichtsdialog (Mt 25, 31 ff.), Lehrgespräch (Joh 3, 1 ff.; 4, 1 ff.), Erscheinungsgespräch (Mt 28, 16 ff.), Berufungs- bzw. Bekehrungsgespräch (Apg 9, 1 ff.; 10, 1 ff.), in Streitgesprächen (Mk 2, 1–3, 6; 10, 1 ff.; 12, 13 ff.) und in Verbindung mit Exorzismen (Mk 1, 21 ff.; 5, 1 ff.; 9, 14 ff.). Ein wichtiges Kennzeichen der matthäischen Redaktionsarbeit in der Überlieferung der Wundererzählungen[52] ist u. a. die Betonung der Gespräche zwischen Jesus und den Kranken. Dafür treten die novellistischen Elemente zurück. Im Johannes-Evangelium gehören die Dialoge mit dem Mißverständnis-Phänomen und dem Zusammenprall gegensätzlicher Sprachwelten zu den zentralen Passagen. Deshalb sagt E. Fuchs, daß es „als ganzes das Evangelium des Dialogs geworden" ist[53]. Auch die paulinischen Briefe erhalten durch die Tatsache, daß sie

---

[49] Vgl. Andresen 1952/53, 157 ff.; Hoffmann 1966, 10 ff.; Köster 1979, 539 f.

[50] Haenchen 1965, 374 f. mit Anm. 1; vgl. Rudolph 1973, 12 ff. (Platonismus und Gnostizismus); Dörrie 1976, 107 ff. Bekanntlich charakterisiert Theiler (vgl. 1966, 104–123; bes. 113 f.) den Zeitgeist im 2. Jh. mit dem Ausdruck „Proletarierplatonismus" (113). Kraft macht für die „Verwilderung" der Philosophie ihren „Kontakt mit den verschiedenen Wissenschaften zweiter Ordnung" (1977, 338) verantwortlich.

[51] U. a. ist zu berücksichtigen, „daß das I. und das II. Jahrhundert unserer Zeitrechnung Epochen der Volkserziehung waren, in denen darauf abzielende Handbücher besonders stark im Umlauf waren" (Ménard 1969, 57).

[52] Vgl. Held 1968, 202 ff.

[53] E. Fuchs 1970, 261.

als Korrespondenz immer die Rezipienten im Blick haben, eine dialogische Tendenz, die für permanente Provokation bei späteren Lesern sorgt. Die Dialogform und das Dialogische bewirken also Vergegenwärtigung, Identifikation, Beeinflussung. Geht es doch in den genannten Textzusammenhängen nicht nur um informative Mitteilungen. Diese pragmatische Grundstruktur teilen die neutestamentlichen Autoren mit der Dialogverwendung im außerchristlichen Umfeld.

Jenseits von direkter Abhängigkeit stehen die literarischen, topologischen und strukturellen Möglichkeiten, die mit dialogischer Sprachverwendung virtuell vorhanden sind. Es ist nicht unbegründet zu behaupten, daß die gnostischen Autoren sich beim Entwerfen ihrer Dialogtexte von einer Kompetenz haben leiten lassen, in der Dialogstrategie und Vertrautheit mit der Tradition der Gattung relevante Faktoren waren.

Als Sprachkonvention mit fast institutionellem Charakter war der Dialog den Gnostikern vorgegeben. Menschen in unterschiedlichen Kulturkreisen und unter je eigenen historischen Bedingungen haben auf diese Sprachverwendung zurückgegriffen. Im Dialog stand ein ideales Paradigma zur Verfügung, um Existenzfragen im Horizont der Erfahrungswelt zu behandeln. Darum gehört der Dialog zur Sprachkompetenz (d. h. zur Tiefenstruktur), die Kommunikation überhaupt ermöglicht. Menschliches Dasein impliziert auch im vorphilosophischen und vorliterarischen Bereich die Suche nach Verständigung, Einverständnis oder positioneller Transparenz. M. a. W., zur Faktizität des Daseins gehört Kommunikation bzw. die Unmöglichkeit, nicht nicht-kommunizieren zu können. Aufgrund dieser Gegebenheit haben sich verschiedene Dialog-Typen entwickelt, die nach Inhalt, Intention und Partizipation der Beteiligten zu unterscheiden sind. Auf jeden Fall ist der Dialog bei solchem Vorgehen immer mehr als nur ästhetische Stilform. Er gehört zur Mitteilung.

Wenn gleichberechtigte Gesprächspartner zusammenkommen, herrscht im Dialogverlauf gewöhnlich Reziprozität. Das Thema wird in kooperativen oder symmetrischen Gesprächsgängen behandelt. Sofern das Ziel aber von katechetischen oder didaktischen Elementen bestimmt ist, nimmt der Dialog asymmetrische Gestalt an. Einer der Dialoganten repräsentiert die Lehr-Autorität. Mit Hilfe der Dialogstruktur will er die Aufnahmebereitschaft bei dem Gesprächspartner für seine Botschaft, Lehre o. ä. steigern. So konstituiert dialogische Sprachverwendung mit ihrer vergegenwärtigenden Dynamik einen Horizont, in dem Identifikation mit dem primären Dialoganten oder mit seinem Sachanliegen möglich werden. Besondere kommunikative Relevanz erhält der Dialog für den Fall, daß er eine Aporie thematisiert. Die Auseinandersetzung zwischen den Dialoganten reflektiert elementare Konflikte, die eine Gesellschaft betreffen und das Dasein in Frage stellen. Zugleich leitet der Dialog einen Suchvorgang ein, der sich an der Überwindung der Krise[54] beteiligt. In die Intention der Aporiebewältigung mischen sich nicht selten belehrende Elemente, die mit der Durchsetzungsfähigkeit z. B. einer gerechten Weltordnung argumentieren und so das Vertrauen in die Lebenswelt stärken wollen. Der Dialog steigt zum Äquivalent von Lehre auf. Er erhebt den Anspruch, ausdrückliche oder implizite Handlungsorientierung zu geben. Wahrscheinlich trägt seine Beteiligung an Umbruchssituationen dazu bei, daß der Dialog auch bei den Gnostikern heimisch wurde. Ihr Selbstverständnis als Fremde im Kosmos hat allerdings – soviel läßt sich schon im Vorgriff auf die Analyse von ApcPt sagen – dem Dialog eine andere Funktion eingepflanzt. Er wurde nicht zur Lösung, sondern zur Radikalisierung der existentiellen Umbrüche eingesetzt.

1.3 Zum Gang der Untersuchung

In dieser Untersuchung geht es also um die Plausibilität dialogischer Rede als kommunikativ-pragmatischer Sprachgestus. Die strukturale Textanalyse und Interpretation von ApcPt stehen im Zentrum. Mit der Entscheidung für ein linguistisch orientiertes Vorgehen ist der Rahmem des Projekts definiert. Die Wahrnehmungen und Sprachbewegungen auf der Textebene haben Vorrang vor einer Diskussion unter dogmengeschichtlichem Vorzeichen oder auf der Grundlage von Sekundärliteratur. Es wird versucht, der philologischen Dimension ebenso gerecht zu werden wie der intentionalen Textur des Traktats. Andere Schriften aus der Nag Hammadi-Sammlung finden Berücksichtigung, um die gnostische Thematik zu vertiefen. Auf neutestamentliche Texte wird nur insoweit Bezug genommen, wie der Autor von ApcPt seine Perspektive mit Hilfe dieser Sprachwelten oder in Antithese zu ihnen artikuliert.

Petrus erzählt im Modus des erinnerten Ich Dialoge, in denen er selbst als Dialogant auftritt und aus einem furchtsamen Jünger in einen Repräsentanten des Soter verwandelt wird. Das Dialoggeschehen gewinnt paradigmatische Bedeutung, weil es die Mächte des Kosmos entmachtet und die Jenseitigkeit der gnostischen Existenz konstituiert. Zunächst erscheint der erzählte Dialog wie ein historisches Referat, nimmt aber im Verlauf der Wechselrede mehr und mehr den Charakter einer Inszenierung an, in der das Geschehen – wie auf der Bühne des Theaters – primär auf den Betrachter und Rezipienten gerichtet ist. Mit redestrate-

---

[54] Vgl. Assmann 1984, 194: „In der Zeit allgemeiner Orientierungslosigkeit erweist sich die Macht der einklangstiftenden Rede ... Nur die Sprache schafft Konsens, Gewißheit und Wirklichkeit. Das gilt in einem ganz umfassenden über das Politische hinausgehenden Sinne.“

gischen und metakommunikativen Mitteln greift der Autor nach dem virtuellen Leser, um ihn in den Dialogprozeß zu verwickeln. Die Übernahme der angebotenen Dialogantenrolle verheißt eine Begegnung mit dem Soter bzw. die Epiphanie rettender Gnosis.

H. Jonas nennt den Logos der Gnosis, mit dem die im Kosmos Gefangenen geweckt werden, „Ruf". Er ist „das innerweltliche Wirklichwerden des Außerweltlichen"[55]. Der Weckruf macht nicht nur das gnostische Daseinsgefühl transparent, er thematisiert in Abbreviatur die Relation von Herkunft und Zukunft. Vor allem aber leitet er die Peripetie in die befreiende Gnosis ein, deren erstes Signal er zugleich ist.

Diese Struktur hat konstitutive Bedeutung für den gnostischen Dialog. Der Autor von ApcPt inszeniert Jenseitigkeit als *diverbium salutis*[56], dessen Botschaft der Rezipient übernimmt. Mit der Verwandlung des Lesers in einen agierenden Dialoganten entsteht gnostische Existenz. In der kommunikativ-pragmatischen Textsorte „Dialog" wird also die spezifische Intention von Gnosis realisiert: sie stellt sich als Ontologie der Befreiung vom Kosmos vor und beansprucht zugleich, ihr Vollzug zu sein.

1.4 Technischer Hinweis

Die Abkürzungen für die biblischen Bücher und das außerkanonische Schrifttum sind aus: RGG, 3 Auflage, VI., Tübingen 1962, XIX ff. übernommen. Für die koptischen Gnostica werden die Sigla benutzt, die der Berliner Arbeitskreis für koptisch-gnostische Schriften eingeführt hat: vgl. Tröger (Hrsg.), 1980, 16 f. Textreferenzen orientieren sich an der Zitationsweise, die in „Nag Hammadi Studies" (ed. by M. Krause, J. M. Robinson, F. Wisse; Leiden 1971 ff.) gebräuchlich ist. Werden Textpassagen zitiert, sind sie mit einem Hinweis auf die Übersetzer und die Ausgabe versehen. Einfachen Textreferenzen liegt „The Nag Hammadi Library in English, ed. by J. M. Robinson, Leiden/San Francisco 1988" (= NHL) zugrunde. Alle anderen Abkürzungen richten sich nach S. Schwertner, Internationales Abkürzungsverzeichnis für Theologie und Grenzgebiete, Berlin/New York 1974 bzw. TRE, Abkürzungsverzeichnis 1976.

---

[55] Jonas 1964, 121; vgl. 126 ff.
[56] Unter „diverbium" ist das „Wechselgespräch zweier Schauspieler auf der Bühne zu verstehen" (Georges 1879, 2097).

2. Einführung in die Analyse der koptisch-gnostischen „Apokalypse des Petrus" (NHC VII, 3)

2.1 Zum Text von ApcPt

Als dritte Schrift in Kodex VII ist auf den Seiten 70, 13–84, 14 die Apokalypse des Petrus (= ApcPt) überliefert. Aus frühchristlicher Literatur sind keine Hinweise bekannt, die den koptischen Traktat des näheren identifizieren. Mit der apokryphen Petrusapokalypse[1] teilt dieser Traktat offensichtlich nur den Namen.

Die Faksimile-Ausgabe der Nag Hammadi - Bibliothek[2] zeigt einen Text, der ziemlich lückenlos erhalten ist. Der Traktat wurde aus dem Griechischen ins Koptische übersetzt, was u. a. Titel- und Schlußzeile (70, 13; 84, 14), der übernommene Vokativ (z. B. 70, 20 f.; 71, 15 f.; 75, 27; 80, 23.31) und eine Fülle von Lehnwörtern dokumentieren. Bei dem koptischen Dialekt handelt es sich um ein frühes Sahidisch, das grammatikalische und orthographische Eigentümlichkeiten[3] aufweist, die auch in anderen oberägyptischen Dialekten lokalisiert werden können. Der Traktat enthält eine Reihe von Schwierigkeiten, die dazu geführt haben, ApcPt „eine gewisse Dunkelheit"[4] zu bescheinigen. Vielfach wird die Gedankenführung unterbrochen. In der Syntax dominieren lange Satzperioden, überladene Wortanhäufungen und eingeschobene Sätze ohne

---

[1] Vgl. Schneemelcher II, 562 ff. Auffällig ist nach Colpe, „daß die Inhalte der griechisch-äthiopischen Apokalypse gegenüber denen der koptischen einen Schwund an historischer Spezifizität aufweisen: sind der koptischen Apokalypse noch genügend Anspielungen auf die historische Situation zu entnehmen, so hat in der griechisch-äthiopischen das zeitlos gemachte Interesse an den verschiedenen Arten des Lebens nach dem Tode allen Raum eingenommen" (1973, 120).

[2] Vgl. The Facsimile Edition of the Nag Hammadi Codices. Codex VII, 1972, 76 ff. Lücken liegen nur in 70, 31; 71, 33.34; 72, 31; 78, 34; 79, 32.33; 80, 33; 81, 32; 82, 32; 83, 33.34 vor.

[3] Brashler (1977, 8 f.) erwähnt: die Schreibweise des bestimmten Artikels ΠΙ-, ϯ-, ΝΙ-; die Verwendung von ΝΤΑ= zur Bezeichnung eines Genitivs; die Verwendung von ΠΗ, ΤΗ, ΝΗ zur Hervorhebung des Substantivs im Relativsatz; den Gebrauch des zweiten Tempusformen; die Verwendung des III. Futurs; auffällige Präpositionen wie ΝϨΡΑΙ ϨΝ oder ϨΙΧΝ̄.

[4] H.-M. Schenke 1975 b, 131; vgl. 1975 a, 277: „ein rätselhafter Text"; ferner Werner 1974, 575: „Vieles an der ApcPt scheint auf den ersten Blick undeutlich"; Koschorke 1978, 11 Anm. 1: „sprachlich außerordentlich schwierig".

eindeutige Referenz. Die Demonstrativpronomina sind vielfach von ihrem Beziehungswort getrennt. Ganz sicher verursachen auch die Perso-
nalpronomina den Eindruck der Mehrdeutigkeit und Beziehungslosig-
keit. Schenke führt die Probleme in erster Linie auf die Inkompetenz
des Abschreibers zurück[5]. In einigen Fällen können textkritische Operationen die Materialmängel ausgleichen. Doch sollte der Hauptgrund für
die Schwierigkeiten nicht so einseitig gesehen werden. Manche Unklar-
heit geht wahrscheinlich auf den Übersetzungsvorgang zurück. Der
Übersetzer war sich nicht immer sicher, wie er die griechischen Partizi-
pialkonstruktionen auflösen sollte. Relativ- und Finalsätze ohne übergeordneten Bezug waren die Folgen. Ebenfalls könnte der Hang zur wörtlichen Übersetzung in einigen Fällen die Undeutlichkeit erklären. Man
muß sich diese Problematik vergegenwärtigen, bevor ein Urteil gefällt
wird, das Konsequenzen für die Sachdiskussion haben könnte.

Von ApcPt liegen Übersetzungen ins Deutsche[6] und ins Englische[7] vor.
Das folgende Kapitel bringt eine eigene Übersetzung mit kommentierenden Erläuterungen, in denen Alternativen und Varianten genannt werden.

2.2 Die theologische Einschätzung von ApcPt

Kontrovers ist die Einschätzung des Traktats in textsemantischer Hinsicht. Colpe spricht von einer „Verworrenheit", „die auch den durch
Klarheit der Gedankenführung nicht verwöhnten Leser gnostischer Texte
... zögern läßt"[8], weitreichende Urteile zu fällen. Für diesen Eindruck
kann keinesfalls gnostische Mythologie verantwortlich gemacht werden,
die in ApcPt „mehr vorausgesetzt als entfaltet"[9] ist. Ob die Dunkelheit
mancher Aussagen, das „Durcheinander" und die „Unklarheiten" in
„Rahmen und Aufbau"[10] dem Verfasser angelastet werden müssen, erscheint fraglich. Das Sperrige des Textes könnte darin begründet sein,
daß gnostisches Denken in großer Selbstverständlichkeit und ohne Rück-
sichtnahme auf Konventionen der Überlieferung sich aneignet, was der

---

[5] Vgl. 1975b, 131; ferner Werner 1974, 575: „es scheint ... oft so, als sei der Kopist
... dieser ... Ausgabe der ApcPt dem Duktus der von ihm abzuschreibenden Gedanken
nicht voll gewachsen".

[6] Krause/Girgis 1973, 152 ff.; Werner 1974, 575 ff.; ausgewählte Passagen hat Koschorke in seiner Monographie (1978) abgedruckt; Werner 1989, 633 ff.

[7] Brashler 1977, 8 ff.; Brashler/Bullard, in: Robinson (ed.) 1988a, 373 ff. Die Überset-
zung von S. Kent Brown/C.Wilfred Griggs war mir nicht zugänglich. Für die Bibliothéque
Copte de Nag Hammadi (éd. J.-E. Ménard, Laval/Québec) bereitet J.-Daniel Dubois die
Übersetzung vor.

[8] Colpe 1973, 119.

[9] Werner 1974, 575; vgl. Berliner Arbeitskreis 1973, 62.

[10] Werner ebd.

Aussageabsicht nützt. Geduldige Lektüre führt zur Einsicht in die Textkohärenz[11], ohne daß Auslegungsprobleme simplifiziert werden. Es
kommt also darauf an, das Worumwillen des Textes als das zu erkennen,
was Struktur und Komposition bestimmt.

Nicht zu übersehen ist die Tendenz, Petrus die Funktion des Offen-
barungsempfängers und Begründers einer christlichen Gnosis[12] zuzuweisen:

„Du aber, Petrus, bleibe bei mir,
vollkommen in deinem Namen,
bei mir, der ich dich erwählt habe.
Denn von dir (her) habe ich einen Anfang
gemacht auch für die übrigen,
die ich zum Erkennen eingeladen habe." (71,15–21)

„Höre also jetzt
auf das, was dir gesagt wird
als Geheimnis! Und bewahre es!
Wirf es nicht den Söhnen dieses Äon hin!" (73,14–18)

„Das nun, was du gesehen hast,
sollst du den Fremden anvertrauen,
das sind die,
die nicht aus diesem Äon stammen." (83,15–18)

Außer in ApcPt erscheint Petrus als Zentralfigur einer gnostischen Schrift
in ActPt (NHC VI, 1) und EpPt (NHC VIII, 2). In EpJac (NHC I, 2) wird
Petrus neben Jakobus als Empfänger von Offenbarung herausgestellt.
Dieses Faktum darf nicht verwundern, werden doch in der frühchristlichen Literatur zahlreiche pseudonyme Schriften dem Apostel Petrus zugeschrieben[13].

Die hervorragende Rolle der Petrusfigur in ApcPt scheint auch der
Grund für die Präsenz judenchristlichen Gedankenguts[14] in dieser Schrift

---

[11] Vgl. Koschorke 1978, 14: „Der Aufbau von ApcPt ist ... in seinem Grundgerüst von
prägnanter Klarheit".

[12] Vgl. Perkins 1980, 113 ff.

[13] Außer den kanonischen Petrusbriefen wären zu nennen: das Evangelium des Petrus
(Mitte des 2. Jhs.; vgl. Schneemelcher I, 180 ff.); die griechische Petrusapokalypse (1. Hälfte
des 2. Jhs.; vgl. Schneemelcher II, 562 ff.); die Kerygmata Petrou der pseudoclementinischen
Literatur (2. Jh.; vgl. Schneemelcher II, 479 ff.); die Petrusakten (Ende des 2. Jhs.; vgl.
Schneemelcher II, 479 ff.); das Kerygma Petrou (1. Hälfte des 2. Jhs.; vgl. Schneemelcher
II, 34 ff.).

[14] Vgl. Colpe 1973, 121; Werner 1974, 575; 1989, 635 f.; H.-M. Schenke 1975 b, 130:
„Das Substrat der hier mehr vorausgesetzten als entwickelten Gnosis ist unverkennbar
judenchristlich".

zu sein. Es begegnen Traditionen, die u. a. im Matthäusevangelium eine wichtige Rolle spielen. Doch gibt das Etikett „judenchristlich" nur relative Informationen über den theologiegeschichtlichen Ort des Traktats und gestattet keinen Vergleich mit Schriften, die ebenfalls in diese Rubrik eingeordnet werden. Die behauptete Affinität zu judenchristlichem Denken wird noch des näheren zu untersuchen sein, weil der Verfasser von ApcPt sich keineswegs wie ein treuer Sachwalter dieser Tradition verhält.

Es gibt zahlreiche Hinweise dafür, daß „die Basis der ApcPt eine ganz bestimmte (gnostisch-revolutionäre) Exegese der Evangelien-Tradition, namentlich der Passionsgeschichte ist"[15]. Deshalb sehen einige Ausleger das Matthäusevangelium als den grundlegenden Text an, den der Vf. voraussetzt[16]. Der Traditionsbezug und die Problematik einer Gruppenzugehörigkeit sind aber wesentlich komplexer. Liefert die zustimmende Verwendung der Logientradition einen Anhaltspunkt für weitere Überlegungen?

ApcPt belegt das Phänomen einer christlichen Gnosis, die in Petrus ihre Zentralgestalt hatte. Aus den Schriften des Ignatius von Antiochien (ca. 100 n. Chr.), der selber einen paulinischen Christentumstyp vertrat[17], erfährt man von der Existenz enthusiastischer Christen. Wahrscheinlich ist Ignatius durch das gnostisierende Gegenüber im frühen 2. Jahrhundert dazu provoziert worden, in seinen christologischen Aussagen die theologische Relevanz der Kreuzigung Jesu und die menschliche Wirklichkeit der Offenbarung herauszustellen. Das gibt auch der Hypothese von Syrien als dem „Ursprungsland der christlichen Gnosis"[18] hohen Argumentationswert. Was liegt dann näher, als Entstehung und Herkunft von ApcPt in dieser Region[19] anzusetzen? – Eine absolute Entscheidung wird man in der Frage des Abfassungsortes schwerlich treffen können, da der Traktat nur in koptischer Übersetzung vorliegt. Dieser Schrift muß es ebenso ergangen sein, wie anderen gnostischen Schriften, die im syrischen Raum entstanden sind[20] und in Ägypten einen zweiten Sitz im Leben gefunden haben.

Hinsichtlich der Abfassungszeit von ApcPt sind verschiedene Details zu berücksichtigen, die aber auch nur zu hypothetischen Erwägungen führen. Die koptische Übersetzung wurde vor der ersten Hälfte des 4. Jahrhunderts angefertigt. Darauf weisen Papyri, die zur Verstärkung

---

[15] H.-M. Schenke 1975 a, 279.
[16] Davon gehen neben H.-M. Schenke auch Stanton 1977, 67 ff.; Koschorke 1978, 16 ff.; 192 ff.; Perkins 1980, 118 f. und Köhler 1987, 404 ff. aus.
[17] Vgl. Köster 1980 a, 717 ff.
[18] Köster 1980 a, 647 ff.
[19] Vgl. Koschorke 1978, 16: „Es erscheint verlockend, diese Petrusschrift der syrischen Petrus-Tradition zuzuweisen".
[20] Z. B. AJ (NHC II, 1; IV, 1; III, 1; BG 2); EvThom (NHC II, 2); Dial (NHC III, 5); 1ApcJac (NHC V, 3); 2ApcJac (NHC V, 4).

der Buchdeckel von NHC VII verarbeitet worden sind[21] und zwei Emp-
fangsbestätigungen für Korn mit den Jahreszahlen 339 und 342 n. Chr.
enthalten. Geht man davon aus, daß die Überlieferung des griechischen
Textes und die Übersetzung in Ägypten einen größeren Zeitraum in Anspruch genommen haben, kommt man in die Mitte des 3. Jahrhunderts.
Aus Angaben des Traktats selbst erschließt Koschorke eine kirchenpo-
litische Kontroverse, die für eine „Entstehung (sc. der Schrift) Anfang
bis Mitte des 3. Jahrhunderts"[22] spricht. Er sieht in ApcPt die „Kampf-
schrift einer Minderheit"[23]. Stellt man jedoch die komplexe Überlieferungsgeschichte des judenchristlichen Gedankenguts in Rechnung, müßte
man mit der Möglichkeit rechnen, daß die griechische Version von ApcPt
oder Teile dieser Schrift früher anzusetzen sind. Die situativen Konkretionen erweisen sich bei näherer Betrachtung als wenig hilfreich zur Lokalisierung der behaupteten Kontroverse.

2.3 Das Problem „Apokalyptik und Gnosis"

Die Inscriptio (70, 13; vgl. 84, 14) muß direkt aus dem Griechischen
übertragen worden sein. Zwischen Titel und Inhalt besteht jedoch kein
zwingender Zusammenhang im Sinne einer Gattungsbezeichnung[24].
Wahrscheinlich wird christlicher Sprachgebrauch (vgl. Apk 1, 1) nachge-
ahmt. Allerdings suggeriert die Titelangabe einen bestimmten Sinnhori-
zont und evoziert Lesererwartungen, die dem korrespondieren. M. a. W.,
wer für die Inscriptio verantwortlich ist, wollte die Schrift als apokalyptisch qualifizierte Mitteilung verbreiten. Vom Inhalt kann man auf das
zurückschließen, was der Redaktor als „Offenbarung" versteht. Unter
dieser Voraussetzung wird eine eigenwillige Verschränkung gnostischer
und apokalyptischer Tendenzen in ApcPt bedeutsam.
   Dieser Sachverhalt unterstreicht die gattungskritische Perspektive und
drängt auf eine Erörterung des Verhältnisses von Apokalyptik und Gnosis. Denn ApcPt ist keine Ausnahme in den Nag Hammadi-Schriften[25].
Einige Traktate beanspruchen mit ihren Titelangaben den apokalyptischen Denkhorizont:

---

[21] Vgl. Barns 1975, 9 ff.
[22] Koschorke 1978, 17 (dort gesperrt). Auch Werner (1974, 575 f.) und Brashler (1977,
245) ordnen die Schrift diesem Zeitraum zu. Anders T. V. Smith (1985, 135), der eine
wesentlich frühere Datierung vorschlägt; vgl. jetzt auch Werner 1989, 634 f.
[23] Koschorke 1978, 89.
[24] Zur Problematik der Inscriptio „Apokalypse" vgl. Vielhauer/Strecker 1989, 493. Ana-
loges gilt für den Titel „Evangelium" in mehreren Nag Hammadi-Traktaten; vgl. Robinson
1971, 72 ff.
[25] Vgl. MacRae 1976, 616; Ménard 1978, 159 ff.; Fallon 1979, 123 ff.; Janssens 1980,
69 ff.; Krause 1983, 621 ff.

ApcPl (NHCV,2) 17,19–24, 9
1ApcJac (NHCV,3) 24,10–44,10
2ApcJac (NHCV,4) 44,11–63,33.

Gnostische Apokalypsen ohne titularen Hinweis sind:

ParSem (NHCVII,1) 1,1–49,9
Noema (NHCVI,4) 36,1–48,15.

Schließlich gibt es eine dritte Gruppe von Traktaten, die Passagen enthalten, in denen der apokalyptische Tenor evident ist:

HA (NHCII,4) 126,32–127,17
Dial (NHCIII,5) 120,1–147,23
Zostr (NHCVIII,1) 1,1–132,9
Allog (NHCXI, 3) 45,1–69, 20
Protennoia (NHCXIII) 43,4–44,29.

Dafür, daß auch in paganen Gnostikergruppen apokalyptische Denkstrukturen bekannt waren, liefert Askl (NHCVI,8) 70,3–74,17 den Beweis.

Es sieht so aus, als spreche der statistische Befund für den problem-
losen Übergang von Apokalyptik zur Gnosis. Zumindest können Apokalyptik und Gnosis nicht mehr als einander ausschließende Gegensätze
behauptet werden, seit die Nag Hammadi-Traktate bekannt geworden
sind.

Nicht von ungefähr hat Colpe in seiner Rezension von ApcPt[26] an
Adolf Hilgenfeld erinnert, der im 19.Jahrhundert die Konvergenz von
Apokalyptik und Gnosis behauptet hatte. Mit welchen Kriterien soll dieser Vorgang beurteilt werden? Umgreift Hengels Formel „Höhere Weisheit durch Offenbarung"[27] beide Phänomenbereiche? – Vielhauer bemerkt jedoch im Hinblick auf die gattungskritische Problematik: „Aber
im allgemeinen scheinen die Gnostiker diese Gattung nicht als adäquaten
Ausdruck ihres auf Soteriologie und Anthropologie gerichteten Interesses
empfunden zu haben ... Die als ‚Apokalypsen' betitelten gnostischen
Schriften sind Offenbarungsreden, die gelegentlich bei der jüdischen Gattung Stilelemente entleihen, nicht aber nach ihrem Modell geschaffen
sind."[28]

---

[26] Vgl. 1973, 121 Anm.48; s. auch H.D. Betz 1968, 268f.
[27] Hengel 1988, 381.
[28] Vielhauer 1975, 527.

2.3.1 ApcPt – eine gnostische Apokalypse?

Ungeachtet der von Vielhauer artikulierten Reserve – ihm war die vollständige Kenntnis des gnostischen Textmaterials noch verwehrt – sind die von ihm als Stilelemente herausgestellten Merkmale[29] von einigen Auslegern benutzt worden, um ApcPt gattungskritisch einzuordnen.

Brashler rekurriert in seiner Dissertation[30] ausdrücklich auf jene Stilelemente und identifiziert sie in ApcPt[31]. Zwar mögen gnostische Tendenzen aufs Ganze gesehen dominieren, die Signale der Gattung „Apokalypse" bleiben evident. In der Einleitung zur englischen Übersetzung des Traktats in NHL konstatiert Brashler: „This document belongs to the literary genre of the apocalypse."[32] Er hebt vor allem die Visionsberichte („vision reports") hervor, die sein Urteil zwingend begründen sollen. Wie in jüdischen Apokalypsen übernehme der Soter die Rolle des angelus interpres, der die Visionen des Propheten oder Sehers deutet. Mit der Übernahme dieser Gattung verbinde der Vf. die Aufgabe, „to present a Gnostic understanding of Christian tradition about Jesus"[33]. Die Gattung „Apokalypse" stelle sicher, daß gnostische Eschatologie und gnostisches Selbstverständnis in diesem Traktat adäquate sprachliche Mitteilungsform finden.

Wesentlich formalistischer geht *Krause* vor. Auch er[34] orientiert sich an den von Vielhauer genannten Stilelementen und Motiven: u. a. Pseudonymität, Visions- und Auditionsbericht, Geschichtsüberblick in futurischer Form. Seine Aufstellung zeigt, daß alle Kriterien in ApcPt vertreten sind. Aufgrund dieses inventarisierenden Befundes reiht er mit „einigen Bedenken" diese Schrift in die Gattung der „Apokalypsen"[35] ein, die ihren Titel zu Recht tragen.

Im Zusammenhang des von John J. Collins edierten Projekts „Apocalypse: Morphology of a Genre" hat *Fallon* auch die gnostischen Apokalypsen analysiert[36]. Grundlage seiner Analyse ist folgende Definition von Collins: „a genre of revelatory literature with a narrative framework, in which a revelation is mediated by an otherwordly being to a human recipient, disclosing a transcendent reality which is both temporal, in-

---

[29] Vgl. Vielhauer 1975, 485 ff.; 1989, 491 ff.
[30] 1977, 70 ff.: The literary character of the genre Apocalypse.
[31] Vgl. 1977, 121 ff.: A genre analysis.
[32] NHL372; vgl. Brashler 1977, 118; 144 und seine Arbeitsdefinition der Gattung „Apokalypse" (95): „An apocalypse is an esoteric written account of a symbolic visual revelation, mediated and/or interpreted by a celestial figure to a pseudonymous authority figure, which discloses a trans-historical basis for a self-understanding that will encourage the recipients in the face of opposition".
[33] NHL372.
[34] Krause 1983, 622 f.
[35] 1983, 628; vgl. 623.
[36] 1979, 123 ff.

sofar as it envisages eschatological salvation, and spatial, insofar as it involves another, supernatural world"[37]. An sämtliche Texte – auch die gnostischen – wird ein Basisparadigma herangetragen, dessen Elemente „otherwordly journey", „historical review", „cosmic eschatology", „personal eschatology" in einem raum-zeitlichen Koordinatensystem zur Geltung kommen. Vor diesem Paradigma erscheint das Profil der apokalyptischen Schriften. Fallons Vorgehen unterscheidet sich durch phänomenologische Weite von der begrenzten Perspektive in Krauses Analyse. Dadurch kann er Nag Hammadi-Traktate in seine Untersuchung aufnehmen, die in o. g. Liste nicht aufgeführt sind. Freilich verhindert das Paradigma auch, daß die Individualität einer Schrift bzw. ihre gattungsgeschichtliche Eigenart zur Sprache kommt.

Bei Fallon findet sich eine wichtige Feststellung: „In the gnostic apocalypses, what is prominent is the spoken word"[38]. Im Unterschied zu Brashler und Krause hebt er das dialogische Element besonders hervor. Abweichend vom üblichen gnostischen Szenarium wird keine Epiphanie des Soter vom Himmel her geschildert: „... evidently because the dialogue is set in a context prior to the death and resurrection"[39]. Dennoch verzichtet der Vf. nicht auf das Lichtphänomen; es wird mehrfach als Szenensignal eingebracht.

Auch *Perkins* erwähnt in ihrer Monographie[40], daß der gnostische Dialog Wurzeln in der jüdisch-apokalyptischen Literatur hat. Jedoch sei damit noch keine ausreichende Grundlage für eine Gattungsbestimmung gegeben. Die vielfältigen biblischen und hellenistischen Einflüsse erlauben es nicht, die gnostischen Dialogtexte mit anderen Gattungsmustern zu identifizieren. Im Falle von ApcPt gibt die Gesamtkomposition aber einen Hinweis, der vielleicht auf den Stellenwert der Schrift und ihre Mitteilungsintention Rückschlüsse gestattet: „The revelation to Peter takes place in the temple prior to the passion – and thus stands in the place of the Synoptic apocalypse"[41]. Allen Einwänden und Vorbehalten zum Trotz scheint Perkins ApcPt als eine gnostische Apokalypse sui generis anzusehen.

2.3.2 Kritische Anfragen

Gemeinsam ist diesen Analysen und Feststellungen, daß sie die grundsätzliche Aporie vernachlässigen, die mit dem literarischen Phänomen „Apokalyptik" gegeben ist. Schon G. von Rad hat darauf aufmerksam

---

[37] 1979, 124; vgl. 9.
[38] 1979, 125.
[39] 1979, 133.
[40] The Gnostic Dialogue 1980, 19 ff.; vgl. z. B. 25 und ebd. Anm. 1.
[41] 1980, 116; vgl. Koschorke 1978, 13.

gemacht, daß „... die Apokalyptik in literarischer Hinsicht keine besondere ‚Gattung' repräsentiert. Sie ist im Gegenteil in formgeschichtlicher Hinsicht ein mixtum compositum, das überlieferungsgeschichtlich auf eine sehr komplizierte Vorgeschichte schließen läßt"[42]. Es ist bisher noch nicht gelungen, die apokalyptisch genannte Literatur in ein kohärentes Schema zu bringen, das jene Aporie behebt.

Konsens besteht in den Vorbehalten gegenüber einer einseitig motivgeschichtlich oder religionsphilosophisch orientierten Interpretation. H. D. Betz[43] wendet sich gegen eine einlinige Ableitung von Apokalyptik aus dem Judentum und betont die Eingebundenheit in das spätantike Denken. Es genügt nicht, traditionelles Material oder fremdartige Motive zwecks Identifikation zu bemühen. Entscheidender sind die Fragestellungen, von denen die Autoren sich haben leiten lassen. „An das Wesen der Apokalyptik – wie jedes anderen religionsgeschichtlichen Phänomens – wird man dann am ehesten herankommen, wenn man ihre Fragestellungen auffindet und sieht, wie von ihnen aus das Traditionsmaterial, das heterogenen Ursprungs sein kann, interpretiert wurde ... Es geht dabei ganz gewiß um mehr als nur um eine Anpassung an neue geschichtliche Verhältnisse, bei der die Sache selbst unangetastet bleiben kann! Unter dem Zwang neuer Fragestellungen wird vielmehr das Traditionsmaterial umgeformt und umgebildet, so daß es zu etwas ganz Anderem, Neuem wird."[44]

Aus den hermeneutischen Reflexionen zur Interpretation apokalyptischer Texte sind zwei Schwerpunkte besonders zu nennen. Es ist erkannt worden, daß wissenssoziologische Kategorien geeignet sind, das Phänomen „Apokalyptik" von der Aura der Abstrusität zu befreien und als theologische Antwort auf eine epochale Konstellation zu würdigen[45]. Das Interesse gilt dann, und das ist der zweite Schwerpunkt, dem literarischen Charakter der apokalyptischen Texte. Unter Berücksichtigung textlinguistischer Kriterien gewinnt die gattungskritische Perspektive erneut Relevanz. Bei Brashler deutet sich diese Akzentverlagerung an[46]. Er bleibt aber den von Vielhauer aufgestellten Normen verpflichtet. Wenn dagegen erkannt wird, daß einmal formulierte Gattungsdefinitionen keine ewigen Gesetze darstellen, blickt man mit Aufmerksamkeit auf die Kombination verschiedener Formelemente oder Differenzen gegenüber konventionellen Schemata. Aus den Wahrnehmungen zur Synchronie und Diachronie der Texte ergeben sich Anhaltspunkte, die

---

[42] Von Rad 1965, 330 Anm. 28; vgl. Steck 1968, 445 ff.; Harnisch 1969, 9; Hartman 1983, 329 ff.
[43] 1966, 391 ff.; vgl. 394 die explizite Bezugnahme auf W. Bousset.
[44] 1966, 393 f.
[45] Vgl. Collins 1975, 32 ff.; Hanson 1976, 28 ff.; K. Müller, TRE III, 202 ff.
[46] Vgl. 1977, 75 f.

Rückschlüsse auf die „Gattung"[47] erlauben. Wird die Interdependenz von Struktur und Intention beachtet, erscheint die Individualität der Texte eher als aufgrund von apriorischen Wesensbestimmungen des zur Diskussion anstehenden Phänomens.

Diese exkursartigen Hinweise zum Phänomen „Apokalyptik" erfüllen eine doppelte Funktion:

Einmal warnen sie davor, einen umstrittenen Sachzusammenhang in einen nicht weniger problematischen Bereich, d. h. die Gnosis, einzuführen[48], um diesen zu interpretieren. Es ist kurzschlüssig, die oft beobachtete Formmischung in apokalyptischer Literatur mit den Aneignungstendenzen gnostischer Autoren[49] strukturell zu identifizieren. Viel wichtiger wäre es, die Funktion eines Formelements im Kontext und im Gegenüber zu primären Aussageabsichten zu erkennen. Denn auf ein Indiz hin wird man einen Verfasser kaum festlegen können. Was ist z. B. für das Gesamtverständnis von ApcPt gewonnen, wenn in 80, 9–23 der endzeitliche Inversionstopos konstatiert wird? Liegt die gnostische Schrift dann etwa auf derselben Ebene wie Lk 1, 46 ff.; Mt 20, 16? Verändert sich die Aussageabsicht des apokalyptischen Arguments nicht im gnostischen Horizont?

Zum anderen ermutigen Interpretationserfahrungen mit apokalyptischen Texten dazu, den textlinguistischen Ansatz aufzunehmen. Es besteht Anlaß zu der Vermutung, daß die inventarisierende Analyse gnostischer Texte hermeneutisch überwunden werden kann. Insbesondere muß bei stärkerer Wahrnehmung der Textstruktur geklärt werden, warum Gnostiker mit Präferenz bestimmte Sprachmuster, z. B. den Dialog, in ihren Schriften verwenden. Die Erklärung, daß es sich um ein Stilelement der Gattung „Apokalypse" handelt, wird dem Sachverhalt nicht gerecht.

Diese Hinweise sind schließlich auch von Bedeutung für die umfassendere Frage nach einem Ursprungszusammenhang zwischen Judentum und Gnosis. Immer wieder sind dazu in der Vergangenheit Behauptungen aufgestellt oder Vermutungen geäußert worden[50]. Seit die Nag Hamma-

---

[47] Schon Köster (vgl. Köster/Robinson 1971, 253 f.) hat in diese Richtung gewiesen. Unter textlinguistischem Aspekt skizziert Hartman (1983) das Gattungsproblem in der apokalyptischen Literatur.

[48] Der 1966 in Messina unternommene Versuch, zu einer international verbindlichen Sprachregelung für die Gnosisforschung zu gelangen (vgl. Colpe 1969, 129 ff.; Böhlig 1978, 496 ff.), hat sich nicht durchsetzen können. Bezeichnenderweise sind ähnliche Bemühungen 1979 in Uppsala für das Gebiet der Apokalyptik auch erfolglos geblieben (vgl. Stegemann 1983, 526 ff.).

[49] Vgl. Schlier 1975, 504 ff.: „Gnosis als Interpretationsprinzip".

[50] Zu nennen wäre hier außer Hilgenfeld (1857) noch Friedländer (Der vorchristliche jüdische Gnosticismus, Göttingen 1898), der die jüdischen Radikalen der Diaspora, vor allem aus dem Milieu Alexandrias, für das Entstehen der Gnosis verantwortlich macht. Grant (1959, 29 ff.; 34 ff.; 118) bringt das Auftreten der Gnosis mit den gescheiterten Erwartungen im Umkreis des jüdisch-römischen Krieges in eine ursächliche Verbindung.

di-Texte vorliegen, ist die Grundlage gegeben, jene Frage ohne Einschränkung zu behandeln. Ob diese Beziehung zwischen Judentum und
Gnosis ein akzidentieller Motivzusammenhang ist oder tiefere Wurzeln
hat[51], kann nur aufgrund von Textanalysen erfragt werden.

2.4 ApcPt – argumentative Polemik?

Ein weiterer Problemkreis, der für das Gesamtverständnis wesentlich ist,
geht auf strukturelle Beobachtungen zurück. Aus der Tatsache, daß
ApcPt ständig von Widersachern spricht, wird auf eine polemische
Grundtendenz geschlossen. Die dialogische Sprachverwendung signali-
siere eine kontroverse Situation. Vor allem *Ph. Perkins* und *K. Koschorke*
stellen mit unterschiedlichen Akzenten die polemische Funktion der gnostischen Schrift heraus. Ihrem Urteil zufolge liegt ein Beispiel von Kon-
troversliteratur vor.

2.4.1 Dialog und Kontroverse

Perkins meint, einen „ausbeuterischen" Umgang der Gnostiker mit dem
Dialogmodell anderer spätantiker Bereiche feststellen zu können[52]. Daraus sei der gnostische Dialog als Mitteilung von exklusiver Offenbarung
entstanden. Unter Berufung auf Erwägungen von James M.Robinson
schreibt sie: „The revelation dialogue seems to have been as characteristic
of Christian Gnostics as the Gospel was of the orthodox Christians."[53]
Aus den vorliegenden Traktaten leitet sie die literarische Gattung „gnostischer Dialog" ab und rekonstruiert ein „pattern", das die Komposition
einer jeden Schrift geleitet haben soll. Dieses „pattern" erhält sein Profil
durch die Rahmenerzählung, übereinstimmende Motive, bevorzugte Gattungselemente und typische Inhalte[54]. So gewinnt die Analyse der disparaten gnostischen Dialoge einen Generalnenner: „... their overriding con-
cern is apologetic. The revelation dialogue locates the Gnostic over
against the wider religious milieu – usually to show that gnosis is the

---

Blumenberg (1958, 94 ff.) stellt das Schwinden der Naherwartung als den Entstehungsgrund
der spätantiken Gnosis dar. Sie sei eine Antwort auf die beunruhigende Daseinskrise (vgl.
112 f.). Adam urteilt im Blick auf zeitgeschichtliche Ereignisse in der zweiten Hälfte des
1. nachchristlichen Jahrhunderts: „Die gesteigerte Apokalyptik mußte bei der Wendung in
die Spiritualisierung umschlagen in Gnosis" (1965, 56). Eine Skizze der Diskussion bietet
Weiß 1969 a, 540 ff.; vgl. auch Koch 1982, 8 f.
[51] Vgl. Rudolph 1975 b, 768 ff.; MacRae 1983, 317 ff.; Kippenberg 1983, 751 ff.
[52] Vgl. 1980, 19 ff.
[53] 1980, 26. Sie bezieht sich auf einen frühen Aufsatz von Robinson: „On the Gattung
of Marc (and John)" (1970).
[54] Vgl. die schematischen Übersichts-Darstellungen (1980, 30; 42–44; 61; 69).

higher wisdom revealed at the source of the tradition in question"[55]. Was an biblischen, mythologischen, spekulativen oder liturgischen Motiven und Inhalten festgestellt werden könne, diene ausschließlich dieser Funktion. Der gnostische Dialog bringe mit diesen Elementen vorzüglich Soteriologie und das gnostische Selbstverständnis zur Sprache. Sitz im Leben dieser Gattung sei die Konkurrenzsituation zwischen christlichen Gruppierungen in nachapostolischer Zeit. Aus dem Interesse an Selbstbegründung und Selbstbehauptung sei der polemische, argumentative und apologetische Akzent zu erklären. In diesem Generalnenner liegt nach Perkins das Spezifikum, mit dem die Gnostiker die erkenntnisleitenden Vorgaben anderer Dialogmodelle überboten hätten. Ganz ohne Zweifel ist diese Interpretationsperspektive durch weitreichende Prämissen bestimmt. Mit einem systematisierenden Ansatz zwingt Perkins die individuellen Texte in ein „pattern" und nivelliert dadurch Sachfragen, die zwischen den Dialogen selbst kontrovers behandelt werden. Darüber hinaus setzt sie kultursoziologische Entwicklungen voraus – z. B. den Übergang von der Mündlichkeit religiöser Überlieferung zur Verschriftlichung[56] – deren Relevanz gesondert diskutiert werden müßte. Ziel ihrer Darstellung ist es, das sollte nicht unerwähnt bleiben, die Faszination des modernen Geistes[57] durch die spätantike Gnosis kritisch in Frage zu stellen.

Während Perkins ihr Urteil für alle gnostischen Dialogtexte geltend macht, beschränkt *Koschorke* seine Analyse auf ApcPt (NHC VII, 3) und TestVer (NHC IX, 3)[58]. Sein Vorgehen ist weniger exegetisch, als vielmehr kirchenhistorisch motiviert. Darum fragt er weder nach der „Gattung" Dialog oder Apokalypse noch nach religionsgeschichtlichen Analogien. Sein Ausgangspunkt ist die (behauptete) Auseinandersetzung zwischen der petrinischen Gnosis und dem kirchlichen Christentum paulinischer Prägung. Er bestimmt das Verhältnis zwischen beiden Positionen als Stufenmodell[59]. Die Gnostiker verstünden sich als die Christen mit der höheren, wahren Erkenntnis, die alle anderen Glaubens- und Daseinsweisen überbietet. Zwischen den Gruppierungen sei es noch nicht zum radikalen Bruch gekommen. Jede wetteifere um die Vergrößerung ihres Einflußbereiches. Darum beherrschen Polemik und Kontroverse die theologischen Ausführungen von ApcPt. Dies sei die leitende

---

[55] 1980, 36; vgl. 73.

[56] Sie beruft sich vor allem auf Arbeiten von W.Ong: The Presence of the Word, New Haven 1967 und Interfaces of the Word, Ithaca 1977.

[57] Vgl. 1980, 205 ff.

[58] In weiteren Publikationen hat Koschorke sein Interpretationsraster auf andere Nag Hammadi-Traktate ausgedehnt; vgl. 1977 a, 323 ff.; 1977 b, 43 ff.

[59] Vgl. 1978, 175 ff.

Tendenz, der biblische Traditionen und formale Strukturen unterworfen sind. Es liegt in der Eigenart dieser Perspektive begründet, daß Koschorke den dialogisch strukturierten Abschnitten wenig Beachtung schenkt und sich hauptsächlich am diskursiven Mittelteil[60] orientiert.

2.4.2 Kritische Anfragen

Man wird nicht bezweifeln können, daß ApcPt eine Situation vorstellt, in der um Lehre und Gestalt des Christentums Auseinandersetzungen geführt werden. Die Aussagen des Traktats sind in der Hinsicht eindeutig und sprechen eine realistische Sprache. Außerdem belegen die paulinischen Briefe und die Literatur des frühen 2. Jahrhunderts unmißverständlich das Faktum solcher Konflikte. Bedenken müssen jedoch angemeldet werden, wenn die Bedeutung eines Textes primär durch textexterne Faktoren konstituiert wird.

So suggeriert Koschorke einen Entwicklungsprozeß, wonach die gnostische Position sich mit den Intellektuellen verbunden hat, während das ekklesiastische Christentum bei den simpliciores verbreitet wurde. Die Evidenz einer solchen Entwicklung ist höchst vordergründig und überzeugt nicht hinsichtlich der soziologischen Implikationen. Was wie eine situative Konkretion erscheint, könnte auch gezielte Verzeichnung sein. Wenn sogar in der Ketzerpolemik der Kirchenväter mit Klischees gerechnet wird, müßte das auch im Falle der Gnostiker gelten, die ihre Position darlegen.

Sollten Texte, die ihrerseits Exegese bzw. Rezeption einer fundamentalen Geschichte zu sein beanspruchen, nicht zuerst exegetisch untersucht werden, ehe sie in einem großen Problemhorizont eine Rolle zugewiesen bekommen? – Wenn Koschorke „geprägte Darstellungsweise"[61] deklariert, muß der Sachverhalt geklärt werden. Sonst droht die Gefahr, daß die Texte zu dicta probantia verkümmern.

Der Dialog will in erster Linie keine ästhetisierende Stilform sein. Darüber besteht Einverständnis. Die Intention dieser Sprachverwendung ist aber auch mit Attributen wie „argumentativ, apologetisch, polemisch o. ä." nicht hinreichend beschrieben. Der von Perkins und Koschorke vertretene Generalnenner „argumentative Polemik" erweckt aus zwei Gründen Mißtrauen: das Verständnis von „Argumentation" wird nicht geklärt, und das gnostische Interesse an der Sprachverwendung „Dialog" bleibt vordergründig. Beides sind Aspekte des Haupteinwandes, wonach die genannten Untersuchungen die Interdependenz von Struktur und Intention nicht konsequent herausarbeiten.

---

[60] Vgl. 1978, 37 ff.
[61] 1978, 43 Anm. 12.

In der Darstellung von Perkins und Koschorke wird einer spezifisch rhetorischen Situation globale Relevanz zugeschrieben. Dagegen kann man fragen, ob „Argumentation" nicht einen objektiven und mit konventionellen Regeln ausgestatteten Horizont voraussetzt, in dem die Kontrahenten sich bewegen. Besitzt das Modell des pro et contra abwägenden Gesprächs in jenem Sektor des frühen Christentums, in dem ApcPt zu Hause ist, überhaupt noch Plausibilität? Diese Frage impliziert, daß das totalisierende Verständnis von Argumentation möglicherweise eine petitio principii ist. Skepsis entsteht auch deswegen, weil die gnostischen Dialoge vor allem intellektuelle Beschäftigung gewesen sein sollen. Das waren sie aber gerade nicht, auch wenn der erste Eindruck in diese Richtung weist. Der Einsatz von philosophischen Elementen und Versatzstücken aus Bildungstraditionen ist nur Attitüde, eine Anti-Haltung, die das Unbehagen am Dasein zur Sprache bringt. Es geht gar nicht um eine theoretische Lösung der Aporie des Daseins. „Wie sehr der Gnostizismus auch den Eindruck einer Philosophie macht, im Grunde ist er das nicht, er ist vielmehr ein Versuch, alle Philosophie überflüssig zu machen."[62] Die Lektüre der Dialoge erweckt aber nicht den Eindruck, daß es den Verfassern um konkrete Überzeugung bzw. Bekehrung von Andersdenkenden ginge. Vielmehr legt das Sprachmuster „Dialog" die Vermutung nahe, Eingeweihte sollten bestärkt werden, u. a. dadurch, daß die Antithese zum Dasein mit Hilfe des ontologischen Dualismus festgeschrieben wird.

Die Sprachverwendung „Dialog" präsentiert ein kommunikativ-pragmatisches Modell, dessen Aktionsraum inter- und intrapersonell qualifiziert ist. Sprachmuster stiften Kommunikation, sie sind Sprechhandlungen[63]. Keineswegs wollen sie nur zufällige Vehikel einer auch losgelöst von ihnen existierenden Botschaft sein. An der literarischen Gestaltung arbeitet der Adressat mit, für den der Adressant schreibt. So rücken die virtuellen Empfänger zu einem Struktur und Intention bestimmenden Faktor auf. Es kommt demnach auf die Dynamik des Redewechsels an, den ein Dialog in Gang bringt und in dem er seine Absicht ausführt. Assoziationen, formale Elemente und Motive mögen suggestiv sein, sie verstellen das Verständnis der inszenierten Botschaft, wenn der Sachanspruch primär von ihnen her bestimmt wird. Im Falle der gnostischen Dialoge sollte es darum selbstverständlich sein, nicht von einem vorgegebenen Dialogverständnis auszugehen. Das Spezifikum ist vielmehr aus jedem Text individuell zu erheben.

---

[62] Drijvers 1975, 825 f. Bei Perkins kann man fragen, ob sie nicht die moderne Situation des religiösen Pluralismus aus den gnostischen Texten herauslesen will. Dieser Eindruck entsteht auch bei der Beschäftigung mit Pagels 1981, 32 f.; 202 ff.
[63] Vgl. bereits Bultmann 1964 a, 4 f.

2.5 Hermeneutische Konsequenzen

In den zurückliegenden Abschnitten wurden Interpretationen von ApcPt vorgestellt und kritisch besprochen. Dabei traten Tendenzen zu Tage, die dem religionsgeschichtlichen und dem literarischen Horizont der gnostischen Schrift nicht gerecht werden. Aufgrund dieser kritischen Vorgabe können jetzt Konsequenzen für die eigene Interpretation von ApcPt formuliert werden. Hier soll der methodische Weg verpflichtend sein, „von formgeschichtlich-textlinguistischer Basis aus zu semantischen Untersuchungen vorzudringen"[64]. Vor jeder systematisierenden Auswertung hat das Interesse dem Textgewebe zu gelten. Erst dann richtet sich die Aufmerksamkeit auf Details und ihren Stellenwert im Ganzen. Bei einem solchen Vorgehen gewinnt die Wahrnehmung der Interdependenz von Struktur und Intention den Rang eines hermeneutischen Prinzips der Auslegung.

Der Interpretationsprozeß vollzieht, wenn er textgemäß verläuft, mit Notwendigkeit eine Kehre, m. a. W., es ist ein Weg, „der von außen nach innen, nämlich von der Makrosyntax des Textes zu den seine Form prägenden kleinsten Einheiten führt, um schließlich zur Frage nach dem Gesamtinteresse der Schrift zurückzukehren"[65]. Um das Sachanliegen gnostischer Texte zu bestimmen, soll bevorzugt der kommunikativ-pragmatische Charakter der Sprachverwendung beachtet werden. Adressant und Adressat teilen im Dialog einen gemeinsamen Horizont bzw. eine gemeinsame Sprachkompetenz. Im individuellen Text, im Dialog also, erscheint die kommunikative Kompetenz, aufgrund deren der Verfasser sein Unternehmen überhaupt begonnen hat. Wenn er die einer Gattung inhärente Tendenz verändert – z. B. indem er einen ironischen Unterton einführt, wo er fehl am Platz ist, oder auf visuelle Elemente zurückgreift, obwohl er diesem Medium eher distanziert gegenübersteht – signalisiert er dem Rezipienten seine Intentionen. Für das Verständnis der Gattung oder ihrer Elemente innerhalb des literarischen Zusammenhangs hat ein solcher Vorgang konstitutive Auswirkung. Das Sachanliegen der Schrift konvergiert deshalb mit der individuellen Verwendung des Sprachmusters[66].

Mit der Verschriftlichung seines Wortes begibt sich jeder Autor auf

---

[64] Koch 1978, 47.

[65] Harnisch 1983 a, 465.

[66] Im Hinblick auf apokalyptische Texte formuliert Harnisch: „Orientiert man sich an den Prinzipien der strukturalen Textanalyse, versteht sich das Repertoire der Gattung des apokalyptischen Visionsberichts als Inbegriff einer Sprachkompetenz, an der sowohl der Verfasser von 4. Esra als auch die hypothetischen Adressaten seiner Schrift teilhaben. An der Art, wie von der sprachlichen Kompetenz literarisch Gebrauch gemacht, wie also die virtuell verfügbare Struktur konkret realisiert wird, ist das Sachanliegen der individuellen Sprachform ... ablesbar" (1983b, 83).

die Dialogebene, die nicht erst dann präsent wird, wenn eine zweite Person im Text auftritt. Der Verfasser will wahrgenommen und verstanden werden. Er will mit seinem Wort bei der Leserschaft etwas durchsetzen oder bewirken. Daß jemand Selbstgespräche aufschreibt, bleibt eine Ausnahme, die aber bereits durch das Faktum der Verschriftlichung in einen anderen Modus überführt wird.

Wenn ein Autor im dialogischen Stil schreibt oder zwei Handlungsträger im Gespräch darstellt, liegt u. a. die Vermutung nahe, daß er sich mit einer der involvierten Positionen identifiziert. Er ergreift aber nicht offen Partei, sondern bindet sich in den Gesprächsvorgang ein. Auf diese indirekte Weise hofft er, sein Sachanliegen beim Leser eher zum Ziel zu bringen, als es direkte Konfrontation vermag. Der Autor überläßt das Mitteilungsgeschehen nicht sich selbst, sondern unterwirft die Kommunikation einer Strategie. Im Blick auf das Dialog-Geschehen, das so oder so bei Textrezeption stattfindet, heißt das, daß es in die Textherstellung einbezogen ist. Der virtuelle Leser, der in den Dialog verwickelt ist, das sprachliche Handeln auf verschiedenen Ebenen und der Wechsel zwischen einem realen und einem metaphorischen Horizont sind wesentliche Faktoren im Gestaltungsrepertoire des inszenierten Dialogs. Das dialogische Sprachmuster präsentiert also eine besondere Form der Kommunikation. Um dem Charakter der Texte zu entsprechen, werden in die Fragestellung Aspekte aufgenommen, die in Textpragmatik[67] und Gesprächsanalyse[68] relevant sind. Diese Erweiterung der Auslegungsperspektive soll dabei helfen, die Teilnahme der Rezipienten bei der Textherstellung aufzuklären. Dieser Schritt wird auch in der Hoffnung getan, daß er näher an das spezifisch Gnostische der Dialogverwendung heranführt.

Vorgänge und Sprachhandlungen in den gnostischen Texten selbst haben in diese Richtung gewiesen. Die gnostischen Autoren verbreiten ihre Erkenntnisse ja nicht zur besseren Information einer breiten Öffentlichkeit. Sie beabsichtigen auch nicht, mit Hilfe von Gnosis das zum Problem gewordene Dasein zu bewältigen. In dem Fall blieben sie dieser Bürde weiterhin unterworfen. Vielmehr überholen sie die Last des Daseins, indem sie dessen exzellenteste Instrumente gegen es selbst richten. Darin liegt also die Komplexität des Dialogs, daß die Gnostiker den epistemologischen Bruch mit dem Kosmos existentiell vermitteln und sprachlich durchhalten müssen, obwohl Sprache und vorfindliche Existenz mit Invektiven belegt werden. Die Sprechhandlung des Dialogs intendiert den Schritt aus diesem Dilemma. Sie inszeniert Transzendenz.

---

[67] Vgl. Weinrich 1971, 23 ff.; Badura 1972, 246 ff.; Breuer 1974; Henne 1975; Iser 1976; 1979; Schlieben-Lange 1979.

[68] Vgl. Kallmeyer/Schütze 1976, 1 ff.; Schwitalla 1979; Schröder/Steger (Hrsg.) 1981; Henne/Rehbock 1982; Techtmeier 1984; Lewandowski 1984, 343 ff.; 1985, 584 ff.; Brinker/Sager 1989.

3. Die „Apokalypse des Petrus" (NHC VII, 3)

3.1 Vorbemerkung

Der koptische Text, den meine Interpretation voraussetzt, entspricht der von James A. Brashler vorgelegten Transcription[1]. In diese Ausgabe sind Erkenntnisse zur Textgestaltung eingegangen, die seit der Veröffentlichung der Faksimile-Ausgabe (1972) gewonnen werden konnten. An einigen Stellen wurde die Lesart von Krause[2] vorgezogen.

Für die eigene Übersetzung sind die vorhandenen Übersetzungen[3] eingesehen und verglichen worden. Zu philologischen Sachfragen wurden außer den üblichen Hilfsmitteln[4] Artikel von H.-M. Schenke[5], Pagels[6] und die Monographie von Koschorke[7] konsultiert. Die Übersetzungsarbeit versucht, Wortbedeutung und Kontextkohärenz gleichermaßen zu berücksichtigen. Darin liegt ein Unterschied zur Version von Krause, der dem interlinearen Prinzip verpflichtet ist[8]. Um übermäßige Eingriffe in den Text zu verhindern und um den Umschlag in eine Paraphrase auszuschließen[9], werden Varianten, alternative Lesarten abweichende Übersetzungen und Erläuterungen im Anmerkungsteil geboten. Die Zahlenangaben (z. B. 70,13) beziehen sich auf die entsprechende(n) Seite(n) und Zeile(n) im koptischen Text bzw. in der Übersetzung. Es versteht

---

[1] Brashler 1977, 14 ff.

[2] Krause/Girgis 1973, 152 ff. Die „Facsimile Edition of the Nag Hammadi Codices. Codex VII, Leiden 1972, 76 ff." demonstriert den guten Zustand, in dem der Text sich befindet. Vgl. das Urteil von H.-M. Schenke: „... von solch vorzüglicher Qualität, daß für den Benutzer die Notwendigkeit, daneben doch noch die Originale in Kairo einzusehen, als auf ein unvermeidliches Minimum beschränkt gelten kann" (1975 b, 123).

[3] Krause/Girgis 1973, 153 ff.; Werner (federführend für den Berliner Arbeitskreis für koptisch-gnostische Schriften) 1974, 575 ff.; überarbeitete Version in: Schneemelcher II, 1989, 637 ff.; Brashler 1977, 15 ff.; NHL 373 ff.

[4] Vgl. Crum 1979; Westendorf 1965/1977; Liddell/Scott 1985; Bauer 1988; Till 1961 (= I); 1970 (= II); Siegert 1983.

[5] H.-M. Schenke 1975 a, 277 ff.; 1975 b, 123 ff.

[6] Pagels 1981.

[7] Koschorke 1978.

[8] Vgl. die Anmerkungen zu Krauses Übersetzung bei H.-M. Schenke 1975 c, 5 ff. und Brashler 1977, 11.

[9] Darauf läuft die Kritik von Brashler an H.-M. Schenke und dem Berliner Arbeitskreis hinaus; vgl. 1977, 10; 12; 121 Anm. 4. Im übrigen wird die Übersetzung des Arbeitskreises von Brashler als „generally extremely reliable and stylistically sound" (1977, 12) gelobt.

sich von selbst, daß Detailfragen erst in der Interpretation diskutiert
werden können.

Die o. g. Übersetzungen werden nur mit dem Namen des Autors und
ohne Seitenangaben kenntlich gemacht. Ein Rekurs auf Hilfsmittel ist
mit Namen und Seitenzahl bzw. Paragraph belegt. Dasselbe gilt auch
für die Arbeiten von Pagels und Koschorke. Im Fall der Artikel von
H.-M. Schenke erleichtert eine Differenzierung des Erscheinungsjahres
die Identifikation. Die griechischen Lehnwörter im koptischen Text sind
in der deutschen Übersetzung in Klammern gesetzt. Die Symbole in der
Übersetzung entsprechen den Gepflogenheiten[10]:

{   }   Tilgung
[   ]   Ergänzung einer zerstörten Stelle
<   >   Konjektur bzw. Verbesserung eines dem Schreiber unterlaufenen
        Fehlers oder einer Auslassung
(   )   Verständnishilfe des Übersetzers.

3.2 Übersetzung

Apokalypse (ἀποκάλυψις) des Petrus[11]
70,14   Als der Erlöser (σωτήρ) im Tempel saß,
        im dreihundertsten <Jahr>[12] (nach) der
  16   gemeinsamen Errichtung
        der zehnten Säule (στῦλος), und

---

[10] Vgl. Werner 1974, 577; NHL XV.

[11] Da die grammatikalische Beziehung mehrdeutig ist, kann Petrus als Autor aber auch
als Empfänger der Offenbarung verstanden werden. Vgl. dagegen EvThom (NHC II, 2)
32, 10 f.

[12] Krause übersetzt ⲧⲙⲉϩϯ ⲛ̄ⲧⲉ mit „Fünfheit des ..."; das könnte auch ein Lesefehler
sein; NHL hat ϯ als das im Sahidischen seltene Zahlwort für „300" (vgl. Crum 389 a) und
identifiziert eine Ordnungszahl: „im dreihundertsten von ..." (vgl. auch Till II, Par. 107).
Die Konjektur von ⲛ̄ⲣⲟⲙⲡⲉ/„Jahr" ist dann naheliegend. H.-M. Schenkes Übersetzungsvorschlag lautet: „im 300. [sc. Jahr] der Errichtung und [bei]m Erreichen der zehnten Säule
[= 10. Monat] und als er ruhte auf der Zahl der lebendigen, unbefleckten Größe"
[= 7. Wochentag = Sabbat/κατάπαυσις) (1975 b, 131). Ähnlich ergänzt Werner den Text,
so daß „eine geheimnisvolle Datierung" erscheint (1989, 637 Anm. 16). Crum schlägt für
den substantivierten Infinitiv ⲥⲙⲛⲉ (70, 16) vor: „confirmation, agreement, putting together,
adornment" (339 a); Till (I, 331) gibt für das Verb als Bedeutung an: „festsetzen, bestimmen,
vereinbaren, (Urkunde) ausstellen". Das hat auch NHL, während Krause mit „Bau" übersetzt; ähnlich Siegert (84). Nach H.-M. Schenke (1975 b, 131) deutet ⲥⲙⲛⲉ „eine (wirkliche
oder fiktive) Ära" an, „deren Beginn (mit der Errichtung von irgend etwas) um 270 a. Chr.
liegend vorausgesetzt wäre". Das Verb ϯ ⲙⲁⲧⲉ übersetzt Crum mit: „attain, consent, agree"
(189 b) und das Nomen mit „assent, good pleasure" (190 a); Till (I, 325) hebt den Aspekt
der Gemeinsamkeit hervor: „teilhaftig werden"; vgl. Siegert (45): „übereinstimmen, zustimmen".

18 während er ruhte bei der Versammlung
    der lebendigen, unbefleckten Größe,
20 sprach er zu mir: „Petrus,
    gesegnet sind die, die zum Vater
22 gehören, der hoch über den Himmeln ist[13].
    Er ist es, der durch mich im Leben erschienen[14] ist
24 bei denen, die aus dem Leben stammen.
    Ich habe es (ihnen) in Erinnerung[15] gerufen,
26 ihnen, die man baut[16]
    auf dem, der überlegen ist:
28 sie sollen auf mein Wort hören
    und sie sollen unterscheiden[17] zwischen Worten
30 der Ungerechtigkeit (ἀδικία) und Gesetzes-
    widrigkeit (-παράνομος) und (Worten) eines Gesetzes
32 (νόμος) und einer Gerechtigkeit (δικαιοσύνη)[18],
71, denn (ὡς) letztere stammen von oben,
 2 jedes Wort (Pl.) aus der Fülle (πλήρωμα)
    der Wahrheit. Sie ließen sich
 4 im Einverständnis erleuchten
    von dem, den die Mächte (ἀρχή) suchten,

---

[13] Eine wörtliche Übersetzung von 70,22 ist möglich. Krause liest ⲉⲩⲥⲁⲧⲡⲉ und hält ⲥⲁⲧⲡⲉ für eine unregelmäßige Form von ⲥⲱⲧⲡ: „da sie Auserwählte sind". Siegert (89) identifiziert einen Qualitativ dieses Verbs. Näher liegt, daß eine Aussage über den Vater gemacht wird. Werner und NHL verstehen ⲥⲁⲧⲡⲉ daher als präpositionalen Ausdruck: „oberhalb von ...“; „on upper side, over; ὑπεράνω; ἐπί; πρός (vgl. Crum 259b; 313b). H.-M. Schenke (1975b, 131) emendiert ⲉⲩ zu ⲉⲧ; er verweist auf eine analoge Textstelle in ExAn (NHC II,6) 128,27. Überzeugender wäre der Vorschlag, wenn eine Verbform vorläge, z. B. ⲉⲧ ⲣ̄ ⲥⲁⲧⲡⲉ. Darum behalten Krauses und Siegerts Übersetzungen Berechtigung.
[14] Wenn ⲟⲩⲱⲛϩ transitiv zu lesen wäre (so z. B. Krause), müßte ⲉⲃⲟⲗ dem Objekt folgen.
[15] Der mit ϯ ⲙⲉⲉⲩⲉ angesprochene Gedankengang wird 70,28 fortgeführt: ⲝⲉ und Verbform im Futur III (ⲉⲩⲉⲭⲱⲧⲙ̄; vgl. Crum 200b; Till I,308). Eingeschoben ist 70,25–27 ein Relativsatz, dessen syntaktische Funktion nicht eindeutig feststeht (vgl. Till I,463). Offensichtlich werden die Empfänger der Offenbarung charakterisiert (vgl. das emphatische Personalpronomen ⲛ̄ⲧⲟⲟⲩ). Krause und Werner lesen dagegen einen Anakoluth.
[16] Krause und Werner verstehen ⲕⲱⲧ (70,26) im übertragenen Sinn; vgl. Crum: „edify, encourage spiritually" (122a); Siegert 32. Nach ⲛ̄ⲧⲟⲟⲩ erwartet man eigentlich die Weiterführung des Relativsatzes im Plural. ⲝⲟⲟⲡ ist Qualitativ („stark sein") von ⲝⲣⲟ/„besiegen, stark werden"; vgl. Crum 784a.
[17] Brashler übersetzt ⲥⲟⲟⲩⲛ (70,29) aufgrund eines von Crum aufgeführten analogen Beispiels: ⲥⲟⲟⲩⲛ ... ⲁⲩⲱ ...„distinguish between ... and ...“ (370a) mit „to distinguish". Krause bleibt bei der Grundbedeutung: „erkennen, kennen lernen".
[18] In 70,30ff. wird eine Antithese vorgetragen. Koschorke liest eine chiastische Konstruktion und übersetzt: „... zwischen Worten der Ungerechtigkeit und Gesetzeswidrigkeit und (Worten) des Gesetzes und der Gerechtigkeit" (15).

6 aber nicht fanden.
Auch wurde er von
8 keinem (οὐδέ) Abkömmling der
Propheten (σπέρμα... προφήτης) angekündigt.
10 Vielmehr ist er jetzt erschienen
unter ihnen[19], in dem, der offenbar ist
12 – er ist der Menschensohn,
erhöht über die Himmel[20] –
14 in einer großen Menge von Menschen, die (mit ihm)
gleichen Wesens (-οὐσία) sind. Du aber (δέ),
16 Petrus, bleibe bei mir, vollkommen (τέλειος)[21]
in deinem Namen,
18 bei mir, der ich dich erwählt habe. Denn
von dir (her) habe ich einen Anfang (ἀρχή)
20 gemacht auch für die übrigen[22], die
ich zum Erkennen eingeladen habe,
22 so daß (ὥστε) ... – Sei stark, wenn[23] der Nachahmer (ἀντίμιμον) der Gerechtigkeit (δικαιοσύνη)
24 dessen <kommt>, der dich zuvor[24] berufen hat.
Dich (nämlich) hat er berufen, damit

---

[19] Krause, NHL und Werner scheinen ⲚⲀⲒ zu Beginn von 71,11 als Dittographie zu verstehen. Doch könnte die Wiederholung des Demonstrativpronomens distributiven Sinn signalisieren (vgl. Brashler; Till I,109; das läßt Till jedoch nur für Nomen und die Präposition ⲔⲀⲦⲀ gelten).

[20] Die Übersetzungen von 71,13–15 differieren erheblich. Für ⲚϢⲂⲎⲢ ⲚⲞⲨⲤⲒⲀ (71,14 f.) schlägt Brashler mit Bezugnahme auf Crum (553 b) vor: „consubstantial men". Dem folgt auch Werner.

[21] H.-M. Schenke (1975a, 280) zieht zwei Übersetzungsmöglichkeiten für 71,16 f. in Erwägung:
– der Satz ist periphrastisch konstruiert, wobei ϢⲰⲠⲈ ⲈⲔⲈ ⲚⲦⲈⲖⲒⲞⲤ zusammengehören (vgl. auch Till I,332);
– der Imperativ ϢⲰⲠⲈ bezieht sich auf ⲚⲘⲘⲀⲒ und ⲈⲔⲈ ... ⲠⲈⲔⲢⲀⲚ bildet einen Umstandssatz. Schenke setzt in seiner Übersetzung „Du aber, Petrus, bleibe – vollkommen seiend in deinem Namen – bei mir allein" Möglichkeit b) ohne nähere Angabe von Gründen voraus. Brashler hebt den Aufforderungscharakter besonders hervor.

[22] Zu ⲠⲒⲔⲈⲤⲈⲈⲠⲈ vgl. Till I,230; II,144.

[23] ϢⲀⲚⲦⲈ/wörtl. „bis, wenn", ist Präfix vor nominalem Subjekt, dem normalerweise das Verb folgt (vgl. Till I,312). Hier fehlt es aber. H.-M. Schenke ergänzt in einem analogen Fall 71,28 <ⲈⲒ> nach ⲈⲢⲞϤ (1975b, 131). Er hält es aber auch für denkbar, daß das Verb nicht fehlt, sondern „anakoluthisch impliziert" ist (1975a, 280). In dem Fall greift ϢⲀⲚⲦⲈ auf ⲤⲞⲞⲨⲚ (71,26) vor: „damit der Nachahmer (mein)er Gerechtigkeit (von dir angemessen erkannt wird)" (ebd.). Brashler emendiert: ϢⲀ <ⲚⲎ> ⲚⲦⲈ „... be strong toward those of ...", ein Vorschlag, der nicht überzeugt. Nach ⲌⲰⲤⲦⲈ kann ohne Angabe eines Subjekts kein Imperativ aus ϬⲘϬⲞⲘ gelesen werden. Anderenfalls wäre das ungenannte logische Subjekt des Infinitivs mit dem des vorangehenden Satzes identisch. Daher muß mit der Möglichkeit gerechnet werden, daß nach ⲌⲰⲤⲦⲈ eine Textlücke vorliegt.

[24] Der Ausdruck Ⲡ ϢⲞⲢⲠ̄ ⲚⲦⲰⲢⲘ̄ betont die Priorität des Erlösers gegenüber dem

26 du ihn erkennst, wie es
   angemessen ist: im Blick auf die Verwerfung (ἀποχή)[25],
28 die über ihn kommt, und die Fesseln
   seiner Hände und seiner Füße
30 und seine Bekränzung[26]
   durch die aus der mittleren (μεσότης) Region
32 und seinen Licht-Leib (σῶμα),
   wenn sie
34 ihn abführen in der Hoffnung (ἐλπίς)[27],
72, einen Dienst (διακονία) zu tun, der sie mit
2 Ehre belohnt – als (ὡς) wolle er
   dich dreimal zurechtweisen
4 in dieser Nacht." – Während (δέ) er dieses (Pl.)
   sagte, sah ich[28], wie die Priester
6 und das Volk (λαός) mit Steinen
   auf uns zuliefen, so
8 als (ὡς) wollten sie uns töten. Ich aber (δέ) war beunruhigt, daß wir sterben müßten. – Er dagegen
10 sprach zu mir: „Petrus, ich habe es
   dir viele Male gesagt,

Handeln des Nachahmers (vgl. Till I, 341; 343). Werner bezieht ϣορῑ auf Petrus: „der dich als ersten berufen hat".

[25] ΑΠΟΧΗ ist in seiner Bedeutung umstritten. Krause: „Enthaltung (oder: Verleumdung)"; Werner: „Unterschied"; H.-M. Schenke: „Geschiedenheit" (1975 a, 281). Sie setzen ein wenig belegtes Nomen voraus, das sie von ἀπέχω (intr.) „entfernt sein", (Med.) „sich fern-halten von, sich enthalten" (Bauer 169 f.; vgl. Liddell/Scott 227) ableiten. NHL übersetzt: „rejection"; Siegert bemerkt: „unklar" (218). ΕΤΠΗϨ ΕΡΟϤ umschreibt ein Possessivverhält-nis und entspricht ῑΤΑϤ (vgl. H.-M. Schenke 1975 a, 281 und seinen Hinweis auf 1 Kor 15, 10; 2 Kor 1, 11.18 im sahidischen NT).

[26] Nach ΠΙϮ ΚΛΟΜ (71, 30) scheint eine Textlücke vorzuliegen. H.-M. Schenke (1975 b, 131) zieht in Erwägung, daß ΕΒΟΛ ϨΙΤῑ vielleicht zu einem Imperativ „etwa: ‚Laß dich nicht verführen'" gehört haben mag. In 1975 a, 280 korrigiert er sich; er fügt in Zeile 31 nach ϨΙΤῑ ΝΝΗ ein: <ΕΤϹϢΒΕ ΑΡΙ ΠΜΕΕΥΕ ῙΝΗ ...>/„... die Bekränzung durch die <Spötter. Erinnere dich an die (Wesen)> der Mitte ...".

[27] Vgl. Brashler: „All the translators have difficulties with this passage." H.-M. Schenke (1975 a, 279): „die komischen Genetive beruhen vielleicht auf einem bloßen Schreibversehen infolge des Übergangs auf eine neue Seite, denn es passen zusammen nur einerseits ΟΥ-ϨΕΛΠΙϹ ῙΤΕ ΟΥΤΑΕΙΟ und andererseits ΟΥΔΙΑΚΟΝΙΑ ῙΤΕ ΟΥΒΕΚΕ; vielleicht ist also ei-gentlich gemeint ‚ihn bringend in Hoffnung auf ein Geschenk (und) in Ausführung eines Dienstes um Lohnes willen'." Koschorke (29) übersetzt mit Erläuterungen: „... indem sie (die Wesen der Mitte) ihn bringen in der Hoffnung (ἐλπίς) auf (deinen) Dienst (διακονία) um des Lohnes einer Ehre(nstellung) willen, da er dich dreimal in dieser Nacht zum Abfall zu bewegen (versuchen) wird". ϹΟΟϨΕ (72, 2 f.) bedeutet „reprove, correct; be set up" (Crum 380 b–381 a); Krause: „überführen"; Brashler: „establish"; Siegert: „zurechtweisen, tadeln"; Werner: „zum Abfall bewegen"; so auch H.-M. Schenke (1975 a, 279).

[28] Werner erläutert: „(in einer Vision)".

12   dies sind Blinde, die keinen
Führer haben. Wenn du
14   ihre Blindheit erkennen willst,
lege deine Hände auf die Augen
16   deines Gewandes (ποδήρης)[29] und sage,
was es ist, das du siehst!" –
18   Als ich das nun (δέ) tat, sah ich gar
niemand[30]. Ich sagte: „Es ist niemand
20   zu sehen[31]." – Wiederum (πάλιν) sprach er zu mir:
„Tu dies noch einmal!" – Und es
22   überkam mich freudiges Erschrecken.
Denn (γάρ) ich sah ein
24   neues Licht, das heller war als das
Tageslicht. Danach
26   kam es auf den Erlöser (σωτήρ)
herab. Und ich teilte ihm mit,
28   was ich gesehen hatte. – Und er sprach
wiederum zu mir: „Erhebe
30   deine Hände und höre
das, was
73,   die Priester und das Volk (λαός; Pl.) reden!" – Und
2   ich hörte den Priestern zu, die (zusammen) mit den
Schriftgelehrten dasaßen. Unterdessen schrie
4   die Menge (Pl.)[32] mit lauter Stimme. Als
er diese Dinge von mir hörte,
6   sprach er zu mir: „Spitze die Ohren
deines Kopfes und höre auf das,
8   was sie sagen!" – Und ich hörte von neuem[33]...
(und sagte zu ihm:) „Du sitzt (auf dem Thron),

---

[29] „Der Text ist sachlich unklar, vielleicht ist er sprachlich verderbt." (Werner 1974, 582 Anm. 8). Brashler vermutet eine Nachlässigkeit des Schreibers, der beinahe ⲂⲀⲀ ⲘⲚ̄ ⲠⲒ vergessen hätte, dann aber den Text auf Zeilenende und -anfang verteilt hat: „... your hands and your robe over ...". Der Artikel ⲠⲒ in 72,16a wurde deutlich nachgetragen. Hat Brashler in Zeile 15 die nota accusativi ⲛ̄- vor ⲚⲈⲔⲞⳁⲒⲬ übersehen? Krause übersetzt: „... vor die Augen mit deinem Gewand ..."; dagegen Werner: „... auf die Augen deines Gewandes ..." und erläutert: „(= deines Leibes)". Nach Liddell/Scott 1426 und Bauer 1364 kann ποδήρης „bis zu den Füßen reichend...d. auf die Füße reichende Gewand" bedeuten; vgl. Apk 1,13; Barnabasbrief 7,9.

[30] Ob ⲖⲀⲀⳁ (vgl. Westendorf 80: „irgendeiner, jemand; etwas"; „negiert: keiner, nichts") personen- oder sachbezogen zu übersetzen ist, entscheidet der Kontext.

[31] ⲚⲀⳁ ist passiver Infinitiv; deswegen fehlt die Präposition ⲉ- (vgl. Till I, 288).

[32] Werner emendiert: „ <während> die Menge (draussen) mit lauter Stimme schrie ...". Nach Brashler ist die Satzkonstruktion eindeutig und erfordert keinen Eingriff (vgl. Till I, 317).

[33] Weil er nach ⲞⲚ Ausfall eines Textstückes vermutet, rekonstruiert H.-M. Schenke

10 (und) sie geben dir Lob". Und als ich
    diese Dinge gesagt hatte, sprach der
12 Erlöser (σωτήρ): „Ich habe es dir gesagt[34]: ‚Dies
    sind Blinde und
14 Taube'. Höre also jetzt
    auf das (Pl.), was dir gesagt wird
16 als Geheimnis (μυστήριον)! Und
    bewahre es (Pl.)! Wirf es (Pl.) nicht den
18 Söhnen dieses Äon (αἰών) hin! Du nämlich (γάρ)
    wirst verflucht sein
20 in diesen Äonen (αἰών), denn sie haben
    keine Kenntnis von dir.
22 Sie geben dir aber (δέ) Lob (dort), wo Erkenntnis
    (γνῶσις)[35] ist. Eine Menge
24 wird also (γάρ) am Anfang (ἀρχή) von[36]
    unserer Rede ergriffen werden. Dann werden sie
26 sich wieder abwenden von ihr (Pl.)[37], weil der
    Vater will[38], daß sie in die Irre
28 (πλάνη) gehen, denn sie haben getan, was er will.
    Dann wird er sie offenbaren[39]
30 in seinem Rechtsspruch, (sie),
    d. h. die Diener des Wor-

(1975 b, 131) in Zeile 9 f. auf der Grundlage von 82, 11-14 folgendermaßen: „Und ich
hörte wieder hin. < Und ich sagte zu ihm: ‚Da sind viele unbeschreibliche und unsichtbare
Engel >, die dich, der du hier sitzt, < umgeben und > preisen.'" Das Verständnis wird
dadurch erschwert, daß nicht eindeutig geklärt ist, in welcher Sphäre die Handlung sich
abspielt. Der Vorschlag Schenkes ist bei Werner aufgenommen. ϨⲘⲞⲞⲤ/„sit, remain, dwell"
(Crum 679 a) kann als herrscherliche Geste verstanden werden. Der Qualitativ bringt dann
das Ergebnis der Platzeinnahme zum Ausdruck.

[34] Vgl. 72, 10-13.

[35] ϨⲚ ⲞⲨⲄⲚⲰⲤⲒⲤ ist adverbialer Ausdruck wie ϨⲚ ⲞⲨⲆⲒⲔⲀⲒⲞⲤⲨⲚⲎ (vgl. Till I, 240).

[36] H.-M. Schenke (1975 b, 131) ergänzt zwischen ⲬⲒ ⲈⲂⲞⲖ und ϨⲚ ein ϨⲚ + Nomen im
Plural als Objektangabe und als Referenz für ⲈⲢⲞⲞⲨ (73, 26): < ϨⲚ ⲚⲞⲨ ⲠⲖⲀⲚⲎ > . Sein
Übersetzungsvorschlag lautet: „Denn viele werden befreit werden von < ihren Irrtümern>
am Anfang unserer Verkündigung, und werden (doch) wieder zu ihnen zurückkehren."
Brashler führt die Schwierigkeiten auf die Übersetzung aus dem griechischen Äquivalent
πολλοὶ γὰρ λήψονται ἐν ἀρχῇ τοῦ λόγου ἡμῶν (vgl. Mk 4, 13 ff.) zurück.

[37] ⲈⲢⲞⲞⲨ (vgl. Crum 51 b; Till I, 393) nimmt ⲚⲈⲚϢⲀⲬⲈ wieder auf. Brashler liest dagegen eine redundante Relativsatzkonstruktion.

[38] Nach Till I, 348 behält der Infinitiv die Fähigkeit, ein Objekt zu sich zu nehmen. Dies
ist hier der Fall, und zwar in der seltenen Konstruktion eines substantivierten Infinitivs:
„das Wollen" mit gen. subj. „des Vaters" und mit gen. obj. „ihres (Pl.) Irrtums". Wörtlich:
„gemäß dem Willen des Vaters – ihren (Pl.) Irrtum", d. h. „gemäß dem, daß der Vater
will, daß sie in die Irre gehen".

[39] ⲞⲨⲰⲚϨ ist t.t. im Urteil gegen den unterlegenen Beklagten, der die gestohlenen Güter
vor Gericht „offenbaren" bzw. seine Tat „offen eingestehen" muß.

32 tes. Jene aber (δέ), die

74,   mit diesen Umgang hatten,

2 sollen ihre Gefangenen (αἰχμάλωτος) werden
und unfähig zur Wahrnehmung (ἀναίσθητος) sein.

4 Den Reinen (ἀκέραιον) aber (δέ), (der) ohne
Falsch (ist), und Guten (ἀγαθόν) stoßen sie

6 zum Henker
und in das Reich

8 dieser ..., wobei Christus gelobt
wird in einer Wiederherstellung (ἀποκατάστασις)[40].

10 Und sie geben
den Lügenpredigern Lob.

12 Sie (sind es), die nach dir kommen werden.
Und sie werden sich an den Namen

14 eines Toten hängen, weil sie denken,
daß sie gereinigt werden. Aber sie

16 werden sich erst recht besudeln. Und sie werden
auf einen verführerischen (-πλάνη) Namen hereinfallen

18 und (geraten in die Hände) eines üblen (-τέχνη) Betrügers und (geraten an) eine vielgestaltige (μορφή)

20 Lehre (δόγμα). Man beherrscht (ἄρχειν) sie
durch Spaltung (-αἵρεσις).

22 Denn (γάρ) einige
von ihnen werden

24 die Wahrheit verfluchen
und üble Reden (Sg.) verbreiten.

26 Sie werden auch Bosheiten
übereinander reden. Einige

28 nun (μέν) werden danach benannt, daß
sie sich in die Macht(-Sphäre)

30 der (Welt-)Herrscher (ἄρχων) stellen[41], (unter
die Herrschaft) eines Mannes mit einer nackten Frau,

32 die vielgestaltig (-μορφή)
und leidgeplagt[42] ist.

34 Und

75,   jene, die diese (Dinge) sagen,

---

[40] Werner übersetzt: „... der ‚erneuerte' Christus ..."; Koschorke (43 Anm. 12): „Christus in Ursprünglichkeit ...".

[41] Es scheint ein Satzstück ausgefallen zu sein, in dem über die Benennung der Besprochenen Auskunft erteilt wird. H.-M. Schenke (1975 b, 132) rekonstruiert eine Entsprechung
zu ⲍⲉⲛⲍⲟⲉⲓⲛⲉ ⲙⲉⲛ (74, 27 f.). Brashler hält diese Ergänzung für unnötig, da ein Bezug
zu 74, 22 ⲍⲉⲛⲍⲟⲉⲓⲛⲉ ⲅⲁⲣ vorliegt: „For some ... Others ...".

[42] Brashler fragt, ob die griechischen Äquivalente hier nicht πολύμορφος und πολυπαθής
sind (vgl. auch Crum 202 a; H.-M. Schenke 1975 a, 281; Siegert 40).

2 werden nach (offenbarenden) Träumen suchen. Und⁴³
  selbst wenn (κἄν) sie behaupten, ein Traum
4 sei gekommen – von einem Dämon (δαίμων), der
  ihres Irrtums (πλάνη) würdig ist, (stammt er) –
6 (τότε) wird ihnen Verderben zuteil werden an Stelle
  von Unvergänglichkeit (ἀφθαρσία). Denn (γάρ) Böses
8 (κακόν) kann keine gute (ἀγαθόν) Frucht (καρπός)
  hervorbringen. Sondern (γάρ) ein jeder
10 bringt das hervor,
   was dem Ort seiner Herkunft gleicht.
12 Doch (γάρ) nicht jede Seele (ψυχή) gehört
   zu denen, die aus der Wahrheit oder (οὔτε)
14 aus der Unsterblichkeit sind.
   Denn (γάρ) jeder Seele (ψυχή) aus diesen
16 Äonen (αἰών) ist in unseren Augen Tod (vorher)bestimmt.
   Deshalb (καθότι) ist sie
18 allezeit eine Sklavin,
   erschaffen in ihren
20 Begierden (ἐπιθυμία) und
   bestimmt (für) ein ewiges Verderben. (Das ist
22 der Dauerzustand), in dem sie (sc. diese Seelen) sind
   und aus dem sie stammen.
24 Deswegen lieben (ἀγαπᾶν) sie die Geschöpfe
   der Materie (ὕλη), die mit ihnen
26 hervorgekommen ist. Aber (δέ) diesen (Ver-
   lorenen) gleicht (Pl.), o (ὦ) Petrus, die un-
28 sterbliche Seele (ψυχή) (Pl.) nicht. Vielmehr (ἀλλά)
   wird sie, solange (ἐφ' ὅσον, μέν) die
30 Stunde (noch) nicht gekommen ist,
   zwar (μέν) jener ähnlich sein, die
32 tot ist. Trotzdem (ἀλλά) wird sie
   ihre (wahre) Natur (φύσις) nicht offenbaren,
34 auch wenn sie allein die
76, Unsterbliche ist und sie (allein)
2 Unsterbliches bedenkt. Sie hat Glauben (πιστεύειν)
   und sie hat Verlangen (-ἐπιθυμεῖν), diese
4 (toten Seelen) hinter sich zu lassen. Denn (γάρ)⁴⁴
   weder (οὔτε) sammelt man Feigen von Dornen oder (ἤ)

---

⁴³ Die Satzkonstruktion 75,2-7 ist schwierig, weil ein konzessiver Vordersatz mit einem temporalen Nachsatz zusammentreffen. H.-M. Schenke (1975b, 132) fragt, ob vor ⲦⲞⲦⲈ (75,5) etwas ausgefallen ist.
⁴⁴ Vgl. 75,7-11; Lk 6,43-45; Mt 7,16-18. Krause erkennt in 76,4 nicht das Verb ⲔⲰⲦϤ/„sammeln, ernten" (vgl. Crum 129b).

6 von Dornsträuchern, wenn man
   weise ist, noch (οὐδέ) Weintrauben (Sg.)
8 von Disteln.
   Denn (γάρ... μέν)[45] sie (sc. die tote Seele) ent-
10 steht allezeit aus demjenigen, von
   dem sie (ab)stammt. Weil sie
12 von dem, das nicht gut ist,
   (ab)stammt, wird es ihr[46] Verderben und
14 Tod bringen. Jene (andere Seele) aber (δέ) entsteht aus dem Ewigen, aus dem, der zum
16 Leben gehört und (aus der) Unsterblichkeit, die
   zum Leben gehört, dem sie gleichen[47].
18 Alles nun (οὖν), das nicht (aus dem Leben) ist,
   wird sich auflösen in das,
20 was nicht ist. Denn (γάρ)
   Taube und Blinde
22 tun sich zusammen
   mit ihresgleichen[48]. Andere
24 aber (δέ) werden sich hinwenden[49] (zu den toten Seelen)
   aufgrund von bösen (πονηρόν) Reden
26 und volksverführerischen (-λαός) Mysterien (μυστήριον).
   Einige,
28 die (die) Mysterien (μυστήριον) nicht kennen,
   sprechen zu denen, die

---

[45] Beachte die Verbindung von ΠΗ ΜΕΝ ΓΑΡ (76,8 f.) mit ΤΗ ΔΕ (76,14). Brashler: „on the one hand ... on the other hand". Es geht um die Gegenüberstellung von toter und unsterblicher Seele; Pronomina und Personalpräfixe stehen im maskulinen Genus.

[46] Gemeint ist die tote Seele.

[47] Der Text 76,14–17 scheint sachlich verkürzt zu sein. Daher rekonstruiert H.-M. Schenke (1975b, 132): „Jene (andere Seele) aber entsteht (als ein Zweig) am ewigen (Baum), an jenem (Baum) des Lebens und der Unsterblichkeit <; und auch ihre Früchte stammen von jenem (Baum)> des Lebens, dem sie (ja) gleichen". Ähnliche Überlegungen bei Werner. Brashler hält Schenkes Vorschlag für eine „imaginative alteration". Er übersetzt ΕΙΝΕ (76,17) mit „to bear, uphold" (= φέρειν; vgl. Crum 78b). ΕΤΟΥΕΙΝΕ ΜΜΟϤ kann auch mit „... welches sie bringen ..." übersetzt werden. Dabei bleibt ungeklärt, wer das Subjekt (ΟΥ-) und das Objekt (-ϥ) sind. Wie dem auch sei, der Text wirft Probleme auf. Kann ⲚⲦⲈ ⲠⲒⲰⲚϨ (76,16 f.) vielleicht Dittographie sein?

[48] Übersetzungsvorschlag aufgrund von Crum 724b.
ΜΑΥΑΑ = ist als Reflexivpronomen (vgl. Till II, 114) gebraucht. Krause bleibt zu vordergründig: „die ihnen allein gehören".

[49] Koschorke (52) faßt das Verb ΟΥⲰⲦⲂ ⲈⲂⲞⲖ in der Normalbedeutung „wechseln, ändern, sich entfernen, versetzen" (vgl. Crum 496a.497a) und kommt zu folgender Übersetzung: „Andere aber werden ablassen von schlechten Worten und irreführenden Mysterien". Damit gewinnt er eine affirmative Aussage, die sich von der sie umgebenden Polemik abhebt. Auf diese Spannung zwischen Aussage und Kontext geht er aber nicht ein.

30 sie (sc. die Mysterien) auch nicht kennen.
    Sie werden sogar (ἀλλά) (damit) prahlen,
32 daß bei ihnen allein
    das Mysterium (μυστήριον)
34 der Wahrheit ist. Und
    voller Hochmut werden sie
77, versuchen⁵⁰...
 2 neidisch (φθόνειν) zu sein auf
    die unsterbliche Seele (ψυχή), die zum Pfand geworden
 4 ist. Denn (γάρ) jeder Machthaber (ἐξουσία),
    Herrscher (ἀρχή) und (jede) Autorität der
 6 Äonen (αἰών) will sich bei diesen (unsterblichen
    Seelen) aufhalten von der Erschaffung
 8 der Welt (κόσμος) an, damit (ἵνα) sie
    (sc. die Mächte), die nicht (unsterblich) sind, von⁵¹ de-
10 nen, die (unsterblich) sind, nachdem diese
    sich selbst vergessen⁵² haben, gerühmt werden.
12 Obwohl sie (sc. die Mächte) nicht von ihnen ge-
    rettet wurden und sie auch nicht (οὔτε) auf den Weg
14 (zur Rettung) gebracht haben, wollen sie (es) allezeit,
    damit (ἵνα) sie selbst
16 die Unvergänglichen sein werden.
    Denn (γάρ) (immer) wenn⁵³ die unsterbliche Seele (ψυχή)
18 Kraft erhält durch einen
    verständigen (νοερόν) Geist (πνεῦμα)⁵⁴,
20 passen sie (– ὁρμάζειν)⁵⁵ sich (δέ) sofort
    einem von denen an, die sie auch verführt haben.

---

⁵⁰ Nach ⲉⲧⲉϩⲓⲧⲟⲟⲧⲟⲩ scheint der Zusammenhang verderbt zu sein. Werner bemerkt (582 Anm. 16; vgl. 640 Anm. 27): „Der vorliegende Text kann nur sinnlos übertragen werden." H.-M. Schenke rekonstruiert die Textlücke: <ⲥⲱⲣⲙ̅ ⲛ̅ⲛⲓⲯⲩⲭⲏ ϣ̅ϣⲉ ⲅⲁⲣ ⲉ>. Die Auslassung ist dort erfolgt, wo der Text „von der Prophezeiung zu einem kurzen, der Unterstreichung dienenden Rekurs auf einen zeitlos gültigen Sachverhalt gnostischer Mythologie ad vocem ‚Hochmut'" übergeht. „Und voller Hochmut werden sie versuchen, <die Seelen> zu <verführen. Denn es ist nötig für> den Hochmut, neidisch zu sein auf die unsterbliche Seele, die zum Pfand geworden ist" (1975b, 132). Koschorke (53) übersetzt: „Und aufgeblasen werden sie sich zu dem Hochmut versteigern (?), ..., neidisch zu sein auf die unsterbliche Seele." Brashler hält ⲉⲧⲙ̅ⲛ̅ⲧ̅ ⲭⲁⲥⲓϩⲏⲧ (77,1 f.) für einen Einschub, der auf 76,35 zurückgeht.

⁵¹ ⲉⲃⲟⲗ ϩⲓⲧⲟⲟⲧ = bezeichnet das semantische Subjekt (vgl. Till I, 326) und signalisiert das Passiv (vgl. Till II, 280). Die pronominalen Bezüge bleiben jedoch vieldeutig.

⁵² ⲱⲃϣ bedeutet wörtlich: „ἀγνοεῖν" (Crum 518b); „to be ignorant of" (Brashler).

⁵³ Zum Pleonasmus nach ⲉϣⲱⲡⲉ vgl. Till I, 449.

⁵⁴ Koschorke (85) sieht in ⲡⲛ̅ⲁ̅ ⲛ̅ⲛⲟⲉⲣⲟⲛ eine Bezeichnung für die Gnostiker.

⁵⁵ ϩⲟⲣⲙⲁⲍⲉ entspricht eher ἁρμόζειν/„anfügen, einpassen, zusammenfügen" (Bauer 216; vgl. Liddell/Scott 1252 mit 243: „bind fast, adapt, accomodate"; NHL und Siegert 219

22 Zahlreich werden aber (δέ) andere sein,
    die gegen die
24 Wahrheit streiten – es sind die Boten (ἄγγελος)
    des Irrtums (πλάνη) – sie werden
26 ihren Irrtum (πλάνη) und
    ihr eigenes Gesetz (νόμος) rüsten gegen
28 meine reine[56] Gedanken.
    Da (ὡς) sie, (nur) von einem (Blickwinkel)
30 ausgehend[57], meinen,
    daß die Guten (ἀγαθόν) und die Bösen (πονηρόν)
32 aus einem (gemeinsamen Ursprung) stammen.
    Sie treiben Handel mit
78, meinem Wort. Es wird auch
 2 ein hartes Schicksal (εἱμαρμένη) eingesetzt werden,
    unter dem das Geschlecht (γένος)
 4 der unsterblichen Seelen (ψυχή)
    in Vergeblichkeit laufen wird
 6 bis zu meiner Wiederkunft (παρουσία).
    Sie werden nämlich (γάρ) unter ihnen sein[58] ...
 8 (bis zu) meiner Vergebung
    ihrer Sünden (παράπτωμα), in die sie
10 gefallen sind durch die
    Hand der Widersacher (ἀντικείμενος).
12 (Was die Sünden betrifft[59], so) habe ich ihre Erlösung
    aus (πρός) der Knechtschaft,

---

stimmen dem zu.) als ὁρμάω/„losfahren auf, stürmen" (Bauer 1178; Krause und Werner haben sich für diese Bedeutung entschieden). Koschorke (74) erläutert 77,20 f.: „machen sie (die Mächte) <sie> (die unsterbliche Seele) dem (Menschen) gleich ...". H.-M. Schenke (1975 b, 132) und Werner ergänzen nach ⲉⲭⲙ̄ ⲡⲏ (77,20) als nominales Subjekt und Beziehungswort für den Genetiv <ⲛ̄ϭⲓ ⲛⲓⲇⲁⲓⲙⲱⲛ> . Ist nicht aber bereits 77,4 f. das Subjekt des ganzen Abschnitts genannt worden?

[56] Bei ⲧⲟⲩⲃⲏⲟⲩⲧ handelt es sich um eine Form des Qualitativs von ⲧⲃⲃⲟ/„become, be pure" im Bohairischen (vgl. Crum 399 b). ⲛ̄ⲧⲏ ist Präposition und Personalsuffix der 1. Person Singular (vgl. Till II, 129).

[57] Vgl. NHL: „looking out from one (perspective)"; Brashler: „they see from one (perspective)"; Werner: „wie von einem (Punkt) aus blickend". Krause übersetzt das Verb transitiv; in dem Fall müßte jedoch eine Präposition stehen (vgl. Crum 837 b).

[58] Möglicherweise folgt nach ⲛ̄ϩⲏⲧⲟⲩ eine Textlücke. NHL trägt dem Rechnung; Brashler läßt einen neuen Satz beginnen. H.-M. Schenke (1975 b, 132) und Werner schlagen als Subjekt von ⲉⲧⲉϣⲱⲡⲉ nach ⲛ̄ϩⲏⲧⲟⲩ vor: <ⲛ̄ϭⲓ ϩⲉⲛϩⲟⲉⲓⲛⲉ ⲉⲧⲕⲱ ⲙ̄ⲡⲁϣⲁⲭⲉ ⲛ̄ⲥⲱⲟⲩ> ; „...Leute, die mein Wort verleugnen ...". Koschorke (54) erläutert folgendermaßen: „... – sie (die Gnostiker) werden nämlich (ⲅⲁⲣ) unter ihnen (den Ekklesiastikern) sein – und (bis zu) meiner Vergebung ...".

[59] Zur syntaktischen Funktion des Relativpronomens ⲉⲧⲉ vgl. Till I,464. Mit diesem Satz wird eine Erklärung („nämlich" bzw. „das heißt") von 78,8 f. formuliert.

14 in der sie gewesen waren, herbeigeführt, um ihnen
   Freiheit zu geben –
16 (Im übrigen) werden sie (sc. die Mächte)
   ein Fragment[60] von Nachahmung (ἀντίμιμον) schaffen im
18 Namen eines Toten – das ist Hermas, der (Sohn) des Erstgeborenen der Ungerechtigkeit (ἀδικία) –
20 damit (ἵνα) die Kleinen nicht
   an das (wahrhaftige) Licht
22 glauben. Leute von solcher
   Art aber (δέ) sind wie die Arbeiter (ἐργάτης),
24 die man in die Finsternis werfen wird, die
   draußen ist, fort von den Kindern
26 des Lichts. Denn (γάρ) weder (οὔτε)
   kommen[61] sie selbst hinein,
28 noch (ἀλλά … οὔτε) lassen sie
   diejenigen hinein, die bereitwillig[62]
30 sind zu (πρός) ihrer
   Erlösung. Wiederum (δέ, ὄν)
32 andere von ihnen, die sich selbst
   in Betrübnis bringen, (leiden und) denken,
34 daß sie vollenden werden
79, die Weisheit der
 2 wirklichen (ὄντως) Bruderschaft. Sie ist
   die Freundschaft im Geist (– πνεῦμα)[63]
 4 mit den Gefährten einer gemeinsamen (κοινωνία) Abstammung. Durch sie (sc. die
 6 Freundschaft) wird sich offenbaren die
   Hochzeit der Unvergäng-
 8 lichkeit (ἀφθαρσία)[64]. Jedoch wird (unter ihnen)
   das (nur) verwandte (γένος) Abbild der Schwesternschaft

---

[60] Vgl. Werner: „eine bloße Nachahmung". Damit ist eigentlich zu wenig gesagt, denn gemeint sind die bruchstückhaften Überbleibsel einer Nachahmung. Koschorke diskutiert verschiedene semantische Varianten und schlägt vor: „… sie werden eine weitere Nachahmung schaffen" (55 f.).

[61] ⲚⲚⲎⲞⲨ ist eine im achmimischen und faijumischen Dialekt bezeugte Form des Qualitativs von ⲚⲞⲨ/„kommen" (vgl. Crum 219 b).

[62] ⲘⲀⲦⲈ/ⲘⲈⲦⲈ geht zurück auf altäg. mtr/„zugegen, präsent sein, Zeuge sein, einverstanden sein, zustimmen" und ist in demotischen Rechtsurkunden der t.t. für den Konsens z. B. zwischen Käufern und Verkäufern oder zwischen Eheleuten. Vgl. 70,15 ff.; 71,4; 80,25 – Hinweis auf die Konsubstantialität von Gnostiker und Soter?

[63] Koschorke (60) übersetzt: „… welche die Gemeinschaft des Geistes (–πνεῦμα) mit (oder: zwischen) denen ist, die gleicher Wurzel sind, kraft einer Verbindung (κοινωνία) …".

[64] Vgl. 2LogSeth (NHC VII, 2) 67,7; 69,33.

10   als (κατά) eine Nachahmung (ἀντίμιμον) erscheinen[65].
     Das (Pl.) sind diejenigen, die
12   ihre Brüder zugrunde richten, wenn
     sie zu ihnen sprechen: ‚Dadurch
14   schenkt unser Gott sein Erbarmen,
     wenn uns in diesem (Verbund)
16   Heil zuteil wird.' Doch kennen sie
     nicht die Strafe (κόλασις) für diejenigen,
18   die sich über die Behandlung[66] freuen, der
     man die Kleinen ausgesetzt hat,
20   als sie gesucht[67] (und) gefangen
     genommen wurden (– αἰχμαλωτεύειν).
22   Andere aber (δέ) werden auftreten
     von denjenigen, die nicht zu uns[68]
24   zählen. Man nennt sie
     Bischof (ἐπίσκοπος). Dann (δέ)
26   auch (ἔτι) Diakone (διάκονος), als ob (ὡς)
     sie ihre Vollmacht (ἐξουσία) (Pl.) von
28   Gott empfangen hätten. Sie unterwerfen sich dem
     Urteil der ersten in der Hierarchie[69].
30   Jene sind die
     wasserlosen Gräben." – Ich
32   aber (δέ) sagte: „Ich fürchte mich wegen
     der Dinge, die du mir mitgeteilt hast.
80, Wenige nur (μέν) sind bei uns
  2 mit (παρά) dem (Erkennungs-)Zeichen[70]. Es gibt
     jedoch (μέν) viele, die werden
  4 viele andere der Lebendigen verführen.
     Sie ziehen[71] sie auf

---

[65] Vgl. Koschorke (60), der H.-M. Schenkes und Werners Übersetzung folgt: „… wird
(bei ihnen) in Erscheinung treten als Nachahmung (κατά, ἀντίμιμον) etwas von nur ähnlicher Art, das Geschlecht (γένος) der Schwesternschaft".
[66] Ist ειρε ⲙⲡⲓϩⲱⲃ eine Anspielung auf den Tribunalzusammenhang?
[67] ⲛⲁⲧ wird hier gebraucht im Sinne von „aufspüren", προχειρίζειν; εὑρίσκειν (vgl. Crum
234 a).
[68] Wörtlich: „die sich außerhalb von unserer Zahl befinden". Anders Werner (641
Anm. 31): 2. Person Plural.
[69] Werner will eine Anspielung auf Mt 23, 6 erkennen: „sie legen sich zu Tisch … unter
das Gesetz nach den ersten Plätzen"; vgl. Crum 680 b. Koschorke (65) erklärt: sie fallen
unter das Gericht, das über ihr Streben nach πρωτοκαθεδρία ergeht.
[70] Die Substantivierung (ⲛⲓ) des präpositionalen Ausdrucks ⲡⲁⲣⲁ ⲡⲏϣⲱⲗϩ ist im Koptischen eigentlich unzulässig. Zu diesem Ausdruck vgl. 2LogSeth (NHC VII, 2) 62, 28.38;
63, 21; 69, 9. Wenn Werner übersetzt: „die außerhalb (der Verführung) bleiben", geht er
wohl von ϯ ϣⲱⲗϩ/„set mark, boundary" (Crum 562 a; vgl. Westendorf 312) aus.
[71] ⲟⲩⲱϣⲛ gibt auch σπᾶν wieder (vgl. Crum 513 a; Bauer 1519: „ziehen"); NHL nimmt
die Bedeutung „break (tr.); ῥηγνύναι" (Crum 513 a) an.

6 ihre Seite. Und weil sie
deinen Namen (wie eine Parole) aussprechen, wird man sie
8 für glaubwürdig halten." – Der Erlöser (σωτήρ) sprach:
„Eine begrenzte Zeit (χρόνος) werden sie
10 mit ihren zahlreichen Irrungen (πλάνη)
über die Kleinen herrschen. Wenn
12 dann (die Zeit) des Irrtums (πλάνη)
vollendet ist, wird sich der
14 Ewige[72] der unsterblichen Vernunft (διάνοια) er-
neuern. Und sie (sc. die Kleinen) werden herrschen
16 über diejenigen, die wir[73] jetzt (schon) beherrschen.
Und ihrem Irrtum (πλάνη) wird er (sc. der Ewige)
18 die Wurzel ausreißen. Auch wird er an
ihm (sc. dem Irrtum) ein Exempel statuieren[74].
20 Und er (sc. der Irrtum)[75] wird offenbar werden in jeder
Freiheit, die er sich angemaßt hat. Aber
22 Leute von solcher Art werden
unveränderlich sein. O (ὦ) Petrus, komm
24 nun (οὖν)! Laßt uns gehen zur Vollendung,
die die Übereinstimmung[76] mit dem
26 unbefleckten Vater hat! Denn (γάρ)
siehe, sie sind da, die
28 sich selbst den Rechtsspruch zuziehen,
und man wird an ihnen ein Exempel statuieren. Mich aber
30 (δέ) können sie nicht antasten.
Du dagegen (δέ), o (ὦ) Petrus, wirst
32 unter ihnen (als Zeuge) auftreten. Fürchte
dich nicht wegen deiner Verzagtheit.
81, Ihr Verstand (διάνοια) wird ver-

---

[72] Wörtlich: „der nicht-Alternde, der nicht Greis wird". Werner ergänzt: „der nichtal-
ternde (Äon)". Brashler verweist auf AJ (BG 8502) 28, 2 f.
[73] Meine Übersetzung identifiziert n̄- als Personalsuffix der 1. Person Plural; Brashler
und Krause lesen einen substantivierten Infinitiv mit Artikel.
[74] n̄cтpaϩ ist eine ungewöhnliche Schreibweise von cpaϩ/„example", „object of shame"
(Crum 358 a); vgl. 82, 39. 80, 29 und 81, 22 steht dagegen die normale Form. Leider ist die
altäg. Vorform von cpaϩ/ „Beispiel" nicht bekannt. Hier kann die nächste Nähe von „(vor
Gericht) offenbaren" und „zum Gericht ziehen" weiterhelfen. Darum wird die Übersetzung
„ein Exempel statuieren" vorgeschlagen.
[75] Krause, Werner und Brashler beziehen die Äußerungen in 80, 19 ff. auf die unsterblichen Seelen. Dagegen spricht jedoch der Duktus des Gedankens, der auf пλаηн (80, 17)
und ihre Repräsentanten abhebt.
[76] Crum gibt für ϯ маτє an: „assent, good pleasure, εὐδοκία, συμφωνία, βούλησις"
(190 a). Koschorke (19) paraphrasiert: zur Vollendung „der Einheit mit dem" unbefleckten
Vater.

2 schlossen werden. Denn (γάρ) der
Unsichtbare (ἀόρατος) trat (als Zeuge)
4 zu ihnen.." – Nachdem er dies gesagt hatte,
sah ich ihn so, als ob er von ihnen
6 ergriffen würde. – Und
ich sagte: „Was sehe ich,
8 o (ὦ) Herr, dich selbst
ergreifen sie, und doch hältst du
10 mich fest? Oder (ἤ) wer ist es,
der (hoch) oben neben[77] dem Kreuz heiter (dasteht)
12 und lacht? Und einem anderen schlagen
sie auf seine Füße und
14 seine Hände."[78] – Der Erlöser (σωτήρ)
sprach zu mir: „Der, den du
16 (hoch) oben neben dem Kreuz siehst,
heiter und lachend, das ist
18 der Lebendige, Jesus. Jener aber (δέ),
in dessen Hände und Füße sie die
20 Nägel schlagen, das Leibliche (σαρκικόν)[79]
von ihm ist es, d. h., er ist der Ausgetauschte[80].
22 Ihn ziehen sie zum Gericht, den, der
nach (κατά) seinem Bild entstanden ist.
24 Schau nun (δέ) ihn an und mich!" –
Nachdem ich aber (δέ) hingesehen hatte, sagte
26 ich: „Herr, niemand sieht
dich. Laß uns von hier
2 fliehen!" – Er aber (δέ) sprach zu mir:
„Ich habe dir (doch) gesagt,
30 ,Blinde (sind sie)! Geh weg von ihnen!'
Und sieh dir an, daß (πῶς)
32 sie nichts von dem verstehen, was sie sagen.
82, Denn (γάρ) den Sohn ihrer
2 Lobgesänge haben sie anstelle meines
Dieners (διάκονος) zum Gericht gezogen." – Ich

---

[77] Vgl. Crum: „upon, over on, at, beside" (758 b); Krause: „am"; Werner: „neben"; Brashler: „above"; Westendorf: „auf, über, neben, bei für" (408) ⲣⲟⲟⲩⲧ ist Qualitativ von ⲟⲩ-
ⲣⲟⲧ/ „glad, fresh, flourishing; εὐθυμεῖν, εὔψυχος" (Crum 490 a).
[78] Krause, NHL und Brashler lesen einen Fragesatz.
[79] Es ist das, was „zur Ordnung der irdischen Dinge" gehört (Bauer 1486; ähnlich
Liddell/Scott 1584).
[80] Crum gibt für ⲓⲉⲃⲓⲱ an: „change, exchange, requital", „ἄλλαγμα" (552 b); vgl. Mk
8, 37; Ps 88, 52 LXX; Krause: „der Wechsel (= Ausgetauschte)"; Werner: „Lösegeld";
NHL: „substitute" und H.-M. Schenke (1975 b, 133) unterstellen dogmatische Konnotationen.

4 aber (δέ) sah, wie etwas sich uns
   nähern wollte[81]; es sah aus wie er und
6 jener (andere), der neben dem Kreuz lachte.
   Es war aber (δέ) voll[82] des
8 heiligen Geistes (πνεῦμα); und dies ist
   der Erlöser (σωτήρ). Da war auch (δέ) ein
10 großes, unbeschreibliches Licht, das sie umgab,
   und die Menge
12 der unbeschreiblichen
   und unsichtbaren Engel (ἄγγελος),
14 (und) sie segneten sie.
   Ich aber (δέ) habe es gesehen,
16 wie sie mit ihm erschienen sind (und)
   (ihm) Lob gaben[83]. – Er aber (δέ) sprach
18 zu mir: „Sei standhaft! Denn (γάρ) dir wurde es
   gewährt, diese Geheimnisse (μυστήριον)
20 aufgrund von Offenbarung zu erkennen:
   jener, der angenagelt wurde,
22 ist der Erstgeborene und das Haus
   der Dämonen (δαίμων) und der
24 Steinkrug[84], in dem sie hausen;
   der (Mensch) des Elohim, der (Mensch) des Kreuzes
26 (σταυρός), der unter dem Gesetz (νόμος)
   (empfangen)[85] ist. Jener aber (δέ), der in seiner

---

[81] Der Umstandssatz bezeichnet die Nachzeitigkeit, d. h. einen Vorgang, der zeitlich dem des Hauptsatzes folgt (vgl. Till I, 329).

[82] Die wörtliche Übersetzung von ΝЄϥϹΗⲌ/ „er/es war geschrieben", d. h. ϹΗⲌ als Qualitativ von ϹⲀⲒ zu sehen, gibt keinen Sinn. Wahrscheinlich sind die Schwierigkeiten darin begründet, daß ein Vergleich nicht vollständig durchgeführt worden ist (so H.-M. Schenke 1975b, 133). In einem anderen Beitrag zu ApcPt (1975a, 284f.) identifiziert Schenke ϹΗⲌ als nicht bezeugte Form des Qualitativs von ϹⲰϨЄ/ „weben" (vgl. Crum 381a) und übersetzt: „Ich aber sah etwas auf uns zukommen … es war aber gewebt in heiligem Geist …". Die philologische Entscheidung wird mit religionsgeschichtlichen Hinweisen begründet, daß in diesem Text die „Gewandvorstellung" d. h. „die geläufige Vorstellung von der irdischen bzw. himmlischen Gestalt der Menschen bzw. des Erlösers als eines Gewandes" (284) eine wichtige Rolle spielt. Auch in ParSem (NHC VIII, 1), am Anfang von PS und im Perlenlied (vgl. 76–78; Schneemelcher II, 347) sei vom himmlischen Gewand des Erlösers die Rede. Brashler weist Schenkes Argumentation und Vorschlag zurück. Er emendiert ϹΗⲌ zu ϹΗ <Ⲩ> von ϹЄⲒ/ „to be filled" (vgl. Crum 316b–317a); mit ϨⲚ̄ entspricht ϹЄⲒ ἐμπίμπλημι: „… he was filled with …"; vgl. Westendorf 174.

[83] Nach 82,14 sind es die Engel, die den Lobpreis vorbringen. Anders Brashler; H.-M. Schenke 1975b, 132 und Werner: „… gesehen hat, während er offenbart wurde als der, der verherrlicht" (1989, 642, Anm. 36).

[84] Die Bedeutung von ⲕⲁⲡ ist unsicher. H.-M. Schenke schlägt „Steingefäß, Krug" als Metapher für den irdischen Leib vor (vgl. Crum 113b).

[85] Vgl. Gal 4,4.

28   Nähe steht, ist der lebendige Erlöser (σωτήρ).
     Zuerst[86] haben sie ihn ergriffen.
30   Aber (dann) haben sie ihn losgelassen.
     Er steht freudig (als Zeuge) da.
32   Er sieht, daß jene, die ihn mit Gewalt
     genommen haben, untereinander gespalten[87] sind.
83,   Daher lacht er
 2   über ihre Unfähigkeit zu sehen.
     Er weiß (ja), Blindgeborene sind
 4   es. Folglich (οὖν, ἄρα) wird (allein)
     das Leidensfähige[88] (übrig) sein, da
 6   der Leib (σῶμα) das Ausgetauschte ist.
     Jener aber (δέ), den sie losgelassen haben, ist mein
 8   nicht-leiblicher (-σῶμα) Leib (σῶμα). Ich nun (δέ) bin
     der geistig wahrnehmbare (νοερόν) Geist (πνεῦμα), der
10   erfüllt ist mit einem Licht, das aufstrahlt. Jener,
     den du hast zu mir kommen sehen,
12   unsere geistig wahrnehmbare (νοερόν)
     Fülle (πλήρωμα) ist es; sie verbindet
14   das vollkommene (τέλειος) Licht mit
     meinem heiligen Geist (πνεῦμα). Das nun (οὖν),
16   was du gesehen hast, sollst du
     den Fremden (ἀλλογενής)[89] anvertrauen, das sind
18   die, die nicht aus diesem Äon (αἰών) stammen.
     Denn (γάρ) es wird keine[90] Anerkennung
20   unter (den) Menschen geben,
     die nicht Unsterbliche sind, sondern nur (εἰ μήτι)
22   (bei) denen, die erwählt wurden
     aufgrund eines unsterblichen Seins (οὐσία).

---

[86] Nach ⲡⲓϣⲟⲣⲡ̄ ergänzt H.-M. Schenke (1975 b, 132) <ⲙ̄ⲙⲓⲥⲉ ⲙ̄ⲯⲩⲭⲏ ⲉⲛⲉ-
ϥϣⲟⲟⲡ>/ „... der <seelisch Erstgeborene, der> war ...". Ähnlich auch in 82,21 f.:
„„der fleischlich Erstgeborene"". Brashler hält die Interpolation für unbegründet.

[87] Koschorke (24) bezieht ⲉⲩⲡⲟⲣϫ̄ ⲉⲃⲟⲗ ⲛ̄ⲛⲉⲩⲉⲣⲏⲩ auf die Differenz zwischen der
leidensfähigen Sarx und dem wahren Erlöser: „da sie", d. h. der Gekreuzigte und er, „so
von einander geschieden sind".

[88] H.-M. Schenke (1975 b, 132) ergänzt nach ⲡⲓⲣⲉϥϫⲓ ⲙ̄ⲕⲁϩ um eine periphrastische
Satzkonstruktion zu gewinnen: <ⲉϥϫⲓⲙ̄ⲕⲁϩ> . Vgl. Werner: „Es wird nur das Leidensfähige sein (= auftreten, existieren)".

[89] Vgl. Krause: „... den Andersrassigen"; ähnlich NHL; ferner: ÄgEv (NHC IV, 2)
50,21; Zostr (NHC VIII, 1) 128,7; Allog (NHC IX, 3) 69,6.

[90] Zur Konstruktion des Adverbialsatzes vgl. Till II, 184. Krause versteht ⲟⲩ als Frage-
partikel; Brashler liest in ⲟⲩ ... ⲙ̄ⲙⲛ̄/οὐ μή eine starke Negation; H.-M. Schenke (1975 b,
132) emendiert: <ⲛ̄ⲧⲉⲉⲓⲙⲓⲛⲉ>/ „... denn nicht kann ein Geschenk <von solcher Art>
in irgendwelchen Menschen wohnen ..."; ähnlich Werner.

24 Dieses (Sein) ist offenbar geworden,
    da es Kraft hat, jenen bei sich aufzunehmen,
26 der seinen Überfluß austeilt.
    Daher habe ich gesag[91]: ‚Jedem,
28 der hat, wird man geben, und
    (gibt es) jemand, der mehr sein wird als er?[92] Jener
30 aber (δέ), der nichts hat,' – Das ist
    der Mensch der Erdenwelt (τόπος).
32 Er[93] ist vollständig tot, da er
    ein ganz anderer ist aufgrund der Verbindung (mit)
34 der Schöpfung (und) der Erzeugung.
84, (Das sind diejenigen), die, wenn einer aus dem
2   unsterblichen Sein (οὐσία) erscheint,
    denken,
4   sie könnten sich seiner bemächtigen[94] – ‚dem nimmt
    man es weg und fügt es
6   jenem hinzu, der ist'. – Du
    fasse jetzt (οὖν) Mut! Und
8   fürchte niemand! Denn (γάρ) ich werde
    mit dir sein, damit keiner
10   deiner Feinde dich überwältigt.
    < Ich gebe > dir den Frieden (εἰρήνη)! Sei zuver-
12   sichtlich[95]!" – Nachdem er diese (Worte) gesagt hatte,
    geriet er in ihn.
14   Offenbarung (ἀποκάλυψις) des Petrus

---

[91] Vgl. Mt 13,12; 25,29; Lk 8,18b; EvThom (NHC II,2) 88,16 ff.

[92] Die Zitation 83,27–30 wird in 84,4–6 nach der Parenthese fortgesetzt. Brashler 1977, 69 erkennt die Referenz nur partiell; in NHL 378 ist die Parenthese zutreffend markiert; Koschorke 1978, 36 geht auf die Problematik nicht ein; dagegen macht Werner 1974, 582 durch die Zeilenanordnung den Umfang des Zitats und die Parenthese kenntlich (vgl. 1989, 643). Tuckett (1986, 123) differenziert zwischen „explicit quotation" und eingeschobener Erklärung. Er weist auf das ungewöhnliche Verb am Ende hin: „one might have expected ‚has' rather than ‚is'" (123 Anm. 123). Im Bohairischen entspricht oʏon dem im Sahidischen ungebräuchlichen status absolutus von oʏn̄; vgl. Till I, 287 B. Die von H.-M. Schenke (1975b, 132) und Brashler vorgenommene Konjektur ist nicht notwendig. Sie führt im übrigen zu einer falschen Übersetzung. Krauses Vorschlag: „und jemand wird mehr haben als er" ist ebenfalls nicht korrekt. M. E. muß der Satz als Frage verstanden werden. Der status constructus p̄- von eιpe erklärt sich daraus, daß der Qualitativ o + n̄-: „sein" kein Futur bildet.

[93] Die Übersetzung von 83,32–34 ist schwierig, da der Sinn dunkel bleibt. Spielt das Verb twoʏe auf die Taufe an (vgl. 74,13)?

[94] Krause und Brashler verkennen, daß 84,4–6 das Zitat 83,27–30 nach einer exkursartigen Ausführung fortgesetzt wird; richtig Werner 1989, 643.

[95] Siegert (56) hält oʏm̄ nomte für einen Gruß: „Leb wohl!". Nach Crum (226 b) bedeutet oʏm̄ nomte bzw. xem nomte jedoch: „find strength".

4. Strukturale Textanalyse und Interpretation

4.1 Die literarische Komposition

4.1.1 Vorbemerkungen

Im folgenden wird der Versuch unternommen, die literarische Komposition von ApcPt transparent zu machen, und zwar in mikrosyntaktischer und in makrosyntaktischer Perspektive. Die Interpretation setzt die Einheit des Textes voraus. Makrosyntaktische Fragestellungen – wo sind Gliederungssignale? wo wechseln die syntaktischen Subjekte? wie werden die Tempora gebraucht und miteinander verzahnt? welche Lexeme werden hervorgehoben? – übernehmen dabei die Aufgabe, den Weg zur Gesamtstruktur des Textes[1] aufzuschließen. Dieser Weg führt aber nur dann zum Ziel, wenn auch die kleinsten Einheiten erkannt werden, aus denen der Text konstituiert[2] ist. In der Interpretation verschränken sich somit zwei Arbeitsgänge: das Zerlegen des Textes und das Arrangement der Textteile aufgrund des Einblicks in die Textstruktur. M. a. W., Makro- und Mikrostruktur von ApcPt bilden einen korrespondierenden Zusammenhang sprachlicher Relationen. Im Mikrobereich vertreten die kleinsten Einheiten in elementarisierter Form die eigentliche Aussageabsicht. Das, was der Text sagen und bewirken will, resultiert aus der Interdependenz von Struktur und Funktion.

Mit der Hinwendung zur literarischen Komposition ist die Absicht verbunden, interpretatorische Willkür auszuschließen, die Faktoren und Tendenzen aus der Makrostruktur verabsolutiert, ohne auf die spezifische Textur zu achten. Weiterhin soll die Aporie bearbeitet werden, die in der widersprüchlichen Einschätzung der Schrift besteht[3].

---

[1] Vgl. Hartman 1983, 333: „In the work as a whole one has to take into account the structure of the presentation, the plot, the main themes, and the topic."

[2] Vgl. ebd.: „In sections of the text one has to consider characteristics of a similar kind: the structure of smaller episodes or of other smaller units, motifs, ways of organizing and presenting the material in shorter stories or other literary pieces."

[3] Vgl. Colpe 1973, 119; Werner 1974, 575; H.-M. Schenke 1975 a, 277 einerseits und Koschorke 1978, 14 andererseits.

4.1.2 Deskriptive Gliederung des Textes

Zunächst gilt es, den Text auf mikrosyntaktischer Ebene wahrzunehmen und eine deskriptive Gliederung zu erstellen. Dabei ist auf die textkonstitutiven Äußerungseinheiten zu achten. Unter „Äußerungseinheit" (= ÄE) wird im Anschluß an Harald Schweizer das verstanden, „was eine inhaltlich beschreibbare, in sich abgerundete Funktion erfüllt"[4]. Grundlage sind die von Schweizer genannten Kriterien[5]. Mit der deskriptiven Gliederung ist nicht beabsichtigt, den Text zu atomisieren oder in eine zusammenhanglose Aufstellung von syntaktisch erklärbaren Details aufzulösen. Vielmehr kommt es darauf an, die literarische Disposition des Textes durchsichtig zu machen, um Zugang zu seiner Aussageabsicht zu gewinnen. Dieses Ziel wird um so eher erreicht, wenn der Ansatz bei den kleinsten Äußerungseinheiten funktional begrenzt bleibt und die spezifischen Eigentümlichkeiten von ApcPt in Rechnung gestellt werden. Da der Traktat mit scriptio continua geschrieben ist, also weder Satz- noch Verseinteilung vorliegen, haben Abgrenzung wie Deskription einen vorläufigen Charakter. Bei dem Versuch, eine deskriptive Gliederung zu erstellen, ist zu berücksichtigen, daß ApcPt eine Übersetzung aus dem Griechischen darstellt und der koptische Text auch mit Hilfe der Grammatik nicht immer eindeutig verifiziert werden kann.

---

[4] H. Schweizer 1984, 174.

[5] 1984, 175:

„1. Ein Satz hat nur *ein* finites Verb.

2. Eine Aussage (= Prädikation) kann auch nominal vorliegen.

3. Nach einer Redeeinleitung beginnt eine neue ÄE.

4. Relativsätze werden abgetrennt. Im Falle einer Einbettung ... ist Sondernotation ... nötig ...

5. Konjunktionale Nebensätze werden abgetrennt.

6. Verblose sprachliche Elemente ... können eine separate inhaltliche Funktion haben, somit eine separate ÄE sein (z. B. aufmerksamkeitserregende Elemente wie Vokative, Interjektionen = *phatische* Elemente) ...

7. Erkennbar parallelisierte Gedanken ... werden abgetrennt.

8. Infinitiv-Konstruktionen („um zu ...' u. ä.) werden *nicht* abgetrennt ...

9. Setzung eines neuen Themas: Es wird – oft aphrastisch – eine inhaltliche Wendemarke im Text gesetzt, auf die erst *anschließend* wieder ein vollständiger Satz folgt ...

10. Jedes Glied der Prädikation kann zusätzlich beschrieben werden (= Adjunktion; vgl. die verschiedenen Typen: Koordination; Deskription; Explikation)".

I. Präskript: 70, 13–20 b

70,13	A.	Titel	Textbeginn
70,14–20 a	B.	Narrativer Vorspann	Perspektive des Erzählers
70,14–17 a	1.	Szenenbeschreibung	Umstandssatz
70,14 a	a.	Präsentation des Handlungsträgers A: der Soter	
70,14 b–15 a	b.	Ortsangabe	
70,15 b–17 a	c.	Zeitangabe	
70,17 b–20 a	2.	Ortsangabe	Umstandssatz
70,20 b	C.	Sprecherwechsel Präsentation des Handlungsträgers B: der Erzähler	Gliederungssignal Hauptsatz

II. Offenbarungsdiskurs: 70,20 c–72,4 a

70,20 c–71,15 a	A.	Selbstvorstellung (Diskurs I)	Perspektive des Soter direkte Rede
70,20 c–21 a	1.	Anrede	
70,21 b.22	2.	Makarismus	
70,23.24	3.	Hymnische Prädikation	Offenbarungsterminologie
70,25–71,15 a	4.	Aretalogie des Soter	
70,25	a.	Seine Funktion	
70,26.27	b.	Adressaten der Erinnerung	
70,28–71,3 a	c.	Inhalt der Erinnerung	Futur III
71,3 b–5 a	d.	Adressaten der Erleuchtung	
71,5 b–9 a	e.	Rückblick auf die Geschichte des Soter	Rede in 3. P. Sg.
71,5 b–7 a	1)	Überlegenheit über die Mächte	Negiertes Perfekt I
71,7 b–9 a	2)	Überlegenheit über die Tradition	
71,9 b–15 a	f.	Epiphanie des Soter	Offenbarungsterminologie
71,10 a	1)	Zeitangabe	
71,10 b–11 b	2)	Ortsangabe	
71,11 c–13 a	3)	Identifikation	
71,13 b–15 a	4)	Ortsangabe	
71,15 b–72,4 a	B.	Berufung zur Erkenntnis (Diskurs II)	
71,15 b.16 a	1.	Anrede	Verstärkter Vokativ
71,16 b–21	2.	Paränetische Zuwendung A	
71,16 b + 17 b	a.	Aufforderung zum Bleiben Ortsangabe	Imperativ
71,16 c + 17 a	b.	Begründung	
71,18	c.	Begründung	Explikativer Relativsatz

71,19–21	d.	Motiv der Paränese	Aussagesatz; Perfekt I; Relativsatz; Perfekt I
71,22a–25a	3.	Paränetische Zuwendung B	
71,22a	a.	Aufforderung zur Perseveranz	Imperativ
71,22b–25a	b.	Warnung vor dem „Nachahmer"	
71,25b–72,4a	4.	Ruf zu adäquater Erkenntnis	
71,25b–27a	a.	Affirmation	Perfekt I; Finalsatz
71,27b–72,2a	b.	Referenzen	Temporalsatz; Reihung
72,2b–4a	c.	Ankündigung Zeitangabe	Umstandssatz

III. Dialogische Interaktion: 72,4b–73,23a

72,4b.5a	A.	Diskurs-Vollzugsnotiz Sprecherwechsel[6]	Gliederungssignal
72,5b–9a	B.	Ich-Erzählung	Perspektive des Erzählers
72,5b	1.	Eröffnungsnotiz	Perfekt I
72,5c–8a	2.	Visionsbericht	
72,8b.9a	3.	Erregungsaussage	Perfekt I
72,9b.10a	C.	Rede-Einführung Sprecherwechsel	Gliederungssignal
72,10b–17a	D.	Dialogbeitrag: Soter	Perspektive des Soter
72,10b	1.	Anrede	direkte Rede
72,10c–13a	2.	Urteil	Perfekt I
72,13b–17a	3.	Einladung Handlungsanweisungen	Bedingungssatz Imperative
72,17b–19a	E.	Zwischenbericht	Perspektive des Erzählers
72,17b	1.	Sprecherwechsel ohne Rede-Einführung	Gliederungssignal
72,17b–18a	2.	Handlungs-Vollzugsnotiz	
72,18b.19a	3.	Negative Ergebnisnotiz	
72,19b	F.	Rede-Einführung	Wechsel zur direkten Rede
72,19c–20a	G.	Dialogbeitrag: Petrus Wiederholung der narrativen Ergebnisnotiz	
72,20b	H.	Rede-Einführung Sprecherwechsel	Gliederungssignal
72,21a	I.	Dialogbeitrag: Soter Handlungsanweisung	Perspektive des Soter Imperativ

[6] Brashler vernachlässigt die durch den Sprecherwechsel signalisierten Zäsuren und den spezifischen Sprachgestus des Textes. Weil er ein apokalyptisches Gestaltungsschema voraussetzt (s.o. 33), liest er den Text unter dem Titel „First Vision Report and Interpretation" (1977, 145)

72,21 b–28 a	K.	Visionsbericht: Petrus	Perspektive des Erzählers;
		Sprecherwechsel	Gliederungssignal
72,21 b–23 a	1.	Befindlichkeitsaussage	Perfekt I
72,23 b–25 a	2.	Begründung	
72,25 b–27 a	3.	Ereignis-Schilderung	
72,27 b–28 a	4.	Kommunikations- und Handlungsvollzugsnotiz	
72,28 b.29 a	L.	Rede-Einführung	
		Sprecherwechsel	Gliederungssignal
72,29 b–73,1 a	M.	Dialogbeitrag: Soter	Perspektive des Soter; direkte Rede
72,29 b	1.	Handlungsanweisung	Imperativ
72,30 b–73,1 a	2.	Handlungsanweisung	Imperativ
73,1 b–5 a	N.	Auditionsbericht: Petrus	Perspektive des Erzählers
		Sprecherwechsel ohne Redeeinführung	Gliederungssignal
73,1 b–3 a	1.	Handlungsvollzugsbericht	
73,3 b–4 a	2.	Ereignisschilderung	
73,4 b.5 a	3.	Kommunikations-Notiz	
73,5 b.6 a	O.	Rede-Einführung	
		Sprecherwechsel	Gliederungssignal
73,6 b–8	P.	Dialogbeitrag: Soter	Perspektive des Soter; direkte Rede
		Handlungsanweisungen	Imperative
73,9 a	R.	Sprecherwechsel ohne Rede-Einführung Auditionsvollzugs-Notiz	Gliederungssignal
73,9 b–11 a	S.	Auditions-Bericht: Petrus	Perspektive des Erzählers
73,9 b–10 a	1.	Referat	Fragment eines Zitats (?)[7]
73,10 b.11 a	2.	Kommunikations-Notiz	Praesens II
73,11 b.12 a	T.	Rede-Einführung	
		Sprecherwechsel	Gliederungssignal
73,12 b–23 a	U.	Dialogbeitrag: Soter	Perspektive des Soter; direkte Rede
73,12 b–14 a	1.	Urteil	Perfekt I Vgl. 72,10 c–13 a
73,14 b–23 a	2.	Übergang zur diskursiven Mitteilung	Wechsel der Sprachebene
73,14 b–18 a	a.	Handlungsanweisung	

---

[7] Es wird nicht eindeutig gesagt, über wen Petrus hier Aussagen macht, d. h. wessen Worte er referiert. H.-M. Schenke (1975 b, 131) rekonstruiert den Text, wonach die Audition sich auf den himmlischen Bereich bezieht. Ihm folgt Werner (1974, 578). Brashler denkt dagegen an den historischen Kontext, d. h., Petrus hört die Rede der Priester. Seine Übersetzung der Stelle – „As you are sitting, they are praising you" (1977, 29) – gibt jedoch keinen Sinn.

73,14 b–16 a	1)	Lehreröffnung[8]	Imperativ
73,16 b.17 a	2)	Aufforderung	Imperativ
73,17 b.18 a	3)	Prohibitiv	Negierter Imperativ
73,18 b–23 a	b.	Begründung der Handlungs-anweisung im Blick auf den Offenbarungs-empfänger	Verstehensweiser Antithese

IV. Offenbarungsdiskurs: 73,23 b–79,31 a

73,23 b–74,22 a	1.	Krisis-Schilderung	
73,23 b–74,9	a.	Beschreibung in eschatologischer Perspektive	
73,23 b–28	1)	Aufweis von Apostasie	
73,29–74,9	2)	Ansage von Verfolgung	
74,10–15 a	b.	Profilskizze der Apostaten	Verbformen im Futur
74,15 b–22 a	c.	Urteilender Kommentar	
74,22 b–75,7 a	2.	Liste der Irrtümer, Wider-sacher und Bedrängnisse	
74,22 b–27 a	a.	Erste Weissagung Ankündigung von verbalen Handlungen	Gliederungssignal: ⲌⲈⲚⲢⲞⲈⲒⲚⲈ
74,27 b–75,7 a	b.	Zweite Weissagung	Gliederungssignal: ⲌⲈⲚⲢⲞⲈⲒⲚⲈ
	1)	Ankündigung von hierarchischen Verhältnissen	
75,2 b–7 a	2)	Kommentar	Bedingungssatz
75,7 b–76,23 a	3)	*Exkurs.* Über die Seelen	Begründungszusammenhang: γάρ
75,7 b–9 a	a)	Erfahrungsregel	Behauptung
75,9 b–11	b)	Explikation	Praesens consuetudinis
75,12–26 a	c)	Beschreibung der sterblichen Seele	
75,12–14	(1)	Diagnose ihrer Zugehörigkeit	Nominalsatz
75,15–17 a	(2)	Konstatierung der Folgen	Begründete Zustandsaussage
75,17 b–26 a	(3)	Argumentative Begründung	Kausale Konjunktion Nominalsatz Zustandsaussage
75,26 b–76,4 a	d)	Beschreibung der unsterblichen Seele	
75,26 b–28 a	(1)	Behauptung	Adversative Konjunktion; vorgezogenes Verb im Konjunktiv
75,27 a	(a)	Anrede	
75,28 b–76,4 a	(2)	Inventar elementarer Merkmale	Dominanz von Zustandsaussagen
76,4 b–8 a	e)	Erfahrungsregel	Begründung Negiertes Praesens consuetudinis

---

[8] Vgl. Brashler 1977, 146: „Call to esoteric knowledge".

76,8 b–14 a	(1)	Applikation der Regel auf die sterblichen Seelen	Bedingungssatz Zustandsaussagen Praesens consuetudinis
76,14 b–17	(2)	Applikation der Regel auf die unsterbliche Seele	Adversative Verknüpfung; Praesens consuetudinis
76,18–20 a	f)	Generalisierung der Regel	Adversativer Übergang; Futur II
76,20 b–23 a	g)	Paradoxes Paradigma	Vgl. 72,10 c–13 a; 73,12 b–14 a
76,23 b–27 a	c.	Dritte Weissagung Ankündigung der Verführung[9]	Gliederungssignal: ⲍⲉⲛⲕⲟⲟⲩⲉ; Futur III
76,27 b–34 a	d.	Vierte Weissagung Ankündigung von Monopolansprüchen	Gliederungssignal: ⲍⲉⲛϩⲟⲉⲓⲛⲉ Futur I
76,34 b–77,22 a	e.	Einblendung zum Verhalten der Mächte	Stichwortanknüpfung; vgl. 75,27 b.28 a; 76, 1 a; 77,2 b.3 a.17 Praesens consuetudinis
77,22 b–78,31 a	f.	Fünfte Weissagung	Gliederungssignal: ⲍⲉⲛⲕⲟⲟⲩⲉ
77,22 b–29 a	1)	Ankündigung der Irrtumsboten	Futur III
77,29 b–32	2)	Begründende Explikation	Zustandsaussagen
77,33–78,1 a	3)	Polemisches Urteil	Praesens II
78,1 b–6 a	4)	Ankündigung einer Repression	Futur III + II
78,6 b–15 a	5)	Erinnerung an die Parusie	Affirmation; Perfekt I
78,15 b–22 a	6)	Ankündigung der „Nachahmung"	Futur III Nominalsatz; Folgesatz
78,22 b–26 a	7)	Urteil in eschatologischer Perspektive	Nominalsatz Futur II
78,26 b–31 a	8)	Begründung	Konjunktiv
78,31 b–79,21 a	g.	Sechste Weissagung	Gliederungssignal: ⲍⲉⲛⲕⲟⲟⲩⲉ
78,31 b–79,2 a	1)	Ankündigung eines Mißverständnisses	Prasens II Futur II
79,2 b–8 a	2)	Konfrontierende Explikation	Nominalsätze Futur III
79,8 b–16 a	3)	Beschreibung der Gegen-Institution	Futur II
79,8 b–11 a	a)	als „Nachahmung"	Identifikation
79,11 b–12 a	b)	als Verderben der Brüder	Nominalsatz
79,12 b–16 a	c)	Zitat der Widersacher	
79,16 b–21 a	4)	Strafandrohung	Relativsätze
79,21 b–31 a	h.	Siebte Weissagung	Gliederungssignal: ⲍⲉⲛⲕⲟⲟⲩⲉ

---

[9] Anders Brashler, der eine „non-apostate group" thematisiert sieht (1977, 146).

79,21 b–30 a	1)	Ankündigung von Pseudo-Autoritäten	Futur III Zustandsaussagen
79,30 b.31 a	2)	Polemisches Urteil	Nominalsatz

V. Dialogisches Zwischenspiel: 79,31 b–81,6 a

79,31 b.32 a	A.	Rede-Einführung Sprecherwechsel	Gliederungssignal
79,32 b–80,7	B.	Dialogischer Eingriff: Petrus	Perspektive des Erzählers; direkte Rede
79,32 b.33 a	1.	Befindlichkeitsaussage	Praesens I
79,33 b–80,7	2.	Argumentative Begründung	Praesens II Zukunftsansagen
80,8 a	C.	Rede-Einführung Sprecherwechsel	Gliederungssignal
80,8 b–23 a	D.	Antwort des Soter	Perspektive des Soter direkte Rede
80,8 b–11 a	1.	Autoritative Begrenzung der Unheilszeit	Nominalsatz
80,11 b–15 a	2.	Epiphanie-Ankündigung	Futur III
80,15 b.16	3.	Ankündigung einer eschatologischen Inversion	Futur III
80,17–21 a	4.	Gerichtsankündigung	Futur III
80,21 b–23 a	5.	Abschließendes Argument	
80,23 b–81,3	E.	Übergang zu Dialog II	Zäsur Perspektive des Soter bleibt
80,23 b	1.	Anrede	
80,23 c–26 a	2.	Aufforderungen Eschatologische Richtungsnotiz	Imperativ; Optativ
80,26 b–81,3 a	3.	Eröffnung einer Gerichtsszene	Szenenwechsel
80,26 b–30	a.	Vorstellung der Handlungsträger	Szenenweiser Futur II
80,31 a	b.	Anrede	Adversativer Akzent
80,31 b.32 a	c.	Handlungsankündigung Ortsangabe	Futur III
80,32 b–81,1 a	d.	Mahnung zur Furchtlosigkeit	Negierter Imperativ
81,1 b–3 a	e.	Begründung	Futur III Affirmation
81,3 b.4 a	F.	Redevollzugsnotiz Sprecherwechsel	Gliederungssignal
81,4 b–6 a	G.	Referat einer Schauung:	Perspektive des Erzählers: Petrus
81,4 b	1.	Eröffnungsnotiz	Perfekt I
81,4 c–6 a	2.	Ereignisschilderung	Praesens I

VI. Dialogische Interaktion: 81,6 b–82,17 a

81,6 b.7 a	A.	Rede-Einführung	Gliederungssignal: Wechsel zur direkten Rede; Perspektive des Erzählers bleibt
81,7 b–14 a	B.	Dialogbeitrag: Petrus	
81,7 b–9 a	1.	Erkundigungsfrage A Anrede	Implizite Deutungsbitte
81,9 b–10 a	2.	Irritationsaussage	
81,10 b–14 a	3.	Erkundigungsfrage B	
81,14 b.15 a	C.	Rede-Einführung Sprecherwechsel	Gliederungssignal
81,15 b–24 a	D.	Dialogbeitrag: Soter	Perspektive des Soter; direkte Rede
81,15 b–23	1.	Deuterede	Referenz: Schauung
81,15 b–18 a	a.	Beantwortung von Frage B/1	Identifizierende Pronomina und Kopulae
81,18 b–23	b.	Beantwortung von Frage B/2	Antithese
81,24 a	2.	Handlungsanweisung	Imperativ
81,24 b.25 a	E.	Handlungsvollzugs-Notiz Sprecherwechsel	Gliederungssignal
81,25 b	F.	Rede-Einführung	Perspektive des Erzählers
81,26–28 a	G.	Dialogbeitrag: Petrus	Direkte Rede
81,26 a	1.	Anrede	
81,26 b.27 a	2.	Behauptung	Verbalsatz
81,27 b.28 a	3.	Aufforderung – an den Soter gerichtet – zur Flucht	Optativ
81,28 b.29 a	H.	Rede-Einführung Sprecherwechsel	Gliederungssignal
81,29 b–82,3 a	I.	Dialogbeitrag: Soter	Perspektive des Soter; direkte Rede
81,29 b	1.	Zitateinführung	Perfekt I
81,29 c.30	2.	Zitat	Nominalsatz Vgl. 72,10 c–13 a; 73,12 b–14 a
81,31–82,1 a	3.	Handlungsanweisung	Imperativ
82,1 b–3 a	4.	Argumentative Begründung	Perfekt I Antithese
82,3 b–17 a	J.	Epiphanie-Referat: Petrus Sprecherwechsel	Gliederungssignal Perspektive des Erzählers
82,3 b.4 a	1.	Eröffnungsnotiz	Perfekt I
82,4 b–6	2.	Schilderung einer Erscheinung	
82,7–9 a	3.	Deutung des Erschienenen	Nominalsatz Imperfekt

82,9b-14	4.	Skizze des Epiphanie-Szenariums	Imperfekt Zustandsaussagen
82,15-17a	5.	Bürgschaftsformel	Perfekt I Ich des Erzählers Zustandsaussagen
82,17b	K.	Rede-Einführung Sprecherwechsel	Gliederungssignal

VII. Beauftragungsdiskurs: 82,18-84,11b

82,18a-20	A.	Einleitung	Perspektive des Soter; direkte Rede
82,18a	1.	Ermutigungsformel	Imperativ
82,18b-20	2.	Reditus ad electionem	Begründete Erinnerung; Offenbarungsterminologie
82,21-83,15a	B.	Deuterede	Identifizierende Pronomina und Kopulae
82,21-26a	1.	Beschreibung des Angenagelten	Polemische Attribute
82,26b-83,2a	2.	Beschreibung des lachenden Erlösers	Nominalsatz Identitätsaussage Perfekt I; Praesens II
83,2b-4a	3.	Urteil über die Widersacher	Vgl. 72,10c-13a; 73, 12b-14a; 81,29c.30
83,4b-8a	4.	Applikation auf die Antithese von ⲥⲱⲙⲁ und ⲥⲱⲙⲁ ⲛ̄ⲁⲧⲥⲱⲙⲁ	Konsekutive Koordinierung Identifizierende Aussagen
83,8b-15a	5.	Überbietung der Antithese	Nominalsatz Epiphanie-Referenz
83,15b-19a	C.	Auftrag zur Verkündigung	Epiphanie-Referenz
83,15b-16b	1.	Anordnung	Futur III
83,17-19a	2.	Vorstellung der Adressaten	Nominalsatz
83,19b-84,6a	D.	Argumentierende Rede	
83,19b-26a	1.	Profilskizze der wahren Offenbarungsempfänger	Begründung; Folgerung
83,26b-84,6a	2.	Interpretation einer Sentenz	
83,26b.27a	a.	Zitationsformel	Perfekt I
83,27b-30a	b.	Zitat	
83,30b-84,4a	c.	Explikative Parenthese	Deutung des ⲙ̄ ⲙⲛ̄ⲧⲁϥ (83,30a)
83,30b.31a	1)	Identifikation	Nominalsatz
83,31b-84,4a	2)	Schilderung der Todes-Wirklichkeit	Praesens II; Praesens consuetudinis; Praesens I
84,4b-6a	d.	Zitat (Fortsetzung)	
84,6b-11b	E.	Diskurs-Abschluß	Folgernder Akzent
84,6b.7a	1.	Ermutigungsformel	Imperativ

84,7 b.8 a	2.	Mahnung zu Furchtlosigkeit	Negierter Imperativ
84,8 b–10	3.	Beistandszusage	Begründung Finalsatz
84,11 a	4.	Friedensgruß	Nominalsatz
84,11 b	5.	Ermutigungsformel	Imperativ

VIII. Epilog: 84,11 c–14

84,11 c–13 a	A.	Schlußwort des Erzählers Sprecherwechsel	Gliederungssignal
84,11 c.12 a	1.	Rede-Vollzugsnotiz	Perfekt II
84,12 b.13 a	2.	Ereignisnotiz	Perfekt I Szenenschluß
84,14	B.	Titel	Text-Ende

4.1.3 Makrosyntaktische Textwahrnehmung

Die Makrostruktur[10] von ApcPt wird durch eine differenzierte Sprachverwendung charakterisiert. Drei verschiedene Ebenen heben sich deutlich voneinander ab: Dialog, Diskurs[11] und Narratio. Über die handelnden und redenden Personen – der Soter und Petrus – stehen die verschiedenen Ebenen miteinander in Beziehung und schaffen die der Schrift eigentümliche Kommunikation[12].

Im Vordergrund steht die dialogische Interaktion der zwei Zentralgestalten: 72, 4 b–73, 14 a; 79, 32 b–80, 23 a; 81, 6 b–82, 3 a. Davon hebt sich

---

[10] Zum textlinguistischen Begriff der Makrostruktur vgl. van Dijk 1980, 41 ff.; 183 ff.

[11] In linguistischer Verwendung meint *Diskurs* jede sprachliche Aussageeinheit, die über die Einheit „Satz" hinausgeht und eine Beziehung zwischen Textproduzent und Textrezipient konstituiert. Der Diskurs gibt dieser Relation einen spezifischen Akzent, mit dem zugleich die Aussageabsicht des Textganzen vorgestellt ist. Neben dieser linguistischen Verwendung findet sich der Begriff als Bezeichnung für argumentative Suchvorgänge in der öffentlichen Diskussion. Der Diskurs übernimmt eine positionelle bzw. ideologische Funktion. Ich orientiere mich an der Begriffsklärung, die Habermas gegeben hat: Ziel von Diskursen ist, „ein problematisiertes Einverständnis, das im kommunikativen Handeln bestanden hat, durch Begründung wiederherzustellen" (1971, 115). Vgl. auch Schlieben-Lange 1979, 49 f.; 75 f.; Assmann 1984, 192 f.; Lewandowski 1985, 223 f.

[12] Der Begriff *Kommunikation* ist im folgenden durch eine doppelte Funktionsbestimmung gekennzeichnet: In einem weiten Sinn kann man unter Kommunikation jede Art von erkennbaren Signalen verstehen, die auf Affekte, Wahrnehmung, Gedanken oder Handlungen von Menschen einwirken. Im engeren Sinn setzt Kommunikation Intentionalität voraus, „Gebrauch von mehr oder weniger entwickelten Zeichensystemen, Verarbeitungsmöglichkeit durch Gedächtnis u. ä., vor allem aber Freiheit der Re-Aktion (Einbeziehung der erinnerten, vorgestellten, vorweggenommenen Vorstellungswelten, Möglichkeit der zeitlichen und räumlichen Verschiebung" (Kloepfer 1981, 316). Kommunikation unterliegt also beschreibbaren Bedingungen und Regeln (vgl. Watzlawik/Beavin/Jackson 1974, 53 ff.).

der Diskurs 73, 23 b–79, 31 a als monologisch vorgetragene Mitteilung des Soter ab. Einleitende bzw. abschließende Gliederungssignale (vgl. 73, 14 b; 79, 31 b.32 a) markieren den monologischen Charakter des Abschnitts. Einmal (79, 32 b–80, 7) unterbricht Petrus den Lehrvortrag des Soter und führt einen weiteren Gesichtspunkt ein. In dieselbe Kategorie monologischer Sprachverwendung gehören auch die Abschnitte 70, 20 c–72, 4 a und 82, 18–84, 11 b. Sie müssen aber vom Lehrvortrag unterschieden werden.

Eine Sprachverwendung eigener Art hält Dialog und Diskurs zusammen. Mit einer Rahmenhandlung und wiederholten erzählstrategischen Eingriffen verschafft der Erzähler „Petrus" dem Soter und auch der dialogischen Interaktion einen situativen Zusammenhang. Die übrigen darin erwähnten Personen gewinnen jedoch kein eigenes Handlungsprofil; sie treten nur in indirekter Form auf bzw. werden narrativ gespiegelt.

Die narrative Sprachverwendung in Texteröffnung und Verbindungsstücken qualifiziert sowohl den Dialog zwischen Petrus und dem Soter als auch den Offenbarungsvortrag in einer besonderen Weise. Der Dialog steht nicht unvermittelt da, etwa in Form eines Zitates, sondern erscheint als „erzählter Dialog". Darüber hinaus sind die Redebeiträge des Dialoganten „Petrus" fast gänzlich in narrativer Gestalt gehalten. Schließlich trägt der Erzähler auch den Lehrvortrag des Soter mit, insofern dieser durch literarische Komposition und situative Vorzeichen einen zentralen Platz in der Schrift zugewiesen bekommt.

Die Unterscheidung bei der Sprachverwendung führt im Blick auf die „Zeitebenen" zu einer weiteren notwendigen Differenzierung. Es sind die Zeit des Erzählers „Petrus" und die Zeit des erzählten Erzählers, des Dialoganten Petrus auseinanderzuhalten. Durchgehend ist die Schrift als Selbstzeugnis des Petrus konzipiert, der im Modus des erinnerten Ich auftritt. Im Umgang mit dem Text kommt es darauf an, den Horizont der Narratio und den des Dialogs zu erkennen resp. die textinterne und die textexterne Sprechsituation. Erstere liegt in der Kommunikation vor, die von den dramatis personae im Dialog geleistet wird. Letztere stellt die Gesprächsbeziehung des Erzählers mit dem potentiellen Rezipienten in Rechnung. Der Gedanke liegt nahe, daß infolge der Horizontverschränkung eine Sprechsituation besonders akzentuiert ist und die Rezeption entsprechend geleitet wird. Mit großer Wahrscheinlichkeit richtet sich der „erzählte Dialog" an Rezipienten, mit denen der Erzähler in einen Austausch eintreten will. Diese primäre Kommunikationssituation wird vor allem durch die personale, lokale und temporale Deixis konstituiert. Der Empfänger wirkt darum implizit in der eingebetteten Kommunikationssituation mit. M. a. W., Kommunikation über Kommunikation kennzeichnet die Verschränkung der Sprechsituationen. Es entsteht eine metakommunikative[13] Ebene. Auf ihr ist die entscheidende Aussageabsicht anzutreffen.

Aus der makrosyntaktischen Textwahrnehmung ergeben sich zwei Sachfragen, die weitere Klärung im Prozeß der Interpretation verlangen: In welcher Weise bestimmen erzähltes Ich des Dialoganten Petrus und der Soter als Dialogant das Ich des Erzählers? Gibt es einen Sachbezug zwischen Dialog und Diskurs?

Wenn über den Inhalt des Traktats zu befinden ist, sind die Einsichten aus der Beschäftigung mit jenen Sachfragen einzubeziehen. Im allgemeinen werden zwei Schwerpunkte angegeben, die den Handlungshorizont von ApcPt bestimmen: eine „„kritische Theologiegeschichte' der frühen Christenheit" und eine gnostische Auslegung der Passionsgeschichte[14]. Letztere komme in der Rahmenerzählung zur Sprache und werde in den dialogischen Abschnitten thematisiert. Auch der Eröffnungsdiskurs (70, 20 c–72, 4 a) und die Deuterede (82, 21–83, 15 a) nähmen darauf Bezug. Der Komplex Passionsgeschichte trage innerhalb der Schrift ein gnostisches Verständnis der Christologie vor. Dagegen handele der Lehrvortrag von einer Zeit der Häresien und der Bedrängnis, die über die gnostische Gemeinde hereinbrechen werden. Aus inhaltlichen und kompositorischen Gründen stelle der eschatologische Diskurs eine in sich geschlossene Einheit dar. Orientiert man sich dagegen an Gesichtspunkten einer strukturalen Textanalyse, läßt er sich weder unter die Logik der übrigen Soter-Diskurse subsumieren noch kann eine makrosyntaktisch-inhaltliche Kongruenz von Passions- und Häresiegeschichte behauptet[15] werden. Von daher gesehen, erheben sich Zweifel, ob das häresiologische Moment zum exklusiven Kriterium der Interpretation von ApcPt gemacht werden darf.

Das Sachanliegen des Lehrvortrags darf nicht textextern festgelegt werden. Wie in den dialogischen Abschnitten lenken spezifische Form-Elemente die Aussage-Entwicklung im Hinblick auf die Rezeption. Die literarische Komposition von ApcPt, gelesen in mikro- und makrosyn-

---

[13] Diese Ebene begegnet u. a. in den sog. Pro-Formen (Pronomina; Pro-Adjektiva; Pro-Adverbia). Was „metakommunikativ" ist, erklärt Weinrich so: „Wir können uns das am einfachsten so denken, daß diese Morpheme Orientierungssignale (‚Verkehrsschilder') sind, die der Sprecher für den Hörer (der Schreiber für den Leser) in mehr oder weniger regelmäßigen, allemal jedoch kurzen Abständen an der Zeichenstrecke setzt ... Jedes dieser Signale kann folglich als *Instruktion* gelesen und in der Beschreibung als imperative Regel geschrieben werden" (1975, 52).

[14] Werner 1974, 575. Vgl. Berliner Arbeitskreis 1973, 62: „Den Hauptinhalt der Offenbarung bildet nun weniger eine gnostische Mythologie als vielmehr eine vorausschauende Bewältigung und Einschätzung einzelner Personen und Richtungen der frühesten Geschichte des Christentums vom Standpunkt des gnostischen Verfassers aus."

[15] Dies geschieht bei Koschorke, wenn er schreibt: „Die gnostische Petrusapokalypse ... hat *zwei* Themen – die ‚Passions'-Geschichte und die Häresiengeschichte –, an denen eine Erkenntnis demonstriert wird: dem Gnostiker können die Anfeindungen der archontischen Mächte und ihrer menschlichen Handlanger nichts anhaben" (1978, 11).

taktischer Perspektive, fordert dazu auf, diesen gnostischen Traktat unter kommunikativ-pragmatischen Gesichtspunkten zu verstehen.

4.2 Der Textanfang (70, 13–20 a)

Mit dem Textanfang tritt eine sprachliche Einheit aus der Sphäre des Schweigens heraus, um einem Sprechakt Raum zu erschließen[16]. In diesem Vorgang bewirken verschiedene Elemente, daß mit der einsetzenden Rede bzw. Texteröffnung Kommunikation beginnt. Titel, Erzählanfang, Handlungsträger, Situationsangaben (Circumstanten) setzen von sich her Signale und weisen dem Verstehen eine Richtung. Der Textanfang unterbricht vorhandene Zusammenhänge beim Rezipienten. Er mischt sich ein und macht den folgenden Text zum Konkurrenten für vorhandene Texte, Reden oder Positionen. Die Textwelt entwickelt sich also zu einer Anfrage an die vorhandene Welt. Da Kommunikation auf Hören und Wahrnehmen angewiesen ist, muß die Texteröffnung das Interesse der Textempfänger wecken. „Der Anfang hat eine Verweisfunktion", er „baut eine Erwartung auf"[17].

4.2.1 Die Titelangaben

Der Titel lenkt die Aufmerksamkeit des Lesers in zwei Richtungen. Eine bekannte Gestalt der frühen Christenheit – Petrus – wird genannt und als Hauptfigur ins Blickfeld gerückt. „Das Feld der Handlungsträger erfährt bereits im Titel eine bestimmte Vorsortierung"[18]. Durch den Namen ist auch das historische Umfeld eingeführt, in dem Petrus zum ekklesiologischen Faktor geworden ist. Es geht also um die Geschichte dieser Gestalt im Zusammenhang mit der Ausbreitung des Evangeliums. Die Tatsache, daß Petrus in dem Traktat noch 71,15 b.16 a; 72,10 b; 75,27 a; 80,23 b.31 a explizit angesprochen wird, verleiht dem Namen eine einigende Funktion im Blick auf die disparaten Textstücke in ApcPt. Zu der historischen Bedeutung des Namens tritt als ebenso wichtig seine symbolische Valenz, die das Historische in einem noch zu klärenden Sinn präzisiert. Diese Doppeldeutigkeit des Namens spiegelt sich in der ambivalenten Genitivverbindung der Titelangabe ⲁⲡⲟⲕⲁⲗⲩⲯⲓⲥ ⲡⲉⲧⲣⲟⲩ. Petrus tritt als Urheber und Autor der Offenbarungsschrift auf (gen.

---

[16] Vgl. Barthes 1971, 128: „Die Eröffnung ist eine gefahrvolle Zone der Rede; der Beginn des Sprechakts (parole) ist ein sehr schwieriger Akt; er ist das Herausgehen aus dem Schweigen." Ferner Berger 1977, 18 ff.

[17] Stock 1978, 23; vgl. insgesamt 21 ff.

[18] Stock 1978, 30.

auctoris resp. subiectivus). Dem widerspricht nicht, daß Petrus zugleich als Empfänger der Offenbarung (gen. obiectivus) vorgestellt ist.

Neben dem Eigennamen ist vor allem die Bezeichnung *Apokalypse* als „eine makrolinguistische Erwartungs-Instruktion"[19] anzusehen. Wer auch immer den Titel an Anfang und Ende der Schrift gesetzt hat, er hat den Inhalt als „Offenbarung" gelesen und will, daß die Rezipienten ihm darin folgen. M. a. W., die Titelüberschrift charakterisiert a posteriori das Textganze als Offenbarung, ohne daß darin ein formgeschichtliches Urteil impliziert sein muß. Im Verstehenshorizont der Rezipienten sind allerdings konventionelle Sprachmuster als bekannt vorausgesetzt, in denen Offenbarungen, Epiphanien, Erlösungswissen o. ä. mitgeteilt werden. Aufgrund dieser Plausibilität erhält der Leser die Möglichkeit, den vorliegenden Text unter dem Vorzeichen orientierender Strukturelemente zu verstehen. Denn mit dem Wort ⲁⲡⲟⲕⲁⲗⲩⲯⲓⲥ entsteht sogleich die Frage nach dem Subjekt, dem Empfänger, dem Inhalt und den Begleitumständen von Offenbarung. Als kommunikatives Signal haben die Titelangaben kataphorischen Charakter. Der Rezipient wird auf das Zusammenspiel der textkonstituierenden Elemente aufmerksam. Mit diesen evozierten Erwartungen nimmt er die Lektüre des folgenden Textes auf.

4.2.2 Das suggestive Szenarium

Der Traktat beginnt unvermittelt und führt eine historische Szenerie (70, 14–20 a) ein. Nichts deutet vorgreifend auf eine Offenbarungssituation hin. Offensichtlich sind Berichte vorausgesetzt[20], die von vergleichbaren Aufenthalten des Soter im Tempel erzählen. Kein identifizierendes Wort fällt zur Person des Soter. Auch seine Anwesenheit im Tempel wird nicht zum Anlaß von Erklärungen genommen. Daß der Soter niemand anders als Jesus von Nazaret ist und daß er sich im Tempel aufhält, muß dem Erzähler selbstverständlich gewesen sein. Daran, so kann gefolgert werden, soll der Rezipient sich nur noch erinnern. Informationen, die außerhalb des Textes liegen, werden auf diese Weise supponiert. Die Einführung des zweiten Handlungsträgers und die Ortsangabe haben daher anaphorischen Charakter.

In diese Tendenz ordnen sich auch die historiographischen Elemente (70, 15 ff.) ein, von denen eine synchronisierende Wirkung ausgeht. Gestattet die Ortsangabe noch Rückschlüsse auf bekannte historische Konstellationen, so scheint die breit angelegte Zeitangabe mehr zu verdunkeln als aufzuklären. Handelt es sich hier um „eine geheimnisvoll verschlüs-

---

[19] Weinrich 1976, 18. Im historischen Sinn bleibt die Titelproblematik bestehen; vgl. Robinson 1971, 73 f.

[20] Vgl. Mt 21, 23; 26, 55 par; Lk 19, 47; Joh 18, 20. Der koptische Text hebt durch einen Umstandssatz die Gleichzeitigkeit des Erzählten hervor; vgl. Till 1970, 168 ff.

selte Datierung nach Jahr, Monat und Tag"[21] bzw. um eine bewußte Mystifikation, die in der Vorliebe für Zahlenspekulationen[22] begründet ist?

Wenn dem Textanfang Signalwirkung zukommt, dann gibt der Erzähler dem, der das Signal zu lesen versteht, deutliche Hinweise auf das, was ihn erwartet. Die eigenartige Datierung ist jedoch das Gegenteil ihrer selbst, denn sie sperrt sich gegen jeden einordnenden Zugriff. Man wird in der vermeintlichen Synchronie den Versuch sehen müssen, Auftreten und Reden des Soter vor einer unwürdigen Rezeption zu schützen. Es soll verhindert werden, daß Offenbarung unter die Ereignisse der Geschichte fällt. Damit erhält die Schrift von Anfang an ein esoterisches Vorzeichen, das die vermeintlich objektiven Informationen in metaphorische Aussagen verkehrt.

Der erzählende Vorspann impliziert eine gnostische Perspektive zum Problem von Offenbarung und Geschichte. In der frühchristlichen Überlieferung war – wahrscheinlich aus kirchenpolitischen Gründen – der Zeitraum für die Erscheinungen des Auferstandenen begrenzt worden (vgl. Apg 1, 3 f.; 1 Kor 15, 5–8). Ekklesiastische Christen haben aus diesem Grunddatum dogmatische Konsequenzen abgeleitet. Dagegen erhoben gnostische Christen Einspruch. Sie widersetzten sich dem Versuch, die Erscheinungen und das Auftreten des Erhöhten zeitlich zu limitieren. Aber auch innerkirchlich blieb diese Frage kontrovers. Das zeigen u. a. Äußerungen des Irenäus[23], denen zufolge Jesus nach der Auferstehung noch achtzehn Monate auf der Erde geblieben sei, um einigen Jüngern die Mysterien mitzuteilen. Gnostische Kreise bestanden prinzipiell darauf, daß die entscheidende Offenbarung in nachösterlicher Zeit und unabhängig von jeglicher Limitierung der Erscheinungen stattgefunden habe[24]. So datiert EpJac die elementare Begegnung zwischen dem Offenbarer und seinen Jüngern 550 Tage nach der Auferstehung: „un[d während] ich das, was in j[ener] (Geheimlehre steht) schrieb, siehe, da erschien der Erlöser, [nachdem] er von [uns] gegangen war (und) [wir] auf ihn gewar[tet hat]ten, und zwar fünfhundertfünfzig Tage nach seiner Auferstehung von den Toten" (NHC I, 2; 2, 15–21)[25]. Pistis Sophia legt einen Zeitraum von elf Jahren zwischen Auferstehung und den normativen Epiphanien[26]. In diesen Fällen wird eine Distanz zwischen Geschichte und Offenbarung gelegt bzw. die ekklesiastische Perspektive einer heils-

---

[21] Werner 1974, 582 Anm. 1; vgl. H.-M. Schenke 1975b, 131; Koschorke 1978, 19. Dubois erkennt in der Overtüre „l'évocation d'une problématique ecclésiologique", die durch apokalyptische Elemente und konkrete Anspielungen gefördert wird (1982, 392).

[22] Vgl. Foerster I, 33: Das, was gemeint ist, muß „erahnt" werden.

[23] Vgl. Irenäus, Adv.haer. I 28, 7.

[24] Vgl. Robinson 1982 a, 30.

[25] Übers.: Kirchner 1989, 11.

[26] Vgl. Robinson 1982 a, 30 f.

geschichtlich relevanten Vergangenheit überholt durch die Orientierung an einer alternativen Epiphanie. Die gnostische Argumentation konnte aber auch in eine entgegengesetzte Richtung zielen. Dann wurde nämlich der Zeitpunkt der entscheidenden Offenbarung in die vorösterliche Geschichte zurückverlegt und so das Kriterium der Ostererscheinungen in den ekklesiastischen Systemen unterlaufen. EpPt geht davon aus, daß der Offenbarer Jesus schon während seines Erdendaseins alles gesagt hat: „Then (τότε) a voice came to them from the light, saying, ‚It is you yourselves who bear witness that I said all these things to you. But (ἀλλά) because of your unbelief I shall speak again'" (NHC VIII, 2; 135, 3–8)[27].

Auch die narrative Eröffnung von ApcPt erweckt den Eindruck, als sei die Schrift ein Dokument, das auf die Begegnung in vor-österlicher Zeit zurückgeht. Eine historische Situation ist deutlich suggeriert. Der Erzähler bleibt zunächst noch im Hintergrund. Er identifiziert sich nicht. Dadurch aber, daß er sich als Empfänger der Worte des Soter einbringt (vgl. 70, 20 b), macht er eine weitere Unterstellung. Er tritt auf als eine bekannte historische Gestalt aus dem Jüngerkreis des irdischen Jesus und der Führungsgruppe der frühen Kirche. Indem er nun aber die Begegnung mit dem Offenbarer Jesus erzählt, wird er selber zum Träger der Offenbarung, die er in der Gegenwart inszeniert.

Ist wahrgenommen, daß die historische Szenerie aus einer bestimmten Perspektive entworfen ist, müssen die Ortsangaben in 70, 14–20 a noch einmal untersucht werden. Nach dem Vorbild des Synchronismus könnte dann auch die Lokalisierung einen bestimmten Signalcharakter haben. Zunächst deutet nichts darauf hin, daß von etwas anderem als dem historischen Tempel die Rede ist. Doch geht von den Verben eine die Ortsangaben qualifizierende und präzisierende Wirkung aus. Während ϨⲘⲞⲞⲤ vordergründig die Tätigkeit des Sitzens und Sich-Aufhaltens meint[28], dominiert in Ⲙ̄ⲦⲞⲚ die eschatologische Konnotation[29]. Letzteres wird belegt durch die synonyme Verwendung neben καταπαύειν[30], das im gnostischen Horizont t.t. der eschatologischen Vollendung ist[31]. Dieser semantische Akzent geht dann auch auf ϨⲘⲞⲞⲤ über und läßt in dem Verb die majestätische Geste des Thronens mithören. Die parallel gesetzten Verben interpretieren den präpositionalen Ausdruck ⲚϨ̄ⲢⲀⲒ ϨⲘ̄ ⲠⲒⲢ̄ⲠⲈ als den himmlischen Tempel und eschatologischen Ruheort. Wie ist aber der präpositionale Satz 70, 18 b.20 a zu verstehen, insbesondere der Ausdruck ϨⲒⲜ̄ Ⲧ̄ϨⲎⲠⲈ? Unter Hinweis auf das Vorkommen von ϨⲎⲠⲈ

---

[27] Übers.: Meyer 1979, 29.
[28] Vgl. Westendorf 1965/77, 373.
[29] Vgl. Westendorf 1965/77, 105; Siegert 1982, 46.
[30] Vgl. Siegert ebd.
[31] Vgl. Vielhauer 1965 b, 215 ff.; Helderman 1984.

in 2LogSeth erkennt Brashler[32] eine Anspielung auf die Vorstellung der himmlischen Ratsversammlung. Vertieft wird diese Spur in ApcPt 70, 19 a durch die Genitivverbindung ⲚⲦⲈ ⲦⲘⲚⲦⲚⲞⲞ ⲈⲦⲞⲚⳂ, eine gnostische Bezeichnung für den höchsten Gott, seine Unendlichkeit und Unerschöpflichkeit[33]. Das attributiv angeschlossene ⲀⲦⲬⲰⳂⲘ (70, 20 a) bringt schließlich ein typisch gnostisches Prädikat[34] für den Urgrund des Seins zur Sprache. Aufgrund dieser Details ist evident, daß der Erzähler keine historische Situation darbieten will. Vielmehr schildert er den Soter, wie dieser an der Spitze der himmlischen Ratsversammlung thront und spricht. Die Tempelszenerie, mit der ApcPt einsetzt, kann darum – auch wenn nicht alle Details völlig geklärt sind – als Metapher für die gnostische Vollendung verstanden werden[35]. Der Soter hat Abstieg und Aufstieg vollendet. Er ist erhöht und befindet sich verherrlicht in der Gemeinschaft des Vaters und der Seinen. Wenn der Soter erscheint, redet und handelt, tritt das Pleroma in die Gegenwart. Diese Prämisse greift auf das Erzählte über und verleiht ihm Exklusivität.

4.2.3 Signalisiert die Texteröffnung das Gattungsmuster „Vision"?

Was bedeutet der so verstandene narrative Vorspann für den Dialog? Gibt es Hinweise, die für eine gattungskritische Analyse des Textes in Anspruch genommen werden können?

Mit der Texteröffnung gibt der Erzähler bekannt, daß er in die erzählte himmlische Szenerie einbezogen war und zum Empfänger einer Offenbarung geworden ist. Der hier schreibt, hat Teil am Pleroma und verfügt folglich über eine himmlische Perspektive. Ganz massiv wird damit die Autorität des Erzählers unterstrichen. Jedoch fehlen typische Formelemente, mit denen ein Amt oder eine Funktion legitimiert werden könnten. Darum sind Brashler's Erörterungen[36] einzuschränken, die im Textanfang die Bedingungen für den visionären Offenbarungsempfang

---

[32] Er (1977, 134) zitiert 2LogSeth (NHC VII, 2) 50, 7–10: „And I said these things to the whole multitude of the multitudinous assembly of the rejoicing Majesty" (Übers.: NHL 363).

[33] Vgl. 2LogSeth (NHC VII, 2) 49, 10–12: „And the perfect Majesty is at rest in the ineffable light" (Übers.: NHL 363). Über die gnostische(n) Gottesvorstellung(en) hat sich K. Müller 1920, 182 geäußert.

[34] Vgl. ApcPt (NHC VII, 3) 80, 24 b–26 a.

[35] Vgl. Brashler 1977, 134: „Therefore I conclude that the temple ... is the heavenly temple, the pleroma". Seine Einwände (vgl. 124) gegen die Übersetzung von H.-M. Schenke (s. o. 44 Anm. 12) sind überzeugend. Der Parallelismus ⲈⳘⳢⲘⲞⲞⲤ ... ⲀⲨⲰ ⲈⳘⳘⲞⲦⲚ wird übersehen. Die Übersetzung fällt zu wörtlich aus; daher kommt auch die in den lokalen Präpositionen signalisierte Tendenz zu kurz.

[36] „In fact, the entire document is developed out of four visionary scenes reported by Peter" (1977, 128). In seiner Dispositionsanalyse (144 ff.) nennt er aber nur drei Textkomplexe: 72, 4 ff.; 81, 3 ff.; 82, 4 ff.

zu erkennen meinen. Gewiß fehlt in ApcPt die visionäre Dimension nicht. Das Vorhandensein von Visions-Szenen oder ekstatischen Elementen rechtfertigt aber keinesfalls, den gesamten Traktat der Gattung „Apokalypse" zuzuweisen. Der Textbeginn eröffnet jedenfalls keine Vision.

Ein Vergleich mit entsprechenden Texten aus jüdischen Apokalypsen zeigt, daß dort Aussagen über die Tätigkeit oder Befindlichkeit des Visionärs das Besondere der Situation signalisieren. „Im dreißigsten Jahr nach dem Untergang der Stadt war ich, Salathiel, der auch Esra heißt, in Babylon. Als ich auf meinem Bett lag, geriet ich in Verwirrung, und meine Gedanken gingen mir zu Herzen, weil ich die Verwüstung Zions und den Überfluß der Bewohner Babylons sah. Und mein Geist wurde sehr erregt, und ich begann, zum Höchsten angsterfüllte Worte zu sprechen …" (4 Esr 3, 1 ff.).[37]

Der narrative Vorspann von ApcPt verrät nicht, wo der Erzähler sich aufhält bzw. wie es um seine Stimmung bestellt ist. Gegenstand der Aussage sind allein der Soter, seine Souveränität und Hoheit. Diese Konzentration auf einen Handlungsträger bestimmt auch die folgenden Reden und den Dialog, die der Erzähler Petrus aufzeichnet. Seine eigene Identität als Träger der Offenbarung wird erst im Verlauf der Textentfaltung konstituiert. Parallel dazu ereignet sich eine dramatische Auto-Verifikation des Soter. Die Texteröffnung will keineswegs von der Tatsache ablenken, daß der wahre Soter in der Welt angefeindet ist. Diese strukturellen Eigentümlichkeiten übersieht Brashler[38], wenn er die Rollen der Handlungsträger von Anbeginn an nach dem Interaktionsmodell von angelus interpres und pseudonymem Offenbarungsempfänger beschreibt. Zieht man die Textanfänge aus anderen Nag Hammadi-Traktaten zum Vergleich heran[39], verliert die Argumentation Brashler's an Plausibilität. Die gnostischen Autoren haben die unterschiedlichsten Formelemente und Mitteilungsmuster aufgegriffen, um ihren Gedanken Gehör zu verschaffen. Auf stilistischen Wegen und Umwegen haben sie einen Kommunikations-Horizont aufgebaut[40]. Der Rezipient bekommt über den Textanfang die Bedingungen des adäquaten Verstehens zugespielt. Er

---

[37] Übers.: Schreiner 1981, 310 ff.; vgl. TestLev 2–5; Apg 22, 17 f.

[38] Vgl. 1977, 123 ff.

[39] Vgl. nur EpJac (NHC I, 2) 1, 1 ff.; Rheg (NHC I, 4) 43, 25 ff.; AJ (NHC II, 1) 1, 1 ff.; EvThom (NHC II, 2) 32, 10 f.; LibThom (NHC II, 7) 138, 1–7; SJC (NHC III, 4) 90, 14–91, 24; 2ApcJac (NHC V, 4) 44, 11–20 a; ApcAd (NHC V, 5) 64, 1–4; ParSem (NHC VII, 1) 1, 3–17; StelSeth (NHC VII, 5) 118, 10 ff.; EpPt (NHC VIII, 2) 132, 10 ff.; Hyps (NHC XI, 4) 69, 21 ff.

[40] Die Textanfänge erfüllen die von Techtmeier (1984, 74 f.) beschriebenen Ziele der Einleitungsphase in kommunikativen Situationen: „Herstellung der Kommunikationsbereitschaft"; „Klärung der Kompetenz"; „Einflußnahme auf die Bereitschaft des Partners"; „Klärung gemeinsamer situativer Voraussetzungen für die Realisierung des FZ (sc. Fundamentalziels)".

wird in die Lage versetzt, das historisierende und pseudepigraphische Gewand der Mitteilung zu transzendieren. Folgt er den Hinweisen, wird er zum Teilhaber der Offenbarung resp. der Gnosis.

4.3 Der Offenbarungsdiskurs (70, 20 c–72, 4 a)

Nach der Texteröffnung ergreift der Soter unmittelbar das Wort (70,20 c–72,4 a). Sein Diskurs richtet sich an Petrus (vgl. 70,20 c. 21 a; 71,15 b.16 a) und identifiziert dadurch den Erzähler, der sich im narrativen Vorspann nicht vorgestellt hatte. Auch die Titelangaben werden nunmehr verifiziert. Über die Anrede ist Petrus als Empfänger des Diskurses definiert. Er übernimmt eine Rolle im Prozeß des kommunikativen Handelns. Der zweite Vokativ (71,15 b.16 a) wirkt darüber hinaus als Gliederungssignal, denn in 71,15 b beginnt der zweite Diskursteil (71,15 b–72,4 a).

4.3.1 Zur Adressatenproblematik

Petrus hört als erstes einen Makarismus, der über die ausgesprochen wird, die zum Vater gehören (70,21 b.22 a). Eine Identifikation, wer und wo die von dem Heilswort Gemeinten sind, unterbleibt. Dagegen profilieren die folgenden Relativsätze (70,22.23) mit hymnischem Akzent[41] den Vater als denjenigen, der der eigentliche Ort der Gepriesenen und der wahre Ursprung des Lebens ist. Der Vater läßt das Leben zu denen gelangen, die aus dem Leben stammen. Mit dieser eigenartigen Aussage, in der ein prädestinatianisches Element anklingt, wird zum Makarismus zurückgelenkt. Bei den Gepriesenen handelt es sich um diejenigen, die aus dem Leben stammen, da sie zum Vater gehören. Eigenartig ist die Aussage auch insofern, als der Gedankengang nicht linear fortschreitet, sondern eine kreisförmige Bewegung anzeigt. Die Aussage hat dadurch nicht die Funktion einer informativen Mitteilung. Es wird auch keine neue Erkenntnis vorbereitet. Für den Kundigen jedoch konstatiert das Gesagte ein bekanntes Grunddatum, nämlich den Heilsstatus der mit dem Vater des Lebens Verbundenen. Petrus hört nicht nur den Makarismus, er wird in den Horizont der Heilszusage geholt.

4.3.2 Die Selbstvorstellung des Soter

Nach dieser Prädikation bringt der Sprecher sich selbst betont (vgl. 70,25 ff.) ins Spiel. Der Soter thematisiert seinen Beitrag im Offenbarungsgeschehen, denn in ihm handelt der Vater (vgl. 70,24 b.25 a). Damit

---

[41] Brashler vermutet hier einen fragmentarischen gnostischen Hymnus (vgl. 1977, 139).

ist eine Feststellung über die Einheit von Vater und Soter getroffen. Der Offenbarungsbeitrag des Soter besteht darin, daß er das Leben in Erinnerung ruft (70, 25 b), also das vergessene oder verdrängte Sein geltend macht und ihm Beachtung verschafft[42].

Der erste Diskurs verläuft in drei Phasen: 70, 25–71, 5 a thematisiert die Sendung des Soter zu denen, die aus dem Pleroma und der Wahrheit stammen; 71, 5 b–9 a blickt zurück auf die Geschichte des Soter; 71, 9 b–15 a spricht von der Epiphanie des Soter. Die Sequenz der Phasen läuft auf die Erscheinung als Höhepunkt zu. Unterstrichen wird diese Bewegung durch eine auffällige Vertauschung von Subjekt und Objekt. In der ersten Diskurs-Phase spricht der Soter noch in der ersten Person. Er macht Aussagen, mit denen er sich selbst[43] und seine Sendung programmatisch vorstellt. Im Übergang zur zweiten Diskurs-Phase wechselt[44] die Rede in die dritte Person, d.h. der Soter spricht von sich wie von einem Fremden. Dieser Fremde wird mit zwei historischen Referenzen in seiner Exklusivität und Inkompatibilität beschrieben. Vergeblich haben ihn die Mächte gesucht. Er ist für sie unerreichbar und verborgen (vgl. 71, 5 f.). Neben dieser Anspielung auf den gnostischen Erlöser-Mythos[45] kommt auch eine bestimmte Einschätzung des Alten Testaments zum Ausdruck. Denn wie der Soter unerreichbar für die Gegenmächte ist, so sprengt er auch die prophetische Tradition (vgl. 71, 5–9 a) und ist ihr überlegen. Er repräsentiert absolute Diskontinuität und Kontradiktion.

Der historische Rückblick hat den Soter via negationis qualifiziert und verstärkt dadurch die klimaktische Bewegung zur Epiphanieaussage (vgl. 71, 9 b–15 a) hin. Es werden affirmative Angaben über Zeit und Ort der Erscheinung gemacht. Die Zeitangabe akzentuiert die Realpräsenz. Jetzt hat der Soter sich offenbart. Eine zweifache Ortsangabe lokalisiert das Wo der Manifestation. In genereller Form macht 71, 10 b.11 a die Einzelnen als Manifestationsort des Soter bekannt. Über die anaphorische Tendenz in den Demonstrativpronomen ⲚⲀⲒ ⲚⲀⲒ erfolgt eine Rückbin-

---

[42] In SJC (NHC III, 4) sagt der Soter: „Ich aber bin gekommen, um sie (sc. die Blinden) herauszuführen aus ihrer Blindheit, damit ich allen den Gott zeige, der über dem All ist" (125, 19–126, 5; Übers.: Till 1955, 291 ff.).

[43] Jedoch ohne eine ἐγώ εἰμι-Formulierung, die man hier erwarten würde (vgl. Bultmann 1964 b, 167 Anm. 2).

[44] Der Stilwechsel könnte ein Hinweis dafür sein, daß hymnisches Material aufgenommen worden ist – so Brashler 1977, 163 Anm. 10.

[45] Vgl. die Zusammenfassung in EpPt (NHC VIII, 2) 136, 16–28: „[And] I was sent down in the body (σῶμα) for the sake of the seed (σπέρμα) that had fallen away. And I came down to their mortal model (πλάσμα). But (δέ) as for them, they did not recognize me; they were thinking of me that I was a mortal man. And I spoke with him who is mine, and (δέ) he hearkened to me just (κατά) as you also hearkened to me today. And I gave him authority (ἐξουσία) that he might enter into the inheritance (κληρονομία) of his fatherhood" (Übers.: Meyer 1979, 33). Auch Noema (NHC VI, 4) erzählt in mythologischer Form, wie der Soter den Aufstand der Archonten gegen ihn niedergeschlagen hat (41, 7 ff.).

dung an die eingangs mit dem Makarismus Gepriesenen. Die zweite Ortsangabe 71,13 b–15 a ist parallel zur ersten formuliert[46]. Sie wechselt jedoch in eine andere Dimension, insofern eine Aussage über die Synousie von Soter und Epiphanie-Adressaten die einfache Lokalisierung überbietet. Nicht weil Menschen eine besondere Disposition mitbringen, sind sie Manifestationsort des Soter. Vielmehr deckt dessen Epiphanie überhaupt erst die Wesenseinheit mit ihnen auf. Dieser unilaterale Vorgang erhält durch 71,11 f. eine Begründung. Denn zwischen den Ortsangaben steht eine Äußerung, die wie ein kommentierender Einschub[47] erscheint und auf den offenbar Gewordenen zurückweist. Zusätzlich wird er titular ausgewiesen und mit dem erhöhten Menschensohn identifiziert (vgl. 71,11 b–13)[48].

Die Revindikation des Lebens unter denen, die aus dem Leben stammen, kann von der dritten Diskurs-Phase her als die Funktion des Soter[49] und als der eigentliche Gegenstand seiner Epiphanie bezeichnet werden. Es ist auffallend, daß in diesem Zusammenhang Hinweise auf ein mythologisches Drama fehlen, obwohl das Kommen des Erlösers, sein Abstieg in den Kosmos als ein Faktum der Vergangenheit vorausgesetzt sind. Wer er ist, entfaltet der Soter vielmehr in der Relation zu denen, deren Wesenseinheit mit ihm durch ihn offenbar gemacht wird. Mit seinem Kommen konstituiert er die Grundlage[50] ihres wahren Seins (70,26 b.27). Ausdrücklich erklärt er, daß er sie in die Lage bringt, ihr Sein zu verifizieren. Als Adressaten der Epiphanie haben sie sich erleuchten lassen (vgl. 71,3 b–5 a). Nun sollen sie hören (70,28) und erkennen (70,29). Die pointiert formulierte Einweisung richtet die Aufmerksamkeit der Angesprochenen auf verschiedene Objekte. Das Hören gilt den Worten des Soter. Das Erkennen unterscheidet zwischen Worten, die aus Ungerechtigkeit und Gesetzeswidrigkeit stammen (vgl. 70,30 ff.) von anderen, die in Gerechtigkeit und Gesetz ihre Herkunft haben (vgl. 70,32 a). Mit Hilfe der durch den Soter gebrachten Erinnerung, d.h. mit Hilfe der Worte aus dem Pleroma (vgl. 71,2 f.), können sie die Worte der Ungerechtigkeit entlarven. Als Adressaten der Epiphanie sind sie

---

[46] Zu den Schwierigkeiten des Abschnitts 71,13 ff. vgl. Koschorke 1978, 35 Anm. 28.

[47] Möglicherweise handelt es sich dabei um eine redaktionelle Ergänzung – so Brashler 1977, 163 Anm. 10. Die Präposition ⲚⲌⲢⲀⲒ ⲌⲚ (71,11) sichert den Zusammenhang und die Bezugnahme auf den Soter (vgl. auch den folgenden Relativsatz mit dem Qualitativ ⲞⲨⲞⲚⲌ).

[48] An dieser Stelle kann wiederum gefragt werden, ob der Traktat den Erlöser in Anlehnung an eine Jesustradition sieht, die auch in die Evangelien Eingang gefunden hat. Nach Perkins (vgl. 1981, 593 ff.) stammt der „gnostische Menschensohn" aus der hellenistisch-jüdischen Genesis-Exegese, in der über die Ebenbildlichkeit des Soter reflektiert wurde.

[49] Auch wenn im Diskurs keine Terminologie der „Sendung" begegnet, ist der Sache nach die Sendung des Sohnes impliziert.

[50] Zur Bau-Metapher vgl. Mt 7,24 f.; 1Petr 2,5; Vielhauer 1979 a, 55; 136 ff.

erkannt; sie gehören dem Soter[51] und können darum auch erkennen (vgl. 83, 19 b–26 a). Zur Aufgabe des Soter gehört, daß er die Antithese zwischen Ungerechtigkeit und Gerechtigkeit präzisiert. M. a. W., der Soter ist ein κῆρυξ δικαιοσύνης (2Petr 2, 5; vgl. Joh 16, 8.10). Angesichts dieser Terminologie liegt es nahe, in dem Diskurs eine judenchristliche Tendenz zu orten. Diese Vermutung findet Anhalt auch in anderen Teilen des Traktats, der sich mit judenchristlichen Topoi vertraut zeigt. Reicht das aber aus, um einen genealogischen Zuammenhang[52] zu postulieren?

Wenn der Soter seine Worte und damit sich selbst aus der Gerechtigkeit herleitet, dann unterstreicht das eine dualistische Struktur. Er ist derjenige, der erinnert (vgl. 70, 25 b), der erleuchtet vgl. 71, 4; 72, 23–27), der baut (vgl. 70, 26), der offenbart und an den Mysterien Teilhabe gewährt (vgl. 73, 14–16). In diesen Funktionsbestimmungen wird implizit das Oppositum als ein vom Soter zu Überwältigendes mitgedacht. Mit Hilfe dieser dualistischen Struktur macht gnostisches Denken auf sich aufmerksam.

Die drei Phasen im ersten Diskursteil thematisieren in je eigener Weise den Erlöser. Darum bleibt der Text bei einer Sache, auch wenn stilistische Veränderungen (Subjektwechsel) und formkritische Vielfalt (Makarismus, hymnische Prädikation, Epiphanie) den Eindruck der Divergenz nahelegen. Sendung, Geschichte und Epiphanie des Soter werden von diesem selbst entfaltet. Es liegt also nahe, die Textkohärenz in der aretalogischen Struktur[53] von 70, 25–71, 15 a begründet zu sehen. Am Anfang stehen programmatische Mitteilungen, die keine Polemik intendieren. Was wie eine Antithese auftritt (vgl. z. B. 71, 6–9 a), muß im Blick auf die Überlegenheit des Soter gelesen werden. Vor jeder Auseinandersetzung kommt die seinshafte Korrespondenz von Soter und Adressaten der Offenbarung zur Sprache. Im Ausgesprochensein der Selbstvorstellung wird die Synousie in den Angeredeten konstituiert, als deren paradigmatischer Repräsentant Petrus fungiert. Solche Seins-Konstituierung ist das Kriterium, um die Sendung des Soter überhaupt wahrnehmen und den Kosmos erkennend überwinden zu können.

---

[51] Der Zusammenhang von „erkannt sein" und „erkennen können" ist ein konstitutives Element gnostischen Denkens; vgl. Jonas 1964, 125 f.; Bultmann 1964 b, 289 f.

[52] So Koschorke 1978, 16; zurückhaltender Brashler 1977, 161 f. Daß νόμος an dieser Stelle positiv gewertet wird, ist eine Ausnahme. Die offene Antipathie in 77, 18–28 entspricht eher den Vorbehalten, die gnostisches Denken gegenüber der alttestamentlichen Tradition hegt (vgl. EvMar [BG 1] 8, 22–9, 4; 18, 19–21; ferner 2LogSeth [NHC VII, 2] 62, 27–64, 1).

[53] Die Frage liegt nahe, ob hier eine Verbindung zur aretalogischen Isis/Sophia-Tradition hergestellt werden kann. Daß dieser Komplex einen festen Platz im gnostischen Denken einnimmt, hat MacRae 1970 b, 122 ff.; 1977, 111 ff. gezeigt. Zur Isis/Sophia-Tradition vgl. auch Schlier 1965, 162 ff.; Mack 1973, 38 ff.; Conzelmann 1974, 167 ff.; Arthur 1984, 158 ff.

4.3.3 Die Erwählung des Gnostikers

Dieser Redeteil (71, 15 b–72, 4 a) wendet sich betont[54] Petrus zu. Während im ersten Diskurs das Anredemoment nur am Anfang begegnet, ist der Text nunmehr durchgehend als Anrede stilisiert. Durch zwei Aufforderungen, die der Soter an Petrus richtet, erhält die Sequenz eine appellative Ausrichtung (71, 16 f.; 71, 22 a). Getragen wird der paränetische Horizont auch durch das strukturierte Umfeld der Imperative. Den Aufforderungen sind jeweils legitimierende Begründungen zugeordnet. Dieses Ensemble macht das Worumwillen der Anrede transparent, d. h., das Ziel der Handlungsanweisungen erscheint.

Zunächst wird Petrus aufgefordert: „Du aber … bleibe bei mir" (71, 15–17). Dem Angesprochenen wird die Vorgabe bewußt gemacht, in der seine Existenz gründet. Die Synousie mit dem Soter bzw. die „Übereinstimmung mit dem unbefleckten Vater"[55] definieren den vollkommenen Gnostiker. Dann spielt die Paränese auf eine esoterische Deutung des Namens „Petrus" (vgl. 71, 16 b.17 a)[56] an und rekurriert damit auf die Erwählung des Angeredeten. Der Sprecher thematisiert mit diesen Redeteilen die Beziehung zwischen Petrus und sich selbst[57]. Was er in Erinnerung ruft, bleibt assoziative Reminiszenz. Offensichtlich genügt es, die einstmalige Erwählung zu erwähnen (vgl. 71, 18 a)[58].

Dann kommt das Worumwillen der Anrede zur Sprache. In und mit Petrus hat der Erlöser einen „Anfang" (71, 19 b.20 a) gesetzt, bei dem „die übrigen"[59] (71, 20 a) auf der Suche nach Erkenntnis anknüpfen können. Denn auch sie sind zum Erkennen gerufen bzw. befinden sich auf der Suche, vielleicht ohne es zu wissen. Petrus kommt innerhalb der göttlichen Sendung eine paradigmatische Rolle zu. An ihm erweist der Soter seine Macht, die Petrus andererseits für die übrigen repräsentiert. Bezeichnenderweise ist hier nicht in generalisierenden Termini formu-

---

[54] Vgl. die erneute Anrede 71, 15 b.16 a.

[55] Vgl. 80, 23 b–26 a. Der Terminus ϫⲱⲕ ist hier synonym mit τέλειος gebraucht; er zeigt das Erfülltsein mit dem Pleroma an (vgl. Siegert 1982, 180 f.).

[56] Der Text ist nicht mit letzter Sicherheit zu deuten; vgl. H.-M. Schenke 1975 a, 280; Brashler 1977, 164 Anm. 11; Koschorke 1978, 29; s. o. z. St. Offen muß die Verbindung zwischen Petri Name und dem Vollkommenwerden bleiben. „Since the Coptic text is a translation of a Greek original, it is also unlikely that a pun based upon the assonance between ‚Petrus' and ‚perfectus' is intended … we must assume that the author had in mind an esoteric, Gnostic, etymological explanation of the name, the significance of which is lost to us" (T. V. Smith 1985, 132 mit Verweis auf Mt 5, 48).

[57] H.-M. Schenke 1975 a, 278 arbeitet das aretalogische Gefälle heraus, indem er „linguistisch experimentierend" die Aussagen in ⲁⲛⲟⲕ ⲡⲉ-Sätze transformiert.

[58] Koschorke 1978, 27 f. denkt an die Cäsarea-Philippi-Episode Mt 16, 13–19 als Referenzpunkt. Vgl. auch die Berufungsberichte Mk 1, 16 ff.; 3, 13 ff. par; Mt 4, 18 ff.; Lk 5, 1 ff.

[59] Man kann fragen, ob in ⲡⲓⲕⲉⲥⲉⲉⲛⲉ nicht der Restgedanke aufgenommen wird, vgl. dazu Brashler 1977, 208; 228.

liert, sondern von einem kleinen Kreis, dessen Grenzen aber nicht fixiert sind. Dieser Berufungsvorgang erweist den Soter als einen „rufenden", dem allein diejenigen entsprechen, die mit ihm eines Wesens sind. Der zweite Imperativ „sei stark" (71, 22 a) setzt den Aufruf zum Bleiben voraus und baut darauf auf. Seinen Grund hat der Aufruf zur Standfestigkeit in dem bevorstehenden Auftritt einer Gegenmacht. Es wird einer kommen, der wie ein Konkurrent den Anspruch des Soter bestreitet. Auch behaupte er, „Gerechtigkeit" (71, 23 b. 24 a) zu bringen, d. h. das, was die Sendung des Soter im Kern ausmacht (vgl. 70, 32). Mit einem polemischen Unterton, der fortan den Diskurs begleitet, wird der Kommende ΑΝΤΙΜΙΜΟΝ genannt. D. h., er vertritt eine andere Gerechtigkeit als der Soter (vgl. auch 78, 18 f.) und ist eine Art Pseudo-Erlöser[60]. Die Perspektive, mit der über den Advent des Nachahmers geurteilt wird, ist die des Soter selbst. Gleichzeitig vollzieht sich in 71, 24 ff. ein Subjektwechsel, der dem im Eröffnungsdiskurs vergleichbar ist. Die Szene wird erweitert bzw. erhält eine neue Ebene. Denn der Soter übernimmt die Rolle eines Kommentators, der die Lage des Petrus zwischen Soter und Pseudo-Erlöser bespricht. Petrus soll in den Einflußbereich des Nachahmers gezogen werden und die Beziehung zum Soter abbrechen. Die warnende Aufforderung nimmt darum pointiert auf die Berufung (vgl. 71, 24 b.25 a) Bezug, wobei die Zweitrangigkeit des Nachahmers in chronologischer Hinsicht herausgestellt wird. Angesichts der zu erwartenden Anschläge bestätigt der Sprecher noch einmal die Berufung des Petrus (vgl. 71, 25 b) und nennt auch die an sie geknüpfte Erwartung. Es geht um den Ruf zu der Erkenntnis, die der Soter gebracht hat, und die mit ihm identisch ist. Den Soter erkennen (vgl. 71, 26.27 a) und den Ruf hören resp. der Berufung folgen, koinzidieren im Vollzug gnostischer Existenz. Allerdings bedrängt in Gestalt des Nachahmers eine konkurrierende Erkenntnisweise den Berufenen. Über sie wird implizit geurteilt, daß sie dem Soter nicht angemessen ist. Folglich hat der Nachahmer auch keine Berechtigung, die Sache des Soter zu vertreten. Petrus soll in diesem Dilemma die Unmöglichkeit einer Konkurrenz zum Soter erkennen. So wie er die historische und ontologische Vorgängigkeit des Rufes wahrnehmen kann, so führt die Jetzt-Epiphanie, von der der Eröffnungsdiskurs handelt, den Epiphanie-Empfänger vor die Wahrheit der Gnosis. Unter dieser Voraussetzung kommt der Nachahmer eigentlich

---

[60] Vgl. Noema (NHC VI, 4) 45,1 ff.17 ff.; 2LogSeth (NHC VII, 2) 60, 20 f.; AJ (NHC III, 1) 26, 19; 27, 18; 32, 3; 34, 23; 35, 6; 36, 17; 75, 9. Der Begriff dient dazu, Gestalten, Faktoren oder Referenzpunkte im kosmischen Bereich zu disqualifizieren. Aus Neid oder in der Absicht, die göttliche Substanz zu usurpieren, haben die archontischen Mächte Nachahmungen bzw. Fälschungen der Wahrheit geschaffen (Vgl. Böhlig 1968, 162 ff.; Jonas 1975, 634 f.). In sachlicher Nähe stehen 2Kor 11, 13–15; 2Thess 2, 3 f.; vgl. auch Gal 5, 10 und Harnisch 1973, 112 Anm. 74.

immer schon zu spät. Da er aber über beträchtliche Macht verfügen muß, wird ein Konflikt unvermeidbar. Indem Petrus wiederholt an seine Berufung erinnert wird, erhält er ein Kriterium zugewiesen, mit dessen Hilfe er sich dem Pseudo-Erlöser widersetzen kann. Die angemessene Erkenntnis ist die Form des Widerstandes, die Petrus stellvertretend für die übrigen leisten soll. In seiner Gestalt ist also das Individuelle vom Paradigmatischen überlagert.

Das stilistische Phänomen des zweimaligen Subjektwechsels bewirkt, daß in den Diskurs eine Doppelbödigkeit einzieht. Wenn der Soter wie ein Fremder über sich spricht oder, gleichsam verobjektivierend, von sich wie von einem Fremden erzählt, betritt auch der Erzähler Petrus die Szene. Denn diese Sprecherhaltung korrespondiert der narrativen Grundtendenz im gesamten Traktat. So erscheint der Soter und seine Beziehung zu Petrus einmal in der Perspektive des Soter, dann aber auch in der des Erzählers Petrus. Gerade die Diskursteile, die auf den Subjektwechsel folgen, scheinen von besonderer Relevanz zu sein. Es handelt sich um Knotenpunkte, bei denen der Erzähler mit einem stilistischen Wink (= Rezeptionssignal) eingreift, um das Verstehen des Lesers in besonderem Maße herauszufordern.

Den Soter als Erkenntnisgegenstand thematisiert 71,27b–72,2a. Es handelt sich um eine Sequenz von vier Aspekten, die nicht nur aufgrund der Reihung (ⲈⲦⲂⲈ... ⲘⲚ̄... ⲘⲚ̄... ⲘⲚ̄...) einen Zusammenhang bilden. Der einheitliche Sachbezug kommt dadurch zustande, daß wahrscheinlich die Geschichte vom Leiden und Sterben Jesu zur Debatte steht. In dem semantisch schwierigen Begriff ⲀⲠⲞⲬⲎ (71,27b) begegnet ein zusammenfassender Terminus für das Kreuzigungsgeschehen[61]. Die folgenden Satzelemente greifen drei Episoden aus dem Geschehen heraus:

- der Soter an Händen und Füßen gefesselt (71,28b–30a);
- der Soter in der Macht seiner Gegner, die ihn wie zu einer Ehrung bekränzen (71,30b–32a);
- die Gegner, die – von Ruhmsucht geleitet – den Soter dem Tod ausliefern (71,32b–72,2a).

Die erwähnten Episoden stehen beispielhaft für das Geschehen, das als Prüfstein der Erkenntnis eingeführt ist. An der soteriologischen Einschätzung des Passionsgeschehens wird sich erweisen, ob der um Erkenntnis Bemühte die sachgemäßen ontologischen Prämissen hat. Das Geschehen selbst bzw. seine historische Faktizität steht nicht zur Debatte. Der Soter hat wirklich von seinen Gegnern Ablehnung und Gewaltanwendung erfahren. Er wurde zum Objekt ihrer Willkür gemacht und einer parodi-

---

[61] So auch Brashler 1977, 165; s.o. z.St. Eindeutig nimmt dann 81,18–21 auf den Akt der Kreuzigung Bezug.

stisch inszenierten Krönungszeremonie unterworfen[62]. Mit der Episoden-
Aufzählung vermittelt der Diskurs den Eindruck, er leiste einen informativen Beitrag. In Wahrheit zielt die Rede auf differenzierende Erkenntnis des Geschehens. Eine implizite Bewertung dessen, was dem
Soter widerfährt, meldet sich dort an, wo die Gegner als „die aus der
mittleren Region" (71, 31 b.32 a) vorgestellt werden. Diese Ausdrucksweise-
se setzt eine kosmologische Sicht voraus, die auch in EvPhil (NHC II, 3)
begegnet[63]. Räumlich gesehen, handelt es sich bei der ΜΕϹΟΤΗϹ um eine
Region zwischen Pleroma und Kosmos, einen Mittelbereich, der den
„Ort des absoluten Übels" repräsentiert. Die Wirklichkeit ist ein Kom-
positum aus drei Schichten: die sichtbare Welt als Ort des Fleisches; die
mittlere Region als Ort des Todes und des Bösen; und darüber das
Pleroma als Ort der Ruhe und des Lebens. Der kosmologischen Dreischichtung korrespondieren die Einteilung der Menschen in drei Klassen
ebenso wie eine trichotomische Christologie. Im valentinianischen System[64] kommt dieser schematischen Einteilung eine tragende Rolle zu.
Das trichotomische Prinzip findet sich aber auch in anderen gnostischen
Schriften[65]. Deshalb kann mit einer gnostischen Perspektive gerechnet
werden, wenn auf dieses Schema angespielt wird.

Was dem Soter widerfährt, ist ein Anschlag, den die Mächte der
Schlechtigkeit ausführen. Sie versuchen, den Repräsentanten des Pleroma
in ihre Gewalt zu bekommen. Das Ziel ihres Aufbegehrens ist, die in
der Dreischichtung sich ausdrückende ontologische Ordnung umzustoß-
en und sich selbst an die Stelle des Pleroma zu setzen[66].

Von dieser Rebellion spricht insbesondere die letzte Episode (71, 32 b–
72, 2 a). Der Erlöser wird von den Gegnern zur Hinrichtung geführt. Sie
sind bei ihrem Tun von der Hoffnung geleitet, mit Ehre belohnt zu werden[67]. Allein, sie verkennen die spezifische Leiblichkeit des Soter. Bei
ihren Bemächtigungsversuchen halten sie ihn für ihresgleichen. Ihre Anschläge richten sich aber gegen den Lichtleib (vgl. 71, 32 b.33 a), der mit
der physischen Existenz nichts gemeinsam hat. In dieser Vorstellung tritt
ein weiteres gnostisches Kriterium auf, das zu einem angemessenen Erkennen des Geschehens anleitet. Der Lichtleib wird nicht näher kommen-

---

[62] Bei ΚΛΟΜ denkt Koschorke 1978, 31 an die Siegeskrone; ähnlich Siegert 1982, 30.
Vgl. auch Mk 15, 17; Mt 27, 29; Joh 19, 2.5; Apk 2, 10; 14, 14.
[63] Vgl. 66, 7–23; ferner K. Müller 1920, 214 f.
[64] Vgl. Foerster I, 162 ff.; Layton 1987, 217 ff.
[65] S. u. 209 mit Anm. 452 f.
[66] Werner 1974, 578 und Schenke 1975 a, 279 verkennen in ihrer Satz-Abtrennung und
ihren Übersetzungen den kosmologischen Faktor, der hier vorausgesetzt ist; vgl. dagegen
Brashler 1977, 167 Anm. 16.
[67] Zu ΤΛΕΙΟ vgl. Siegert 1982, 100. Koschorke meint, hier würde die dem Petrus ver-
sprochene „Ehre", d. h. das Hirtenamt (vgl. Joh 21, 15 ff.) thematisiert. „Das würde gut zur
antihierarchischen Polemik von ApcPt passen (cf. 79, 21–31; 74, 10 f.)" (1978, 31).

tiert. Erst 82,7–9 a und 83,6 b–15 a beschreiben das nicht-somatische Soma des lebendigen Soter. Darum kommt der Erwähnung des Lichtsoma
in 71,32 f. antizipatorische Bedeutung zu. Es genügt ein ebenso knapper
Hinweis[68] wie im Fall jener Wesen aus der Mitte, um das angekündigte
Geschehen transparent zu machen. M. a. W., der Diskurs bringt zum Ausdruck, daß der Soter seinen Gegnern überlegen bleibt und daß ihre Anschläge aus einer Verkennung der ontologischen Lage resultieren, obwohl
die Sequenz der Episoden vordergründig den gegenteiligen Eindruck erweckt. Der Diskurs hat somit das Passionsgeschehen und die eigentümliche Rolle, die der Soter dabei spielt, als das zentrale Thema festgestellt.
Zugleich finden sich in der Darstellung Kriterien, mit denen sachgemäße
Erkenntnis arbeiten soll. Die Tragweite des Diskurses, d. h. die Praxis
der Gnosis wird aber erst in den folgenden Dialogteilen plausibel.

Der kompositorische Zusammenhang ist maßgeblich von den anaphorischen Tendenzen in dem Diskursabschnitt konstituiert. An dieser Tatsache geht die Interpretation von Brashler vorbei, wenn er in der Sequenz
den Niederschlag eines Bekenntnisses behauptet. Unter Anspielung auf
das historische Passionsgeschehen werde in klimaktischer Anlage der
Status des Soter zur Sprache gebracht; es sei ein Gedankenfortschritt
von der physischen (ⲀⲠⲞⲬⲎ) über die psychische (ⲔⲖⲞⲘ) in die pneumatische Wirklichkeit (ⲤⲰⲘⲀ ⲚⲦⲈ ⲠⲢ̄ ⲞⲨⲞⲈⲒⲚ) greifbar. Die Worte
„sound much like a confessional statement, a Gnostic creed"[69]. Vom
Kreuz gelange der Soter direkt zur Erhöhung[70]. In seiner Argumentation
beruft Brashler sich auf Formulierungen in EpPt (NHC VIII, 2), die li-
stenartigen Charakter zeigen und Inhalte des ekklesiastischen Credo nennen: „Our illuminator, Jesus, [came] down and was crucified. And he
[wore] a crown of thorns. And he put [on] a purple robe. And he was
[crucified] upon a cross and he was buried in a tomb; and he rose from
the dead"[71]. Nachdem Petrus wesentliche Elemente der Jesusgeschichte
aufgezählt hat, folgt unmittelbar ein kritischer Kommentar: „My bro-
thers, Jesus is a stranger to this suffering"[72]. Das Credo bzw. die Jesusgeschichte wird transparent für Abstieg und Aufstieg des Soter, den Sohn
der inkommensurablen Herrlichkeit. Was im Kontext von EpPt einleuchtet, nämlich eine bewußt formulierte Antithese, die das Geschehen qualifiziert, überzeugt im Fall von ApcPt 71,27 b–72,2 a nicht. Der gesamte
Abschnitt enthält keine einfache Antithese. Vielmehr unterläuft er die

---

[68] Im gnostischen Horizont wird der Soter immer mit der Licht-Metapher zusammen-
gebracht; vgl. dazu Perkins 1981, 597; 602 f.

[69] Brashler 1977, 168; vgl. 145.

[70] Zu diesem Sachproblem vgl. Bertram 1927, 187 ff.

[71] 139,15–21; Übers.: Meyer 1979, 41.

[72] 139,21 f.; Übers.: Meyer 1979, 41. Zu dieser Stelle bemerkt Koschorke 1977 a, 330:
„Interpretation des kirchlichen Credos aufgrund des gnostischen Sophia-Mythos" (dort
gesperrt). Vgl. Meyer 1979, 275 ff.

Ontologie und die Soteriologie der historischen Passion im Blick auf ein Geschehen, das der Erzähler erst noch erleben muß.

Der Abschluß des Soter-Diskurses (72,2b–4a) spricht noch einmal aus, daß es in dem Passionsgeschehen eigentlich um Petrus geht, also um den vom Soter Angeredeten und Erzähler des Ganzen. Offensichtlich wird dabei auf die Verleugnungsgeschichte in der synoptischen Tradition angespielt. Schwierigkeiten bereitet allerdings ⲍⲱⲥ (72,2b), weil es keine Verbindung zum gerade Gesagten herstellt. Denkbar ist, daß 72,2b–4a an das angekündigte Kommen des Nachahmers (vgl. 71,22b–24a) anknüpft und mit der Referenz auf Petrus die drei Episoden aus der Passion des Soter wie einen Exkurs parenthetisch einschließt.

In eigenartig invertierter Weise wird hier also die Verleugnungsgeschichte aufgegriffen[73]. Der angeredete Petrus soll einen Zwiespalt überwinden, d. h. die Unterscheidung zwischen dem wahren und dem falschen Soter durchführen und die Entscheidung für den wahren Soter durchhalten. Mit den drei eingebetteten Episoden ist signalisiert, daß es in der Entscheidungssituation um das Verhältnis des Soter zum Leiden geht. Während der Nachahmer Petrus wahrscheinlich zur Einsicht in die Zusammengehörigkeit von Leiden und Soter bringen will, leitet der Diskurs und damit auch der Erzähler von ApcPt zu einer deutlichen Distanzierung an. Der Erlöser und der im Passionsgeschehen Leidende gehören zwei verschiedenen Wirklichkeiten an, ein Sachverhalt, der sich auch an der Petrusgestalt spiegelt. Denn aufgrund einer Verkehrung der Bewertungsbezüge qualifiziert der Text das als positiv, was in der ekklesiastischen Tradition als belastende Hypothek mit dem Namen „Petrus" verbunden ist: d. h. die Verleugnung des leidenden Kyrios. Ohne Zweifel gehört diese Inversion zu der gnostischen Perspektive, in der die Ursprungsgeschichte des frühen Christentums „gelesen" wird[74].

Mit einer Referenz auf die Biographie des historischen Petrus nimmt der Diskurs die paränetische Grundtendenz wieder auf und schärft das Ziel der Berufung ein: Erkenntnis des Soter, allen Nachstellungen des Nachahmers zum Trotz. Vordergründig scheint der Diskurs von historischen Begebenheiten zu handeln. Tempora und Modi lassen jedoch keinen Zweifel daran, daß der historische Petrus in einen eschatologischen Entwurf einbezogen wird, in dem er eine paradigmatische Rolle übernehmen soll. Das Sachanliegen dieses Entwurfes richtet sich auf ein gegenwärtiges Problem, was durch die kompositorische Struktur des So-

---

[73] Koschorke (vgl. 1978, 30) denkt jedoch an die dreimalige Prüfung durch den Auferstandenen gemäß Joh 21,15–17. – Das Verb ⲥⲟⲟⲍⲉ ist Äquivalent von ἀφιστάναι; vgl. Siegert 1982, 94 f.

[74] Zum praktizierten Verfahren „wilder Exegese" durch die Gnostiker vgl. Jonas 1964, 214 ff.

ter-Diskurses insgesamt sichtbar wird: von der affirmativen Bestätigung des Adressaten geht die Rede sukzessiv über zu Paränese und Appell.

4.3.4 Ergebnis

Der diskursiven Passage zu Beginn von ApcPt kommt die strukturelle Funktion zu, die Situation zu präzisieren und die Beziehung der künftigen Dialogpartner zu thematisieren. Von der Selbstdarstellung des Sprechers geht die Rede zum Sachanliegen über, d. h. sie entwirft eine Berufung zur Gnosis. Dadurch, daß die Rede affirmative und paränetische Elemente verarbeitet, läßt sie eine rhetorische Anlage erkennen. Außer der Souveränität des Soter wird immer wieder das Erwähltsein des Angesprochenen als Kriterium eingesetzt. Diese Isotopien konvergieren in der Synousie von Soter und Gnostiker als Basis-Isotopie. Der Diskurs nimmt unterschiedliche Gattungselemente auf, um der jeweiligen Aussage Plausibilität zu geben. Für die Beziehung zwischen dem Soter und Petrus wird auf die Passionsgeschichte rekurriert, die jedoch einer Bedeutungs-Inversion unterworfen ist. Die gnostische Perspektive von Ontologie und Soteriologie bringt eine Bewertung der Geschichte zur Sprache. Mit diesen Akzenten qualifiziert der Diskurs die Gegenwart als Ort der Epiphanie des Soter und als Ort einer Kontroverse um das Leiden.

Der Erzähler hat die Schwerpunkte deutlich markiert und unterstreicht im Redeverlauf mit Hilfe von Intentionssignalen das, woran ihm liegt. Als besonders auffallend wurde der zweimalige Subjektwechsel wahrgenommen. An diesen Stellen wendet sich der Erzähler an den Rezipienten. Die an Petrus gerichtete Rede des Soter wird über diese Signale an die gegenwärtigen Leser gelenkt. Sie sind „die übrigen", die auch berufen sind und für die ein „Anfang der Erkenntnis" in Petrus gemacht worden ist.

Mehrfach wurde deutlich, in welchem Maß der Erzähler auf den gnostischen Denk-Horizont anspielt resp. ihn antizipiert. Insofern hat der Diskurs tatsächlich eine eröffnende Funktion. Der theologisch-historische Hintergrund ist durch die Person des Petrus, die Passions-Tradition und den Konflikt um die adäquate Erkenntnis des leidenden Soter angedeutet. Will man den geographischen Ort bestimmen, in dem dieser Traktat Gehör beanspruchte, ist ohne Zweifel an die Region zu denken, in der der historische Petrus einen theologisch-symbolischen Stellenwert besaß, d. h. Syrien und Antiochia. Daß hier Gruppen ansässig waren, in denen jene theologisch-historischen Inhalte diskutiert wurden, ist zu vermuten. Zugleich muß auch bedacht werden, daß in diesen geographischen Räumen unterschiedliche religiöse und kulturelle Kräfte aufeinanderstießen und eine von Kontroversen bestimmte Lage schufen. Der Erzähler von ApcPt richtet Diskurs und Dialog auf diese Konstellation. An späterer Stelle soll diese Vermutung zum „Sitz im Leben" anhand weiterer Informationen überprüft werden.

4.4 Der inszenierte Dialog I (72, 4 b–73, 14 a)

Ein Gliederungssignal mit anaphorischer Funktion (72, 4 b.5 a) trennt den Diskursteil vom Folgenden ab. Im Text verändert sich die Perspektive insofern, als der Angesprochene, der durch den Soter-Diskurs identifiziert worden ist, eine Subjekt-Rolle übernimmt. In Form einer Ich-Erzählung (vgl. 72, 4 b–9 a) berichtet er von einem Geschehen, das während der Rede des Soter beginnt.

Den Abschnitt zeichnet ein Doppel-Charakter aus. Einmal knüpft er an den narrativen Ausgangspunkt des Traktats an (vgl. 70, 14–20 a), bewegt sich also auf der textexternen Ebene. Zugleich leitet er in die dialogische Interaktion ein, konsolidiert also die textinterne Ebene. Denn die narrative Aktion des Angesprochenen wirkt wie ein (impliziter) Sprecherwechsel[75]. Von Gespräch rsp. Dialog im strengen Sinne kann aber erst im Hinblick auf den Abschnitt 72, 10 b–73, 14 a gesprochen werden. Dort liegt die Struktur einer Wechselrede de facto vor. In der Konversationsanalyse[76] gelten außer dem Sprecherwechsel u. a. Aufforderungen und Fragen als dialogkonstituierende Faktoren[77]. Über die Beachtung dieser Faktoren erschließt sich die Textstruktur, die ihrerseits das Worumwillen der Sprachverwendung „Dialog" zu erkennen gibt.

Nun genügt es nicht, ausschließlich theoretisch-deduktiv an die interpretierende Lektüre des Dialogs heranzugehen. Vielmehr muß zugleich gefragt werden, was die Dialogpartner *tun*, wenn sie miteinander reden. Der Dialog repräsentiert einen eminenten Handlungszusammenhang. M. a. W., die durch Abstraktion gewonnenen kommunikativen Merkmale behalten ihre heuristische Funktion. Es darf aber nicht vernachlässigt werden, daß ein Gespräch auch „in einer historischen und aktuellen Interdependenz mit einer übergeordneten Sozialhandlung zu begreifen" ist[78].

---

[75] Sprecherwechsel bzw. „turn taking" gilt in der linguistischen Gesprächsanalyse als elementarer Aspekt und als „Grundkategorie des Gesprächs"; vgl. Henne/Rehbock 1982, 190; vgl. 8 f.; 14; Brinker/Sager 1989, 60 ff.

[76] „Konversation" ist hier gleichbedeutend mit „Gespräch". Zum Stand gegenwärtiger Gesprächsforschung vgl. Kallmeyer/Schütze 1976, 1 ff.; Schlieben-Lange 1979, 57; 118 ff.; van Dijk 1980, 221 ff.; Schank/Schwitalla 1980, 313 ff.; Kanth 1981, 202 ff.; Henne/Rehbock 1982, 256 ff.; Techtmeier 1984, 13 ff.; Lewandowski 1985, 584 ff.; Brinker/Sager 1989, 9 ff.

[77] Zur Kennzeichnung der Kategorie „Gespräch" hat Ungeheuer u. a. vorgeschlagen:
– die Möglichkeit des Sprecher-, Hörer- und Rollenwechsels;
– den Wechsel von Themeninitiierung und Themenakzentuierung;
– das gegenseitige Akzeptieren jeweiligen Rechtfertigungsverlangens in bezug auf die Gesprächsstücke (vgl. 1974, 4).

[78] Techtmeier 1984, 48. Bemerkenswert ist ihre Kritik am ahistorischen Umgang mit Kommunikation als einem naturgegebenen Prozeß (vgl. 22 ff.) und an der Prämisse „Kommunikationspartner als zwangfrei handelnde vs. institutionell gelenkte Individuen" (27 ff.).

4.4.1 Die Ich-Erzählung

Der Erzähler hat die im Tempel stattfindende Begegnung im Blick und macht auf gleichzeitig ablaufende Ereignisse aufmerksam. Obwohl er Subjekt des Erzählvorgangs ist[79], bleibt er Objekt des Erzählten. Im besprechenden Tempus[80] wird thematisiert, was im Augenblick geschieht und wovon das sich selbst erzählende Ich betroffen ist. Zugleich profiliert diese narrative Sequenz das kommunikative Interesse. In den Traktat zieht eine nicht zu übersehende Handlungsebene ein.

Der Erzähler gibt bekannt, was er gesehen hat. Priester und Volk nähern sich mit eindeutigen Tötungsabsichten (vgl. 72, 6 b–8 a). Die Aggression richtet sich gegen den Soter und das erzählte Ich. Als Aufenthaltsort ist der Tempel aus dem narrativen Vorspann vorausgesetzt. Mit dieser Konstellation wird ein fundamentaler Gegensatz manifest, der sich im Verhältnis zum Soter äußert. Es gibt Feinde, die den Soter verfolgen. So wie sie ihm nachstellen, so bedrängen sie auch denjenigen, der auf seiner Seite steht. In der Ablehnung des Jüngers kommt die Ablehnung des Soter erst zum Ziel. D. h., durch den feindlichen Gegensatz wird die Synousie des Soter mit den Seinen e negatione bestätigt. Durch eine Erregungsnotiz (vgl. 72, 8 b.9 a) gibt der Erzähler zu verstehen, wie er die Lage einschätzt. Der Realitätscharakter der narrativen Sequenz erreicht hier unmißverständlich seinen Höhepunkt.

Bisher hat die Analyse stillschweigend vorausgesetzt, daß die Ich-Erzählung reproduzierende Intention hat. Muß die Eröffnungsformel ⲁⲉⲓⲛⲁⲩ (72, 5) aber ausschließlich in diesem Sinne verstanden werden? Oder signalisiert die Formel, daß die Erzählung in einen anderen Horizont übergeht[81], der durch Elemente der Gattung „Vision" qualifiziert ist?

Vor allem Brashler bemüht sich nachzuweisen, daß die Gattung „Visionsbericht" konstitutive Bedeutung für ApcPt hat. „Here the author has recreated in a vision a scene analogous to those reported in John"[82]. Daß im Zusammenhang einer gnostischen Schrift visionäre Schau eine funktionale Rolle übernimmt, ist nichts Ungewöhnliches[83]. Visionen galten durchaus als Quelle der wahren Gnosis. Von Valentinus wird u. a.

Sie schlägt folgende Arbeitsdefinition für Gespräch/Dialog vor (50, dort gesperrt): „Das Gespräch ist das grundlegende Kommunikationsereignis der direkten Kommunikation, durch das die Partner verbal, mit Hilfe des Sprecherrollenwechsels, unter konkreten sozial-historischen Bedingungen, bestimmte Tätigkeitsziele realisieren".

[79] Vgl. das Erzähltempus Perfekt I: 72, 4.8 f.
[80] Vgl. Qualitativ: 72, 6; Futur II: 72, 7 f.
[81] Darauf laufen schon Bemerkungen von Werner 1974, 578; 581 hinaus.
[82] Brashler 1977, 128. Szenenbildend könnten seiner Meinung nach Episoden aus Joh 7–10 gewirkt haben; vgl. aber auch Mt 21, 23; Lk 19, 47.
[83] Perkins 1980, 51 f.; 66 f. bestreitet das; vgl. dagegen EvPhil (NHC II, 3) 61, 20 ff.

berichtet, er habe den Logos geschaut und visionär das All durchdrungen[84]. Der Rekurs auf Visionen unterstreicht den enthusiastischen Grundzug[85] in gnostischen Gruppen. Brashler schließt vom Vorhandensein eines Gattungslementes auf den Textsortencharakter der Schrift als Ganzer[86]. Weil seiner Ansicht nach Visionsberichte konstitutiv für apokalyptische Literatur sind, möchte er auch ApcPt als „Apokalypse" verstehen. Beim „Sehen" des Erzählers verschränken sich in eigenartiger Weise die Ebene der historischen Referenz mit der Ebene einer metaphorischen Wirklichkeit. Doch im Unterschied zur Funktion der apokalyptischen Schauung zielt das gnostische Sehen auf die radikale Disjunktion von der historischen Faktizität.

Diese literarisch-stilistischen Eigentümlichkeiten verhindern eine problemlose Einordnung in vermeintlich Bekanntes. Dagegen demonstrieren sie eine Strategie des Autors/Erzählers. Mit den virtuellen Lesern des Traktats teilt er apokalyptische Sprachkonventionen und Vorstellungswelten. Er hält sich aber nicht an diese Vorgaben, sondern spielt mit den Ebenen von Realität und Schauung. Bei diesem Vorgehen verschärft sich eine Gegenwartsproblematik, die auf der textexternen Ebene[87] akut zu sein scheint.

Der Erzähler stellt sich selbst als jemanden dar, der die Bedrohung seines Lebens spürt und Angst vor dem Tod hat (vgl. 72, 8 b.9 a). Seine Zugehörigkeit zum Soter stellt er nicht in Frage. Auch reflektiert er nicht die Ursachen der Aggression, sondern beschränkt sich darauf, die Gefahr zu benennen, die ihn *und* den Soter bedroht.

Die narrative Sequenz bringt so aus der Perspektive des Autors/ Erzählers die Grundproblematik des Traktats zur Sprache: Verfolgung um willen der Entscheidung für den Soter; mögliches Martyrium; radikale Infragestellung der Gegenwart. In diese Richtung hatte bereits der Soter mit seinem Berufungsdiskurs gewiesen, als er Petrus zum Bleiben aufgefordert und zur Standfestigkeit aufgerufen hatte. Unter kompositorischen Gesichtspunkten entsprechen sich also diese beiden Textzusammenhänge:

---

[84] Hippolyt, Ref. VI 42,2; 37,7; vgl. Schlier 1975, 502 f.; Bauer 1964, 179 ff.

[85] Das bestätigt Tertullian (Adv. Val. 4) trotz unverhohlener Ironie: „si aliquid novi adstruxerint, revelationem statim appellant praesumptionem et charisma ingenium". Prof. Dr. Dr. K. Rudolph machte mich darauf aufmerksam, daß der Begriff „enthusiastisch" ungeeignet sei, um das Wesen der gnostischen Bewegung zu bezeichnen. („Man kann nicht jahrzehntelang ,enthusiastisch' leben und produzieren.") Gnosis war eher eine intellektuelle Angelegenheit (vgl. Rudolph 1989, 23 ff.), eine aus einer radikalen Analyse von Mensch und Welt entstandene Perspektive, die alle bestehenden religiösen oder philosophischen Entwürfe hinter sich lassen wollte (vgl. Pagels 1981, 55 ff.; 176 ff.; 202 ff.). Wenn in dieser Arbeit dennoch der Begriff „enthusiastisch" gebraucht wird, impliziert er jene radikale, pneumatisch geleitete, zum Transzendieren neigende Intention.

[86] S. o. 33 ff.

[87] Der Apokalyptiker geht von der Aporie in der Wirklichkeit aus und bereitet auf der Ebene der Schauung eine Lösung vor. Vgl. dazu Koch 1983, 413 ff.

es geht um die gnostische Jüngerschaft, die in Petrus Gnosticus ihr Paradigma hat. Der gnostische Jünger ist aufgrund seiner Wirklichkeitserfahrung verunsichert. Sucht er Entlastung und Hilfe in der Tradition, muß er feststellen, daß diese positiv besetzt, was ihn beunruhigt. M. a. W., Tradition bringt den Soter mit Leiden, Kreuz und Tod in einen notwendigen Zusammenhang. Die Aporie wird nicht aufgelöst. Sie wird vielmehr dadurch eskaliert, daß sie ins Existentielle aufgehoben wird. So kommt es, daß die christologische Frage impliziert ist, wenn das Geschick des Jüngers thematisiert wird. Darin, daß beides miteinander verschränkt ist, die Christodizee und die Anthropodizee, äußert sich ein weiteres gnostisches Merkmal dieser Schrift.

Durch die narrative Sequenz wird die Erwartung geweckt, daß in ApcPt ein gnostischer Kreis zum kontroversen Problem des christologisch begründeten Martyriums Stellung nimmt[88]. Diese Thematik hat in den christlichen Gemeinden von Anfang an eine Provokation dargestellt. U. a. zeigt sich das in der Diskussion, die Paulus mit der Gemeinde von Philippi über die Bedeutung des Leidens geführt hat[89].

4.4.2 Kategorien zur Beschreibung der dialogischen Struktur

Mit der narrativen Regiebemerkung „er dagegen sprach zu mir" (72,9b.10a) wird ein Sprecherwechsel vollzogen. Die Ich-Erzählung ist auf ihrem Höhepunkt unterbrochen, der Rede des Soter wird Raum gegeben. Keineswegs beginnt dann eine monologisierende Ausführung. Vielmehr organisieren Sprecherwechsel, Redeeinführung bzw. Redeabschluß und Aufforderungen an die 2. Person den Text als Dialog zwischen Petrus und dem Soter. Die Dialogpartner konzentrieren sich auf das mit der Ich-Erzählung vorgegebene Thema und versuchen, durch kommunikativen Austausch Einverständnis in der Perspektive zu schaffen.

Im Interesse einer adäquaten Beschreibung der dialogischen Struktur werden im Folgenden Kategorien benutzt, die Henne/Rehbock für die Analyse von Gesprächen vorgeschlagen haben. Sie differenzieren in jedem Gespräch Makroebene, mittlere Ebene und Mikroebene[90], denen jeweils

---

[88] Vgl. Pagels 1980, 262 ff.; 1981, 120 ff. Einen Überblick gibt auch Koschorke 1978, 132 ff.

[89] Vgl. Walter 1977, 417 ff.

[90] Vgl. 1982, 20:
„1. Kategorien der Makroebene: Gesprächsphasen (-stücke, -teile)
    1.1. Gesprächseröffnung
    1.2. Gesprächsbeendigung
    1.3. Gesprächs-,Mitte' (:Entfaltung des Hauptthemas und der Subthemen)
    1.4. Gesprächs-,Ränder' (: Nebenthemen, Episoden)
2. Kategorien der mittleren Ebene
    2.1. Gesprächsschritt (,turn')

bestimmte Vorgänge entsprechen bzw. wo bestimmte Gesprächs-Sachverhalte ihren Platz haben.

Gesprächsanalytische Kategorien haben zunächst einen heuristischen Wert, insofern sie das Dialog-Geschehen strukturieren helfen. Darüber hinaus übernehmen vor allem die Kategorien der mittleren Ebene interpretative Aufgaben[91], weil in diesem Dialog-Bereich ein kommunikativ-pragmatischer Prozeß im Gang ist. Im Alterieren der Gesprächsschritte wird der handlungssemantische Horizont des Dialogs konstituiert, so daß der mittlere Bereich[92] das Sachanliegen des Dialogs erscheinen läßt.

Eine *schematisierende Darstellung* der ersten Dialogsequenz (s. folgende Seite) veranschaulicht die Gesprächsphasen und das Geschehen auf der mittleren Ebene, insbesondere die Gesprächsschritte, den Sprecherwechsel und den Sprechakt.

Am Dialogverlauf fällt sogleich auf, daß die direkten Redebeiträge ungleichmäßig verteilt sind. Sie bleiben dem Soter vorbehalten, während Petrus nur einmal (vgl. 72, 19 c. 20 a) direkt das Wort ergreift. Was er im übrigen sagt, erscheint im Modus des erzählten Ich. In den Petrusbeiträgen setzt sich die narrative Tendenz des Vorspans deutlich fort. Dennoch herrscht Dialog-Atmosphäre. Denn der Soter verhält sich so, als habe er ein direktes Gegenüber. Und Petrus befolgt die Handlungsanweisungen widerspruchslos, so als stehe er in einer „face to face conversation". Zugleich beschreibt er die Dialogsituation und seinen Anteil daran wie ein außenstehender Beobachter.

Die schematisierende Darstellung des Dialogverlaufs zeigt, wie narrative Mitteilung und Dialogbeitrag ineinandergreifen. Aus der Ich-Erzählung kommt der Anstoß zum ersten Redebeitrag des Soter. Sein letzter Beitrag (vgl. 73, 12 ff.) leitet über in den eschatologischen Diskurs. Eröffnung und Beendigung der dialogisch strukturierten Texteinheit stehen in korrespondierender Relation zueinander. Das anfängliche Urteil (vgl. 72, 10 c–13 a) über die Gegner findet im Dialog-Geschehen eine massive

---

2.2. Sprecher-Wechsel (‚turn-taking'): Regeln der Gesprächsfolge
2.3. Gesprächssequenz
2.4. Sprechakt/Hörverstehensakt
2.5. Gliederungssignal
2.6. back-channel-behavior
3. Kategorien der Mikroebene
   Sprechaktinterne Elemente: syntaktische, lexikalische, phonologische und prosodische Struktur".
Vgl. ferner: Brinker/Sager 1989, 94 ff.
[91] Das betonen auch Henne/Rehbock 1982, 255.
[92] Henne/Rehbock haben die Kategorien des mittleren Bereichs einer strengen Systematisierung unterworfen. Mit Hilfe dieser Kriterien kann das kommunikativ-pragmatische Anliegen eines Dialogs aufgezeigt werden (vgl. 1982, 254 f.). Den pragmatischen Aspekt betont auch Techtmeier (vgl. 1984, 110). Was sie „Mikroebene" nennt, entspricht der „mittleren Ebene" von Henne/Rehbock.

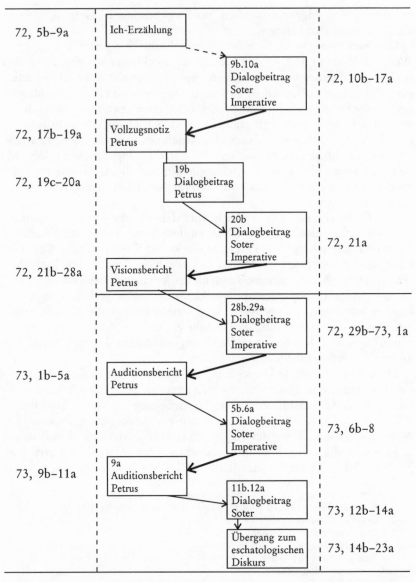

Bestätigung und wird deswegen wiederholt (vgl. 73, 12 b–14 a). Alle Dialogbeiträge des Soter haben einen souveränen und initiierenden Charakter. Die Souveränität schlägt sich auch in den Handlungsanweisungen
nieder, die an den Dialogpartner gerichtet werden (vgl. 72, 13 b–17 a;
72, 21 a; 72, 29 b–73, 1 a; 73, 6 b–8). Von den Handlungsbereichen „Sehen" bzw. „Hören" erhält der Dialog zwei inhaltliche Schwerpunkte.
Angesichts der Bedeutung, die dem zukommt, was der Soter sagt, liegt

die Vermutung nahe, daß Petrus nur Befehlsempfänger ist. Davon kann aber keine Rede sein. Welche Rolle Petrus spielt, muß die Analyse seiner Dialogbeiträge und die Interaktion mit denen des Soter zeigen. Denn nicht nur der Sprechakt, sondern auch der „Hörverstehensakt"[93] geben dem Dialog ein spezifisches Profil. Das Verhältnis zwischen den Dialoganten übersteigt also die hierarchisch geordnete Situation, in der der Adressant ausschließlich Subjekt und der Adressat nur Objekt ist.

4.4.3 Der ‚empraktische' Dialog

Die Analyse wendet sich der „mittleren Ebene" des Dialogs zwischen Petrus und dem Soter zu. Dieser Dialogbereich entscheidet über das kommunikativ-pragmatische Sachanliegen des Textes. In der Verschränkung von narrativer und dialogischer Sprachverwendung kommt das Spezifische des Dialogs in ApcPt zur Sprache. Zunächst erscheint der Verständigungsprozeß, der zwischen den Dialoganten anhebt, als ein intratextueller Vorgang. Mit dialogischer Sprachverwendung ist aber auch ein hermeneutisches Problem gegeben, das im folgenden bewußt gemacht werden soll.

Exkurs: Dialog-Hermeneutik

Jeder Dialog setzt zwei Ebenen voraus: die der Rede zwischen den Dialoganten, in der ein bestimmtes Thema angeschnitten ist; dann die der Beziehung, die zwischen den Dialoganten herrscht oder erst aufgebaut werden soll. Beziehung und Thema sind in einer komplexen Interdependenz miteinander verwoben. Das hermeneutische Bemühen tritt also zuerst intratextuell und interpersonell auf. Es gilt dem Redeverstehen und dem Beziehungsverstehen.

Unter Voraussetzung einer kommunikativen Kompetenz, die beide Dialoganten teilen, zielt *Redeverstehen* auf „Rezeption, Verarbeitung und Artikulation ganzer Argumentationsketten zum Zwecke interpersoneller Problembewältigung"[94]. Die Relation zwischen den Dialoganten wirkt wie ein Katalysator, von dem rhetorisch-strategisch Gebrauch gemacht wird. *Beziehungsverstehen* gilt der „Fähigkeit, die Beziehungssituation der Subjekte zu ihren Objekten und die Interaktionen der Subjekte zu verstehen"[95].

---

[93] Vgl. Henne/Rehbock 1982, 20; 25: „Auf der Hörerseite entspricht dem Sprechakt ein Hörverstehensakt, in dessen inauditiver Kraft das aktualisierte Verstehensvermögen des Hörers sich ausdrückt.... *In-auditiv* ist Parallelbildung zu *il-lokutiv.* ‚Im' (während des) Sprechen(s) bzw. ‚im' /während des Hören(s) kommt die Kraft des Sprechers (als locutor) bzw. die des Hörers (als auditor) zur Geltung. Die Spezifik der Illokution und der Inaudition grenzt die Sprechakte in ihrer Typik gegeneinander ab."
[94] Badura 1972, 257.
[95] Lorenzer 1973, 141; vgl. Badura 1972, 255.

Außer auf der interpersonellen und der intratextuellen Ebene geschieht Dialog auf einer Ebene, die den vorliegenden Text transzendiert (= extratextuelle Ebene). M. a. W., auch exogene Faktoren übernehmen konstitutive Bedeutung für den Dialog. Diese Tatsache impliziert, daß ein hermeneutischer Prozeß zweiter Ordnung durch den Dialog eingeleitet ist. Denn der tradierte Dialog bzw. der literarische Text evozieren einen weiteren interpersonellen Horizont. Durch die dialogische Interaktion ist das Modell einer möglichen Welt entstanden, die jedes zukünftige Dialogverstehen herausfordert. Wer als Leser sich dieser Welt aussetzt, tritt in einen neuen Dialog ein. Die Analyse muß von der Einsicht ausgehen, daß der faktische Dialog tendenziell in einen Dialog zweiter Ordnung übergeht. Das hermeneutische Problem liegt darum in der besonderen Rolle der Meta-Kommunikation innerhalb der Wechselrede.

Mit dieser Überlegung wird als Struktur festgestellt, daß jeder Dialog sich selbst transzendiert. Es ist so, als setze der Autor „mehr oder weniger bewußt einen höheren ‚Überadressaten' (den ‚Dritten') voraus, dessen absolut richtiges Verständnis entweder in metaphysischer Ferne oder aber in ferner historischer Zeit angenommen wird (ein Schlupfloch-Adressat)"[96]. Der Rezipient erlebt das Dialog-Geschehen darum weniger wie ein interessierter, aber unbeteiligter Zuschauer. Vielmehr handelt und spricht er mit. Der Rezipient kommt im Dialog vor, insofern das Alterieren der Rede in ihm sich wiederholt und die Dialogsituation eine Fortführung findet. Spannungen, Mehrdeutigkeiten und Inkohärenz im Text können implizite Aufforderungen sein, die Rolle eines Dialoganten zweiter Ordnung zu übernehmen. Diese „*Orchestrierung* der Mitteilung"[97] motiviert einen Polylog, in dessen Vollzug die Distanz eines passiven Umgangs mit dem Text aufgehoben ist. „So können im Text Fragen gestellt, Probleme aufgeworfen, Indizien angeboten, Sichten suggeriert werden ... worauf wir mehr oder weniger durch Eigenleistung reagieren"[98]. Mit kommunikativ-pragmatischen Mitteln wird der Leser in den Dialog einbezogen und an seiner Profilierung beteiligt. Über die Verschränkung der Kommunikationsebenen entwickelt sich ein bewegtes Sprachgeschehen. Denn das „Dialogische" treibt den Dialog zu „immer mehr: es holt in die sprechenden Subjekte die sozialen Vorredner; es eröffnet die aktuelle auf vergangene, ähnliche, künftige, denkbare Situationen; es weitet den Inhalt durch Konfrontation und Entwurf von Referenzbereichen, es reduziert nicht, sondern schafft ‚Sprachen'"[99]. Dia-

---

[96] Bachtin 1979, 48.
[97] Kloepfer 1981, 326.
[98] Kloepfer 1981, 325.
[99] Kloepfer 1981, 328; vgl. Henne/Rehbock 1982, 9 ff. Diese Perspektive bemüht sich, über das Kommunikationsmodell hinauszugehen, das auf das statische Schema von anfänglichem Dissens und angestrebtem Konsens reduziert ist.

log-Hermeneutik, die ihrem Anspruch gerecht werden will, kann von diesem Dialog zweiter Ordnung nicht absehen. Daher fragt sie, wann und wieso der Rezipient als impliziter Dialogant am Dialogprozeß beteiligt ist und welche Auswirkung diese Interaktion auf das „Kerygma" des Dialogs hat. Eine spezifische Dialog-Hermeneutik richtet demnach ihre Aufmerksamkeit auf das Interpersonelle resp. Intratextuelle *und* das Extratextuelle der Redebeiträge.

Es gilt nun, das Worumwillen der Wechselrede, in der die Verschränkung von direkter mit indirekter bzw. zitierter Rede in Gestalt der erzählten Dialogbeiträge die Aufmerksamkeit auf sich zieht, m. a. W. das Empraktische[100], zu untersuchen. Mit der narrativen Passage 72, 5 b–9 a macht der Erzähler seine Perspektive geltend und eröffnet den Dialog. Es ist aber der Soter, der den Schlußpunkt setzt, indem er in einen anderen Rede-Horizont überleitet (vgl. 73, 14 b–23 a). Die dialogische Interaktion zwischen Petrus und dem Soter erstreckt sich über mehrere voneinander unterscheidbare Phasen. Im Blick auf jede Phase ist jeweils zu fragen:

a. wie der Dialog organisiert ist;
b. was Identität und Beziehung der Dialoganten konstituiert;
c. wodurch die Handlung begründet wird und was ihre Bedeutung sichert[101].

Innerhalb der dritten Frage ist auch zu berücksichtigen, daß auf Vorgänge oder Ereignis-Zusammenhänge Bezug genommen wird, die den Dialog begleiten oder ihm voraufgehen. Mit der Bezugnahme ist in jedem Fall eine Art diskursiver Deutung verbunden. Als Arbeitshypothese kann formuliert werden, daß die Korrelation der drei Aspekte die Dialogabsicht erscheinen läßt.

4.4.3.1 Dialog-Phasen

Die Abfolge der Dialog-Phasen läßt sich in einem Überblick kenntlich machen (s. nächste Seite).

Dieser Überblick zeigt vier Dialog-Phasen, von denen I. und II. sich auf die Tätigkeit des Sehens richten, während III. und IV. im Hören den verbindenden Faktor haben. Von allen Redebeiträgen heben sich die Aufforderungen besonders ab. Sie treten in jeder Phase auf. Dadurch, daß die Tätigkeiten des Sehens und Hörens nicht einfach reflexartig

---

[100] Diese Kategorie geht auf Karl Bühler (1982, 158 f.) zurück. Er versteht unter „empraktisch" den Gebrauch von Sprachzeichen, die ein Sprecher auswählt, um sein Gegenüber zu einem bestimmten Handeln, Verhalten o. ä. zu bewegen.
[101] Vgl. Kallmeyer 1981, 89 ff.

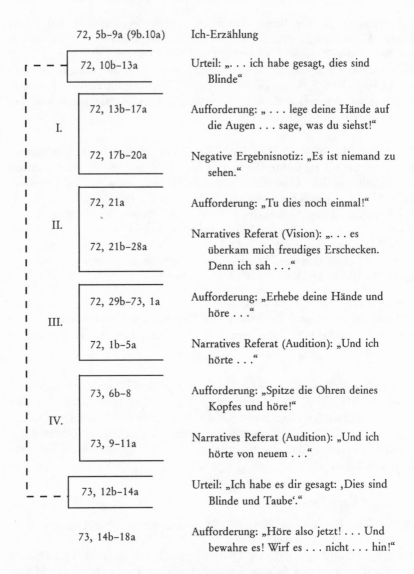

72, 5b–9a (9b.10a)	Ich-Erzählung
72, 10b–13a	Urteil: „. . . ich habe gesagt, dies sind Blinde"
I. 72, 13b–17a	Aufforderung: „. . . lege deine Hände auf die Augen . . . sage, was du siehst!"
72, 17b–20a	Negative Ergebnisnotiz: „Es ist niemand zu sehen."
II. 72, 21a	Aufforderung: „Tu dies noch einmal!"
72, 21b–28a	Narratives Referat (Vision): „. . . es überkam mich freudiges Erschecken. Denn ich sah . . ."
III. 72, 29b–73, 1a	Aufforderung: „Erhebe deine Hände und höre . . ."
72, 1b–5a	Narratives Referat (Audition): „Und ich hörte . . ."
IV. 73, 6b–8	Aufforderung: „Spitze die Ohren deines Kopfes und höre!"
73, 9–11a	Narratives Referat (Audition): „Und ich hörte von neuem . . ."
73, 12b–14a	Urteil: „Ich habe es dir gesagt: ‚Dies sind Blinde und Taube'."
73, 14b–18a	Aufforderung: „Höre also jetzt! . . . Und bewahre es! Wirf es . . . nicht . . . hin!"

erfolgen, sondern phasenspezifisch geschehen, zieht in den Dialog als ganzen eine dramatische Bewegung ein.

Die zwei Seh-Handlungen stehen sich antithetisch gegenüber. Mit einer Aussage über die Ergebnislosigkeit der Vision schließt die erste Dialog-Phase. Am Ende der zweiten Phase referiert Petrus dagegen eine geglückte Vision. Bei den Hörvorgängen verhält es sich so, daß der Dialogbericht vom Negativen zum Positiven hinübergeht. Ein progressives Element liegt auch darin, daß die schreiende Menge von den Himmlischen abgelöst wird, die den Soter preisen. So gewinnt der Dialog mit der antithetischen und der progressiven Tendenz spannungsvolles Niveau. Im übrigen ist die Inanspruchnahme des Hörens dadurch akzentuiert, daß ein dritter Hörvorgang ausgerufen wird (vgl. 73, 14 b–18 a), der in klimaktischer Reihung das Wort des Soter als Hörobjekt hat. Diese hierarchische Ordnung wird durch die Textkomposition gestützt, insofern das Dialoggeschehen in definitive Urteile über die Widersacher eingebettet ist (vgl. 72, 10 b–13 a; 73, 12 b–14 a).

Die Beziehung zwischen den Dialoganten scheint eindeutig und geregelt zu sein. Doch verläuft der kommunikative Prozeß ganz und gar nicht problemlos. Warum halten sich sonst die Aufforderungen durch? – Das Eingehen auf die Dialog-Organisation soll hier Klarheit verschaffen.

4.4.3.2 Dialog-Organisation

Eine Ich-Erzählung (72, 5 b–9 a) löst den Dialog aus, ohne daß der Erzähler in eindeutiger Weise ein Gegenüber anspricht. Er formuliert allerdings so, daß die Pronomina, Suffixe und Praefixe in 72, 7 ff. anaphorische Bedeutung annehmen und eine historische Szene assoziieren lassen. Die Erregungsaussage 72, 8 b.9 a entspricht dann einem Hilferuf, auf den der intendierte Gesprächspartner auch eingeht. Es ist also die Initiative des Erzählers Petrus, die den Dialog in Gang bringt.

In den Dialogphasen vollzieht sich der *Sprecherwechsel* aufgrund eindeutiger Steuerungssignale. Der Soter übernimmt das Wort, das ihm der Erzähler zugespielt hat. Er erinnert an früher Gesagtes und widerspricht den von Petrus dargestellten Verhältnissen. Dann geht er dazu über, die überragende Bedeutung, die ihm in der Beurteilung der Zusammenhänge zukommt, zurückzugewinnen. Er lädt Petrus ein, sich selbst vom wahren Zustand der Verhältnisse zu überzeugen und auf diese Weise seine Einschätzung der Lage zu prüfen. Diese Hinwendung zum Dialogpartner gipfelt in zwei Aufforderungen (vgl. 72, 15 a.16 b)). Der Soter hat seinen Beitrag beendet und gibt die Sprecherrolle ab.

Petrus bewegt sich zunächst auf der narrativen Referatsebene. Er hat getan, wozu er aufgefordert war, kann aber nur Ergebnislosigkeit anmelden. Von der narrativen Ebene geht Petrus auf die unmittelbare Dialogebene über und wiederholt die gerade vorgetragene negative Ergebnisnotiz. Eine formelhafte Rede-Einführung (vgl. 72, 19 b) weist hier wie in allen anderen direkten Dialogbeiträgen den jeweiligen Sprecher aus und markiert den Sprecherwechsel. Mit dem negativen Ergebnis stellt Petrus die im ersten Dialogbeitrag des Soter behauptete Souveränität indirekt in Frage und beharrt auch auf der anfänglich vorgetragenen Lage-Einschätzung. Er wurde nicht überzeugt und provoziert mit seiner Ergebnismitteilung eine Rede-Reaktion des Soter.

Die Rede-Einführung (vgl. 72, 20 b) zeigt den erneuten Sprecherwechsel an. Vom Soter wird aber keine andere Perspektive als die in 72, 13 b–17 a geäußerte angeboten. Es bleibt bei der Aufforderung zum Sehen. Damit wird der Angesprochene nicht weniger provoziert, als der Sprecher zuvor durch den Erzähler/Petrus provoziert worden ist. Weitere Worte scheinen überflüssig zu sein, bevor nicht der erneute Sehvorgang vollzogen ist.

Ohne daß eine Rede-Einführung den Sprecherwechsel notiert hätte, übernimmt Petrus den Part der Erwiderung, die auf der narrativen Ebene bleibt. Implizit ist vorausgesetzt, daß er auch der zweiten Aufforderung Folge geleistet und dabei Erfahrungen gemacht hat, die einen Wendepunkt markieren. Eine Befindlichkeitsaussage (vgl. 72, 21–23 a) stellt das Extraordinäre der Widerfahrnis durch die Stilfigur des Oxymorons heraus: „es überkam mich freudiges Erschrecken". Dann wird der Inhalt der Schauung, formuliert in der Form des überleitenden Paradoxons, genannt: ein neues Licht, das heller scheint als das Tageslicht, ist auf den Soter herabgekommen. Die jenseitige Wirklichkeit spiegelt sich in den Aussagen, mit denen der Dialogant die vorfindliche Situation und auch seine Eingebundenheit in sie zu transzendieren beginnt. Die verdeckte Referenz auf die Dialogsituation wird explizit gemacht, indem Petrus mit einer Handlungsvollzugsnotiz und einer Kommunikationsnotiz (vgl. 72, 27 b.28 a) zur Dialogebene zurücksteuert. Allerdings bleibt er im narrativen Modus. Die Redebeiträge des Soter haben in Petrus Sehvorgänge bewirkt, durch die Widerstände überwunden und Erkenntnis ermöglicht wurden. Mit dem narrativen Beitrag des Erzählers am Ende der zweiten Phase ist der Dialog aber noch nicht beendet. Der Soter initiiert eine dritte Dialogphase, indem er eine erneute Aufforderung formuliert.

Wie in 72, 20 a interpretiert die Rede-Einführung „und er sprach wiederum zu mir" (72, 29 a) die Tendenz der Redebeiträge des Soter als dialogaufrechterhaltend[102], d. h. der Erzähler betont hier ein für den gesamten Dialogprozeß wesentliches Element. Die an Petrus gerichtete Aufforderung meint einen Hörvorgang, der auf die Außenwelt zielt bzw. auf eine dritte Personengruppe, die latent das Dialoggeschehen in ApcPt begleitet und immer wieder auftaucht. Im übrigen korrespondiert die Organisation des Dialogs den Phasen I. und II.

Petrus referiert den Hörvorgang (vgl. 73, 1 b–4 a), ohne daß der Sprecherwechsel besonders angezeigt ist und auch ohne daß seine Folgsamkeit herausgestellt wird. Die Rückkehr zur Dialogebene (vgl. 73, 4 b.5 a) vollzieht sich im referierenden Modus. M. a. W., die Kommunikationsnotiz wurde in die Rede-Einführung eingearbeitet, mit der ein Sprecherwechsel notiert ist.

---

[102] Zur Strategie in dialogischer Kommunikation vgl. Schwitalla 1979, 70 ff.

Indes ist das Ergebnis des ersten Hörvorgangs von der ersten Seh-Handlung insofern unterschieden, als es dort zu keiner inhaltlich bestimmten Aussage kam (vgl. 72,19 c.20 a). Hier dagegen ist der Inhalt des Hörvorgangs in verobjektivierter Form beschrieben. Auf das Referat reagiert der Soter wie auf eine Bitte um Stellungnahme. Denn die Mitteilung, die Petrus dem Soter unaufgefordert gemacht hatte, bewirkt eine vierte Aufforderung. Wiederum soll der Angesprochene seine hörende Wahrnehmung (vgl. 73,6 b.7 b.8 a) einsetzen. Er soll der Rede einer nicht näher vorgestellten Sprechergruppe zuhören. Ist sie mit der in Dialog-Phase III. aufgetretenen Personengruppe identisch? Soll Petrus sich noch einmal dem Mordgeschrei aussetzen? Der Relativsatz 73,8 b gestattet aber auch die Deutung auf eine bisher nicht erwähnte Handlungsgruppe.

Wiederum referiert der Erzähler den Hörvorgang. Wahrscheinlich zitiert er, was er gehört hat. Nach der Kommunikationsnotiz wendet das Referat sich wieder der Dialogebene zu (vgl. 73,11 b–12 a). Die Rede-Einführung zeigt – wie gewohnt – den Sprecherwechsel an. Es ist schwer zu sagen, welche Intention das Erzähler-Referat signalisiert. Soll der Dialog abgebrochen oder fortgeführt werden? Ist Petrus zu einer neuen Einschätzung der Lage gekommen? Kann er jetzt eine andere Perspektive einnehmen als in der Ich-Erzählung? Deutlich ist in jedem Fall, daß der Erzähler keinen Rede-Anspruch mehr erhebt. Der Soter schließt seinerseits den Dialog ab, indem er mit einem Selbstzitat (vgl. 73,12 b–14 a) die früher vorgetragene Beurteilung der Gegenwart/ der Außenwelt bekräftigt. Er kann das um so mehr, als Seh-Handlung und Hörvorgang in der II. bzw. IV. Phase seine Perspektive unterstützt haben. Die mordgierigen Gegner sind nicht die letzte Instanz. Damit ist die dialogische Interaktion zwar abgeschlossen. Dennoch behält der Soter das Wort, das weiterhin vom Erzähler referiert wird.

In der Passage 73,14 b–18 a wechselt der Dialog auf eine andere Sprachebene. Es wird in einen Hörvorgang eingewiesen, der sich in einem neuen Wahrnehmungshorizont vollzieht. Appellative Elemente signalisieren in spezifischer Weise den autoritativen Charakter der Rede.

Im Ensemble der Dialogphasen, das hat die Beschreibung der Dialog-Organisation in 72,(4 b–10 a) 10 b–73,14 a sichtbar gemacht, bleiben die Redebeiträge des Soter formal konstant (Imperative bzw. Aufforderungen) und prägen eine insistierende Redehaltung. Dagegen durchläuft Petrus einen Prozeß, der ihn in zwei Durchgängen vom Negativen zum Positiven führt. Er initiiert eine bestimmte Thematik, die der Soter akzeptiert, aber seinerseits derart punktiert[103], daß das Zentrum der Initiative zu ihm zurückkehrt. Im Rahmen eines „kooperativen Prinzips"[104]

---

[103] Zur Begrifflichkeit vgl. Watzlawik/Beavin/Jackson 1974, 57 ff.: Eine Kommunikation interpunktieren heißt, ihr eine Struktur zugrunde legen.

[104] Henne/Rehbock 1982, 23 mit Berufung auf H. P. Grice, Logic and Conversation 1975, 45.

realisiert Petrus sein Dialogverhalten in Folgsamkeit und Selbstbehauptung. Als dominante Struktur des Dialogs erscheint demnach nicht Symmetrie und auch nicht Reziprozität. Vielmehr geschieht Kommunikation auf der Grundlage von Komplementarität[105], d. h. unter der Voraussetzung einer hierarchischen Differenz zwischen den Dialogpartnern. Petrus wird dialogisch von seiner Welteinschätzung wegbewegt und in eine Perspektive hineingeführt, die dem Soter entspricht.

Schließlich zeigt der Dialog noch eine besondere Eigentümlichkeit. Petrus tritt in einer Doppelrolle auf. Er ist Dialogpartner des Soter und Erzähler des Dialog-Geschehens in einer Person. Ihr Aktionsfeld sind zwei Ebenen, die durch die Sprecherintentionen differenziert werden können. Das führt zu jener eigentümlichen Partitur, in der die direkte Rede auf das narrative Referat bezogen wird und umgekehrt. Was Petrus im Dialog „sagt", erscheint im Modus der Zusammenfassung, der Bezugsrede[106] bzw. des Zitats ohne Buchstaben. Zwischen dem Dialogverhalten des Petrus und der Erzählintention besteht ein spannungsvoller Unterschied. Das Dialogverhalten wird von der Erzählintention insofern überboten, als Petrus vom Ergebnis des Dialogs her, d. h., von der neu gewonnenen Situationseinschätzung her erzählt. Die narrative Retrospektive repräsentiert also ein doppeldeutiges Verfahren, das die Konstellation der Dialoganten transzendiert. An wen richtet der Erzähler Petrus seine Erzählung? Worumwillen erzählt er überhaupt seinen Dialog mit dem Soter? Auf diese Frage soll die Analyse der übrigen Dialogaspekte eine Antwort zu geben versuchen.

4.4.3.3 Identitäts- und Beziehungskonstitution

Der Grund für das Zustandekommen eines Dialogs liegt in der Beziehung zwischen den Beteiligten, die dem Dialog vorausgeht. Wenn die Sprecher-Hörer-Rolle wechselt, akzeptieren sie den jeweils anderen in dessen Voraussetzungen und Gegebenheiten. So bestätigt die Dialogpassage 72,4b–73,14a das, was der Makrotext an elementaren Informationen über den Soter und Petrus bereits geliefert hatte.

Vorausgesetzt ist während der gesamten Dialoghandlung die Begegnungs-Szene im Tempel. Über die metaphorische Tendenz und die historischen Referenzen erhält das Zusammentreffen eine wichtige Funktion. Beide Figuren treten mit einer offenen Identität auf, die im Verlauf der Textentfaltung Profil gewinnt. Nach dem Selbstvorstellungsdiskurs erschien der Soter eindeutig definiert zu sein. Das Bild veränderte sich jedoch in den folgenden Szenen. Bei Petrus war dagegen von Anfang an umstritten, wer bzw. was seine Identität konstituiert. Um ihn als Erwähl-

---

[105] Watzlawik/Beavin/Jackson 1974, 68 ff.
[106] Zu diesem literarischen Phänomen vgl. Barthes 1971, 136 ff.

ten und Berufenen zu qualifizieren (vgl. nur 71,15 ff.), muß der Soter massive Impulse geben. Diese Anredehaltung[107] (vgl. 70, 20 ff.; 71, 15 ff.; 72,10 b) zielt darauf ab, die herrschende Distanz zwischen den Sprechenden zu überwinden und die Plausibilität des Zugesprochenen annehmbar zu machen. Das intensive Bemühen des Soter um die Identität des Petrus ist auch eine Reaktion auf die Umtriebe der Gegenmacht (vgl. 71,22 ff.). Was garantiert aber, daß der Soter selbst und nicht seine mißbrauchte äußere Gestalt am Werk sind? Der Eröffnungsdiskurs (70, 20 c–72, 4 a) hatte die Synousie der Gnostiker mit dem Soter als Basisisotopie der Gnosis fördernden Kommunikation eingeführt. Auf diese vorlaufende Wesenseinheit wird ständig rekurriert. Über die Berufung des Petrus sollen die übrigen, „die ich zum Erkennen eingeladen habe" (71, 20 f.), angesprochen werden. Synousie erweist sich als die Voraussetzung, die zugleich das angestrebte Ziel der Beziehung zwischen Soter und den Gnostikern darstellt. Diese Bewegung innerhalb der Identitätskonstitution grenzt gegen die Kampagnen der Gegenmacht ab. Darum setzt der Soter voraus, daß die Differenzen in der Beurteilung der Gegenwart ausgeräumt sind und Petrus seine Perspektive übernehmen kann. Das souveräne Anredeverhalten gestattet keine Möglichkeit eines Aushandelns zwischen den Standpunkten oder Perspektiven. Von Anbeginn an unterläuft der Text den Eindruck, als komme es im folgenden Dialog auf die Reziprozität und Symmetrie der Beiträge an.

Von dem Zeitpunkt an, in dem Petrus seine Doppelrolle als Dialogant und Erzähler offenbart und sich in die Szene einschaltet, wird offensichtlich, daß keine Kongruenz von Standpunkten und Perspektiven vorliegt. Zwar setzt Petrus voraus, daß er dem Soter nahe steht. Von Synousie kann aber nicht die Rede sein. Auch von einer adäquaten Erkenntnis des Soter ist Petrus noch weit entfernt. Denn die Einschätzung der Situation gibt beredte Auskunft über das von Angst affizierte Selbstverständnis. Aus der Aretalogie des Soter sind keine aufbauenden oder bestärkenden Inspirationen bezogen worden. Einen weit größeren Einfluß scheint der Druck der Verhältnisse gehabt zu haben. Mit seiner Bestürzung und Angst unterwirft Petrus sich den Situationsmächten und widerspricht implizit dem Makarismus im Eröffnungsdiskurs (vgl. 70, 21 b.22). Nach der Rede des Soter muß diese Äußerung wie eine Provokation wirken. Denn de facto unterstellt Petrus ein Scheitern der Beziehung und nimmt für den Soter sowie für sich selbst die Aufhebung der gnostischen Identität vorweg. In diesem Stadium setzt der Dialog ein.

Ohne seine Anredehaltung zu verändern (vgl. 72, 10), nimmt der Soter das Wort auf und geht auf die Manifestation der Angst durch Petrus ein. Nach Art eines Lehrvortrags folgt auf das präsuppositionale Argu-

---

[107] Zu diesem Kriterium vgl. Henne/Rehbock 1982, 284.

ment (72, 10 c–13 a) ein Vorschlag zum Lernen resp. zum Erkennen (72, 13 b–16 a). Petrus wird zu einem bestimmten Tun aufgefordert. Auf diesem Weg soll die Bedingung geschaffen werden, daß er in die ihm zugesprochene Identität einstimmt. Obwohl er prinzipiellen Widerspruch geäußert und inadäquate Beziehung zum Soter gezeigt hatte, befolgt Petrus die Aufforderung.

Die Dialogbeiträge des Soter sind dadurch charakterisiert, daß sie sich auf Imperative beschränken. Mit auffallender Insistenz hält der Soter diese Redehaltung bei und wiederholt seine Aufforderung auch dann, wenn der Vollzug ein negatives oder erschreckendes Ergebnis gebracht hat (vgl. 72, 19 f.; 73, 1 b–4 a). Auf diese Weise wird verhindert, daß die Beziehung abbricht oder in Opposition umschlägt. Vom Dialogverhalten hängt also der Dialogverlauf überhaupt ab. M. a. W., der Dialog gelingt in dem Maße, wie die Dialogteilnehmer in ihrem Verhalten konsistent bleiben[108].

Von Konsistenz kann freilich nur im Blick auf das Dialogverhalten des Soter gesprochen werden. Mit beharrlicher Kontinuität baut er die Divergenz auf Seiten des Petrus ab. Der Dialog erreicht jeweils einen Höhepunkt, wenn Petrus eine Perspektive einnimmt, die seinem Dialogpartner angemessen ist (vgl. 72, 21 b–27 a; 73, 9 b–10 a). Dann nämlich hat er die durch Einspruch und Bedrohung ausgelöste Distanz überwunden und befindet sich in Entsprechung zur präsupponierten Einheit. Ausgangs- und Zielpunkt seiner gnostischen Existenz sind nicht mehr getrennt. Distanz und Divergenz verlagern sich dagegen in die Beziehung zur Umwelt[109] und zur bisherigen Perspektive. Das erreichte Erkenntnisniveau äußert sich darin, daß der Dialogbeitrag 73, 9 f. sich einer doxologischen Prädikation nähert. Die Identität des gnostischen Jüngers erweist sich als das Resultat einer Evokation[110], mit der der Soter die Seinen sucht.

Konsistenz erscheint am Ende des Dialogs noch einmal, wenn der Soter sein Urteil über die Widersacher wiederholt. Das Faktum der Wiederholung hat nicht allein kompositorisch-rahmende Funktion, sondern signalisiert ein Thema, das erneut behandelt werden muß, nachdem der Dialog den Prozeß der Beziehungskonstitution geleistet hat. Aus dem Dialog-Geschehen ist Petrus verändert[111] hervorgegangen. Er ist befähigt

---

[108] Vgl. Henne/Rehbock 1982, 201: „Menschen können sich in ihrem Handeln nur dann aufeinander einstellen und beziehen, wenn ihr Verhalten mindestens während der Interaktion *konsistent* ist … Gelingende Interaktion bedarf … auch einer längerfristigen Konsistenz des Verhaltens, bedarf wechselseitiger durch Normen gesicherter Verhaltenserwartungen".

[109] Konkretisiert u. a. durch den Gegensatz „Freude" und „Bestürzung"; vgl. 72, 8 mit 72, 22. 23 a.

[110] Zum Phänomen der „Evokation" vgl. Coseriu 1981, 102 ff.

[111] Mit diesem Resultat korrespondiert jenes von Watzlawik/Beavin/Jackson 1974, 56 postulierte Axiom: „Jede Kommunikation hat einen Inhalts- und einen Beziehungsaspekt, derart, daß letzterer den ersteren bestimmt" (dort gesperrt).

worden, den als „Mysterium" (73, 16 a) eingeführten Lehrdiskurs des Soter zu hören und zu vertreten.

4.4.3.4 Konstitution von Handlung und Bedeutung

In das Dialog-Geschehen sind zwei intentionale Tendenzen eingearbeitet,
eine Mitteilungs- und eine Wirkabsicht[112], deren Interrelation den em-
praktischen Grundzug des Dialogs ausmacht. Was im Vollzug von Rede
und Gegenrede beabsichtigt ist, wird über die verbale Indikation zur
Sprache gebracht und im Handlungshorizont beschrieben. Über ein spezifisches Tun gelangt Petrus zur Erkenntnis.

Mit der Ich-Erzählung 72, 5 b–9 a hat Petrus eine Situation entstehen
lassen, in der er und der Soter äußerster Gefährdung ausgesetzt sind. In
dieser Darstellung meldet sich eine Wirklichkeit an, die zu der des Soter
in Spannung steht und unter der Petrus leidet. Es geht um eine grundsätzliche Aporie, deren Profil möglicherweise durch Anspielungen auf
die Passionstradition der Synoptiker präzisiert werden soll[113]. Das Bild,
das dabei entsteht, wirkt reichlich stilisiert und unterstreicht den prinzipiellen Konflikt zwischen dem Soter und seinen Widersachern. Auf
diesen Gegensatz, der hier im Modus der erzählten Welt dargeboten
wird, kommen Dialog und Offenbarungsdiskurs immer wieder zurück.

Petrus gibt durch seine Erzählung Informationen zur Lage. Indirekt
will er den Soter zum Eingreifen bewegen. Dieser dagegen bleibt bei
seiner einmal ausgesprochenen Beurteilung, die einen grundsätzlichen
Dualismus bewußt machen will[114]. Das Urteil 72, 10 c–13 a (vgl. 73, 12 b–
14 a) korrespondiert jener im Diskurs vorgetragenen Äußerung über die
Unfähigkeit der Mächte, ihn, den wahren Erleuchter, zu finden (vgl.
71, 5 b–7 a). Dieses Urteil ist durch den Dialogprozeß nicht erschüttert
worden. Im Gegenteil, das Stilelement der Wiederholung bekräftigt die
einmal getroffene Disqualifikation.

In dem Maße nun, wie Konsistenz die Dialogbeiträge des Soter determiniert, kommt ein anderer referentieller Faktor zum Tragen. Das Dia-
log-Phasen-Schema (s. o.) hat veranschaulicht, wie in einer zweiten Phase
jeweils der Übergang in den der vordergründigen Wirklichkeit gegenüberstehenden Pleromabereich vollzogen wird. Petrus wird befähigt, im Mo-

---

[112] Zur Unterscheidung der Intentionen vgl. H. Schweizer 1981, 215.
[113] Vgl. Koschorke 1978, 19.
[114] Zur Metapher des Blindseins vgl. Schrage, ThW VIII, 277 ff. EV (NHC I, 3) 29, 32–
30, 15 beschreibt Nicht-Gnosis mit den Metaphern „Traum, Schlaf, Blindheit". Ähnlich
EvThom (NHC II, 2) 86, 20–31. Die Blindheit der Archonten besteht darin, daß sie sich
für die Einzigen und Unvergänglichen halten. Hochmut und Unwissenheit sind Ausdruck
dieser Defizienz (vgl. ApcPt 72, 10 ff.; 73, 12 ff.; 76, 21; 81, 30). Mit der Feststellung, daß
sie keinen Führer haben (vgl. 72, 12 b.13 a), wird eine Organisationsmetapher für ihren
Status der Verlorenheit aufgeboten.

dus der erzählten Welt bzw. mit einem eingebundenen Zitat über diesen Bereich zu berichten. Was in dieser Referenz ausgesprochen wird, ist so gewichtig, daß Petrus die Wahrnehmung einer Welt aufgibt, deren Resultat Todesangst ist. Er schwenkt in die Pleromaperspektive ein.

Die empraktische Grundtendenz des Dialogs manifestiert sich dort, wo gezielte Aufforderungen an den Dialogpartner Petrus gerichtet werden. Abgesehen von dem zweimaligen Urteil über die Widersacher erscheint das Sprachhandeln des Soter noch im ersten Dialogbeitrag in Form eines Bedingungssatzes, der das Ziel der Sprechhandlung insgesamt (vgl. 72,13 b–17 a) angibt. Hier steuern dialogthematische Elemente[115] den Gang des Gesprächs.

Die entscheidenden Dialogbeiträge des Soter gehören sämtlich zur Klasse der Direktiva[116], in denen eine initiierende Tendenz dominiert. Durch sie soll Petrus zu einer Handlung geführt werden. Die Direktiva des Soter antworten auf Dialogbeiträge des Erzählers Petrus, mit denen dieser den Handlungsvollzug darstellt. Nach Vollzug der jeweiligen Aufforderung und dem narrativen Referat geht Petrus in die Sprechhandlung der Expressiva über. In diesem Bereich verhält er sich initiierend und respondierend zugleich. Die Entwicklung des Dialog-Themas erweist sich also als Ergebnis einer Interaktion.

Was geschieht aber eigentlich in den Handlungsbereichen, in die Petrus eingewiesen wird? – Die Verben thematisieren ein spezifisches Sehen und Hören. Daran, daß das adäquate Ziel erst im zweiten Durchgang erreicht wird, kommt der extraordinäre Charakter des Tuns wie des Inhalts zum Ausdruck.

Die Aufforderung 72,15 b.16 a: „lege deine Hände auf die Augen deines Gewandes" klingt einigermaßen rätselhaft. Handelt es sich vielleicht um eine rituelle Praxis[117], mit der die Vision gefördert wird? – Mit einiger Sicherheit begegnet hier metaphorische Sprachverwendung. Das griechische Lehnwort ΠΟΛΗΡΗ steht hier für σῶμα /„Leib", also für den Bereich, mit dem das gnostische Selbst- und Weltverständnis[118] im Streit liegt. Damit ist die Pointe der Direktive noch nicht hinreichend erfaßt. Es geht ja darum, daß Petrus die Blindheit der anderen erkennt. Sie erschließt sich auf dem Weg eines Sehens mit geschlossenen Augen, d. h.

---

[115] Zur Terminologie vgl. Schwitalla 1979, 70 ff.

[116] Die illokutionäre Rolle von Direktiva (und Expressiva) erörtert H.Schweizer 1981, 103; 106.

[117] So Brashler 1977, 145: „Dialogue on magical technique for inducing visionary insight".

[118] Ein ausführlicher Beleg für die metaphorische Verwendung der Kleid-Terminologie im gnostischen Sinn findet sich in CH VII,2 f. Dort heißt es: „Zuerst aber mußt du das Kleid, das du trägst, zerreißen ... Solcherart ist der Feind, den du (wie) ein Kleid angezogen hast ... " (Übers.: Foerster, Gnosis I, 429). Einen Überblick über die Bedeutungsvielfalt der Metapher „Kleid" in gnostischen Texten geben Jonas 1964, 102; 133; 322 ff. und Fischer 1973 a, 155 ff.

im Modus eines Sehens, das die sinnlich-somatische Wahrnehmung tranzendiert. Daß Petrus die Weisung des Soter befolgt, ist erstaunlich, denn was sie zu tun gebietet, erscheint im Kontext der somatisch bestimmten Wirklichkeit als widersinniger Akt. Indessen hat Petrus die Intention der Direktive nicht verstanden. Das beweist das negative Resultat der Handlung. Er mißversteht die Aufforderung im handgreiflichen Sinn (vgl. 72,18 f.) und erweist sich als ebenso blind wie die anderen. Diese sehen und sind dennoch blind. Petrus muß blind werden, um sehen zu können. In diesem „Verwirrspiel" mit den Ebenen gewohnter und metaphorischer Sprache kommt die Pointe des Redewechsels zum Ausdruck. Die Wiederholung der Aktion (vgl. Dialogphase II.) macht auf das thema probandum aufmerksam und stiftet so Verstehen.

Im Ablauf der Dialogphasen stellt die zweite Schauung das antithetische Pendant zu Phase I. dar. Der Erzähler setzt stillschweigend den Vollzug der zweiten Direktive voraus. Er berichtet nur seine Reaktion und macht Aussagen zum Inhalt der Schauung. An erster Stelle steht das Referat über die Folgen der Schauung für die Befindlichkeit des Erzählers: „es überkam mich ein freudiges Erschrecken" (72,21 b–23 a). Mit der ungewöhnlichen Formulierung transzendiert Petrus die vorfindliche Situation auf die jenseitige Wirklichkeit hin. Seine Freude reflektiert den Einfall[119] der Gnosis. Dann wird der Grund für diese Reaktion genannt: eine Lichterscheinung, in die der Soter einbezogen ist. Im nachhinein wird durch diese Epiphanie der Inhalt der ersten Schauung als Finsternis erwiesen. Wo der Soter unangemessen oder gar nicht erkannt wird, dort ist er nicht, dort herrscht eo ipso Finsternis. Dagegen breitet sich wunderbares Licht aus, das jede vorfindliche Art von Licht überbietet, wenn er Gnosis gewährt. Mit der Sprachfigur des neuen und helleren Lichts wird das Wesen des Soter identifiziert, so daß er den Mächten der Finsternis, der Lüge und der Todesfurcht als elementarer Opponent gegenübersteht. Petrus bekommt im Dialog-Geschehen Anteil an der Erleuchtung, weil ihm der Erleuchtete den Blick für das Licht aufgeschlossen hat (vgl. 71,4). Dadurch wird er befähigt, sich dem Zugriff der vorfindlichen Wirklichkeit zu entziehen. Mit diesem Sehvorgang überwindet er die Distanz zum Soter, realisiert Erkenntnis[120], entspricht also seiner Berufung.

Die Dialogphasen III. und IV. sind den vorangehenden Phasen I. und II. nachgebildet. Petrus wird zum Hören aufgefordert. Worauf aber zielt die Direktive „erhebe deine Hände" (72,29 b–30 a)? Ist eine gestische Handlung impliziert, die der in 72,15 f. analog ist? Dann könnte

---

[119] Das bringt gleich der Anfang von EV (NHC I,3) zum Ausdruck: „Das Evangelium der Wahrheit ist Freude für die, die vom Vater der Wahrheit die Gnade empfangen haben, ihn zu erkennen ..." (Übers.: Aland 1984, 56).

[120] Zur meta-kommunikativen Funktion der metaphorischen Licht-Aussagen s. u. 195 f.

die Weisung entsprechend erweitert werden mit „und lege sie auf die
Ohren deines Kopfes". Was bedeutet dann in der IV. Dialogphase: „spitze die Ohren deines Kopfes und höre ..." (73,6f.)? Vielleicht soll Petrus
auch hier zu einem Wahrnehmungsmodus geführt werden, der die sinnlich-somatische Welt transzendiert. Unter der Voraussetzung einer Korrespondenz von Visions- und Auditionsphasen verlangt der Soter wiederum etwas Widersinniges. Petrus muß taub werden in bezug auf alles
Geschrei, um wahrhaft hören zu können. Durch die Verdrehung von
gewohnten Aussagezusammenhängen wird er an den Modus des Hörens
gewiesen, der ihm das Erkennen der jenseitigen Wirklichkeit ermöglicht.
Von dieser metaphorischen Strategie bezieht die zweite Audition letzte
Plausibilität. Wer taub ist für den Anspruch der vorfindlichen Wirklichkeit, zeichnet sich durch Wahrnehmungskompetenz für den Pleromabereich aus, in dem der Soter mit Lobpreis (vgl. 73,10a) geehrt wird.
Wer die Ausführenden der Doxologie sind, bleibt ungesagt, kann aber
erschlossen werden[121]. In der zitierten hymnischen Äußerung (73,9f.)
heißt es vom Soter ЄКꙀМООС. Mit diesem Verb war der Erlöser gleich
zu Anfang von ApcPt (vgl. 70,14a) als erhöhter Souverän des Pleroma
prädiziert worden. Der verbale Ausdruck signalisiert eine herrscherliche
Geste. So wie der Lobpreis dem Schreien der aufgewiegelten Volksmas-
sen widerspricht, so kontrastiert auch die souveräne Geste die Aspira-
tionen der Priester und Schriftgelehrten. Dabei ahmen sie den Soter nur
nach; sie wollen sich seiner bemächtigen, um das Licht zu beherrschen.
Es sind also die Himmlischen, deren Lobpreis Petrus hört, als sich ihm
in der Audition das Pleroma geöffnet hatte. Zum zweiten Mal hat das
Sprachhandeln des Soter Petrus aus der Todesangst in die Epiphanie-
freude geleitet. Die vorfindliche Wirklichkeit wurde degradiert. Eigentlich kann sie keine determinierende Macht mehr für sich beanspruchen.
Folgerichtig nimmt der Soter sein Urteil über die Widersacher noch
einmal auf. Mit deklarativer Intention wird bekräftigt, was jetzt gilt:
sie sind blind, weil sie das Licht nicht wahrgenommen haben; sie sind
taub, weil sie den Lobpreis der Himmlischen nicht hören.

4.4.3.5 Das Niveau der diskursiven Deutung

Wenn der Soter versichert: „Ich habe es dir gesagt: ‚Dies sind Blinde
und Taube'.",so bezieht sich die Aussage zunächst auf eine frühere Äußerung im Text selbst (72,10c–13a; vgl. 71,5f.). Mit dem Faktum der
Wiederholung ist die Relevanz des Urteils noch gestiegen. Neue hermeneutische Gesichtspunkte ergeben sich, wenn nun die intratextuelle Analyse um den intertextuellen bzw. textexternen Bereich erweitert wird.
Denn der Verweis auf früher Gesagtes dient dazu, den Ereigniszusam-

---

[121] S. o. 79 f.

menhang in eine ontologische Perspektive einzuzeichnen. Das Wort des Offenbarers geht allem Geschehen voraus und deutet die Geschichte in einem dualistischen Horizont.

Dieses Argument begegnet ebenfalls in anderen Nag Hammadi-Traktaten. So bemerkt der Soter in EpPt: „It is you yourselves who bear witness that I said all these things to you. But (ἀλλά) because of your unbelief I shall speak again"[122]. Und in EpJac versichert der Adressant, daß er bereits in einem früheren Schreiben alles Entscheidende mitgeteilt habe[123]. Das Argument der betonten Wiederholung bzw. des Verweises auf früher Gesagtes[124] legt im Horizont der christlichen Gnosis die Tendenz frei, eine Vorgeschichte des eigenen Denkens zu behaupten. Obwohl das gnostische Selbstverständnis ein Geschichtsinteresse nicht verlangt, artikuliert es sich im Horizont signifikanter Geschichte. Die Verwendung jenes Arguments ist Teil eines intentionalen Verfahrens. Denn die behauptete Offenbarungsqualität der Jetzt-Gegenwart erhält dadurch historische Tiefendimension, daß der Erlöser mit dem irdischen Jesus zusammengesehen wird. Was dieser jetzt sagt, ist nichts anderes als das, was jener schon immer gesagt hat. Gnostische Kreise können so die vorösterliche Evangelientradition und Gestalten der Vergangenheit, die in dieser Tradition eine wichtige Rolle spielen, vereinnahmen und ihre Identität konstituieren.

Der Soter trägt ein Urteil vor, das in seiner Schärfe an die antipharisäische Polemik des Mt-Evangeliums[125] erinnert. Genügt diese Beobachtung, um eine überlieferungsgeschichtliche Hypothese aufzustellen? Ohne Zweifel sind Traditionen, die auch in den Evangelien verarbeitet wurden, dem Verfasser von ApcPt bekannt gewesen. Koschorke[126] behauptet nun aufgrund der Übereinstimmung mit Mt 23, ApcPt repräsentiere eine radikalisierte Pharisäerpolemik des Evangeliums. Er meint in dem Verfasser einen extremen Vertreter des Judenchristentums zu sehen. Ist damit die historische Frage nach dem Sitz im Leben der Schrift nicht zu schnell erklärt? Wird nicht ein reichlich schematischer Traditionsprozeß unterstellt[127]? Die Textrezeption erscheint in einem anderen Licht, wenn wahrgenommen wird, daß ApcPt sich selektiv gegenüber der Tradition verhält. Wie sich noch zeigen wird, sind die Kriterien, die die Auswahl leiten, eher im gnostischen Denken als im judenchristlichen

---

[122] NHC VIII,2; 135,5–8; Übers.: Meyer 1979, 29.
[123] Vgl. NHC I,2; 1,28–2,4.
[124] Kirchner spricht von „Historisierung" (1989, 74).
[125] Vgl. Mt 23,16.17.19.24.26; möglicherweise gehört auch der Verstockungstopos in das Umfeld der Polemik.
[126] 1978, 66 f. u. ö.; vgl. Perkins 1980, 119 f.
[127] Zur Kritik an Koschorkes exegetischer Perspektive s. u. U. a. überspielt er die Tatsache, daß Mt 23 das Ergebnis eines komplexen Überlieferungsprozesses ist; vgl. dazu Lührmann 1969, 43 ff.; Frankemölle 1983, 139 ff.; 153 ff.

Umfeld zu vermuten. Antihierarchische Polemik findet sich u. a. auch im Thomasevangelium[128]. Wenn aufgrund der bisherigen Informationen der Verfasser von ApcPt lokalisiert werden soll, dann gehört er eher zu einer christlich-gnostischen Gruppe, die mit zirkulierender Spruchüberlieferung vertraut war[129].

Das Urteil des Offenbarers hat eine kommunikativ-pragmatische Funktion. Denn im Modus der besprochenen Welt[130] äußert sich der Soter über die Petrus betreffende Vergangenheit und Gegenwart. Zugleich trägt der Erzähler Petrus dieses Urteil mit. Als Adressant ist er über die Struktur des erinnerten Ich in den Modus der besprochenen Welt eingebunden. Er „wiederholt"[131] die deklarative Sprachhandlung des Soter und reicht sie an den „Überadressaten" weiter. Dieser soll in das Dialog-Geschehen eintreten und den Dialogplatz des Petrus einnehmen. Wenn die dialogische Kommunikation zu einem solchen Platzwechsel führt, dann hat der Erzähler Petrus die Berufung erfüllt, für die der Offenbarer den Dialogpartner erwählt hat, nämlich ein Beginn der Gnosis für andere zu werden (vgl. 71, 18 ff.).

4.5 Dialogische Interaktion

4.5.1 Kommunikation über Kommunikation

Der Traktat demonstriert eine Kontraktion von Text-, Erzähl- und Dialogebene, die durch den Doppelcharakter der Petrusfigur garantiert wird. Am Umgang mit diesem Akteur erscheint das, was der Autor sagen und bewirken will. Insbesondere ragt die Relation des Erzählers Petrus zum erzählten Dialoganten Petrus heraus. Über weite Strecken tritt Petrus im Modus des erinnerten Ich auf. Er wird zum Objekt der Erinnerung. Zugleich präsentiert die Erzählung ihn als Paradigma der gnostischen Existenz, die durch Kommunikation transformiert wird. In dieser Darstellungsweise äußert sich eine Strategie, der es um die Rezeption der im Dialog verhandelten Sache geht. M. a. W., der Autor *inszeniert* im

---

[128] Dort werden die Pharisäer hart kritisiert (88, 7 ff.; 98, 2 ff.); das Erscheinungsbild ihrer Frömmigkeit (81, 14 ff.; 83, 14 ff.; 86, 17 ff.; 98, 10 ff.) wird verurteilt.

[129] Zu erwägen ist, ob der Verfasser aus den enthusiastischen Kreisen stammt, gegen deren Umtriebe der Evangelist Matthäus schreibt. Vgl. Käsemann 1964, 82 ff.; Barth 1968, bes. 149 ff.: Die Antinomisten bei Matthäus; E. Schweizer 1974.

[130] Vgl. Weinrich 1985, 42 ff.

[131] D. h., im Erzählen spricht eigentlich der Soter.

Erzählvorgang *den Dialog* und legt es darauf an, daß die Dialogkonstellation „Petrus-Soter" umschlägt in die von „Soter-Leser"[132].

Der inszenierte Dialog agiert also auf zwei verschiedenen Ebenen, auf einer intratextuellen (oder textinternen) und auf einer intertextuellen (oder textexternen) Ebene[133]. Kommunikation zwischen Personen, die im Text vorkommen, wird überführt in Kommunikation mit textexternen Personen. Auf diese Weise kommt es zu dem Phänomen „Kommunikation über Kommunikation" bzw. Metakommunikation[134]. An bestimmten Knotenpunkten wird evident, daß der Rezipient angesprochen ist. Wo z. B. Subjekt und Objekt ausgetauscht, die Perspektive der Erzählung verändert oder eine Negation eingebracht werden, dort ertönen Rezeptionssignale, die auf den intendierten Austausch zwischen Erzähler und

---

[132] Ähnlich komplex verhält es sich mit der Interaktion der Zeitebenen. Über seine narrative Strategie bringt der Verfasser die Lebenszeit der Rezipienten mit der Offenbarungszeit, die sich in die Zeit des Dialogs eingebunden hat, zusammen. Wenn er sich auf die Zeit einläßt, die der Verfasser zum Erzählen des Dialogs braucht, geht er in den Horizont hinein, in dem er die Rolle des Dialoganten übernehmen soll. Tut der Rezipient das, befindet er sich in der Zeit des Dialogs. In der dialogischen Interaktion mit dem Soter überschneiden sich dann die Lebenszeit und die Offenbarungszeit, jedoch so, daß letztere den Übergang ins Heil begründet.

[133] Zur Unterscheidung von textexternen und textinternen Faktoren vgl. Gülich/Raible 1977, 46 f.; Techtmeier 1984, 70 f.

[134] Weinrich macht darauf aufmerksam, daß die Grenzen zwischen den Ebenen der Kommunikation nicht statisch festgelegt werden können, sondern fließend sind. Bereits die reflexive Struktur von Sprache sorge dafür, daß immer die Metaebene einbezogen bleibt (vgl. 1976, 90 ff.; 113 f.). Das im folgenden vorausgesetzte Verständnis von Metakommunikation berücksichtigt nicht den Aspekt der Metasprache bzw. der Fachsprache. Vielmehr sind solche „Gesprächsakte" gemeint, „mit denen Sprecher Gegebenheiten des jeweiligen Kommunikationsereignisses, in das sie integriert sind, thematisieren mit dem Ziel, die kommunikative Adäquatheit des eigenen sprachlich-kommunikativen Handelns und der Partnerreaktion sicherzustellen" (Techtmeier 1984, 133; dort gesperrt). Dabei stehen nicht nur die Inhalts- und Beziehungsebene auf dem Spiel, wie Watzlawik/Beavin/Jackson 1974, 55 ff.; 92 meinen. Metakommunikativer Rede kommt eine grundsätzliche Polyfunktion zu. Das betont auch Techtmeier (vgl. 1984, 143 ff.), deren Differenzierungsraster im folgenden übernommen wird. Zwei Zielrichtungen lassen sich unterscheiden, die die Wirksamkeit der Rede lenken. *Einmal* sind Metakommunikativa auf den Makrotext gerichtet, d. h., sie sorgen dafür, daß das Gespräch in einem übergeordneten Handlungszusammenhang eingebunden bleibt. Dem dienen u. a. Bezugnahmen auf Zurückliegendes, die Erinnerung an das Ziel des Gesprächs, ein Vorgriff darauf oder eine Verständigung über Wege der Zielrealisierung. Derartige Redebeiträge sichern die Einheit und Eindeutigkeit eines Gesprächs. *Zweitens* sind Metakommunikativa auf partielle Ziele im Mikrobereich gerichtet. Sie gewährleisten die Adäquatheit des Verstehens von Äußerungen der am Gespräch Beteiligten für dieselben, indem sie Fehlinterpretationen und Mißverständnisse ausschließen, Richtigstellungen oder Bewertungen geben, semantische Spezifizierungen anbieten oder Interpretationshilfen liefern, damit die Rezeption in adäquater Weise geleistet werden kann. Solange die Gesprächssituation jedoch ungewiß ist oder kontroverse Gestalt annimmt, werden die Metakommunikativa darauf aus sein, die Bereitschaft zum Gespräch zu wecken und aufrechtzuerhalten (Techtmeier 1984, 169: „Kooperativitätssicherung"). Vgl. ferner Habermas 1976, 225 f.; H.Schweizer 1981, 107 ff.

Rezipient verweisen[135]. Elementar im gesamten Dialogtext ist also eine kommunikativ-pragmatische Intention, insofern die intertextuelle Kommunikationssituation durch die extratextuelle aufgebaut und geleitet wird.

4.5.2 Erörterung der Epiphanie-Atmosphäre

Der bisher analysierte Textzusammenhang weist Elemente auf, die isotopisch verbunden sind und formkritische Vorgaben vermuten lassen, wie sie Epiphanieberichten eigentümlich sind. Offensichtlich wird von einer bestimmten Textsorte der Kode bereitgestellt, der als kommunikative Kompetenz sowohl Textentwurf als auch Textrezeption leitet. Geregelt wird also nicht nur die Korrelation zwischen Ausdrucks- und Inhaltselementen. Vielmehr repräsentiert der vom Textsortenhintergrund präzisierte Kode einen metakommunikativen Faktor ersten Ranges. Daraus kann die Vermutung abgeleitet werden, daß in dem inszenierten Dialog als einem „Gespräch für Dritte" Elemente der Textsorte als Metakommunikativa einen Dialog zweiter Ordnung konstituieren. Auf diesen intendierten Dialog sind Redewechsel und narratives Geschehen abgestellt.

4.5.2.1 Zum Motiv-Inventar von Epiphanie-Berichten

Wie die Spätantike so kennt auch die alttestamentliche, jüdische und christliche Überlieferung ein großes Repertoire von Motiven und Topoi, mit denen sie die Erscheinung Gottes oder seiner Gesandten darstellt[136]. In „Joseph und Aseneth" ist die Epiphanie des Gottesboten Michael vor der ägyptischen Fürstentochter Aseneth erzählt (14,2–8):

> „... und siehe,
> nahe jenem Morgenstern spaltete sich der Himmel,
> und es erschien Licht groß und unsagbar.
> Und es sah Aseneth
> und fiel auf (ihr) Angesicht auf die Asche.
> Und es kam zu ihr ein Mensch aus dem Himmel
> und trat zu Häupt(en) Aseneths.
> und rief sie an
> und sprach:
> ‚Aseneth, Aseneth!'
> Und sie sprach:
> ‚Wer ist,
> der (da) ruft mich?
> Denn die Tür meines Gemaches ist verschlossen

---

[135] Konstitutiv ist in erster Linie die personale, lokale und temporale Deixis.
[136] Vgl. Pfister 1924, 277 ff.; Pax 1962, 832 ff.; Bultmann/Lührmann, ThW IX,1 ff.; P. G. Müller, EWNT II, 110 ff.

und der Turm ist hoch,
und wie also kam er hinein in mein Gemach?'
Und es rief sie der Mensch zum zweiten (Mal)
(und) sprach:
‚Aseneth, Aseneth!'
Und sie sprach:
‚Siehe ich,
Herr.
Wer bist du (selbst)?
Verkünde (es) mir!'
Und es sprach der Mensch:
‚Ich (selbst) bin der Herrscher des Hauses (des) Herrn
und Heerführer alles Heeres des Höchsten.
Stehe auf
und tritt auf deine Füße,
und ich werde reden zu dir meine Worte.'"[137]

Aseneth befolgt die Anweisung. Bevor der Engel seine Worte an sie richtet, widerfährt ihr eine weitere Lichterscheinung (vgl. 14,9 f.), auf die sie
mit typischer Furchtäußerung reagiert. Ermutigungszuspruch und Aufforderung zum Wortempfang entsprechen der Engelrede in der ersten
Epiphanieszene (vgl. 14,11 mit 14,8). Das Lichtmotiv[138] und die er-
schreckte Reaktion des Menschen[139] sind typische Elemente, die in vergleichbaren Zusammenhängen immer wieder auftreten. Stets kommt es
zu einer Unterredung zwischen dem Erscheinenden und dem Empfänger
der Epiphanie oder zu einer Wortmitteilung[140]. In die Szene eingeschlossen ist in der Regel eine Beauftragung des Epiphanie-Empfängers[141]. Solche narrativen Formkonstanten führen zu der Schlußfolgerung, daß die
Erscheinung der Gottheit in der religiösen Kommunikation einem Er-
zählmuster unterworfen war.
    Paradigmatische Verwendung hat das konventionelle Muster gefun-
den, um das Auftreten des Charismatikers (vgl. Mk 1,9 ff. par; 9,2 ff. par)
oder Wundertäters zu schildern (vgl. z. B. Mk 6,45–52). In Tat und Wort

---

[137] Übers.: Burchard 1983, 671ff.
[138] Z. B. Ez 1,13.27 f.; Dan 7,9 f.; 10,6; 4Makk 4,10; äthHen 14,22; 71,2.5 f.; slHen 1,5;
20,1; ApkAbr 8,2; 15,6; 17,1; 19,1; Lk 2,9; 24,4; Apg 12,7; vgl. Conzelmann, ThW
IX, 327 ff.
[139] Z. B. Ez 2,1; 44,4; 2Makk 3,27; äthHen 60,3; slHen 21,2; Jub 15,5; Mk 4,41;
Joh 6,19/Mt 14,26; Mk 16,8 u. ö.
[140] Vgl. O. Betz, ThW IX, 272 ff.
[141] Vgl. Köster 1980 a, 496: „Besondere Örtlichkeit (Wüste, Berg), Beschreibung der Situation, ungewöhnliche Erscheinung (Taube, Licht, der Auferstandene), Himmelsstimme
oder Selbstoffenbarung des Erscheinenden, Beschreibung des Eindrucks, Befehl oder Sendung". Ferner Berger 1984a, Par.79; 1987, 36 ff.

manifestiert sich die Epiphanie göttlicher Kraft[142]. Das Erscheinen des Göttlichen gilt ausschließlich dem Publikum in der Szene[143]. Nach Anlage der Erzählungen wird ein kleiner Kreis unter den Lesern angesprochen, denen die Präsenz der göttlichen Kraft zugesprochen werden soll. Mit ihrer Struktur legitimieren diese Epiphanie-Erzählungen die Wahrheit der Botschaft.

4.5.2.2 Epiphanie-Elemente in ApcPt 72,4b–73,14a

In den Passagen, die der dialogischen Interaktion 72,4b–73,14a voraufgehen, finden sich Topoi und Motive, die das Auftreten des Soter als Epiphanie qualifizieren.

An einem exklusiven Ort (vgl. 70,14ff.) findet die Begegnung des Soter mit dem Jünger, der zu einem besonderen Dienst erwählt ist (vgl. 71,15ff.), statt. Die Plausibilität der Erwählung wird in einer ausführlichen Selbstvorstellung des Sprechenden begründet (vgl. 70,25ff.). Zur Einzigartigkeit des Soter gehört, daß er „Worte der Fülle" bringt. Sie besitzen „erleuchtende Kraft" (vgl. 70,28; 71,2.4) und wecken „Leben" (vgl. 70,23f.). Diese Gaben gelten allen, die mit dem Soter eines Wesens sind. Durch die Begegnung mit dem Soter wird Petrus gerufen, in den Dienst dieser einzigartigen Sendung zu treten (vgl. 71,15ff.). Was Petrus im Eröffnungsdiskurs erfährt, umfaßt das Sein des Soter, das wahre Verhältnis zu den Mächten, den Gegenspielern des Erlösers und den Platz, den er, Petrus, in diesem Geflecht einnimmt.

Daraus ergibt sich eine paradoxe Lage für den Gerufenen. Einerseits steht er dem Soter sehr nahe, wird er doch zum Empfänger elementarer Mitteilungen. Andererseits bleibt er dem Einfluß der Mächte ausgesetzt und wird von einem Antipoden des Soter umworben. Alle Aufmerksamkeit richtet sich demnach auf Petrus, und zwar in seiner Rolle als Erwählter, Gerufener und Umworbener. Der Auftritt des Soter als Epiphanie rettender Gnosis gilt dieser zwiespältigen Petrusgestalt. Trotz seiner konstatierten Nähe zum Soter bedarf Petrus der Intervention, weil der Augenblick infolge der Kontroverse und Konkurrenz an Eindeutigkeit verloren hat. Die Epiphanie rettender Gnosis korrespondiert auf der Ebene der dialogischen Interaktion einer kommunikativen Kompetenz, von der Textproduktion und Textrezeption bestimmt sind. Das bedarf weiterer Erörterung.

Innerhalb der Ich-Erzählung (72,5b–9a) beschreibt Petrus die Umstände, die seine Begegnung mit dem Soter begleiten. Er sieht sich äußerster Bedrohung ausgesetzt. Diese Beschreibung löst einen Dialog aus,

---

[142] Vgl. Dibelius 1961, 91: „die Epiphanie im Wunder ist Selbstzweck"; Theißen 1974, 102ff.
[143] Vgl. Dibelius 1961, 91: Die „Gottesschau ... wird nicht den Vielen zuteil".

in dessen Verlauf Petrus zum Sehen und Hören aufgefordert wird[144]. Dadurch, daß die Seh- und Hörphasen antithetisch untergliedert sind, erhält der zweite Vollzug jeweils den Hauptakzent. Petrus sieht und hört etwas, was seine Einschätzung der Wirklichkeit außer Kraft setzt. An die Stelle von Todesfurcht tritt „freudiges Erschrecken" (72, 22 b–23 a). Im Zusammenhang der Schauung wird das Erscheinen eines Lichtes erwähnt, das heller als der Tag ist und auf den Soter herabkommt (vgl. 72, 24 ff.). Damit ist eine Klimax in der Dialog-Szene erreicht. Die metaphorische Prädikation unterstreicht die Inkompatibilität des Soter und distanziert von den gegnerischen Mächten, die außerhalb der Lichtsphäre bleiben. Einen zweiten Höhepunkt führt der Text dort ein, wo Petrus in der Audition dem Lobpreis der Himmlischen zuhört (vgl. 73, 8 ff.). Das Lärmen der Irdischen versinkt darüber in Bedeutungslosigkeit. Die Doppelklimax der Dialogszene führt Petrus zu einer neuen Perspektive, weil der Soter erschienen ist und ihm Gnosis (Sehen und Hören) gegeben hat, so daß er das Urteil über die gegnerischen Mächte (vgl. 72, 10 c–13 a; 73, 12 b–14 a) nachvollziehen kann.

Das Auffallende an dieser Interaktion ist die eigentümliche Gestalt der Dialogbeiträge. Während der Soter mit direkten Redebeiträgen die Kommunikation konstituiert, dominiert bei Petrus die narrative Schilderung[145] im Modus des erinnerten Ich. Die Epiphanie-Elemente finden sich ausnahmslos in den narrativen Redebeiträgen. Und zwar referiert Petrus jeweils das Faktum von Vision und Audition und äußert sich über die Inhalte. In das Referat sind Bemerkungen über die verwandelte Befindlichkeit des Dialoganten Petrus eingeschlossen. Die Vollzugsnotizen betonen, daß der Soter Empfänger dieser Berichte wurde.

Das Spezifische dieser dialogischen Interaktion liegt nun darin, daß zugleich über Kommunikation kommuniziert wird. M. a. W., der Erzähler Petrus verantwortet gegenüber dem Rezipienten der Erzählung die Epiphanieatmosphäre, in die sich der Dialogant Petrus im Gegenüber zu seinem Dialogpartner gestellt sieht. Es ist die metakommunikative Grundtendenz, die den Dialog auf neue Adressaten ausrichtet. Denn von dem Bericht des Erzählers Petrus sind „alle" herausgerufen, die zur Erkenntnis eingeladen wurden. Durch Identifikation mit dem Dialoganten Petrus können sie an dem wunderbaren Geschehen partizipieren, das auch sie verwandeln wird. Die Epiphaniestrukturen signalisieren den unverfügbaren Horizont dieses Geschehens, wobei sie die kommunikative Adäquatheit als Erkenntnis-Bedingung einschärfen.

---

[144] S. o. 102: Schema der Dialog-Phasen.
[145] S. o. 98.

Exkurs: Gibt es eine Textsorte „Erscheinungsgespräch"?

Es scheint im Wesen der Epiphanie zu liegen, daß sie zu einem Dialog führt. Ist dieser Konnex so selbstverständlich, daß er sprachliche Verobjektivationen provoziert hat, die formkritisch definiert werden können? Im Zusammenhang seiner Analyse der Berichte über die Berufung des Paulus in der Apostelgeschichte (cap. 9; 22; 26) postuliert Gerhard Lohfink die Gattung „Erscheinungsgespräch"[146]. Bei genauem Hinsehen fällt in 9,4–6; 22,7–10; 26,14–16 eine konstante Struktur in dem Gesprächsgängen[147] auf:

	9,4; vgl. 22,7; 26,14b	
A 1	„... sprechend zu ihm"	Redeeinführung
A 2	„Saul, Saul!"	doppelter Anruf
A 3	„Warum verfolgst du mich?"	Frage
	9,5a; vgl. 22,8a; 26,15a	
B 1	„Er aber sagte ..."	Redeeinführung
B 2	„Wer bist du, Herr?"	Frage
	9,5b; vgl. 22,8b; 26,15b	
C 1	„Der aber ..."	Redeeinführung
C 2	„Ich bin Jesus, den du verfolgst".	Selbstpräsentation
C 3	9,6a; vgl. 22,10b; 26,16	
	„Doch steh auf und gehe ..."	Auftrag

Es ist nicht zu übersehen, daß der epiphan gewordene Jesus die Gesprächsführung dominiert. Die Verknüpfung von Frage (A 3) und Selbstpräsentation (C 2) des Verfolgten unterstreicht das ebenso wie die logische Folge von Selbstpräsentation (C 2) und Beauftragung (C 3). Dagegen nimmt sich die Beteiligung des Verfolgers Saulus am Dialog (B 1; B 2) eher bescheiden aus. Die strukturelle Dominanz im Dialoggeschehen spiegelt die Umkehrung der Verhältnisse wider, die der Kontext noch voraussetzt. Dem Verfolger wird die Identität entzogen und ein neues Selbstverständnis gegeben. Der Verfolgte präsentiert sich als Kyrios.

Lohfink vermutet, daß die strukturelle Konstanz kein Zufall ist, sondern die Überlieferungsgeschichte einer eigenen Textsorte anzeigt. Belege für das Vorhandensein von „Erscheinungsgesprächen" findet er in Gen 31, 11–13; 46,2 f. und Ex 3,2–10. In diesen Textzusammenhängen kommt der o. g. Struktur konstitutive Bedeutung zu. Weitere Belege, in denen eine Kurzform dieser Textsorte verarbeitet ist, sind Gen 22,1 f.; 22,11 f. sowie 1Sam 3,4–14. Zu überlegen ist, ob nicht auch Apg 9,10 f. und 10,3–5 von dieser Textsorte beeinflußt sind.

---

[146] Lohfink 1966, 53 ff.; vgl. 1965, 246 ff.
[147] Vgl. das Schema 1966, 54.

Aus diesen Beobachtungen schließt Lohfink, daß es ein typisches Darstellungsmuster gegeben hat, das zur Anwendung kam, „wenn die Erscheinung Gottes oder eines Engels zu erzählen war"[148]. Vergleichbare Erscheinungsgespräche finden sich zahlreich in der spätjüdischen Literatur[149]. Vom Erscheinen Jahwes und seiner Rede zu den Menschen sprechen viele alttestamentliche Texte, in denen im übrigen andere Gattungselemente dominieren[150]. Dieser Befund wirkt wie ein Einwand, wird aber von Lohfink als Argument zugunsten seiner Hypothese ausgewertet. Weil die Affinität von Epiphanie und Dialog als gegeben vorausgesetzt werden muß, kann er die o. g. konstante Struktur nicht anders interpretieren. Die Textsorte existiert nur in Verbindung mit ihrer eigenen Geschichte.

Kritisch ist anzumerken, daß Lohfink die Differenzen zwischen Theophanie und Epiphanie unterschlägt. Aus Interesse an der Überlieferungsgeschichte einer Textsorte geht er auf die individuelle Gestaltung der Dialoge in den Epiphanieszenen nicht ein. Wenn es Lukas in den biographischen Passagen der Apostelgeschichte nicht um historische, sondern vielmehr um theologische Akzente geht, dann sind Details entscheidend. Gerade eine redaktionskritische Analyse hätte zeigen können, daß der Autor es liebt, Szenen durch direkt geführte Dialoge zu gestalten[151].

In Apg 22 und 26 fällt u. a. auf, daß Paulus im Modus des erinnerten Ich das Widerfahrnis von Damaskus schildert und sich jeweils an ein spezifisches Publikum wendet. Nicht unerheblich ist die Beobachtung, daß der Apostel – anders als in Gal 1, 12 f. – nicht in der Epiphanie das Evangelium erfährt. „Er wird an die Kirche als Mittlerin der Lehre gewiesen"[152]. Darum kann gefragt werden, ob die Epiphanie mit dem Schwerpunkt auf der verbalen Ebene tatsächlich der Berufung gilt oder nicht doch der „Niederwerfung des Verfolgers"[153]. In den Überlieferungsvarianten cap. 22; 26 hat Lukas den Schwerpunkt deutlich auf die Berufung gelegt und entsprechend ergänzt (vgl. 26, 16–18).

Schließlich muß man sich dessen bewußt sein, daß die Szene nicht als Ostererscheinung gestaltet ist und Jesus nicht als der Auferstandene gesehen wird. In der historischen Perspektive des Lukas kann das auch kaum möglich sein. Denn die Ostererscheinungen sind auf vierzig Tage begrenzt (vgl. Apg 1, 3) und Lukas vermeidet es, im Gegensatz zum paulinischen Anspruch (vgl. 1 Kor 9, 1; 15, 8 mit 2 Kor 4, 6), das Geschehen

---

[148] 1966, 56.
[149] Vgl. ebd.:
Langform – Jub 44, 5; 4 Esr 12, 2–13; ApkAbr 8, 2–5; 9, 1–5; JosAs 14, 6–8.
Kurzform – Jub 18, 1 f.; 18, 10 f.; ApkAbr 11, 3–5; 12, 6 f.; 14, 1–3.9 f.; 19, 1–3; 20, 1–3; ApkMos 41; TestJob 3, 1
[150] Z. B. Gen 12, 1–3; 15, 1–5; 17, 1 ff.; 28, 12–15; 1 Sam 19, 9 ff.; Jes 6; Ez 1 f.
[151] Vgl. Weiser 1981, 220 f.
[152] Conzelmann 1963, 57.
[153] Conzelmann 1963, 59; vgl. die Heliodor-Legende in 2 Makk 3.

als Vision des Auferstandenen kenntlich zu machen. In 22,14f.; 26,16 ist dieser Faktor dann nachgetragen.

Wenn auch Fragen zur Geschichte der Textsorte „Erscheinungsgespräch" kontrovers bleiben[154], so muß doch der Hinweis von Lohfink auf die Textstruktur ernst genommen werden. Dem Erzähler kommt es offensichtlich auf das Wort des Erscheinenden zu dem an, der der Erscheinung gewürdigt wird. Die Epiphanie bewirkt, daß der Erscheinende nunmehr ein anderer für den Betroffenen wird. Dieser gewinnt durch die Begegnung eine neue Identität. Der Wechsel kann sich in einem biographischen Referat niederschlagen, das die Widerfahrnisse als μυστήρια verobjektiviert und zur Grundlage einer Sendung wird. Die Machtsphäre, deren Erscheinen die Umkehrung bewirkt hat, wird elementar mit der Lichtmetapher[155] angezeigt.

4.5.2.3 Epiphanie-Spuren in Nag Hammadi-Texten

Bei der Bedeutung, die das Epiphanie-Phänomen in der religiösen Kommunikation der Spätantike besessen hat, ist es nicht verwunderlich, daß auch in gnostischen Texten davon Niederschläge zu finden sind. Aufgrund des bisher in ApcPt Wahrgenommenen kann dem Urteil von Pheme Perkins: „Since Gnostics reject visual symbolism, their revelations are almost entirely auditory"[156] nicht zugestimmt werden. Die Epiphanie des Auferstandenen hat in gnostischen Texten eine größere Bedeutung[157], als gemeinhin angenommen wird. Und das, nicht weil die Gnostiker einer verobjektivierenden Ontologie anhingen, sondern weil sie sich dem Zwang zur Kommunikation nicht entziehen konnten.

Daraus darf nicht der Schluß gezogen werden, daß die Epiphanie-Erzählungen der Jesustradition einfach aufgenommen und weitergeführt werden. Dem steht schon die Aufteilung des Überlieferungshorizontes[158] entgegen. Während die synoptischen Erscheinungsberichte großes Interesse an dem Verhältnis des Auferstandenen zum Menschen Jesus von Nazaret zeigen, schenken die gnostischen Texte diesem kaum Aufmerksamkeit. Die Vorbehalte gegenüber Historie und Tradition führen zu einer Veränderung der referentiellen Sachverhalte. „Deshalb drehen gno-

---

[154] Nach Burchard (1970, 88 ff.) liegt ein „Schema" vor, „um eine Mitteilung, gelegentlich auch ed in Gespräch, anfangen zu lassen" (89). Keineswegs wird eine alttestamentliche Form weitergeführt, vielmehr „kann (es) sich ebensogut um die Benutzung einer zwar aus dem Alten Testament stammenden, aber konventionell gewordenen Figur handeln" (ebd.). Weiser (1981, 219) bezeichnet den Text als „eine *Bekehrungserzählung*, die mit Motiven und Formelementen des AT und der jüdisch-hellenistischen Propagandaliteratur gestaltet ist." Vgl. auch Steck 1976, 20 ff.

[155] Vgl. Conzelmann, ThWIX, 302 ff.

[156] 1980, 52; vgl. 51.

[157] Mit Pagels 1978, 415 ff.; 1981, 40 ff.

[158] Robinson spricht von „bifurcating morphology" (1982 a, 7).

stische Schriften das Muster der neutestamentlichen Evangelien oft gerade um. Statt die Geschichte von Jesus biographisch, von der Geburt bis zum Tod, zu erzählen, beginnen die gnostischen Berichte dort, wo die anderen aufhören – mit Geschichten von den Erscheinungen des geistigen Christus bei seinen Jüngern"[159]. Wenn im folgenden exemplarische Nag Hammadi-Texte genannt werden, dann geschieht das mit dem Ziel, Intention und literarische Funktionalität des Epiphanie-Phänomens in gnostischen Zusammenhängen fundiert würdigen zu können.

Das *Apokryphon des Johannes* (NHC II, 1) setzt mit einer Epiphanieszene ein. Johannes, der Bruder des Jakobus, wird von einem Pharisäer nach dem Verbleib des Herrn, dem er nachfolgt, befragt. Auf die Antwort „An den [Ort], von dem er kam, ist er [wieder zurückgekehrt ...]" muß er schwere Anschuldigungen hören. Durch „Betrug" habe der Nazarener sie in die Irre geführt und von den Traditionen der Väter abgebracht. Darauf geht Johannes in großer Trauer und mit vielen Fragen im Herzen weg. Der Text fährt dann fort: „Sofor[t, als ich dieses in meinem H]erzen [dachte,] [öffneten sich die Himmel; und die ganze Schöpfung] war hell ... I[ch fürchtete mich und warf mich nieder, als ich] im Lichte [einen Jüngling] sah, [der sich] zu mir [stellte]. Als ich [aber (δέ) die Gestalt eines Greises] sah, indem er wie ein Grosser war, und er [wechselte seine] Gestalt, indem er wie ein Kleiner war zur [gleichen] Zeit vor mir, und er also (οὖν) ei[ne Einheit von] vielen Gestalten (μορφή) im Lich[te war u]nd die [Gestalten (μορφή)] sich gegenseitig offenbarten ... "[160]. Da Johannes sich wundert, antwortet ihm die Gestalt: „[J]ohannes, Jo[han]nes, weshalb [zw]eifelst ([-δι]στάζειν) du? Oder (ἤ) weshalb fürchtest [du] dich?. ....Sei nicht klein[mütig]! Ich bin es, der alle Zeit [mit euch ist]. ... [Jetzt bin ich gekommen, um dir zu verkünden], was ist [und was war und w]as geschehen wird, ... "[161]. Nachdem Johannes dem Mitteilungswillen des Offenbarers zugestimmt hat, entfaltet dieser in breiter Form eine kosmologische Lehre.

In *Epistula Petri ad Philippum* (NHC VIII, 2) befinden sich die Jünger nach Jesu Tod auf dem Ölberg. Sie beten: „Son of life, Son of immortality, who is in the light, Son, Christ of immortality, our redeemer, give us power, because they are searching for us in order to kill us". Dann erscheint plötzlich „a great light ... so that the mountain shone from the sight of him who appeared. And a voice cried out to them, saying, ,Listen to my words that I may speak to you. Why are you seeking me? I am Jesus Christ who is with you for ever'"[162]. Die Szene

---

159 Pagels 1981, 53; vgl. bereits Köster 1971, 147 ff.
160 1, 30–2, 8; Übers.: Krause/Labib 1962, 111 f. Der Gestaltwechsel des Erscheinenden spielt eine wichtige Rolle in ApcPl (NHC V, 2) 17, 19 ff.; vgl. auch ActJoh 88 f.
161 2, 9–17; Übers.: Krause/Labib 1962, 112; vgl. EV (NHC I, 3) 31, 13–16.
162 134, 3–18; Übers.: Meyer 1979, 27; vgl. 180 ff.; ferner Koschorke 1977 a, 323 ff.

setzt voraus, daß der epiphan Gewordene nicht mehr ϩⲛ ⲥⲱⲙⲁ ist, was 133, 17 im Vergleich mit der vorösterlichen Gemeinschaft zwischen dem Kyrios und den Jüngern feststellt. Im weiteren Verlauf formulieren die Jünger Fragen (vgl. 134, 18–135, 2; 137, 13 ff.), die in einer Offenbarungsrede (135, 3 ff.) beantwortet werden. Die Fragen thematisieren den „Mangel", die „Fülle"; Grund, Ursprung und Dauer der Gefangenschaft der Jünger „an diesem Ort" und ihren Kampf mit den Mächten. Dem Ende der Rede folgt ein narrativer Abschluß der Epiphanieszene: „Then came lightning and thunder from heaven; and what appeared to them there was carried up to heaven"[163]. Der Traktat erwähnt 140, 15 ff. eine zweite Epiphanie Jesu, in der die, die „an meinen Namen glauben", gesegnet werden.

Ein vergleichbarer Bericht findet sich in *Sophia Jesu Christi* (NHC III, 4). Die Jünger befinden sich auf einem Berg, als ihnen dort der Erlöser erscheint. Er tritt nicht in seiner „ursprünglichen Gestalt" auf, sondern „im unsichtbaren Geist". Sein Aussehen ist wie das eines Lichtengels. Der Erzähler betont weiterhin das Exklusive der Epiphanie: „... his resemblance I must not describe. No mortal flesh could endure it"[164]. Als der Soter die Verwunderung der zwölf Jünger und der sieben Frauen sieht, erkundigt er sich nach ihrem Ergehen und kündigt an, alle Fragen beantworten zu wollen, die sie beunruhigen.

Auch *Epistula Jacobi Apocrypha* (NHC I, 2) erzählt, daß die Jünger nach Jesu Tod zusammensaßen, um ihre Erinnerung an die Worte des Herrn und Erlösers niederzuschreiben. Sein Weggang liegt bereits 550 Tage zurück. Da erscheint dieser selbst und wählt Jakobus und Petrus aus dem Jüngerkreis aus: „,Überlaßt mir Jakobus und Petrus, damit ich sie erfülle.' Und nachdem er die beiden gerufen hatte, nahm er sie beiseite" (2, 33 ff.). Den übrigen befahl er, mit der begonnenen Arbeit fortzufahren. Die beiden Jünger empfangen Worte des Offenbarers, die eine andere Qualität haben als das, was in Büchern niedergeschrieben ist (vgl. 3, 1 ff.). Jakobus und Petrus schalten sich in den Lehrvortrag ein und stellen immer wieder Fragen. Auf diese Weise erreichen sie eine Präzisierung des Gesagten. Nachdem der Offenbarer sich wieder von den Jüngern getrennt hat, referiert der Erzähler den Seelenaufstieg der zwei Ausgewählten in den Himmel, was ihren Status als Gesandte des Lichts festigt. „Als er dies gesagt hatte, ging er weg. Wir aber knieten uns nieder. Ich und Petrus, wir dankten, und wir sandten unser Herz hinauf zum Himmel. Wir hörten mit unseren Ohren und sahen mit unseren Augen ... " (15, 5–11)[165].

---

[163] 138, 3–7; Übers.: Meyer 1979, 37.
[164] 91, 12–16; Übers.: NHL 222.
[165] Übers.: Kirchner 1989, 11; 33.

Auf Epiphaniesprache greift auch *Die dreigestaltige Protennoia* (NHC XIII, 1) zurück, wenn die Erlösergestalt sich als „Vater" oder „Ruf", „Mutter" oder „Stimme" und „Sohn" oder „Wort" definiert (vgl. 36, 17 f.; 37, 4 f.; 37, 21 f.). Protennoia sagt auch von sich: „I[ch] bin das Licht, das das Al[l] erleuchtet" (47, 28 f.)[166].

In den genannten Textzusammenhängen fällt auf, daß Epiphaniestrukturen und -sprache immer dann auftreten, wenn gnostische Autoritäten, Lehren oder Perspektiven auf dem Spiele stehen. Diese Beobachtung verstärkt die Vermutung, daß religiöse Kommunikation mit konventionellen Formelementen gestützt werden soll. Das fragmentarisch erhaltene *Evangelium nach Maria* (BG 1)[167] bestätigt den Befund. Zunächst wird die Befindlichkeit der Jünger nach dem Fortgang Jesu geschildert: „they were grieved. They wept greatly" (9, 5 f.). Sie fürchten um ihr Leben, wenn sie dem Auftrag folgen (vgl. 9, 77 ff. mit 8, 21) und das Himmelreich verkündigen. Da erhebt sich Maria, um sie zu ermutigen. Sie erinnert an die Zusage des Erlösers, fortwährend die Seinen zu schützen (vgl. 9, 14 ff.). Es gelingt ihr, die Herzen der Jünger zu bewegen. Darauf fordert Petrus sie auf, das mitzuteilen, was der Erlöser ihr allein gesagt hat. „We know that the Savior loved you more than the rest of women. Tell us the words of the Savior which you remember – which you know (but) we do not nor have heard them" (10, 2 ff.)[168]. Maria erzählt, wie sie den Erlöser in einer Vision gesehen hat[169]. Sie referiert dann ein Gespräch mit dem Erlöser über diese Vision. „I said to him, ‚Lord, I saw you today in a vision'" (10, 12 f.). Die Antwort ist ein Makarismus, der ihre Furchtlosigkeit angesichts der Epiphanie preist. Daran schließt ein Logion an: „For where the mind is, there is the treasure" (10, 15 f.)[170]. Maria bezieht das Logion auf die Visionserfahrung und fragt zurück: „,Lord, now does he who sees the vision see it <through> the soul <or> through the spirit?" In seiner Antwort schließt der Soter diese Alternative aus und präzisiert, was er unter „mind" versteht. „He does not see through the soul nor through the spirit, but the mind which [is] between the two – that is [what] sees the vision and it is ... " (10, 20 ff.). Die Rede des Soter bricht dann ab. Nach der Lücke, es fehlen die Seiten 11-14, enthält der Traktat eine Beschreibung vom Aufstieg der Seele in die Himmel an den Wachtposten der Mächte vorbei (vgl. 15, 1-17, 7). Die Worte des Soter, die Maria in der Epiphanie übermittelt wurden,

---

[166] Übers.: G. Schenke 1984, 47.
[167] Die Übersetzung folgt NHL 524 ff.
[168] Vgl. Dial (NHC III, 5) 139, 12 f.
[169] Man beachte, daß in diesem Kontext Epiphanie und Vision identifiziert werden. Wahrscheinlich vollzieht sich dadurch ein Reduktionsprozess, der die somatische Konkretheit verläßt und in „gnostic spiritualism" (Robinson 1982 a, 11) überwechselt.
[170] Vgl. Mt 6, 21; Lk 12, 33 f.

rufen Streit unter den Jüngern hervor, in dessen Verlauf Andreas und Petrus (vgl. 17, 10 ff.) Glaubwürdigkeit und Legitimität der Zeugin in Zweifel ziehen. Petrus weist die Worte zurück, weil sie von einer Frau stammen (17, 17 ff.)[171]. Offensichtlich akzeptieren beide Jünger nur eine historisch lokalisierbare bzw. apostolisch vermittelte Botschaft. Sie mißtrauen den Epiphanien. In Levi findet Maria jedoch einen Verteidiger (vgl. 18, 6 ff.) gegen die Anfeindungen der anderen.

Epiphaniestrukturen und Epiphaniesprache erfüllen mehrere Funktionen: *Erstens* ist evident, daß eine Botschaft legitimiert werden soll. Die zentralen Handlungsträger, z. B. Maria, erheben den Anspruch, über ein Mysterium zu verfügen, das sich allein der Autorität des Offenbarers verdankt[172]. Andererseits ist nicht zu übersehen, daß das konventionelle Epiphanieraster umstritten war. *Zweitens* wird eine Klassifizierung der Erkenntnis und eine Einteilung der Offenbarungsempfänger in Gruppen vorgenommen. Den Großen offenbart sich der Soter als Großer, den Kleinen als Kleiner[173]. Dieses Verfahren breitet über die Texte den Schleier des Esoterischen, was den Kreis der Rezipienten bewußt einschränkt. Wer keinen Anstoß genommen und verstanden hat, der erwies sich als erwählt und der Erkenntnis würdig. Man kann daher von der Epiphanie des Soter als einem Inbegriff der kommunikativen Kompetenz[174] im gnostischen Kontext sprechen. Mit esoterischer Strategie werden die Aporien kompensiert, denen die sprachliche Vermittlung aufgrund ihres somatischen Verfaßtseins unterworfen ist. *Drittens* geht es um die Wahrung der Einzigartigkeit des Soter. Die inkompatible Andersheit kann unterschiedlich akzentuiert werden. So tritt der Erscheinende in AJ dreigestaltig auf, d. h., er kann nicht in den Grenzen des Vorfindlichen gefaßt werden. In ActPt (NHC VI, 1; 1, 1–12, 22) begegnen die Jünger dem Soter in der Gestalt eines Perlenhändlers. Sie erkennen ihn jedoch nicht (vgl. 2, 10 ff.). Erst nachdem dieser die Verkleidung (vgl. 9, 14 ff.) abgelegt hat, ist der Bann, der über der Erkenntnis der Jünger liegt, gebrochen[175]. In den

---

[171] In Pistis Sophia 36 wird ebenfalls von einem Konflikt zwischen Petrus und Maria berichtet; vgl. Pagels 1981, 111.

[172] Vgl. Irenäus, Adv.haer. III 2, 1–3, 1. In seinem polemischen Referat bringt er diese Referenz damit in Verbindung, daß Jesus selbst den Jüngern abseits der Öffentlichkeit den Sinn seiner Worte erschlossen habe: Mk 4, 11 f.; Mt 13, 11. Ferner Pagels 1981, 52 ff.

[173] Vgl. EvPhil (NHC II, 3) 57, 28–35; Exc. Theod. 23, 4; Irenäus, Adv.haer. I 30, 14.

[174] Die esoterische Literatur verfügt über eine komplexe Strategie, die ihr exklusives Wesen wahren hilft. Vgl. Festugière 1950, 309 ff.; Russel 1964, 107 ff. Im Nag Hammadi-Traktat Allogenes (NHC XI, 3) 68, 16 ff. wird empfohlen, die geoffenbarten Worte in ein Buch zu schreiben und dieses auf einem Berg zu deponieren. Ein Fluch wird über das Mysterium der Offenbarung wachen.

[175] Robinson (1982a, 15 f.) erinnert daran, daß das Motiv des Nichterkennens bzw. der vordergründigen Identifizierung in den neutestamentlichen Berichten eine Rolle spielen, die über die Begegnung mit dem Auferstandenen sprechen. Erst die Initiative, die der Auferstandene einleitet, beendet das Mißverständnis.

Motiven des Nichterkennens bzw. des Mißverständnisses liegt gewissermaßen eine negative Folie vor, von der die inkompatible Andersheit des Soter sich umso stärker abhebt.

4.5.3 Dialog für Dritte

Nachdem die Vermutung bestätigt worden ist, daß Epiphanie-Elemente als Metakommunikativa in dem inszenierten Dialog einen Dialog zweiter Ordnung konstituieren, soll dieser Sachverhalt, der „Dialog für Dritte", gesondert erörtert werden.

Zwei Isotopien[176] geben dem Dialog-Geschehen, das Petrus und den Soter vereint, ein dramatisches Profil. Über dieser Dramatik liegt allerdings eine weitere Isotopie, der Priorität zukommt. Der erste isotopische Zusammenhang wird durch Diskurs und Redebeiträge des Soter konstituiert. Er bringt die wahre Gnosis. Er ist das Kriterium wahrer Gnosis. Das Wirken des Offenbarers besteht darin, die Erkenntnis zu ermöglichen, die den Erkennenden mit ihm zusammenschließt und die Mächte der Welt ausschließt. Diskurs und Redebeiträge des Soter richten sich in erster Linie an Petrus, der als Paradigma des gnostischen Jüngers präsentiert ist und als solcher Vermittler von Gnosis werden soll. Diese Zielrichtung bestimmt wie ein cantus firmus die Redehandlung des Soter.

Deutlich erkennbar artikuliert Petrus einen zweiten isotopischen Zusammenhang, der im Gegensatz zu dem des Soter steht. Es handelt sich um eine Realitätsebene, auf der die Bedingungen des Kosmos dominieren. Petrus verhält sich so, als sei das im Diskurs des Soter Mitgeteilte belanglos. Seine Beziehung zum Soter läßt daran zweifeln, daß er die Identität des Offenbarers erkannt hat. Aus dem Gegensatz zwischen diesen beiden isotopischen Rede- und Handlungsbereichen resultiert streckenweise die Asymmetrie innerhalb des Dialogs. Die fehlende Korrespondenz in der Personenkonstellation bringt zum Ausdruck, in welchem Umfang die Zielidentität[177] des Dialogs offen und kontrovers ist. Zwischen der Isotopie der Offenbarung und der situativen Isotopie kann es aber keinen Kompromiß geben.

In das Dialog-Geschehen greift eine dritte Isotopie ein, die durch die epiphaniebezogenen Elemente konstituiert ist. Sie überbietet die Antithese bei der Realisierung der Zielidentität und hebt die Asymmetrie in der Dialogantenkonstellation auf. Diese dritte Ebene verbindet sich mit der Isotopie der Offenbarung. Achtet man auf das narrative Genre des Textes, wird der Überbietungsprozeß transparent, den der Erzähler Petrus

---

[176] Unter Isotopie ist hier die Homogenität der Rede- und Handlungsebenen aufgrund von semantischer Kohärenz verstanden. Zur Sache vgl. H.Schweizer 1981, 315 ff. und Greimas 1971, 60 ff.

[177] Zu dieser Kategorie vgl. Techtmeier 1984, 58 f.; 68 f.

an seinem Ich reflektiert. Jene von Todesfurcht und Kosmos-Strukturen affizierte Ebene kommt zum Verstummen. Der Dialogant Petrus schwenkt in die vom Soter ins Spiel gebrachte Perspektive ein und vertritt als Erzähler die Epiphanie der wahren Gnosis. Erzähler und Rezipienten sind durch die Virtualität des Kode verbunden. Mit ihm spielt der Erzähler dem Rezipienten eine kommunikative Kompetenz zu, die ihn über das abständige Verständnis des Dialog-Geschehens hinausführen soll. Die Interaktion von Dialog und narrativer Überbietung schließt den Rezipienten in den Prozeß einfallender Erkenntnis mit ein. Aus der Betrachtung des Dialogs entsteht eine neue dialogische Interaktion, wobei die Dialogantenkonstellation sich auch neu ordnet. Im Erzähler Petrus spricht der Soter den intendierten Rezipienten an, damit dieser sich mit dem Dialoganten Petrus verbindet. Damit ist plausibel geworden, inwiefern die Erwählung des Petrus ein Anfang der Gnosis für die übrigen genannt werden kann.

Als Dialog für Dritte evoziert der vorliegende Traktat-Teil eine Metabasis in aktuelle Interaktion. Denn das, was der Dialog als Gegenstand von Gnosis thematisiert, sind in Wahrheit Probleme der Rezipienten. Diese Adressaten werden als intendierte Dialoganten durch den inszenierten Dialog aufgebaut und in den Horizont der Offenbarungszeit gerückt. Trotz aller Exklusivität und Esoterik des Dialog-Geschehens bestimmt also eine Nötigung zur Weitergabe von Gnosis die Intention des Autors. Als Nebeneffekt nimmt er in Kauf, daß Doppeldeutigkeit in die Situation, die historischen Zusammenhänge, die Topoi sowie die Beziehung der Dialogpartner zueinander einzieht.

4.5.4 Die Aporie gnostischer Kommunikation

Im Eröffnungsdiskurs hatte der Soter sich selbst vorgestellt und Petrus in eine ihm korrespondierende Identität gerufen. Weil dieser Konnex sich als problematisch erwies, blieb die dialogische Interaktion bei dem Thema[178]. Mit Redebeiträgen, die bestimmte Handlungen anordnen, wird Petrus die Möglichkeit gegeben, seine Gespaltenheit zu transzendieren. Dadurch, daß er den Direktiva Folge leistet, gerade wo sie widersinnige Aktionen fordern, gelangt er zur Erkenntnis des Soter, durchschaut die Gegner und konstituiert seine Identität. Gnosis besteht dann darin, daß sie sich in Übereinstimmung mit dem Soter versteht und die Differenz gegenüber dem feindlichen Kosmos praktiziert. Weil der Gnostiker aber den Angriffen der Gegner nach wie vor ausgesetzt ist, bleibt die identitätsorientierte Kommunikationstendenz erhalten.

Über den inszenierten Dialog sollen die übrigen, deren Repräsentant

---

[178] Vgl. Schlieben-Lange 1979, 97 ff. zu diesem Ziel kommunikativer Handlung.

Petrus ist, von der gnostischen Verkündigung Kenntnis bekommen und zur Übereinstimmung mit dem Soter gebracht werden. Metakommunikative Sprache greift in den Rezeptionsvorgang ein, so daß aus den Rezipienten Dialogteilnehmer werden.

An dieser Stelle, wo der gnostische Dialog über sich hinausweist und wo das textinterne Verstehen umschlägt in den Dialog zweiten Grades, taucht eine grundsätzliche Aporie auf: widerspricht das kommunikativ-pragmatische Interesse, das in der Dialogstrategie des Erzählers erkannt worden ist, nicht den Voraussetzungen und Zielen von Gnosis überhaupt? M. a. W., fällt der gnostische Autor nicht hinter seine Entscheidung gegen den Kosmos mit allen Implikationen zurück, wenn er sich literarisch betätigt, um die gnostische Perspektive zu vermitteln oder für ihre Kontinuität zu sorgen?

Das Dilemma des Gnostikers besteht darin, daß er seine dualistische Haltung gegenüber der vorfindlichen Welt mit Mitteln aus eben dem Bereich begründen muß, den er ablehnt. Er lehnt die Geschichte ab, kann aber seiner Geschichtlichkeit nicht ohne weiteres entsagen. Gnosis, verstanden als Heil und Befreiung vom Kosmos, wird keineswegs als postmortale Alternative vorgestellt, sondern zeichnet sich gerade durch Realpräsenz aus. Es entsteht eine paradoxe und ambivalente Lage. In dem Maße, wie der Gnostiker den Kosmos und das alltägliche Leben zurückweist, weicht er in eine Gegenwelt aus, die selbst via negationis auf den faktischen Kosmos bezogen bleibt.

Dieser Transzendierungsakt manifestiert sich zumal im Umgang mit der Gegebenheit ‚Sprache'. Gnostische Gruppen haben auch Mission und Verkündigung betrieben. Folglich müssen sie an den Bedingungen interessiert gewesen sein, die Tradition und Kontinuität ermöglicht haben. Ihrer weltablehnenden Haltung zum Trotz haben die Gnostiker auch die objektive Gegebenheit ‚Sprache' ausgebeutet. Das mißtrauische und gebrochene Verhältnis der gnostischen Autoren zur Sprache[179] ist kein Gegenargument, sondern eher ein Signal: Inkohärenz als Prinzip und Beweis der Freiheit.

Auch der Gnostiker ist eingesponnen in Kommunikation. Er „kann nicht nicht kommunizieren"[180]. Aus dieser paradoxen und ambivalenten Lage ist die Nötigung entstanden, einen eigenen Sprachgestus zu schaffen bzw. die vorhandenen Sprachmuster zu appropriieren. Von Anbeginn an präsentiert gnostische Literatur sich darum als doppeldeutig und mehrschichtig. Diese Mitteilungen wurden allerdings dort verstanden, wo die Verfasser Übereinstimmung in der kommunikativen Kompetenz voraussetzen konnten, die mit dem Kontext der biblischen Überlieferung und

---

[179] Vgl. EvPhil (NHC II, 3) 53, 23 ff.; ferner Koschorke 1973, 307–322; Keller 1985, 59 ff.
[180] Watzlawik/ Beavin/ Jackson 1974, 53; vgl. 50 ff.

der gnostischen Grundüberzeugung gegeben war. Indem die gnostischen Texte Kommunikationssituationen inszenieren, transzendieren sie dieselben auf die Gegenwart hin. Das Axiom „nicht nicht kommunizieren zu können" verbindet sich mit der Indifferenz gegenüber dem Objektiven, so daß dennoch Hinführung zu und Weitergabe von Gnosis geschieht. Man kann also nicht sagen, daß die gnostischen Autoren in dem Dilemma steckenbleiben. Sie nähern sich metakommunikativ-strategisch ihrem Ziel. Mit Hilfe von sprachlichen Mitteln heben sie die vorfindliche Welt auf und konstituieren durch den Text eine „,eigensinnige' Sprach-Welt"[181], in der die Heilszeit angebrochen ist.

4.6 Die Offenbarungsrede des Soter (73, 23 b–79, 31 a)

4.6.1 Zum Übergang in eine andere Sprachverwendung

Mit der Lehreröffnungsformel „Höre also jetzt" (73, 14 b.15) signalisiert der Soter in mehrfacher Hinsicht, daß die Begegnung in eine neue Phase tritt. Die Formel leitet den Übergang auf eine andere Sprachebene ein. Zwar richtet sich der Ruf an den bisherigen Dialoganten Petrus, definiert ihn aber als passiven Empfänger einer Mitteilung. Die Rede-Initiative geht vom Soter aus. Durch das passivum divinum der Verbform ⲉⲧⲟⲩⲭⲱ erhält die Mitteilung die Würde göttlicher Kundgabe. M. a. W., Offenbarung (vgl. 73, 16 a) wird in Aussicht gestellt. Darum nennt die Lehreröffnungsformel auch den Zeitpunkt mit qualifizierender Ausdrücklichkeit (vgl. 73, 14 b). Es ist das „Jetzt" der Offenbarung[182]. Der Aufforderung zum Hören folgt unmittelbar eine zweite zum Bewahren (73, 16 b.17 a)[183]. Verstärkt werden die zwei Aufforderungen durch ein Verbot (73, 17 b.18 a), das dem zweiten Imperativ negativ korrespondiert. Der Angeredete soll das Gehörte nicht den Kindern dieses Äons weitersagen. Denn das, was Petrus als Offenbarung empfangen wird, impliziert eine dualistische Grundtendenz als entscheidende Prämisse[184]. Ein beson-

---

[181] Zur Konstituierung von Sprach-Welten vgl. S. J. Schmidt 1971, 43 ff.; 71: „Das literarische Sprachwerk als ein ästhetisches Gebilde hebt sozusagen mit seinem ersten Wort die empirische Lebenswelt auf und erstellt mit bloß sprachlichen Mitteln in einem von direkten pragmatischen Verbindlichkeiten freigewordenen Raum eine *eigensinnige* Sprach-Welt, in die Momente der Lebenswelt zwar als Versatzstücke integriert werden können, damit aber eine prinzipiell andere *Seinsverfassung* erhalten, nämlich die eines Funktionalisierten und Integrierten". Ferner auch LaFargue 1985, 152 ff.

[182] Vgl. die klassische Formulierung in 2 Kor 6, 2.

[183] Dieses Gebot entspricht den stilistischen Konventionen in esoterischer Literatur; vgl. u. a. AJ (NHC II, 1) 31, 32 ff.

[184] Vgl. 75, 15 f.; 77, 5 f.; 80, 11 ff.; 83, 16 ff.

73, 14b–16a   Lehreröffnung
73, 16b–18a   Aufforderung
73, 18b–23a   Begründung
73, 23b–79, 31a *Offenbarungsrede*
79, 31b–80, 23   Dialogisches Zwischenspiel

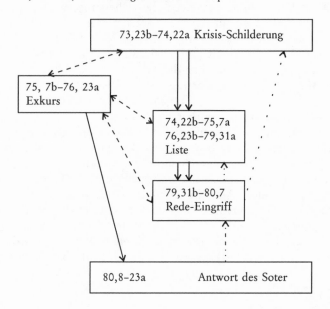

80, 23b   Übergang zur II. Dialogszene mit Anrede
                 und
80, 23c–26a   Imperativen

Erklärung der Zeichen:

1) ◄ - - - - ► Spannung zwischen heterogenen Redeteilen

2) ═══════► Eskalation der Krisis

3) · · · · ·► Furchtreaktion des Petrus

4) ──────► Begründung der Aussageabsicht

5) · · · - - · ·► Einordnung der Krisis durch Verkehrung der Perspektive

derer Verkündigungsauftrag ist noch nicht formuliert, liegt aber im Horizont des Gesagten.

An die Lehreröffnungsformel schließt eine Begründung (73,18 b.23 a) an, die letztere und die Aufforderungen legitimieren soll. Und zwar lernt

Petrus seinen Platz im dualistischen Äonengeflecht kennen. In diesem
Äon wird man ihn verfluchen, weil keine Gnosis in ihm ist. Wo jedoch
Gnosis ist, dort wird er gepriesen. Es klingt wenig ermutigend, daß es
dem gnostischen Apostel nicht anders ergehen wird, als dem Soter selbst.
Unter dem Vorzeichen der Konsubstantialität verschiebt sich jedoch die
Perspektive. Diese Beobachtungen zeigen den Übergang in eine neue
Phase der Kommunikation an, in der das Sprachmuster der monologischen Rede dominiert. Mit dem Lehreröffnungsruf 73,14 b leitet der Soter seinen Diskurs ein und schließt ihn erst in 80,22.23 a mit einer ent-
schiedenen Aussage über die Menschen dieses Äons ab, nachdem Petrus
einmal (vgl. 79,32 b-80,7) in den Vortrag eingegriffen hat. Obwohl das
dialogische Zwischenspiel nicht ohne Folgen bleibt und der Anredecha-
rakter des Vortrags des öfteren spürbar wird, steht fest, daß in dieser
Phase der Kommunikation die autoritative Mitteilung Priorität hat.

Das Thema der Untersuchung bedingt eine Begrenzung der Analyse.
Es ist nicht beabsichtigt, kirchengeschichtliche Schlußfolgerungen aus
der Rede des Soter abzuleiten. Das haben Brashler und Koschorke mit
großer Ausführlichkeit getan. Auf ihre Entwürfe wird, wenn es sich als
notwendig erweist, zurückgegriffen. Die Analyse ist vielmehr daran interessiert, das gnostische Denken, das sich in der Rede entfaltet, zu
beschreiben. Obwohl das Sprachmuster gewechselt hat, bleibt das dialogische Szenarium mit dem Diskurs verbunden. Es geht also nach wie
vor um den Rezipienten und intendierten Gnostiker, der den Ruf zur
Gnosis wahrnehmen soll.

4.6.2 Die Komposition der Offenbarungsrede (73,14 b-80,23 a)

Bei der Suche nach einem kompositionellen Zusammenhang der Rede
fallen drei Aussagekomplexe auf, die individuell strukturiert sind.

An erster Stelle ist der Redeteil 74,22 b-75,7 a; 76,23 b-79,31 a zu
nennen. Gegliedert wird die Rede durch die indefiniten Pronomina ϨEN-
ϨOEINE ... ϨENKOOYE[185], die in auffälliger Regelmäßigkeit wiederkeh-
ren. Durch diese Struktur bekommt der gesamte Abschnitt die Form
einer Liste[186]. Zusammengestellt werden in diesem Überblick Irrlehren
und diejenigen, von denen die Häresien ausgehen bzw. die für deren
Verbreitung sorgen. Die genannten Gliederungssignale ermöglichen es,
potentielle Gegner, von denen Gefahr droht, zu identifizieren. Demnach
scheint die spezifische Eigenart der Liste darin zu bestehen, daß vor
einer zukünftigen Bedrängnis gewarnt wird. Die literarische Funktion

---

[185] Vgl. 74,22 b; 74,27 b; 76,23 b.24 a; 76,27 b; 77,22; 78,31 b.32 a; 79,22 b; ferner Brashler 1977, 137.
[186] Zum Sprachmuster „Liste" bzw. zum Phänomen der „Listenwissenschaft" vgl. Alt 1951,
139 ff.; von Rad 1962, 438; 1965, 317 f.

der Weissagung[187] könnte auch darauf abzielen, den schon eingetretenen Zustand als nicht zufällig, sondern als im Duktus der kosmischen Geschichte notwendig zu erweisen.

In der Liste befindet sich ein Abschnitt, dessen Struktur zum Kontext in Spannung steht: 75,7 b–76,23 a. Auch unter thematischen Gesichtspunkten – es geht um das Geschick der unsterblichen bzw. der sterblichen Seelen – drängt der Abschnitt aus dem Zusammenhang heraus. Der Übergang von der Listenebene her vollzieht sich trotz der konjunktionalen Verbindung mit ⲅⲁⲣ (vgl. 75,7 b) abrupt. Die Rückkehr zum Vortrag der Liste (vgl. 76,23 a mit 76,23 b) geschieht ebenso unvermittelt. Im weiteren Verlauf der Liste begegnet die Antithese von sterblicher und unsterblicher Seele noch einmal (76,34 b–77,22 a). Könnte dieser Abschnitt nicht im Sinne einer Fortsetzung an 75,7 b–76,23 a anknüpfen? Gegen die Annahme einer Kontinuität spricht aber, daß in 75,7 b–76,23 a Verbformen im prinzipiellen Präsens dominieren, während der Komplex 76,34 b.77,22 a mit der futurisch-eschatologischen Tendenz der Liste übereinstimmt. Dieser Gegensatz in der Tempusverwendung legt die literarkritische Einschätzung von 75,7 b–76,23 a als Exkurs nahe. Der Abschnitt repräsentiert einen selbständigen Zusammenhang, der strukturell und thematisch von den (fiktiven) Weissagungen unterschieden werden muß[188]. Warum wurde der Exkurs an dieser Stelle eingeschaltet? Es ist zu vermuten, daß die prinzipiellen Aussagen über das Geschick der Seelen eine hermeneutische Funktion im Blick auf den Offenbarungsdiskurs als ganzen wahrnehmen.

Schließlich sind drei Passagen zu nennen, die referentiell in Verbindung stehen: der erzählte Rede-Eingriff des Zuhörers Petrus (79,32 b–80,7); eine Krisis-Schilderung (73,23 b–74,22 a), die der Liste vorausgeht; die Antwort des Soter (80,8 b–23 a), mit der dieser sowohl auf den Petrus-Eingriff als auch auf die Krisis-Schilderung Bezug nimmt.

Die Komposition der Offenbarungsrede hat verschiedene heterogene Redezusammenhänge miteinander verbunden. Man verfehlt die Aussageabsicht der Rede, wenn man die offensichtlichen Unterschiede nicht berücksichtigt und einen einzigen Aussagehorizont postuliert. Sieht man jedoch die Spannungen, die zwischen Strukturen und Intentionen der Redekomplexe herrschen, öffnet sich der Zugang zu einem dramatischen Redegeschehen[189], das in dem *Schema* auf Seite 131 dargestellt ist.

---

[187] Vgl. die Verbformen im Futur.

[188] Auf die stilistische Differenz machen Brashler 1977, 137 f.; 198; 200; Koschorke 1978, 13; 72 und jetzt auch Werner 1989, 635 aufmerksam. Sie nehmen diese Beobachtung jedoch nicht zum Anlaß einer Strukturanalyse.

[189] Die Dramatik spricht sich mit den Zeichen der folgenden schematischen Darstellung ausgedrückt in zwei miteinander streitenden Bewegungen aus:

4.6.3 Interpretation der Offenbarungsrede

Die Interpretation wendet sich zunächst den Passagen zu, bei denen ein innerer Zusammenhang offensichtlich ist, also der Krisis-Schilderung, dem Rede-Eingriff des Petrus und der Antwort des Soter. Darauf sollen der anthropologische Exkurs und die Liste der Weissagungen analysiert werden. Von der Interpretation eines Teilabschnitts muß der Blick immer wieder auf den gesamten Diskurs gerichtet werden, um die Intention der Rede zu verifizieren.

4.6.3.1 Die Krisis-Schilderung (73, 23 b–74, 22 a)

Am Soter wie an seinem Apostel scheiden sich die Geister. Vor allem das Wort des Soter, das eigentlich Erkenntnis evozieren soll, löst eine Krisis aus, in deren Verlauf die Gnostiker und ihre Gegner manifest werden. Was der Soter bisher eher plakativ behauptet hatte, bekommt jetzt Konturen. In der Krisis wird die dualistische Struktur des Daseins transparent gemacht.

Die Angehörigen dieses Äons können die Verkündigung der Wahrheit nicht verstehen (vgl. 73, 23 b–28). Nach anfänglicher Faszination kehren sie zu ihrem Ursprung zurück. Einer kleinen Zahl von Gnostikern steht so eine Menge (vgl. 73, 23 b) gegenüber, die nach dem Willen des Vaters in die Irre[190] gehen. Auf seine Veranlassung wird das Dasein in der Geschichte zum Gericht (vgl. 73, 30 a) für die Verkündiger der Wahrheit[191] und für denjenigen, der diesem Wort glaubt, den „Reinen und Guten" (74, 3 b–6)[192]. Gegen das „wahre Wort" des Soter (vgl. 70, 28; 71, 2 f.) erheben sich das „Lügenwort" (vgl. 74, 11; 74, 18 ff.) und der „Irrtum" (77, 23 ff.). Die Bedrängnis, in die die Gnostiker geraten, äußert sich zumal in der Lehre, die ihnen aufgezwungen wird. Im Mittelpunkt dieser Lehre steht πεϥⲁⲛ ⲛ̄ⲧⲉ ⲟⲩⲣⲉϥ ⲙⲟⲟⲩⲧ (74, 13 b–14 a), der „Name eines Toten", dessen Verehrung Heil verheißt (vgl. 74, 15 a). Aber das Gegenteil wird der Fall sein. Aus dem Zusammenhang des Traktats und un-

---

1 + 2 + 3 versus 4 + 5
und
5 versus 2.

[190] Im valentinianischen Denken nimmt ⲡⲗⲁⲛⲏ eine Oppositionsrolle zu ⲥⲟⲫⲓⲁ ein; vgl. EV (NHC I, 3) 17, 4–20. ⲡⲗⲁⲛⲏ ist „a disordered attempt to comprehend the Father from which ignorance results" (MacRae 1970 a, 96; vgl. 95 ff.).

[191] Mit „Diener des Wortes" (73, 31.32 a) können nur die Gnostiker selber gemeint sein; so Koschorke 1978, 84 Anm. 5.

[192] 2LogSeth (NHC VII, 2) 60, 8–10.24 f. referiert eine analoge Selbstbezeichnung der Gnostiker. Treffen die Attribute nicht auch auf den Soter zu (vgl. ApcPt 77, 28)?

terstützt durch Parallelen aus 2LogSeth[193] sowie EpPt[194] wird das Ziel der Rede erkennbar. Abgelehnt ist eine soteriologische Auslegung des Kreuzestodes Jesu. Auslösender Faktor einer solchen Zurückweisung könnte z. B. eine theologia crucis gewesen sein, wie sie der Apostel Paulus (vgl. z. B. Gal 3, 1.13; 6, 14; 1Kor 1, 17 ff.; 2, 2; Röm 4, 24 f.) vertreten hat. Implizit wäre dann auch das paulinische Taufverständnis von der Ablehnung getroffen. Denn der „Name", auf den getauft wird, ist der des gekreuzigten Herr[195]. An dieser Stelle hat die Krisis-Schilderung insofern ihre Klimax erreicht, als der Faktor ins Spiel kommt, der den Diskurs profiliert: das adäquate Erkennen (vgl. 71, 26 f.) des Soter bzw. die gnostische Christologie. Wer sich auf die Vertreter des Irrtums verläßt, der wird ihr „Gefangener" (74, 2 a). Mit der polemischen Zurückweisung ist eine fundamentale Antithese verbunden. Denn die Alternative zum „Namen eines Toten" ist die Epiphanie des „lebendigen Soter", die in der Selbstvorstellung (vgl. 70, 25 ff.) programmatisch eingeführt wurde und im ersten Dialog-Kontext schon im Vordergrund stand. Dieser Gegensatz kehrt wieder in dem Dualismus von Erkennen und Nicht-Erkennen bzw. sterblichen und unsterblichen Seelen[196]. M. a. W., der lebendige Soter wird nur von denen erkannt, die nicht auf der Seite des Toten oder des Todes stehen. Denn Gleiches kann nur durch Gleiches erkannt werden. So wird die Antithese in der Christologie fest an einen anthropologischen Gegensatz gebunden.

Schwer zu verstehen ist der Satz 74,7–9. Handelt es sich um das ironische Zitat eines Satzes der „Lügenpredigt", der von der gegnerischen Seite zur Kennzeichnung der eschatologischen Erfüllung[197] eingesetzt wird? Oder liegt vielleicht eine interpretierende Glosse[198] vor?

Dunkel ist ebenfalls die Erwähnung des „üblen Betrügers" (74, 18 b.19 a) und des Repräsentanten eines vielgestaltigen Dogmas (vgl. 74, 19 b.20 a). Da gerade der „Name eines Toten" als Grund des Heils zurückgewiesen worden war, liegt die Vermutung nahe, die aggressive Titulierung beziehe sich auf den Apostel Paulus, zumal im weiteren Verlauf des Traktats[199] kritische Anspielungen auf paulinische Aussagen vorzuliegen scheinen. Diesen Schluß haben in der Tat Werner und Koschor-

---

[193] Vgl. NHC VII, 2; 49, 25–27; 55, 15–56, 19; 60, 21 f.

[194] Vgl. NHC VIII, 2; 136, 11–15; 139, 21 ff.; 136, 20–22: „... they did not recognize me; they were thinking of me that I was a mortal man" (Übers.: NHL 435).

[195] Vgl. Röm 6, 3; 1Kor 6, 11.

[196] S. u. 142 ff.

[197] Der Begriff ΑΠΟΚΑΤΑCΤΑCΙC begegnet sonst bevorzugt in Schriften, die dem valentinianischen System nahestehen. Vgl. Exc. Theod. 61, 5; Rheg (NHC I, 4) 44, 21–32; TracTrip (NHC I, 5) 123, 19.21.27; EvPhil (NHC II, 3) 67, 18.

[198] So Brashler 1977, 219 f.: „a gloss referring to Origen"; „it has the sound of an afterthought in its present context".

[199] Vgl. nur 82, 1–3 mit 1Kor 2, 8 und 82, 25 f. mit Gal 4, 4; 3, 13; dazu Perkins 1980, 118.

ke vollzogen[200]. Der Gewinn, der aus dieser Identifikation für weitere Interpretation abgeleitet werden kann, ist gering. Brashler wendet zu Recht ein: „The description ... is too general, however, to verify such an identification, and it could apply to almost any representative of the orthodox theological tradition from Paul to Athanasius"[201].

Von großer Wichtigkeit für das Verständnis der Krisis-Schilderung sind konventionelle Elemente, mit denen die Rede gebildet ist. Wenn der Sprecher sagt, daß am Anfang eine Menge die gnostische Verkündigung akzeptiert hat, danach aber abgefallen ist, dann argumentiert er mit dem häresiologischen Grundsatz der „principalitas veritatis et posteritas mendacicatis"[202]. Der Abfall vom Ursprung geschieht hier als Gang in die Irre.

Zum Ende der Krisis-Schilderung hin werden die Vielgestaltigkeit der Lehre (74,19b.20a) und Spaltungen (74,21.22a) angesprochen. Auch in diesem Fall handelt es sich um Argumente, die aus der häresiologischen Literatur bekannt sind[203]. Der Sprecher usurpiert diese Argumente und kehrt sie als Vorwurf gegen eine Gruppierung, die die gnostische Verkündigung behindert. Diese Gruppierung repräsentiert in seinen Augen nicht die Wahrheit und Einheit, sondern die Konfusion. Auch die Warnung vor falschen Propheten, die in der Zukunft (vgl. 74,12) auftreten werden, ist typisch für derartige Reden[204].

Das Vorhandensein solcher konventionellen Elemente verlockt dazu, die Situation zu rekonstruieren, die für den Traktat als Sitz im Leben bestimmend war. M. a. W., man könnte hinter der Krisis-Schilderung eine Kontroverse mit der frühkatholischen Kirche heraufsteigen sehen. Dieser Weg ist vor allem von Koschorke beschritten worden. In der Tat ist

---

[200] Vgl. Werner 1974, 575; 1989, 639; Koschorke 1978, 38f.

[201] Brashler 1977, 222. Es ist daran zu erinnern, daß Paulus im 2.Jh. in enthusiastischen Kreisen Hochschätzung erfuhr und sogar „Apostel der Gnostiker" genannt wurde (Tertullian, Adv.Marc. III 5,4). Vgl. auch den Bezug auf Paulus in der Naassenerpredigt (Hippolyt, Ref.V 8,24f. = Foerster, Gnosis I, 352f.). Im valentinianischen Denkhorizont heißt er ἀναστάσεως ἀπόστολος (Exc.Theod. 23,2). Daher muß bezweifelt werden, ob eine zentrale Gestalt des eigenen Lagers so einfach zum Gegenstand von Polemik werden kann. Paulus ist im christlich-gnostischen Bereich die neutestamentliche Autorität, die am häufigsten zitiert wird (vgl. Weiß 1969b, 116ff.). Andererseits zeigt 2Petr3,16, daß das paulinische Denken schon früh von ekklesiastischen Kreisen in „schützende Verwaltung" genommen wurde. Als Verkündiger des Gekreuzigten stieg Paulus im 2.Jh. dann schließlich auch zum Kronzeugen der Rechtgläubigkeit auf (vgl. Irenäus, Adv.haer. II 26,1; Tertullian, De carne Christi 5,3).

[202] Tertullian, De praescr.haer.31,1. Bauer 1964, 3 zitiert auch Origenes: „Alle Ketzer kommen zuerst zur Gläubigkeit; später weichen sie dann von der Glaubensregel ab".

[203] Vgl. Koschorke 1978, 40f.

[204] Vgl. Mk 13,5f.; Mt7,21f.; 24,5.11.24; Lk6,46; 1Tim4,1; 2Tim3,1ff.; Jud18; 2Petr2,1; 3,3; Did16; AscJes3; EpAp 29,34ff.; PS 181,27ff. Irrlehrer werden nach „formgeschichtlichem Gesetz" häufig in den Schlußabschnitten eines literarischen Werkes erwähnt; vgl. dazu Bornkamm 1971, 179ff.

nicht zu übersehen, daß die Gnostiker einer vielgestaltigen Front gegenüberstehen. Aus den Details, die zu spekulativen Vermutungen Anlaß geben, läßt sich nur mit Mühe ein Profil der Gegner skizzieren, insofern die literarische Fiktion der Weissagung auf potentielle und gegenwärtige Bedrängnis abhebt. Eine plausible Identifikation gelingt nicht.

Fragt man nach der Absicht des Redeteils, so stößt man auf das Selbstverständnis des gnostischen Ich, das der Sprecher fördern will. Er geht so vor, als öffne er den Vorhang zu einem Drama, das für die Gnostiker mit einer Katastrophe endet. Hat man aber den dualistischen Grundgedanken wahrgenommen und die Umkehrung der häresiologischen Argumente erkannt, dann erscheint das Desaster, das über die Gnostiker hereinbricht, in einer ironischen Perspektive. Denn die Gnostiker sind mit dem Soter eines Wesens; sie stehen in Wahrheit auf der Seite des Lebens, das für die Mächte dieses Äons unerreichbar ist. Darum wird mit der Krisis-Schilderung die Todesverfallenheit derer festgestellt, die den Gnostikern das Desaster bereitet haben oder bereiten wollen. Das böse Ziel „Untergang" kehrt sich gegen seine Initiatoren selbst. Angesichts des Ausmaßes der geschilderten Krisis fragt es sich aber, ob die Redestrategie, die das Selbstverständnis des Gnostikers zu evozieren beabsichtigt, Erfolg haben wird. Die entscheidende Zusammengehörigkeit von anthropologischem Dualismus und adäquater Erkenntnis des Soter ist bisher nur ansatzweise bzw. aufgrund von Rückschlüssen zur Sprache gekommen. Es ist daher zu vermuten, daß die Krisis-Schilderung anbahnende Funktion hat.

4.6.3.2 Dialogisches Zwischenspiel (79, 32 b–80, 7; 80, 8 b–23 a)

Zwischen der Krisis-Schilderung (73, 23 b–74, 22 a) und der Antwort des Soter im dialogischen Zwischenspiel (80, 8 b–23 a) besteht eine spannungsvolle Beziehung, die es jetzt aufzuschlüsseln gilt.

Auf dem Höhepunkt des Diskurses (74, 22 b–79, 31 a) reagiert Petrus, der passiv zugehört hatte. Er unterbricht die Rede (79, 32 b–80, 7). Der Erzähler erinnert mit einer kommentierenden Bemerkung (vgl. 79, 31 b–32 a) an die Dialogsituation. Schon die erste Äußerung ist bedeutsam, insofern die Befindlichkeitsaussage[205] über den erzählten Kontext hinausgeht. Der Grund für die Furcht wird anaphorisch zum Ausdruck gebracht (vgl. 79, 32 b.33 a). Als Bezugspunkt kann nur die voraufgegangene Liste gemeint sein. Petrus resümiert die Wirkung, die der Soter mit seinem Vortrag erzielt hat. In der Fortsetzung seines Redebeitrags (vgl. 80, 1 ff.) thematisiert er dann den Gegensatz zwischen der kleinen Zahl (79, 33 b;

---

[205] Vgl. das besprechende Tempus der Verbform in 79, 32 b.

80, 1: ϩⲉⲛⲕⲟⲩⲉⲓ) derer, die „außerhalb (der Verführung) bleiben"[206], und den Vielen (80, 2 b.3 a: ϩⲉⲛⲙⲏⲏϣⲉ), die im Irrtum leben. Diese Opponenten lassen nicht davon ab, noch weitere Mitglieder aus dem Kreis der Lebendigen in die Irre zu führen, wo sie zugrunde gerichtet werden (vgl. 80, 5.6 a). Den Grund für die erfolgreichen Operationen der Verführer sieht Petrus darin, daß sie sich den Namen des Soter angeeignet haben und ihn für ihre Zwecke mißbrauchen (vgl. 80, 6 b.7).

Am Redebeitrag des Petrus ist zweierlei bemerkenswert. Einmal tritt das Angstmotiv wieder auf, das im ersten Dialogkomplex eine konstitutive Rolle gespielt hat. Das besprechende Tempus auch der übrigen Verbformen zeigt an, daß der Erzähler auf die intertextuelle Dialogebene zielt, wo er den Rezipienten treffen will. Dann zieht die Polarisierung zwischen einer Minderheit und einer Mehrheit die Aufmerksamkeit auf sich. Über diesen Gegensatz legt sich die konventionelle Vorstellung, daß in der Endzeit falsche Propheten auftreten werden. Was Petrus sagt, klingt wie ein Echo auf den Diskurs des Soter. Mit diesem redundierenden Vorgang akzentuiert der Erzähler die Krisis-Situation, die er den Rezipienten bewußt machen will. Denn der Zeitraum, in dem die Lügenpropheten (vgl. 74, 10 f.; 77, 22 ff.) auftreten, ist mit dem Augenblick eröffnet, in dem die Rezipienten die Kriterien des Soter zur Beurteilung der Situation übernehmen. Der Redebeitrag des Petrus führt zu einer Eskalation der Krisis. Das gilt um so mehr, als Petrus die Rede-Intention des Soter offensichtlich mißverstanden hat.

Mit der Erwähnung des Namens (vgl. 80, 6 b.7 a) hat Petrus dem Soter signalisiert, daß dieser das Wort nehmen soll. Nachdem der Sprecherwechsel vollzogen ist, übernimmt der Soter die Rede-Initiative. Sein Beitrag (80, 8 b-23 a) fällt so aus, als habe Petrus die Frage gestellt: „Wie lange werden die wahrhaft Lebendigen unter der Herrschaft der Verführer leiden müssen?" In der Antwort sind vier Faktoren wesentlich.

Zunächst gibt der Soter bekannt, daß die Zeit begrenzt ist (vgl. 80, 8 b.9 a), in der die Verführer ihre Aktivitäten entfalten können[207]. Innerhalb dieses determinierten Zeitraumes breitet sich der Irrtum (80, 10) aus und gebietet über die „Kleinen" (80, 11 a), die eigentlich zur Wahrheit gehören. Die Tatsache, daß die Wirkzeit der Verführer limitiert ist, besagt, daß sie einer Macht unterliegen, über die sie keine Gewalt haben. Wenn die festgesetzte Zeit abgelaufen ist – das ist der zweite Faktor in der Antwort des Soter – wird der ungewordene Gott erscheinen. Er ist

---

[206] So die Übersetzung von Werner 1974, 580; anders Brashler 1977, 55: „that indeed ... little ones (in our opinion) are the counterfeit ones". Brashler bezieht sich auf 2LogSeth (NHC VII, 2) 62, 28.38; 63, 21; 69, 9.

[207] Den apokalyptischen Determinismus hinsichtlich der Zeit bringt 4Esr 4, 35 ff. zur Sprache (vgl. Harnisch 1969, 276 ff.; von Rad 1970, 337 ff.). Dieses Motiv wird von den Gnostikern dort eingebracht, wo die Begrenztheit der Demiurgen-Herrschaft betont werden soll (vgl. z. B. 2ApcJac [NHC V, 4] 58, 8 ff.18–21).

durch Attribute qualifiziert, die ihn als Gegenpol zur Sphäre des Irrtums ausweisen: er wird nicht altern[208]; er ist unsterblich; er ist ⲆⲒⲀⲚⲞⲒⲀ. Erneut will er gegenwärtig sein, obwohl er nie abwesend war. Die Zeit des Irrtums hatte die Szene derart dominiert, daß nichts anderes wahrgenommen werden konnte. Mit dem Erscheinen des neuen Äon vollzieht sich ein Herrschaftswechsel. Das ist der dritte Faktor. Die jetzt Beherrschten werden dann in die Herrschaft eingesetzt (vgl. 80, 15 f.), die der Soter mit den Seinen bereits ausübt. Dagegen müssen die jetzt Herrschenden sich den neuen Verhältnissen beugen. In dieser Inversion kommt „a clearly expressed futuristic eschatology" zum Ausdruck[209]. Daß dieser apokalyptische Topos[210] nicht eine zufällige Formulierung darstellt, vielmehr im gnostischen Horizont bekannt ist, zeigen Äußerungen in LibThom. Denen, die „die Mühsal und die Schmach" hinter sich gelassen haben, wird ein „Ruheort ... von seiten des Guten" verheißen. „Und ihr werdet herrschen mit dem Herrscher, ihr verbunden mit ihm und er verbunden mit euch"[211].

Daß der Argumentationshorizont apokalyptisch affiziert ist, stellt schließlich auch der vierte Faktor (vgl. 80, 17–19 a) unter Beweis. Der Irrtum wird vernichtet, ihre Wortführer werden zuschanden gemacht. Es tritt das ein, was 78, 1 b–6 angesagt hatte. Dem eschatologischen Urteil über die Irrtumsherrschaft korrespondiert die Explikation von 80, 16. Der Soter tritt allen Zweifeln entgegen, wenn er versichert, daß die Seinen in der Gemeinschaft mit ihm schon jetzt den Verführern überlegen sind.

Im letzten Teil der Antwort des Soter (80, 19 b–21 a) sind die Bezüge schwer zu identifizieren, da keine Nomina vorkommen, die die Referenz eindeutig bestimmen. Subjekt und Objekt eines offenbarenden Vorgangs werden nur in Verben und Suffixen greifbar. Worauf bezieht sich die 3. Person fem. Sing. (vgl. 80, 18 b. 19 a. 19 b. 21 a)? Bleibt man im unmittelbaren Kontext, kann eigentlich nur vom Irrtum die Rede sein. Das Gericht hat ihn in aller Deutlichkeit entlarvt und seine angemaßte Freiheit denunziert. Einen anderen Bezug lesen dagegen Krause, Werner und Brashler[212], insofern sie als Subjekt in 80, 19 ff. ⲧⲯⲩⲭⲏ voraussetzen. Mit dem Ende der Irrtumsherrschaft wäre die unsterbliche Seele von der Unterdrückung befreit. Dann könnte zur Vollendung kommen, was sie von Anfang an ausgezeichnet hat: ihre Wesenseinheit mit dem Soter. Es ist konsequent, wenn diese Ausleger auch den folgenden Satz 80, 21 b–23 a als Aussage über die unsterblichen Seelen verstehen.

---

[208] Vgl. AJ (NHC III, 1) 8, 3.
[209] Brashler 1977, 235; vgl. auch Peel 1970, 141 ff.
[210] Vgl. Mt 19, 30; 20, 16; Lk 1, 52 f.; 16, 19–24; 1 Tim 6, 17; Jak 1, 10 f.; 5, 1–4.
[211] NHC II, 7; 145, 12 ff.; Übers.: Schenke 1989, 39; vgl. auch Rheg (NHC I, 4) 48, 24 ff. und Askl (NHC VI, 6) 74, 6 ff.; 76, 22–78, 42.
[212] Vgl. Krause 1973, 173; Werner 1974, 581; 1989, 642; Brashler 1977, 57.

Gegen diese Interpretation sprechen syntaktische und inhaltliche Überlegungen. Warum ist nicht ein eindeutiger Hinweis gesetzt, daß die unsterblichen Seelen bzw. die Kleinen gemeint sind? Im vorliegenden Text
bleibt nur die erste Möglichkeit, den „Irrtum" als das logische Subjekt
vorauszusetzen. Es bedarf auch keiner Diskussion, daß das anaphorische
Demonstrativum (vgl. 80, 22 a) vom Verständnis des Vorsatzes abhängt.
Im übrigen bestätigt gerade der Schlußsatz des Soter (vgl. 80, 21 b–23 a)
das Gericht, das über die Verführer ergangen ist.

Durch die massive eschatologische Tendenz erhält die Antwort des
Soter ein eigentümliches Gefälle. Verben im II. und III. Futur qualifizieren die Vorgänge, die in den fünf Punkten als zukünftige Ereignisse
beschrieben sind. Das ist auffällig, weil dem gnostischen Denken das
realpräsentische Moment als Spezifikum, in dem die historisch-chrono-
logische Struktur des Kosmos aufgehoben ist, zugeordnet wird. Wenn
nun das futurische Moment auftritt, muß dafür ein Anlaß vorliegen.
Anstoß zu weiteren Überlegungen gibt die Beobachtung, daß die eschatologische Tendenz in extremer Weise auf den Punkt des endzeitlichen
Gerichts konzentriert ist. Die Rede verarbeitet zu diesem Zweck Topoi
des apokalyptischen Denkens (u. a. die endzeitliche Limitierung dieses
Äons; die Inversion der Verhältnisse; das Gericht über die Verführer).
Der Ablauf der endzeitlichen Ereignisse ist irreversibel und kommt mit
Zwangsläufigkeit sowohl über die Menge der Verführer als auch über
die Minorität der Gnostiker. Was den einen Untergang bedeutet, bringt
den anderen endgültig die Einheit mit dem Soter. Die Radikalisierung
der eschatologischen Tendenz kommt dem gnostischen Ich jetzt zugute.

Zwischen diesem Diskursteil und der Eröffnung der Offenbarungsrede
73, 23 b–74, 22 a verläuft ein Spannungsbogen. In beiden Fällen geht es
um eine Krisis-Schilderung. Dort sind es vordergründig die Gnostiker,
die von ihren Widersachern bedrängt werden. In Wirklichkeit stehen
diese aber auf der Seite des Todes und können denen, die aus der Wahrheit stammen, nichts anhaben. Mit ironischer Strategie führt der Sprecher
den untadeligen und unangreifbaren Status der Gnostiker ein. Hier am
Schluß der Rede wird dann die Todesverfallenheit der Widersacher mit
radikalisierten apokalyptischen Topoi festgeschrieben. Kosmos und Geschichte werden dem Gnostiker durch die Rede transparent gemacht.
M. a. W., er überblickt diese Bereiche in einer göttlichen Perspektive,
gleichsam außerhalb der Geschichte stehend. Auf diese Weise überwindet
er die Faktizität seines eigenen Daseins. Er hebt die eigene Angst (vgl.
79, 32 b.33) auf und wendet sich von der Welt ab[213]. Aus der Erkenntnis,
die ironische Strategie und apokalyptische Radikalisierung als zusam-

---

[213] „Weltabgewandtheit" als kulturelles Phänomen der Spätantike wird die Geschichts-
Skepsis der Gnostiker gefördert haben. Vgl. Robinson 1971, 14 f. mit Verweis auf das
Werk von Hans Jonas.

mengehörig begreift, gewinnt der Gnostiker die Überlegenheit, die seinen
Umgang mit dem Kosmos und sich selbst kennzeichnet. Er lebt in der
Geschichte und dennoch außerhalb ihrer Bedingungen in der Synousie
mit dem Erlöser.

In diesen Status will der Erzähler Petrus den Rezipienten hineinholen.
Daß es um den intendierten Gnostiker geht, zeigt der Rede-Eingriff des
„anderen Petrus", der den Diskurs zunächst mißversteht. Die literarische
Fiktion der Weissagung dient in diesem Verständigungsprozeß als Hebel.
Sie soll den Rezipienten helfen, sich in der gnostischen Perspektive zu-
rechtzufinden. Der eschatologischen Tendenz kommt also eine metakom-
munikative Funktion im gnostischen Verkündigungsgeschehen zu. Mit
dieser Behauptung ist einerseits die Verbindung zur Interpretation des
I. Dialogkomplexes gesichert. Andererseits wird die Aufmerksamkeit auf
Textintentionen gelenkt, die weder Brashler noch Koschorke[214] berück-

---

[214] Koschorke meint, den gesamten Diskurs des Soter als apokalyptische Mahnung identifizieren zu können, die in bewußter Anlehnung an die synoptische Apokalypse (Mk 13;
Mt 24) entworfen sei (vgl. 1978, 13). Wie dort die Zeichen vor dem Ende thematisiert
würden, so auch hier. Darüber hinaus sieht er vielfältige Anspielungen auf die Pharisäerrede
Mt 23. Aufgrund dieser form- und überlieferungsgeschichtlichen Text-Einschätzung bestimmt Koschorke die Intention der Rede. Danach bemühe der Verfasser sich, „die Be-
kämpfung der Gnostiker durch die kirchlichen Amtsträger im Licht der alten Prophezei-
ungen (Mt 24, 9) (sc. zu) verstehen und dar(zu)stellen" (1978, 43 Anm. 12). Anspielungen
auf die synoptische Apokalypse sollen die „kirchlichen Wortführer als die angekündigten
Irrlehrer der Endzeit" (1978, 42) bloßstellen und die Gegenwart als die angesagte Endzeit
qualifizieren:
Gesetzlosigkeit greift um sich (vgl. 70, 29.31 mit Mt 24, 12); die Gegner sind untereinander
zerstritten (vgl. 74, 27 f. mit Mt 24, 10); sie unterdrücken sogar Angehörige der eigenen
Gruppierung (vgl. 79, 11 ff. mit Mk 13, 12); die wahren Gläubigen werden verfolgt (vgl.
73, 32–74, 1 mit Mt 24, 9); falsche Propheten und Verkündiger treten auf (vgl. 74, 10 f.;
77, 22 ff. mit Mt 24, 11).
Wenn Koschorke behauptet, der Verfasser lege die Gegenwart im Horizont alter Verhei-
ßungen aus und greife auf „geprägte(n) Darstellungsweise" (1978, 43 Anm. 12) zurück,
simplifiziert er den hermeneutischen Prozeß der Textrezeption im Sinne des Schemas „Tradition – Interpretation". Weil sein primäres Interesse auf den Gegensatz zwischen gnostischen und ekklesiastischen Christen gerichtet ist, degradiert er den Text zur bloßen In-
formationsquelle. Vgl. auch Köhler 1987, 405 f.
Brashler setzt eine ähnliche Perspektive voraus und vertieft sie durch religionssoziologische
Andeutungen. Eine kleine, elitäre Gruppe von Gnostikern sieht sich großer Bedrängnis und
Anfeindung durch ekklesiastische Kreise ausgesetzt. Der Verfasser will das Selbstbewußt-
sein dieser Gruppe stärken, indem er den Konflikt in Form einer Offenbarungsrede bearbeitet. „By placing descriptions of these struggles in the form of *vaticinia ex eventu* on the
lips of Jesus, he seeks to justify the position of the small minority of the faithful, the ‚little
ones', whose future includes ultimate vindication when their oppressors will be vanquished
and destroyed" (1977, 139; vgl. 158. Zur formgeschichtlichen Problematik vgl. Osswald
1963, 27 ff.; Vielhauer/Strecker 1989, 495 f.; Berger 1984 a, 289–295). Der Konflikt bestimmt die Gruppen-Identität als das eigentliche Thema der Schrift. Brashler versucht auch
das auffällige Faktum der futurischen Eschatologie zu klären. Er meint, daß der Verfasser
bzw. die Gruppe keinen Kontakt zu den großen gnostischen Lehrern des 2. Jhs. gehabt

sichtigt haben. Der Verfasser blickt nicht einfach zurück. Er gibt auch keine verobjektivierte Schilderung der faktischen Lage. Vielmehr entwirft er ein Szenarium, das für den überzeugten Gnostiker Gegenwart ist und für den intendierten Gnostiker zur Wirklichkeit wird, sobald sich sein Ich konstituiert.

4.6.3.3 Die anthropologisch-dualistische Grundlage (75, 7 b–76, 23 a)

Literarkritische Überlegungen haben dazu geführt, den Komplex 75, 7 b– 76, 23 a aus dem strukturell homogenen Zusammenhang der Liste 74, 22 b–79, 31 a herauszulösen[215] und von einer exkursartigen Einschaltung zu sprechen. Im folgenden werden der Komplex analysiert und die Intentionen erörtert. Eine Antwort auf die Frage, warum ausgerechnet an dieser Stelle das Geschick der Seelen angesprochen wird, kann erst nach einem interpretierenden Gang durch die eschatologische Liste versucht werden.

ApcPt 75, 7 b–76, 23 a präsentiert einen eigenständigen semantischen Horizont und signalisiert durch die Verwendung von Tempusformen des Präsens fundamental-ontologisches Interessen. Im Zentrum der Aussagen steht eine Erfahrungsregel (vgl. 75, 7 b–9 a): „Gleiches kommt von Gleichem" bzw. „Gleiches bewirkt nur Gleiches". Dieser ontologische Grundgedanke zieht sich durch die folgenden Aussagen und hält sie isotopisch zusammen. An die Erfahrungsregel schließt eine Erläuterung (75, 9 b–11) an, mit der die dominierende Kraft der Herkunft für das Wesen einer Sache herausgestellt wird. Auf dieser axiomatischen Vorgabe errichtet der Exkurs die Antithese zwischen sterblichen und unsterblichen Seelen. Das spezifische Profil der Seelen wird beschrieben (75, 12–26 a und 75, 26 b–76, 4 a) und mit Hilfe eines Antithese-Signals (vgl. 75, 26 b–28 a) gegeneinander gestellt. Nach diesen Ausführungen kommt die Erfahrungsebene vom Anfang wieder in den Blick (76, 4 b–8 a) und wird die determinierende Kraft der Herkunft (76, 8 b–11 a) eingeschärft. Applikative Äußerungen ziehen Konsequenzen für die sterblichen (76, 11 b–14 a) und die unsterblichen Seelen (76, 14 b–17). Mit einem apodiktischen Satz (76, 18–20 a) wird die Herkunft aus dem Nichtsein bzw. dem Tode als

---

hätten. Eine Schrift wie ApcPt dokumentiere vielmehr eine späte Phase des christlichen Gnostizismus. Es ist die Zeit, „when the pressure of their minority status combined with their popular piety" dazu führte, „to produce only a desperate longing for deliverance" (1977, 238).
Auch hier wird dem hermeneutischen Prozeß der Textrezeption wenig Beachtung geschenkt. Die formkritische Einordnung des Traktats als „Apokalypse" verhindert, daß die Kombination diverser Textsorten als Problem wahrgenommen wird. Man kann auch anfragen, ob Brashler nicht ein zu enges Verständnis von Apokalyptik voraussetzt, wenn er den Traktat vorrangig unter dem Aspekt der „Krisenbewältigung" interpretiert.
[215] S. o. 132 f.

Zukunft der sterblichen Seele festgelegt. Der axiomatische Charakter des ganzen Stückes kommt noch einmal im Schlußsatz (76,20 b–23 a) zur Sprache, der ein früheres Urteil des Soter über seine Gegner (vgl. 73,12 b–14 a; 72,10 c–13 a) wiederholt.

In dem Erfahrungssatz „... der Böse kann keine gute Frucht hervorbringen" (75,7 b–9 a) verschränken sich zwei unterschiedliche Denkwelten. Einmal kommt in dem ontologischen Prinzip „Gleiches durch Gleiches" (simile a simili resp. similibus cognoscitur) ein Gedanke zur Sprache, der in der philosophischen Tradition der Griechen und im Denken der Spätantike verbreitet ist[216]. Ein bevorzugter Anwendungsbereich sind kosmologische und ethische Reflexionen. Besondere Relevanz gewinnt das Prinzip der γνῶσις τοῦ ὁμοίου τῷ ὁμοίῳ im Blick auf die Frage, wie Gotteserkenntnis möglich ist. Weil der Mensch am göttlichen Logos teilhat, der den Kosmos durchdringt, ist er nach stoischer Überzeugung in der Lage, den Logos zu erkennen, sofern er sich selbst erkennt. In der hermetischen Literatur gehört dieses ontologische Prinzip ebenfalls zu den erkenntnisleitenden Voraussetzungen[217].

Ebenso präsent ist in dem Erfahrungssatz die Denkwelt der Logienquelle Q. Denn jener Satz „der Böse kann keine gute Frucht hervorbringen" (75,7 b–9 a) korrespondiert partiell dem Logion Lk 6, 43 (Mt 7, 18):

οὐ γάρ ἐστιν δένδρον καλὸν ποιοῦν καρπόν σαπρόν,
οὐδὲ πάλιν δένδρον σαπρὸν ποιοῦν καρπὸν καλὸν [218].

Wenn eine Zitation vorliegt, so wurde der Text verändert. Ausgetauscht wurden καλόν durch ΑΓΑΘΟΝ und σαπρόν durch ΚΑΚΟΝ. Der Bildbezug wurde reduziert. Denn weder ist δένδρον als griechisches Lehnwort übernommen noch durch ein koptisches Äquivalent ersetzt worden. Auch fehlt der Mt-Kontext, wo mehrere weisheitliche Bildworte gegen die Pseudopropheten (vgl. Mt 7, 15) Stellung nehmen[219]. Der Lk-Kontext, der auf die verbalen Äußerungen (vgl. 6, 45 b) des Menschen abhebt, spielt ebenfalls keine Rolle. Angesichts dieser Textlage muß damit gerechnet werden, daß das Logion entweder aus dem Gedächtnis zitiert oder in freier Verwendung[220] formuliert wurde. Es ist nicht zu übersehen, daß der Naturzusammenhang der weisheitlichen Sentenz in seiner neuen Um-

---

[216] Vgl. Empedokles, Fr.99; 100; in: Diels 1903,209; 210f.; Plato, Timaeus 45 B–C; Schneider 1923, 65 ff.; Gärtner 1968, 210 ff.
[217] Vgl. CH I 15; 17; XI 20 und auch EV (NHC I, 3) 34,9–14.
[218] Vgl. Lührmann 1969, 55; Schulz 1972, 316 ff.; Zeller 1984, 33 f.; Luz 1985, 400 ff.
[219] Vgl. die Auslegung von Luz 1985, 403; 405.
[220] In einem ganz anderen Zusammenhang wird das Wort in der gnostischen Schrift UW (NHC II, 5) 120,11 f. gebraucht.

gebung auf einen anthropologischen Dualismus hin zugespitzt wurde. Die Frage, woran etwas zu erkennen sei (vgl. Lk 6, 44 a; Mt 7, 16), ist ersetzt durch den Hinweis auf einen naturgegebenen Sachverhalt, der dann dazu dient, die Existenz gegensätzlicher Menschenklassen zu konstatieren. Mit der Erläuterung (75, 9 b–11) wird die Seinsproblematik unter Hinweis auf den Ursprung vertieft. An dieser Stelle ist die Nähe zur metaphysischen Denkwelt nicht zu übersehen. Die Sentenz aus Q dient dazu, die Einordnung von Menschen im Sinne eines ontologischen Dualismus autoritativ zu begründen. Aus der erneuten Verwendung von Logienmaterial in 76, 4 b–8 a geht hervor, daß die weisheitliche Tendenz präsent bleibt[221].

Die erste Passage (75, 12–26 a) thematisiert die sterblichen Seelen und beschreibt den, den die Sentenz „böse" (75, 7 b) genannt hat. Mit ⲯⲩⲭⲏ ist der Mensch[222] gemeint. Als gnostische Selbstbezeichnung[223] findet der Begriff ohne spezifische Attribute keine Verwendung. Eine Feststellung (75, 12–14) teilt die Seelen in zwei Gruppen ein. Und zwar dienen die als Kriterium, die aus der „Wahrheit" und der „Unsterblichkeit" stammen. Wer nicht zu dieser Gruppe gehört, der hat in der Lüge und in der Todesverfallenheit seinen Ursprung. Zu den charakteristischen Eigenarten der Seelen, die dem Tode verfallen sind, gehört, daß sie in „diese Äonen" (75, 15 b) eingebunden sind. Was der Sprecher an anderer Stelle über die Äonen geäußert hat, nämlich daß keine Gnosis in ihnen ist (vgl. 73, 18 ff.), das gilt eo ipso auch von den sterblichen Seelen. Sie bleiben gefangen in den eigenen Begierden und laufen auf ewiges Verderben zu, wodurch sie ihre Herkunft bestätigen (75, 17 b–24 a). Diese Fatalität kommt auch darin zum Ausdruck, daß die sterblichen Seelen die geschaffene Materie (vgl. 75, 24 b–26 a) lieben[224], also auf ihresgleichen bezogen bleiben. Implizit gibt die Beschreibung der sterblichen Seelen das gnostische Verdikt über die geschaffene Welt und über ihren Schöpfer zu erkennen: Todesverfallenheit. An dieser Stelle kann nur vermutet werden, was die gnostische Mythologie in anderen Zusammenhängen detailliert entfaltet, daß ein Widersacher des höchsten Gottes aus Neid zum Schöpfer wurde. Da der Gegenspieler das Stigma der Todesverfallenheit trägt, muß auch das Geschaffene daran teilhaben und ferner alle, die sich in Liebe dem Geschaffenen zuwenden. So schließt

---

[221] Vgl. dagegen Scholten (1987, 81 f.), der einen „Synkretismus" von platonischen und biblischen – insbesondere johanneischen (vgl. 75, 12 f. = Joh 18, 37; 1 Joh 2, 21; 75, 28–30 = Joh 4, 21.23; 16, 32 u. ö.; 76, 2 = Joh 4, 21) „Vorstellungsweisen" wahrnimmt.

[222] Vgl. Brashler 1977, 198 Anm. 2: „individual human being as a whole".

[223] Vgl. die Hinweise bei Koschorke 1978, 72 Anm. 54. Die „Verwendung des Seelenbegriffs ... zur Bezeichnung des Selbst" erinnert „an seinen Gebrauch im AuthLog" (so Scholten 1987, 82 mit Anm. 17).

[224] 2LogSeth zählt die „Liebe zur weltlichen Hyle" unter die Kennzeichen der Nachahmer-Kirche (vgl. 60, 15 ff.; 61, 4 ff.).

sich der Kreis der Todesverfallenheit, in den ein Teil der Seelen eingeschlossen ist.

Mit markanten Differenzierungssignalen[225] leitet der Sprecher zur ex-
pliziten Beschreibung der unsterblichen Seelen[226] über, nachdem sie
75,13 f. bereits als Kriterium zur Identifikation der sterblichen Seelen
genannt worden waren. Die unsterblichen Seelen verbergen ihre wahre
Natur. Wie Gold, das im Schmutz versteckt ist[227], so existieren die unsterblichen neben den sterblichen Seelen in „external appearance"[228]. Sie
zeigen ihre wahre Natur (vgl. 75,13 f.; 76,1 f.) nicht, obwohl sie zum
Soter gehören, der nicht dem Tode unterworfen ist. In der sarkischen
Welt kann eine Klärung erst dann durchgeführt werden, wenn die Stunde
der Offenbarung (75,28 b–30 a) gekommen ist. Könnte diese Äußerung
ein positives Urteil über den Tod[229] implizieren, weil der Mensch im Tod
endgültig von der Sarx befreit wird? Dieser Eindruck wird durch 76,2 b–
4 a verstärkt. Denn die unsterblichen Seelen streben danach, die anderen
hinter sich zu lassen. Da aber das Problem des Todes nicht ausdrücklich
genannt ist, muß noch eine andere Möglichkeit in Erwägung gezogen
werden. Mit „Stunde der Offenbarung" kann der Augenblick gemeint
sein, in dem sich Gnosis einstellt. Wenn das neue Sein sich mitteilt,
vollzieht sich ein qualitativer Umschlag, der die Phase der Koexistenz
von sterblichen und unsterblichen Seelen außer Kraft setzt. Gnostische
Argumentation verfährt im allgemeinen nicht so, daß sie die Faktizität
der Geschichte, in diesem Fall das Faktum des Todes, positiv instrumen-
talisiert. Der Kontext legt eher die Folgerung nahe, daß eine metaphorische Anspielung eingesetzt wird, um den Anspruch des gnostischen Ich
vorzutragen. Was der Soter in dieser Exkurs-Passage sagt, betrifft die
Gnostiker als diejenigen, die sich schon jetzt in der Sphäre der Unsterblichkeit befinden, ganz wie der Soter selbst. Die „neue Wirklichkeit" legt
sich über alles Vorfindliche und reduziert bzw. relativiert die Bindungen
an das historische Dasein.

Mit der kausalen Konjunktion ⲅⲁⲣ wird in 76,4 b ein Übergang vollzogen, der nicht auf Anhieb einleuchtet. Der Exkurs kehrt zum Bildwort

---

[225] Zu nennen sind: die Negation 75,26 b.27 a; die Anrede 75,27 b und die betonte Nach-
stellung des neuen Subjekts 75,27.28 a.

[226] Zur gnostischen Selbstbezeichnung der „unsterblichen" bzw. „lebendigen Seele" vgl.
Koschorke 1978, 72 Anm. 54; Rudolph 1990, 222 f.

[227] Vgl. Irenäus, Adv.haer. I 6 2.

[228] Brashler 1977, 203.

[229] CH VII, 2 formuliert die Bedingung, die zum Erreichen von Gnosis erfüllt sein muß,
folgendermaßen: „Zuerst … mußt du das Kleid, das du trägst, zerreißen, das Gewebe der
Unwissenheit, den Grund der Bosheit, die Fessel des Verderbens, die finstere Mauer, den
lebendigen Tod, den fühlenden Toten, das mit dir herumgetragene Grab, den Räuber in
dir, den, der durch das, was er liebt, haßt und durch das, was er haßt, neidet" (Übers.:
Foerster, Gnosis I, 429). Vgl. auch Funk 1976, 211 ff.; Tröger 1981, 39.

des Anfangs (vgl. 75,7 b–9 a) zurück und bringt mit 76,4 b–8 offensichtlich das Q-Logion ins Spiel, das Lk 6,44 b bzw. Mt 7,16 b Erfahrungen
und Verhalten des weisen Landmannes thematisiert:

> οὐ γὰρ ἐξ ἀκανθῶν συλλέγουσιν
> οὐδὲ ἐκ βάτου σταφυλὴν τρυγῶσιν
> μήτι συλλέγουσιν ἀπὸ ἀκανθῶν σταφυλὰς
> ἢ ἀπὸ τριβόλων σῦκα;[230]

Ausdrücklich wird in der Parenthese (76,6 b.7 a) „Weisheit" zur Plausi-
bilitätsbedingung der Sentenz erhoben. Sollte etwa jemand angesichts der
Evidenz des natürlichen Sachzusammenhanges so töricht sein und von
Dornsträuchern Feigen bzw. Weintrauben ernten wollen? Die Absurdität
des Unterfangens wird dadurch noch gesteigert, daß ein Appell an die
Einsicht ergeht. Eigentlich ist soviel Verstehenshilfe nicht nötig. Denn
das ontologische Prinzip, wonach Gleiches nur von Gleichem kommen
kann, gilt ohne Ausnahme und Einschränkung[231]. Der Diskurs rechnet
aber damit, daß die Evidenz nicht akzeptiert wird. Weil es dem Plausi-
blen aller Logik zum Trotz doch an Plausibilität mangelt, unterstellt der
Sprecher die Möglichkeit, es könne jemand entgegengesetzter Meinung
sein. In dem Moment aber, in dem die Absurdität erkannt wird, ist sie
auch schon überholt und die Evidenz des ontologischen Prinzips in Kraft
gesetzt.

Der Fortgang der Argumentation[232] zeigt, warum die weisheitliche Sentenz hier eingebracht ist. Es geht nach wie vor um die Antithese zwischen
den sterblichen und den unsterblichen Seelen. Mit Hilfe des Bildzusam-
menhanges soll die Konvergenz von Herkunft und Zukunft noch überzeugender zum Ausdruck kommen. Wie Weintrauben nur an einem Wein-
stock wachsen[233] können, so stammen die „lebendigen Seelen" von dem,
der zum Leben und zur Unsterblichkeit (76,15–17 a) gehört. Sie sind
sein Ebenbild (vgl. 76,17 b). Diese Herkunft qualifiziert ihr Sein und
bestimmt auch ihre Zukunft. Umgekehrt trifft die Konvergenz auch für
den gegenteiligen Fall zu. Wenn die Seele einen Ursprung hat, der nicht
gut ist (vgl. 76,11 b.12 a mit 76,13 b.14 a), wartet auf sie zwangsläufig[234]

---

[230] Brashler (1977, 151) meint, daß hier die Lk-Version Pate gestanden habe. Mt formuliert in eine rhetorische Frage um und verdoppelt das Bildwort (vgl. Mt 7,17.18), um
seine Polemik gegen die Pseudopropheten zu schärfen. Im übrigen überliefert auch
EvThom (NHC II, 2) diesen Logienzusammenhang: 88,31–89,6; vgl. Schrage 1964, 100 ff.

[231] Vgl. 76,4 b: negiertes Praesens consuetudinis.

[232] Vgl. die begründende bzw. folgernde Konjunktion ⲅⲁⲣ, die Negation ⲟⲩⲧⲉ ⲟⲩⲁⲉ
und die adversativen Konjunktionen ⲁⲉ bzw. ⲙⲉⲛ im Text.

[233] Vgl. das Praesens consuetudinis ⲉϣⲁϥϣⲱⲛⲉ. Zur Frage, wer in 76,9 ff. Subjekt ist,
s. o. 52.

[234] Vgl. wiederum das Praesens consuetudinis 76,12 b.13 a.

das Verderben. Zwei Zustandsäußerungen im Qualitativ (vgl. 76,10b; 76,11b) unterstreichen die determinierte Seins-Konstellation. 76, 18–20a formuliert das Resultat[235] und bringt ein Wortspiel an: alles nun, das (sub specie des wahren Seins) nicht ist, wird sich auflösen in das, was nicht ist, d. h., in das, was das eschatologische Gericht zum Nichtsein verurteilt.

In der Mt-Version des Q-Logions ist mit 7,19 (vgl. Mt 3,10 par; Lk 3,9b) ein eschatologischer Ausblick[236] gesetzt. Diese futurische Tendenz ist hier zwar ebenfalls angedeutet (vgl. 76,19a). Dennoch realisiert sich das Gericht schon in der Gegenwart. Als Schlußsatz trägt die Äußerung über die Blinden und Tauben, die unter ihresgleichen bleiben (76,20b–23a), dem eschatologischen Ernst[237] Rechnung. Der Soter hatte analoge Urteile bereits 72,10c–13a und 73,12b–14a gesprochen. In diesem Kontext bestätigt sein Wort die Differenz zwischen sterblichen und unsterblichen Seelen ein für allemal. Von den Sterblichen kann es keinen Übergang zu den Unsterblichen geben.

Mehrere Aspekte konstituieren die Intention der exkursartigen Einschaltung 75,7b–76,23a. Am auffälligsten ist der ontologische Dualismus zwischen den Angehörigen zweier Sphären. Solange die Stunde der Offenbarung, d. h. der Einfall der Gnosis, aussteht, überlagern sich beide Sphären. Gleichwohl verliert der Dualismus nichts von seiner Radikalität, weil er prädestinatianisch[238] fundiert ist.

Das gnostische *Prädestinationsdenken* geht von der himmlischen Präexistenz der Gnostiker aus. „Selig, wer sich an den Anfang (im Anfang) halten wird, und er wird das Ende erkennen, und er wird den Tod nicht schmecken", formuliert ein Logion in EvThom[239]. Und an einer anderen Stelle (89,27–30) betont derselbe Traktat, daß die „Auserwählten" darum das Reich finden werden, weil sie aus ihm hervorgegangen sind. Man kann sagen, daß eine gewisse Disposition[240] das „Woher" der Gnostiker mit dem „Wohin" vermittelt. Von soteriologischer Bedeutung ist also der Anfang bzw. das Sein im Anfang. „Denn da, wo der Anfang ist, wird auch das Ende sein"[241]. Die Korrespondenz von „Woher" und „Wohin"

---

[235] ΟΥΝ (76,18a) hat konsekutiv koordinierende Funktion.

[236] Dazu s. Luz 1985, 405.

[237] Vgl. Mt 15,14; Lk 6,39; EvThom (NHC II, 2) 87,18–20; ferner Schulz 1972, 472 ff.

[238] Diesen Aspekt hebt auch Brashler hervor; vgl. 1977, 203 f. Erwählungsterminologie begegnet bereits 70,20 ff. und 71,18.20 f.

[239] 84,17 f. (Übers.: Blatz 1987, 101); vgl. EvPhil (NHC II, 3) 64,10 ff.: „Selig ist, wer existiert, bevor er entstand. Wer nämlich existiert, entstand und wird Bestand haben" (Übers.: Foerster, Gnosis II, 105).

[240] So auch Schrage 1964, 105, der auf CH XXI und EV (NHC I, 3) 28,16 f. verweist: „Wer keine Wurzel hat, hat auch keine Frucht".

[241] EvThom (NHC II, 2) 84,13 ff.; Übers.: Blatz 1987, 101. Ferner EV (NHC I, 3) 21,25; SJC (NHC III, 4) 89,13 ff.: „Was aus der Unvergänglichkeit entstanden ist, vergeht nicht,

ist allerdings mißverstanden, wenn in den Gnostikern φύσει σῳζόμενοι[242] gesehen werden. Erst der Rekurs auf das Erwähltsein, die Mitteilung, die von außen kommt, schließt diese Korrespondenz auf und offenbart den Gnostiker „als das, was er ist"[243].

Den prädestinatianisch affizierten Horizont konstituiert der Sprecher mit seinem Rückgriff auf weisheitliche Sentenzen, die in großer Nähe zur Logienquelle Q[244] formuliert sind. Deren Logik wird in einen neuen Sachzusammenhang übertragen und kommt der gnostischen Argumentation zugute. Die metakommunikative Relevanz der Q-Sentenzen ist dagegen verkannt, wenn als Funktion der Textverwendung nur eingeräumt wird: „Explanation of prophecy by appeal to tradition"[245]. Es kommt vielmehr darauf an, den Versuch des Sprechers zu erkennen, einen ontologischen Sachverhalt – d. h., den Dualismus der Seelen – zu klären. M. a. W., der Sprecher bedient sich der Logik und Überzeugungskraft eines Phänomens, das die Erfahrung in Wachstumsvorgängen beobachten kann. Dieses argumentative Verfahren ist deshalb so bemerkenswert, weil es unterstellt, daß aus der Wahrnehmung der natürlich-kreatürlichen Gegebenheiten ein Erkenntnisfortschritt folgt. In der Regel distanziert der Gnostiker sich von den Konventionen des Diskurses und sucht kommunikative Strukturen, die sich selbst transzendieren. Indes vertieft die Suche nach unverwechselbarer Kommunikation das Dilemma, weil der intendierte Diskurs nicht auf Kategorien der gegebenen Welt verzichten kann. Der Gnostiker bleibt auf sie angewiesen, um die Erwählten zu wecken. Diese Paradoxie verkennen Brashler und Koschorke umso mehr, als sie den anthropologisch-dualistischen Exkurs einer kirchenpolitischen Kontroverse, die durch die Liste der Irrtümer und Irrlehren konkretisiert werde, unterordnen[246]. Hat man jedoch gesehen, wie der Sprecher vorgeht, um den Dualismus einzuschärfen, und d. h. um den absolut jenseitigen Status der lebendigen Seelen[247] herauszustellen, dann hat man auch den fundamental-ontologischen Charakter wahrgenommen, der den Ex-

---

sondern ... es ist unvergänglich, da ... es aus der Unvergänglichkeit ist" (Übers.: Till 1955, 219).

[242] Vgl. Irenäus, Adv.haer. I 6,2 (= Foerster, Gnosis I, 184 f.); Exc. Theod. 56,3 (= Foerster, Gnosis I, 199); K. Müller 1920, 213 f.; Gaffron 1969, 89 und Anm. 97 (= 283 ff.); Schottroff 1970, 96 ff.

[243] Vgl. TractTrip (NHC I, 5) 118,24–28 und die von Tröger 1981, 40 f. genannten Belege.

[244] Aufgrund der vorangegangenen Erörterung dürfte die Behauptung, daß die Logiensammlung „als Gattung ... bei christlichen Gnostikern nachgewirkt" hat (Vielhauer 1975, 329), an Plausibilität gewonnen haben. Vgl. auch Robinson 1971, 67 ff.

[245] Brashler 1977, 146; vgl. 222: „exegetical digression".

[246] Vgl. Brashler 1977, 200; Koschorke 1978, 80.

[247] Hilfreich ist es, sich der Aussagen zu erinnern, die der Erlöser über die Gnostiker im Eröffnungsdiskurs gemacht hat: sie gehören zum himmlischen Vater (70,21 f.); sie stammen aus dem Leben (70,24); sie stammen von oben (71,1); vgl. auch 74,4 f.; 75,13; 76,2; 76,15–17; 77,10; 79,1 f.

kurs prägt. Daraus ergibt sich, daß Exkurs und Liste in anderer Weise aufeinander bezogen sind. Kann sich die Rede des Soter nicht um den Exkurs gelegt haben, weil jene Äußerungen sich von dieser Grundlage her entwickeln konnten? Schafft der ontologische Dualismus nicht erst die Voraussetzungen, um eine faktische Situation durchschauen zu können? Die Funktion des Exkurses für die Entwicklung der Aussageabsicht besteht also darin, daß die anthropologischen Prämissen des Traktats festgelegt werden. Denn Spannungen bzw. Konflikte zwischen Wahrheit und Lüge oder Gnostikern und ihren Gegnern sind nicht erst eine Möglichkeit der Zukunft, sondern ein Faktum a principio.

Daß der Sprecher auch im Kontext der Liste mit redestrategischen Mitteln und suggestiver Sprachverwendung arbeitet, um die Einsicht in die dualistische Verfassung der Wirklichkeit einzuschärfen, muß noch gezeigt werden. Im übrigen spricht es für den fundamental-ontologischen Charakter des Exkurses, daß der Erlöser im Diskursverlauf (vgl. 76, 34 b–77, 22 a) und auch an späterer Stelle (vgl. 83, 19 b–84, 6 a) auf die anthropologische Dichotomie zurückkommt und den Dualismus argumentativ einsetzt.

4.6.3.4 Die Weissagung über Irrtümer, Widersacher und Bedrängnisse (74, 22 b–75, 7 a; 76, 23 b–79, 31 a)

Der umfangreichste Teil der Offenbarungsrede (74, 22 b–75, 7 a; 76, 23 b–79, 31 a) wird durch stereotype Gliederungssignale[248] als Reihung zusammenhängender Abschnitte ausgewiesen. Mit der literarischen Form der Liste ist die Idee verbunden, eine umfassende Bestandsaufnahme vorzulegen. Das zweite Spezifikum dieses Teils ist die Weissagungstendenz, mit der alle Inhalte qualifiziert werden. Referiert der Sprecher gegenwärtige Verhältnisse in Gestalt von vaticinia ex eventu[249]? Welche Intention verfolgt die konkrete Darstellung der Gegner? – In sieben Abschnitten entsteht das Szenarium einer bedrohlichen Wirklichkeit, die auf die Gnostiker zukommt. Struktur, Inhalt und Aussageabsicht der Weissagungen werden im folgenden untersucht.

(1)   Am Anfang steht eine Ankündigung, die im antithetischen Parallelismus membrorum (vgl. 74, 23 b–25 a) auf den Lehrbereich zu sprechen kommt. Gegner, die hier ungenannt bleiben, aber mit den „Söhnen dieses Äons" der vorangegangenen Krisis-Schilderung zusammenzusehen sind, werden die Wahrheit verfluchen und eine üble Lehre verkündigen[250]. Was

---

[248] Vgl. ϨⲈⲚϨⲞⲈⲒⲚⲈ ⲄⲀⲢ; ϨⲈⲚϨⲞⲈⲒⲚⲈ ⲘⲈⲚ; ϨⲈⲚⲔⲞⲞⲦⲈ ⲆⲈ; ϨⲈⲚϨⲞⲈⲒⲚⲈ; ϨⲈⲚⲔⲞⲞⲦⲈ ⲆⲈ (2×); ϨⲈⲚⲔⲞⲞⲦⲈ; s. o. Anm. 185.
[249] S. o. Anm. 214.
[250] Die Übersetzung von 74, 25 a folgt Brashler 1977, 35 gegen Krause 1973, 161.

unter †ⲘⲚ̄ⲦⲘⲈ/„Wahrheit" zu verstehen ist, wird nicht näher ausgeführt.
Man geht jedoch nicht fehl, den Bezug auf das, was der Erlöser bereits
gesagt hat, zu ergänzen. „Lügenpredigt" (vgl. 74, 11) und „Bosheit" (vgl.
74, 26 b) heißen die Urteile, die der Sprecher in seiner dualistischen Perspektive fällt.

Die Allgemeinheit der Aussage gehört zum Stil endzeitlicher Weissagungen. Typisch ist der Hinweis auf falsche Propheten bzw. Lügenpre-
diger, die mit ihrem Auftreten eine kritische Phase im Geschichtsverlauf
signalisieren. Zu den Zeichen der Endzeit sind ferner Zwietracht und
Dissonanz zu rechnen, die die Nicht-Gnostiker übereinander herfallen
lassen (vgl. 74, 26.27 a). Es obliegt dem Empfänger, diese Worte auf seine
Situation zu beziehen. Versteht sich der Gnostiker auf eine solche Lesart
der Wirklichkeit, gewinnt er einen souveränen Standpunkt ihr gegenüber.

(2)   Der zweite Komplex 74, 27 b–75, 7 a enthält eine Reihe von Schwierigkeiten. Brashler bemerkt: „difficult ... to translate ... may be cor-
rupt"[251]. Die Rede ist von einer mengenmäßig nicht näher aufgeschlüs-
selten Gruppe, die durch ihre Zugehörigkeit zu den Archonten identifiziert wird. Genauer, sie befindet sich in deren Machtsphäre (vgl. 74, 29 b)
und agiert von da aus. Auf diese Mächte war der Soter bereits in seiner
Selbstvorstellung zu sprechen gekommen (vgl. 71, 6 a). Er hatte sie dort
mit ihren gescheiterten Versuchen, sich seiner zu bemächtigen, erwähnt.
Hier treten sie erneut auf, um durch ihre Repräsentanten die Gnostiker
zu bedrängen.

In der Übersetzung liest sich der Abschnitt 74, 30 b–34 a wie eine at-
tributive Ergänzung[252] zu 74, 27 b–30 a. Dieser Eindruck täuscht über die
tatsächlichen Textprobleme hinweg. Ist in dem Komplex vielleicht das
ausgefallen, was zu der Identifikation des Mannes und der Frau führt?
Wäre es „vielleicht die beste Lösung", „auf eine Interpretation überhaupt
(sc. zu) verzichten"[253], da man über Spekulationen doch nicht hinaus-
kommt?

Immerhin sind zwei Spuren in Umrissen zu erkennen. Die Erwähnung
eines Mannes und einer Frau erinnert an die Gestalten des Simon und
der Helena in den häresiologischen Referaten[254]. H.-M. Schenke[255] hält
es für denkbar, daß an dieser Stelle die Gruppe der Simonianer polemisch
behandelt wird. Doch ist Zurückhaltung geboten, weil der historische
Simon aus Apg 8 möglicherweise schon zur Chiffre für Irrglaube jeder

---

[251] 1977, 223.
[252] Anders Krause, der 74, 30 b–34 a als Namen der verhandelten Gruppen aufzufassen
scheint (1973, 161).
[253] So Koschorke 1978, 41; allerdings stellt er dann eigene Mutmaßungen an.
[254] Vgl. Irenäus, Adv.haer. I 23, 2; Foerster, Gnosis I, 38–44; Rudolph 1977 b, 279 ff.; 1990,
315 f.
[255] 1975 a, 281 ff.

Art[256] aufgestiegen war, so daß eine vage Anspielung genügte, um die gefährliche Zone der Häresie auszumachen.

Über Mutmaßungen kommt man auch bei den Attributen, mit denen die Frau beschrieben wird, nicht hinaus. Vielleicht bietet die Erwähnung der Vielgestaltigkeit (vgl. 74, 32 b.33 a) einen Anknüpfungspunkt, erinnert dieses Attribut doch an den Isis-Sophia-Komplex[257]. Isis rühmt sich, daß sie alle erdenklichen Eigenschaften oder Namen von Göttinnen und Göttern in sich vereinigt und so „den Synkretismus schlechthin"[258] darstellt. Was im Namen der Isis-Aretalogie (bzw. in der Applikation des Sophia-Mythos) affirmativ intendiert ist, das stellt der Sprecher der Weissagungen auf den Kopf. Er wendet das Prädikat der Vielgestaltigkeit argumentativ gegen diejenigen, die nicht der gnostischen Wahrheit folgen. Im Phänomen der Vielgestaltigkeit bzw. in der vielgestaltigen Lehre (vgl. 74, 19 b.20 a) dokumentieren sich für ihn Irrtum und Lüge. Daß der Sprecher mit dem Raster eines absoluten Entweder-Oder auftritt, zeigt sich an der Selbstverständlichkeit, mit der er Ketzerschablonen[259] aufgreift und umpolt. Dieser eigenwillige Umgang mit konventionellen Sprachelementen muß als signifikanter Akzent festgehalten werden.

Auch die 74, 34 b–75, 7 a folgenden Aussagen sind dunkel. Kommt ein weiteres Attribut der genannten Gruppe[260] zur Sprache? Oder wird auf eine neue Gruppe Bezug genommen? Der Übergang (vgl. 74, 34 b.75, 1 a) könnte durchaus als Satzeröffnung verstanden werden. Dem steht jedoch die anaphorische Valenz des Demonstrativums ⲚⲎ entgegen, die die Aussage an ⲌⲈⲚⲢⲰⲘⲈ (74, 27 b) anbindet.

Offensichtlich hat die Gruppe Interesse an Träumen[261], die als Medium von Offenbarung angesehen werden. Dem Sprecher jedoch gelten sie als Irrtum (74, 5 a). Mit diesem Urteil ist wieder die Ebene der Antithese von Wahrheit und Lüge betreten, die der Diskurs ständig ins Spiel bringt. Die negative Wertung ist darin begründet, daß der „Traum" für Selbstvergessenheit oder Mangel an Erkenntnis steht[262].

---

[256] Daß „Simon als Chiffre für Paulus" fungiert, wie Koschorke (1978, 41 dort gesperrt) behauptet, ist durch nichts begründet. Ebensogut könnten andere historische Gestalten gemeint sein; z. B. „Adam and Eve, or Hermas and Rhoda (see 78,18)", so Brashler 1977, 223 Anm. 33. Zum Problem des Gnostikers Simon vgl. Colpe 1981, 625 ff.; Berger, TRE-XIII, 525; Wilson, TRE XIII, 543; Rudolph 1977 b, 279 ff.; Lüdemann 1975; 1987.

[257] Vgl. Schlier 1965, 159 ff.; Conzelmann 1974, 167 ff. Ist unter dieser Voraussetzung der Mann vielleicht Osiris?

[258] Conzelmann 1974, 169; vgl. Eph 3, 10.

[259] S. o. Anm. 203; s. u. 158; 164 ff.

[260] Vgl. Brashler 1977, 223 f.: „The nature of this group is further specified when it is said that they discuss dreams …".

[261] Vgl. ⲠⲀⲤⲞⲨ in: Siegert 1982, 78.

[262] Vgl. z. B. EV (NHC I, 3) 29, 10; 30, 4; TractTrip (NHC I, 5) 82, 28.36; Noema (NHC VI, 4) 40, 1; ferner MacRae 1967, 496 ff.

Den Abschluß des Gedankengangs bildet eine Äußerung, deren Struktur der „wenn-dann-Relation" (vgl. 75,2 b.3 a mit 75,5 b.6 a) an Rechtssätze erinnert. Der forensische Kontext kommt darin zur Sprache, daß als Ergebnis der Traumorientiertheit, d. h. der Seinsvergessenheit, „Untergang" (75,6) genannt wird und nicht „Unvergänglichkeit" (75,7 a). Im Vergleich mit Abschnitt (1) fallen die argumentativen Formulierungen auf. D. h., der Sprecher strebt ein Werturteil über die angesprochene Gruppe an. Ihm liegt daran, dieses Urteil auch auf induktivem Wege zu bestätigen.

Im Kontext folgt auf den Listenabschnitt (2) der Exkurs über die anthropologisch-dualistischen Vorgaben. Die Textrezeption der weisheitlichen Sentenzen impliziert im Rahmen der Komposition eine Akzent-Eskalation zur prädestinatianisch organisierten Wirklichkeit hin, in der alle Nicht-Gnostiker dem Tode verfallen. Wenn der Exkurs mit einer kausalen Konjunktion (75,7 b: ⲅⲁⲣ) anschließt, so nimmt er den Gedanken auf, den der zweite Listenabschnitt mit einem Gerichtswort präzisiert hat.

(3) Im dritten Listenteil 76,23 b–27 a kommt möglicherweise die Sprache auf den Wechsel der Gruppenzugehörigkeit. Worte und Mysterien, die der Sprecher als „böse" (76,25 b;26 a) bzw. „volksverführerisch" (76,27 a) einstuft, werden eine solche Faszination ausüben, daß sie zum Abfall[263] von der Wahrheit führen. Diese Auslegung folgt dem Tenor, der für die gesamte Liste behauptet wird. Ob die Intention dieses Teils vollständig getroffen ist, kann nicht mit absoluter Sicherheit gesagt werden. Die Allgemeinheit der Aussagen entzieht sich dem identifizierenden Zugriff[264]. Es bleiben Fragen offen[265].

(4) Das Stichwort ⲙⲩⲥⲧⲏⲣⲓⲟⲛ (vgl. 76,28 b.29 a; 76,33) steht auch im Vordergrund des vierten Listenabschnitts (76,27 b–77,22 a). Im Gegensatz zu 76,26 ist es jedoch durch positive Konnotationen ausgezeichnet. Den hier erwähnten Gegnern wird vorgehalten, daß sie die Mysterien nicht verstehen (vgl. 76,28 a.29 a). Dennoch täuschen sie Kenntnisse vor und reden über das, was ihnen entzogen ist. Sie gehen noch einen Schritt

---

[263] ⲟⲩⲱⲧⲃ ⲉⲃⲟⲗ heißt „cross over, change" (Crum 1979, 497 a). Vgl. auch die Übersetzung von Werner 1974, 579: „Andere aber werden den Bruch vollziehen ... durch...".

[264] So wäre es Spekulation, in den Mysterien (76,26 b) eine versteckte Anspielung auf die abwerbende Kraft der Sakramente (vgl. 74,15 f.) erkennen zu wollen (vgl. Koschorke 1978, 52 f.).

[265] Nach Brashler enthält der Abschnitt eine „positive evaluation" (1977, 224), denn: „some will depart from wicked teachings" (43; so auch Koschorkes Übersetzung 1978, 52). Er stellt sich jedoch nicht dem Problem, das in Gestalt einer positiven Wertung inmitten des Negativkatalogs auftritt. Im übrigen geht er auf 76,27 a nicht ein.

weiter und brüsten sich mit Monopolansprüchen auf das Mysterium der Wahrheit. Aber genau das ist die Lüge.

Der Anspruch, exklusiv über die Wahrheit zu verfügen, und die Überheblichkeit, die sich daraus ableitet, kennzeichnen gemäß der gnostischen Mythologie eigentlich den Demiurgen[266]. In einer Untersuchung über die „Ich-bin-Formeln" aus Deuterojesaja (vgl. 43, 10 f.; 44, 6; 45, 5 f.18.21 f.; 46, 9 u. ö.) hat MacRae zeigen können, daß der demonstrativ vorgetragene Selbstruhm das Resultat einer Entwicklung ist, der jene Formeln in gnostischer Umgebung unterworfen waren. Während sie sich ursprünglich gegen polytheistische Umtriebe richteten, gebrauchen Gnostiker sie im Dienst eines kosmischen Dualismus. Mit pejorativer Intention wird die Jahwe-Rede dem Demiurgen in den Mund gelegt und so der Sinn des Textes verdreht. „Second Isaiah actually did influence Gnostic sources"[267]. Als Zwischenträger nennt MacRae die Weisheitstraditionen, von denen das Gefälle zur Gnosis verstärkt worden ist. „It may be argued that the wisdom tradition played a significant role in the development of the Gnostic mythology (e.g. the Sophia myth), and thus we may have another link between Second Isaiah and the Gnostics"[268]. Daß der Sprecher diesen Horizont tatsächlich im Auge hat, zeigt auch der Terminus ⲟⲩⲭⲓⲥⲉ ⲛ̄ϩⲏⲧ/„Hochmut" (76, 35 b), mit dem das Auftreten des Demiurgen wie seiner Repräsentanten beschrieben ist. Hochmütig und arrogant verschleiern sie die Tatsache, daß sie sich selbst ermächtigt haben und ihre Ansprüche angemaßt sind. Der Gedankengang in diesem Listenabschnitt ist weitgehend durch den mythologischen Horizont bestimmt. Es hieße seine diskursleitende Relevanz zu unterschätzen, wenn er nur als Motivlieferant angesehen würde[269].

---

[266] Vgl. AJ (NHC II, 1) 13, 5–15, 13; UW (NHC II, 5) 101, 12.16.20; 103, 3 ff.8 ff.15 ff.; 2ApcJac (NHC V, 4) 53, 11; 54, 5–7; 56, 23; ApcAd (NHC V, 5) 83, 25; AuthLog (NHC VI, 3) 30, 35; ParSem (NHC VII, 1) 2, 34; 27, 1; 2LogSeth (NHC VII, 2) 51, 23 ff.; 52, 10 ff.; 53, 20 ff.; Protennoia (NHC XIII, 1) 43, 33; 44, 28. Die „boasting tradition" diskutieren Perkins 1980, 65; 82 f.; 1981, 594; Dahl 1981, 689 ff.

[267] MacRae 1970 b, 122 ff.; 126.

[268] MacRae 1970 b, 125 Anm. 10; vgl. 1970 a, 86 ff. Dem Problem „Sophia und Gnosis" wird wachsende Aufmerksamkeit gewidmet; vgl. Rudolph 1975 b, 768 ff.; bes. 794: „Meiner Meinung nach sind diese (sc. im vorangehenden Aufsatz beschriebenen) Züge der skeptischen Weisheitstradition der beste Boden gewesen, auf dem die gnostische Weltbetrachtung Wurzel schlagen und Blüte treiben konnte"; vgl 1980, 221 ff. Außer Köster/Robinson 1971 und H.-M. Schenke 1978, 351 ff. ist noch Dieter Georgi zu nennen, der den Übergangsprozeß von der Weisheit zur Gnosis am Beispiel der Sapientia Salomonis vorführt: 1964, 263 ff.; bes. 266; 1980; 1984, 66 ff.

[269] Koschorke identifiziert den Anspruch auf Wahrheitsbesitz, der hier vom Sprecher rigoros zurückgewiesen wird, mit dem Exklusivitätsanspruch „extra ecclesiam nulla salus" großkirchlicher Kreise (1978, 53 f.). Im vorliegenden Textzusammenhang sieht er ein „Beispiel dafür, wie in der gnostischen Polemik mythische Motive transparent auf bestimmte historische Gegebenheiten (den katholischen Exklusivitätsanspruch) werden" (77, teilweise gesperrt). Dieser Auslegungslinie folgt auch Brashler 1977, 225: „the author of *Apoc. Pet.*

Der Übergang zur nächsten Aussage ist verderbt[270], so daß nicht auf Anhieb zu erkennen ist, ob ein neuer Listenteil beginnt oder der gegenwärtige Teil in eine thematisch zugespitzte Redephase eintritt. Man könnte auch erwägen, ob ein vom anthropologisch-dualistischen Exkurs abgesprengter Rest nachgetragen wird. Wie dem auch sei, der Abschnitt 76,34 b–77,22 a knüpft mit dem Stichwort „unsterbliche Seele" (77,2 b.3 a) an ein elementares Thema an. Es wird erzählt, was sie von denen erleiden muß, die soeben aufgrund ihrer Überheblichkeit und Maßlosigkeit als Repräsentanten des Demiurgen gekennzeichnet worden waren. Mit „Hochmut" (76,35 b) und dem Handlungssignal „neidisch sein" (77,2 b) bleiben die Ausführungen über die unsterbliche Seele an den unmittelbar voraufgehenden Abschnitt gebunden und repräsentieren keinen selbständigen Listenteil. Gegen die Möglichkeit, daß hier ein versprengter Rest des Exkurses vorliegt, sprechen Tempusgebrauch und inhaltliche[271] Elemente. Während dort Verbformen im Präsens die Aussagelinie bestimmten, hält sich hier die eschatologische Perspektive der Liste durch. Eine gewisse Nähe zum Exkurs ist aber dennoch nicht von der Hand zu weisen. Nicht nur das thematisierte Geschick der unsterblichen Seele, auch der grundsätzliche Akzent, der sich u. a. durch Verbformen im Praesens consuetudinis[272] bemerkbar macht, lassen es geraten erscheinen, diesen Teilabschnitt in formkritischer Hinsicht als Einblendung zu charakterisieren, die den ontologischen Dualismus zuspitzt.

Auf den ersten Blick scheint die Arroganz der Opponenten nicht zum „Neid" zu passen, der 77,2 b von ihnen ausgesagt ist. Die Spannung löst sich jedoch auf, wenn man bedenkt, daß „Neid" auch ein typisches Verhalten im Herrschaftsbereich des Demiurgen ist[273]. Von Anbeginn an verfolgen die Mächte dieses Äons (vgl. 77,4 f.) die unsterblichen Seelen, d. h. die Gnostiker, um sie sich gefügig zu machen. Sie sollen die Herrschaft der Mächte anerkennen und sie mit Lobpreis verehren[274]. Sie, die den Regeln des geschaffenen Kosmos unterworfen sind (vgl. 77,7 f.),

---

indicates that he is writing in the third century"; vgl. 224 f. – Sollte vor der Festlegung eines Sitzes im Leben nicht doch die Sprachbewegung in Textaussagen, Motiven und Assoziationen genauer untersucht werden?

[270] Vgl. die Problemskizze bei H.-M. Schenke 1975 b, 132.

[271] S. o. 132 f.

[272] Vgl. 77,6 a; 77,17; 77,18 a; 77,20 a.

[273] Belege bei Koschorke 1978, 76; Siegert 1982, 319.

[274] Vgl. 73,9 ff.; 74,8 f.; 77,11 b; 82,9 ff.; 83,19 ff. Dagegen zeichnet sich die Gemeinschaft der wahren Gnostiker dadurch aus, daß „sie dem Vater Lob spendet" (vgl. UW [NHC II, 5] 103,5 ff.34 ff.; TractTrip [NHC I, 5] 97,8 f.; ÄgEv [NHC III, 2]). Unterhalb der Ogdoas, in der der himmlische Vater gepriesen wird, hat der Demiurg sich eine Kopie des göttlichen Hofstaats geschaffen. Dort läßt er sich verehren, nachdem er die Seelen verwirrt hat; vgl. 2LogSeth (NHC VII, 2) 60,15 ff.; EpPt (NHC VIII, 2) 135,26 ff.

wollen diese Regeln auch auf das ausdehnen, was jenseits des Erschaffenen steht. Die Selbstermächtigungsversuche der Mächte zielen darauf, durch die Unterwerfung der unsterblichen Seelen sich deren Unsterblichkeit anzueignen. Wahrscheinlich hat der Sprecher dieses Geschick der Seelen im Sinn, wenn er sie mit dem Ausdruck ∈ⲧⲁⲥⲡ ∈ⲟⲩⲱ (77,3 b) benennt. Die unsterbliche Seele wird von den Mächten als „Pfand" bzw. wie eine „Geisel" behandelt[275], um die eigenen Herrschaftsgelüste zu realisieren. Darum ist die Seele im Kosmos gefangen – der Exkurs hatte schon auf diesen Sachverhalt angespielt (vgl. 75,28 ff.) – und bedarf der Erinnerung (vgl. 70,25) oder eines Beistandes von außen, um befreit zu werden. Wenn sie diese Hilfe bekommt (vgl. 77,18.19 a), suchen die Mächte sich andere Opfer[276]. Unter ⲡⲛⲁ ⲛ̄ⲛⲟ∈ⲣⲟⲛ/„verständiger Geist" kann nur der Beistand, der rettend zu Hilfe kommt, verstanden werden, d. h. der Einfall der Gnosis bzw. der Soter selbst. Denn im II. Dialogteil (vgl. 83,8 b–10 a) identifiziert sich der Soter mit eben dieser Wendung.

Was den unsterblichen Seelen von Seiten ihrer Widersacher widerfährt, korrespondiert der Menschheitsgeschichte in gnostisch-mythologischer Sicht. Der Traktat *Exegese über die Seele* (NHC II, 6) beschreibt in gleichnishafter Weise das Geschick der Seele als das einer Frau, die aus dem Zustand der Freiheit und Unschuld in Sklaverei und Verdorbenheit[277] gerät. „Als sie aber in die Körper herabfiel und in dieses Leben kam, da fiel sie in die Hände vieler Räuber" (127,26 ff.). Sie wird getäuscht, verführt und vergewaltigt. Ihren ursprünglichen Zustand vergißt sie und „wird eine arme, verlassene Witwe, die keine Hilfe hat" (128,18 f.). Der Vater, der oben im Himmel ist, sieht, wie sie in ihrem Elend leidet und kommt ihr zu Hilfe. Er schickt ihren Bruder, den Erstgeborenen, damit er die „vollkommene Wundergeburt" der Seele einleite (134,4 f.)[278]. Gemeinsam kehren sie zum Vater zurück.

Mit diesem vierten Listenteil demonstriert der Erzähler seinen gnostischen Denkhorizont, indem er fundamentale Elemente der dualistischen Ontologie und der Mythologie einbringt. Vordergründig erscheint die

---

[275] Brashler 1977, 201 übersetzt den „rare term" mit „hostage"; vgl. auch EvPhil (NHC II, 3) 52,35–53,14.

[276] Die Auslegung des Textes ist umstritten. Ich schließe mich den Erklärungen Brashlers 1977, 47; 201 an; gegen Werner 1974, 580; 582 und Koschorke 1978, 74.

[277] Über die Gründe, die zum Fall der Sophia führten, sagt ExAn nichts. In anderen Traktaten, vor allem in denen, die dem valentinianischen Denken nahe stehen, aber auch in UW (NHC II, 5) oder AJ (NHC II, 1), ist es Sophia selbst, die aufgrund ihrer Eigenmächtigkeit die ursprüngliche Einheit mit dem ungewordenen Vater zerbricht. Zu diesem Motivzusammenhang vgl. Rudolph 1990, 80 ff.

[278] Übers.: Foerster, Gnosis II, 127 ff. Auf ExAn hat auch Brashler 1977, 201 Anm. 4 hingewiesen; vgl. Fischer 1973 b, 245 ff.; bes. 255 f.; 260 zur mythologisch konzipierten Menschheitsgeschichte.

Rede wie eine verobjektivierte Erörterung[279]. In Wahrheit geht es aber um die bedrohte Einheit der Gnostiker mit dem Erlöser.

(5) Das typische Gliederungssignal ϩⲉⲛⲕⲟⲟⲧⲉ ⲁⲉ (77,22b) leitet einen Listenabschnitt ein, der die Widersacher des Soter und der Gnostiker unter diversen Aspekten behandelt. Als Opponenten waren bereits diejenigen benannt worden, die mit Lügenpredigt (vgl. 74,11) und übler Lehre (vgl. 74,25a; 76,25b–26a) die gnostische Wahrheit bekämpfen. Aus der Perspektive des Sprechers heißen sie nun „Boten des Irrtums" (77,24b.25a). Ihre Aktionen werden von ⲡⲗⲁⲛⲏ und ⲛⲟⲙⲟⲥ (77,26.27a). gesteuert. Während ⲡⲗⲁⲛⲏ in den demiurgischen Bereich[280] weist, ist ⲛⲟⲙⲟⲥ wesentlich schwerer zu greifen. Da der Terminus kein wertendes Attribut bei sich hat, könnte er in verallgemeinernder Weise verstanden sein. Doch gibt die Verbindung mit ⲡⲗⲁⲛⲏ zu denken. Zumindest sollte mit der Möglichkeit gerechnet werden, daß der Sprecher einen polemischen Akzent setzt. Liegt vielleicht eine kritische Abgrenzung gegen judenchristliches Denken vor?

Erneut kommt der ontologische Dualismus 77,29b–32 ins Spiel. Und zwar weist der Sprecher die Meinung ab, daß die Guten und die Bösen aus einer Wurzel stammen können. Mit diesem sachlichen Rückgriff auf die Argumentation des Exkurses grenzt er eine Perspektive aus, die monistisch angelegt und zugleich offen für einen Kompromiß ist. Im Widerspruch zur Erfahrungsweisheit[281] zieht die Aussage sich in den Horizont einer anderen Weisheit zurück, die den ontologischen Gegensatz verschärft.

Ohne jeden erklärenden Bezug zum Kontext wird den Genannten vorgehalten, mit dem Offenbarer-Wort Handel zu treiben, ein Vorwurf, der aus anderen Kontroversen[282] bekannt ist. Dann kommt das Geschick der Gnostiker wieder in den Blick (vgl. 78,1b–6a). Unter den Bedingungen, die die Mächte dem Dasein aufzwingen (vgl. 77,3ff.), ist das Experiment einer gnostischen Existenz ohne Erfolgschance. Solange die Stunde ihrer Offenbarung noch nicht gekommen ist, müssen die unsterblichen Seelen in dieser Aporie und mit der Zwangsherrschaft leben. Diesem Aspekt aus der anthropologischen Grundlegung (vgl. 75,29ff.) trägt der Sprecher insofern Rechnung, als er Auskunft über das Ende der Leidenszeit gibt. Der bedrückende Zustand dauert „bis zu meiner Wiederkunft" (78,6a).

---

[279] Der gnostische Mythos wird nur in seinem negativen Ergebnis relevant. Dadurch gewinnt die Konfrontation mit den Gegnern an Aktualität, während die „Begriffe(n) der demiurgischen Sphäre ... symbolisch verflachen" (Scholten 1987, 83 u.a. mit Blick auf 77,24f. und 78,11).

[280] S.o. 89; 134 Anm. 190.

[281] Vgl. z.B. Mt5,45.

[282] Vgl. 2Kor2,17; 1Tim6,5.10; Jud11; 2Petr2,3; Silv (NHC VII,4) 117,28–32.

Erst die Parusie des Erlösers zum Gericht (vgl. 80,11 ff.) bringt die Veränderung der Verhältnisse[283].

Mit großer Wahrscheinlichkeit behandelt der sich anschließende Abschnitt 78,6 b–15 a den Effekt der Parusie auf die unsterblichen Seelen, die dem von den Widersachern (78,11 b: ᴀɴᴛɪᴋɪᴍᴇɴᴏⲥ)[284] eingerichteten „harten Schicksal" (78,2 a) ausgeliefert sind. Der Soter befreit die Seelen (vgl. 78,13.15) aus dem Zwang, sündigen zu müssen[285]. Man kann fragen, ob der Sprecher den Rezipienten Einblick in den Geschichtsverlauf gewährt[286], dessen Kenntnis tröstende Funktion ausübt und Bedrängnis ertragen hilft. Da im Übergang von 78,7 zu 78,8 vielleicht eine Zeile ausgefallen ist[287], bleibt die Interpretation hypothetisch.

Auch die folgenden Zeilen 78,16–19 geben Rätsel auf. Umstritten ist die Übersetzung von ⲩϭⲱϫⲏ ⲛ̄ⲁⲛⲧⲓⲙⲓⲙⲟⲛ. Bedeutet der Ausdruck „counterfeit remnant"[288] oder „weitere Nachahmung"[289]? Da in 78,17 der „Name eines Toten" als sammelnder[290] Faktor einsetzt und der Bezug auf 74,13 evident ist, liegt es nahe, einen Angriff auf die Lehre ekklesiastischer Kreise zu vermuten. Denn dort steht der Gekreuzigte im Zentrum des kultischen Handelns. Zwischen Gemeindeverfassung und soteriologischer Grundlage scheint es eine Beziehung zu geben, die der gnostischen Perspektive suspekt ist. Schon 71,22 f. hatte der Soter vor dem Nachahmer der Gerechtigkeit gewarnt, auf den Petrus gefaßt sein soll. Jetzt richtet der Sprecher die Aufmerksamkeit auf die Machenschaften der Mächte, die eine Gegeninstitution installieren (vgl. 79,1–10) wollen. Hilfreich für das Verständnis dieser Ausführungen ist eine Passage in 2LogSeth, auf die Brashler[291] aufmerksam gemacht hat. Die Widersacher der Gnostiker sind als Geschöpfe der Archonten vorgestellt. Wie diese den Soter zu imitieren versuchen, so ahmen ihre Kreaturen die wahre Gemeinschaft der Gnostiker nach. „... the archons do not know that it is an ineffable union of undefiled truth, as exists among the sons of light, of which they made an imitation, having proclaimed a doctrine of

---

[283] Dieser apokalyptische Gedankengang begegnet auch EV (NHC II,5) 123,12 ff.23 f.
[284] Zur Problematik dieser Figur vgl. Trilling 1980, 85 ff.
[285] In diesem Abschnitt könnte soteriologische Terminologie neutestamentlicher Zusammenhänge anklingen, wenn der Sprecher von seinem erlösenden Tun spricht; z. B. Gal 2,4; 5,1; Joh 8,34 ff. Vgl. dagegen folgende Äußerung aus dem Horizont des Valentinianismus: „Der Herr kam herab auf die Erde, damit er die an Christus Gläubigen aus der Heimarmene versetze in seine Pronoia" (Exc. Theod. 74,2).
[286] Mit dieser Möglichkeit, die aus apokalyptischer Literatur bekannt ist, rechnet Brashler 1977, 226.
[287] S. o. 54 Anm. 58.
[288] So Brashler 1977, 51; vgl. 226 ff. und Krause 1973, 169.
[289] So Koschorke 1978, 55; vgl. auch Werner 1974, 580.
[290] Die Präposition ⲉ- hat richtungsweisende Kraft.
[291] Brashler 1977, 231.

a dead man and lies so as to resemble the freedom and purity of the perfect assembly"[292].

Problematisch ist es, diese Attacke auf die Gemeindestrukturen mit der Frage der zweiten Buße zusammenzusehen. Das aber tut Koschorke[293] im Anschluß an seine Auslegung von 78, 18 f. und aufgrund von Textemenditionen. Er versteht den schwierigen Abschnitt als eine Stellungnahme gegen die Bußtheologie des Hermashirten[294]. Ganz offensichtlich ist sein Bemühen darauf ausgerichtet, Indizien für die historische Einordnung des Traktats und damit für seine Hierarchie-Polemik-Hypothese zu finden. Die Frage der zweiten Buße spielt für den Sprecher jedoch keine Rolle. Denn sein Kommen zur Parusie (vgl. 78, 6; 80, 11–21) bedeutet radikale Diskontinuität und Ende der Gegnerschaft. Im übrigen entspricht die Frage der zweiten Buße nicht dem gnostischen Denken[295]. Wer mit „Hermas" gemeint ist, muß offen bleiben „He should not be identified with Hermas of Rome"[296]. Auf jeden Fall gehört auch er, wie alle übrigen Widersacher (vgl. 75, 15 ff.), zu den sterblichen Seelen. Bemerkenswert bleibt allerdings, daß zur Ächtung dieses Gegners das schärfste Ketzerattribut aufgeboten wird, das in den frühchristlichen Gemeinden zur Verfügung stand: ⲡⲓϣⲱⲣ︤ⲛ︥ ⲙ̄ⲙⲓⲥⲉ ⲛ̄ⲧⲉ ⲧⲁⲇⲓⲕⲓⲁ/„der Erstgeborene der Ungerechtigkeit" (78, 18 b.19)[297]. Wiederum nimmt der Sprecher eine formelhafte Wendung aus der religiösen Polemik auf und verwendet sie in seinem Sinne, indem er sie an die Adresse zurückgibt, von wo sie möglicherweise einst ausgegangen war. Der mit ϩⲓⲛⲁ (78, 20 a) eingeleitete Satz nennt die Folgen für die Gnostiker: sie können nicht an das wahrhaft existierende „Licht" (78, 20 b) glauben, weil die Verbindung zu ihrem Ursprung unterbrochen ist und sie den Weckruf des Soter nicht vernehmen können.

Zum ersten Mal in diesem Traktat fällt eine titulare Bezeichnung für die Gnostiker, die im folgenden noch mehrfach wiederkehrt: ⲛⲓⲕⲟⲩⲉⲓ (78, 22 a). Mit den „Kleinen" sind die unsterblichen Seelen gemeint. Während jener Ausdruck in den ontologischen Horizont verweist, enthält diese titulare Bezeichnung soziologische Konnotationen und eine histo-

---

[292] NHC VII, 2; 60, 15 ff.; Übers.: NHL 367. In 63, 19 werden die Propheten des Alten Testaments als Imitation der wahren Propheten bezeichnet. Von einem „Nachahme-Geist" ist AJ (NHC II, 1) 26, 8–21 die Rede.

[293] Vgl. 1978, 55 ff.; in ähnlicher Weise bereits Colpe 1973, 120 und Werner 1974, 575.

[294] Zu dieser Schrift vgl. Vielhauer 1975, 513 ff.; bes. 520 f.

[295] Vgl. die radikale Absage in EvPhil: „Wer durch die Gnade seines Herrn frei geworden ist und sich selbst in eine Sklaverei verkauft hat, wird nicht mehr frei werden können" (NHC II, 3; 79, 15 ff.; Übers.: Foerster, Gnosis II, 118). Ferner AJ (BG 2) 70, 8–71, 2.

[296] Brashler 1977, 232.

[297] Vgl. 2Thess 2, 3: υἱὸς τῆς ἀπωλείας; dazu Trilling 1980, 84 f.; ferner Irenäus, Adv. haer. III 3, 4; Dahl 1964, 70 ff. Auf ⲁⲇⲓⲕⲓⲁ als Widerpart des Soter war bereits 70, 30; 71, 23 die Sprache gebracht worden.

rische Assoziation. ΝΙΚΟΥΕΙ korrespondiert dem Titel οἱ μικροί im Mt-Evangelium, der dort als fest eingeführte Jüngerbezeichnung vorkommt (10,42; 18,6.10.14; 25,40.45: Superlativ). Ob der Sprecher bewußt an Mt-Überlieferungen anknüpft? Dieser Frage soll an späterer Stelle nachgegangen werden. Für den Fortgang der Textinterpretation genügt die Feststellung, daß der Sprecher literarische oder direkte Kenntnis von der titularen Valenz dieser Bezeichnung gehabt haben muß.

Die Widersacher verhindern, daß Gnosis sich entfaltet. Darum sind sie des Gerichts schuldig und werden mit einer Strafe entgolten, die ihrem Wesen entspricht. Sie sollen in die Finsternis, die draußen ist[298], geworfen und von den Kindern des Lichts[299] getrennt werden (vgl. 78, 24–26 a). In der Terminologie klingt wiederum die dualistische Ontologie an. Eine weitere Begründung (vgl. 78,26 b) für das angekündigte Urteil schließt sich an. Und zwar werden zwei Aspekte im Tun der Widersacher besonders angeprangert. Sie haben kein Interesse, in die Übereinstimmung mit dem wahren Ursprung und in ihre Befreiung (vgl. 78,29 b–31 a) einzugehen, da sie im Herrschaftsbereich des Demiurgen ihre Erfüllung gefunden haben. Höchst verwerflich ist in den Augen des Sprechers sodann der Zwang, mit dem sie die Kleinen daran hindern, ihrer Erlösung teilhaftig zu werden. Daß eine Bezugnahme auf ein Wort wie Lk 11,52 (Mt 23,13) vorliegt, kann nicht bezweifelt werden. Im Unterschied zu dem Q-Logion ist die gnostische Aussage aber nicht als Wehe-Spruch formuliert. Die Widersacher wollen überhaupt nicht in das Lichtreich[300]. Vielmehr bekämpfen sie es, weil sie es als lästige Konkurrenz betrachten.

(6)   Nach dem Gliederungssignal ϩΕΝΚΟΟΥΕ ΔΕ ΟΝ (78,31 b.32 a), das den Beginn eines neuen Abschnitts markiert, folgt ein Listenteil (78,31 b–79,21 a), in dem die Rede des Soter einen strukturierten Gedankenverlauf erkennen läßt. Der Sprecher beschreibt einen Sachverhalt (78,32 b–79,2 a). Diese Deskription wird konfrontiert mit einer Erklärung (79,2 b–8 a), die an das wahre Wesen der thematisierten Sache erinnert. Mit dem nächsten Schritt (79,8 b–11 a) vollzieht der Sprecher eine kritische Bewertung der eingangs genannten Sachlage: Vordergründig scheint der Fall so zu liegen, wie einige es meinen. In Wirklichkeit verhält es sich aber anders. Bei dem angesprochenen Sachverhalt handelt es sich in Wahrheit um eine Nachahmung (79,10 b.11 a). Ein identifikatorischer Gestus (79,11 b–12 a) macht die Folgen jener Meinung bewußt, die hier noch durch ein Zitat belegt wird (79,13 b–16 a). Mit einem drohenden Ausblick auf das Gerichtsverfahren (79,16 b–21 a), das in einem analogen

---

[298] Vgl. Mt 8,12; 22,13; 25,30; vielleicht auch 2Petr 2,17; Jud 13.
[299] Vgl. Lk 16,8; Joh 12,36; 1Thess 5,5; Eph 5,8.
[300] Insofern korrespondiert ApcPt (NHC VII, 3) 78, 26 b–31 a EvThom (NHC II, 2) 88,7 b–11 a; vgl. 98,2–5.

Fall nicht ausgeblieben ist, endet der Gedankengang. Aus der Paraphrase lassen sich folgende Elemente herausstellen, die konstitutiv für das Redeverhalten des Soter sind:

A – Deskription eines Sachverhaltes
B – Konfrontation mit einer Erklärung zum eigentlichen Wesen der Sache
C – Kritische Bewertung des Sachverhaltes
D – Identifikatorischer Gestus mit Aufweis der Folgen
E – Übergabe an das Gericht[301].

Sucht man nach dem Redegegenstand, den der Sprecher auf so differenzierte Weise thematisiert, stößt man auf das Stichwort „Leiden" (78,33 a), das in Einschätzung und Auswirkung kontrovers behandelt wird. Auf der einen Seite steht die Meinung, daß Leiden und Martyrium zur Vollendung führen (vgl. 78,34 b). Wer jetzt leidet, sei auserwählt, eine Gemeinschaft in Freiheit, Gleichheit und Wahrheit zu konstituieren (79,1.2 a). Inhaltliche Mitteilungen, die weitere Rückschlüsse erlauben, enthält der Text nicht[302].

Mit relativischem Anschluß (vgl. ⲉⲧⲉ 79,2 b; 79,5 b) wird in der folgenden Erklärung auf die Gemeinschaftsgröße ⲧⲙⲛ̄ⲧⲥⲟⲛ/„Bruderschaft" (79,1 b), die durch Leiden vollendet werden soll, Bezug genommen. Doch fällt auf, daß dann ein anderer Terminus gewählt wird: ⲧⲙⲛ̄ⲧⲩⲃⲏⲣ (79,3 a). Sollte in der begrifflichen Alternative eine Differenzierung vollzogen sein? Das geschieht in der Tat, denn die Kraft, die eigentlich die Gemeinschaft begründet, ist der „Geist" (79,3 a) und nicht das Leiden. Mit dem griechischen Lehnwort ⲕⲟⲓⲛⲱⲛⲓⲁ (79,4 b.5 a) wird die besondere Art der Zusammengehörigkeit charakterisiert. Die Sympathie des Sprechers gehört dieser Gemeinschaft, weil sie Offenbarungsfunktionen wahrnimmt. Sie bringt nämlich die „Hochzeit der Unvergänglichkeit" (79,6 b–8 a) zur Erscheinung. Mit dieser offenbarenden Tätigkeit ist die Gemeinschaft als der Ort bestimmt, an dem der Sprecher und die unsterblichen Seelen vereint sind. In auffälliger Weise nehmen

---

[301] In den Listenabschnitten, die bisher analysiert worden sind, können nur einzelne Elemente der Argumentationsstruktur verifiziert werden. Der Gedankenverlauf konzentriert sich im Gegensatz zum 6. und 7. Abschnitt in der Regel auf die Deskription eines Sachverhaltes und den Gerichtsgedanken:

74,22 b–27 a	A
74,27 b–75,7 a	A+(D)+E
76,23 b.24 a–27 a	A+(D)
76,27 b–77,21	A+(D)
77,22–78,31 a	A+C+D+E

[302] Das erkennt Koschorke. Er folgt jedoch seiner Interpretationsperspektive, die hier eine spezifische Position der orthodoxen Theologie angegriffen sieht. Es gehe um die Hochschätzung des Martyriums; die Argumentation sei „auf den Glauben an den dem ‚Leid' (so 83,5) unterworfenen Christus zu beziehen" (1978, 63 Anm. 44).

die Ausführungen 79, 2 ff. das Thema „Konsubstantialität" aus dem Eröffnungsdiskurs des Soter (vgl. 71, 14 b.15 a) wieder auf. Die unsterblichen Seelen befinden sich „in Übereinstimmung" mit ihm (vgl. 71, 3–5); sie stammen aus dem „Leben" (vgl. 70, 24 f.; 75, 14), der „Höhe" (vgl. 71, 1) und der „Wahrheit" (vgl. 75, 13). In dieser Atmosphäre wahrhaftiger Gemeinschaft geschieht der Schritt in die Gnosis, weil die Erwählten im Soter ihre Herkunft erkennen[303], die zugleich ihre Zukunft ist. Der Sprecher umschreibt dieses zentrale Ereignis gnostischen Denkens mit der Metapher, die von der Hochzeit der Unvergänglichen mit dem Unvergänglichen erzählt. Auf diesen mythologischen Komplex wird vielfach in Nag Hammadi-Texten zurückgegriffen[304]. Wenn die Einheit Ereignis wird, ist das vollkommene Heil (79, 7 b.8 a: ⲁϥⲑⲁⲣⲥⲓⲁ) da. Darum darf man annehmen, daß ⲧⲙⲛ̄ⲧ̄ⲩⲃⲏⲣ unter die Bedingungen zu rechnen ist, die Gnosis ermöglichen[305].

Als dritte Phase folgt eine kritische Bewertung des thematisierten Sachverhaltes. Der Sprecher zieht mit dem eigenen Gemeindeverständnis als Kriterium eine erste Bilanz. Was den Anspruch erhebt, wahre Bruderschaft zu sein, ist nichts anderes als Nachahmung (79, 10 b.11 a: ⲁⲛⲧⲓⲙⲓⲙⲟⲛ) bzw. nur ein Abbild der Sache selbst (vgl. 79, 9 a). Verurteilt wird der Versuch der Mächte, die Sphäre des Soter zu usurpieren, indem sie bewußt die Verwechslung von Wirklichkeit und Abbild fördern. Hinter diesem Tun steckt in Wahrheit ein Etikettenschwindel. Darauf soll wohl der Ausdruck „Schwesternschaft" (79, 10 a) aufmerksam machen[306].

Die Pseudogemeinschaft führt zur Unterdrückung derjenigen, die auf dem Weg zur Gnosis sind (vgl. 78, 28–31). Ihnen wird ein Dogma auferlegt, das „Gottes Erbarmen" (79, 14) und „Heil" (79, 15 a) an Leiden bindet. Man wird nicht fehlgehen, wenn man den identifizierenden Referenzpunkt des Zitats (vgl. 79, 13 b–16 a) in dem eingangs beschriebenen Sachverhalt (vgl. 78, 32 b–79, 2 a) sieht. Wahrscheinlich dient das Zitat als exemplarischer Hinweis auf eine bestimmte Christologie und das ihr entsprechende Martyriumsverständnis. Beides würde hier dann zurück-

[303] Es ist der Augenblick, von dem der „Valentinianische Lehrbrief" sagt: „... unzerstörbarer Nus grüßt die Unzerstörbaren" (Epiphanius, Panarion 31, 5, 1; Übers.: Foerster, Gnosis I, 303).
[304] Z. B. TractTrip (NHC I, 5) 122, 12 ff.; EvPhil (NH II, 3) 58, 34–59, 6; ExAn (NHC II, 6) 132, 2 ff.
[305] Zur Brautgemachvorstellung in der valentinianischen Gnosis vgl. Gaffron 1969, 191 ff.; Buckley 1980, 569 ff.; Rudolph 1990, 254 ff.
[306] Vgl. Koschorke 1978, 63 Anm. 45: „dürfte ad hoc ... als Gegenbegriff geprägt sein". ⲧⲙⲛ̄ⲧⲥⲟⲛ könnte aber auch die Selbstbezeichnung einer Gemeinde sein (vgl. 1 Petr 2, 17; 5, 9), die hier in polemisch-kritischer Weise aufgenommen ist. EvPhil (NHC II, 3) 53, 24 ff. kritisiert das Verwirrspiel, das mit Namen und Begriffen getrieben wird; vgl. ferner AuthLog (NHC VI, 3) 34, 6 ff.

gewiesen. Im Gegensatz zu Koschorke[307] hält Brashler sich mit einer genauen Lokalisierung des Konflikts zurück: „It is not possible to deduce the precise historical circunstances under which kind of oppression of Gnostics by orthodox churchmen described here took place"[308]. Zwar ist in 79,18 b–21 a eine Verfolgung der Kleinen erwähnt. Es fehlen aber Informationen, die historische Rückschlüsse zulassen. Bekannteres Terrain begegnet in Gestalt der gnostischen Selbstbezeichnung (vgl. 79,19 a). Die Kleinen sind als die Schutzbefohlenen Gottes ausgewiesen. Darum werden diejenigen erbarmungslos bestraft, die sich über ihre Verfolgung freuen. Ein Gerichtsverfahren wartet erst recht[309] auf diejenigen, die die Unterdrückung der Gnostiker eingesetzt haben.

(7)   Mit dem letzten Listenabschnitt 79,21 b–31 a schlägt der Sprecher einen scharfen Ton an. Setzt man unmittelbar beim Wortlaut ein, liest sich der Abschnitt wie ein „polemisches Echo auf die Ausprägung des kirchlichen Amtes"[310]. Gewiß wird man noch andere Aspekte entdecken, wenn man auf die Strukturelemente im Redeverhalten achtet.

Ausgangspunkt ist ein Sachverhalt, durch den sich der Sprecher herausgefordert sieht. In der anderen Gemeinschaft treten Menschen auf, die Amtstitel (79,25 a: ЄΠΙCΚΟΠΟC; 79,26 a: ΔΙΑΚωΝ) und Vollmacht (79,27 a: ЄΖΟΥΟΙΑ) für sich in Anspruch nehmen. Ihre Legitimation leiten sie aus einer hierarchischen Ordnung (vgl. 79,28–30 a) ab. Durch die Beschreibung des Sachverhalts zieht eine kritische Bewertung, die in ein definitives Urteil (79,30 b.31 a) einmündet. Gleich zu Anfang bemerkt der Sprecher, daß die, von denen er redet, nicht „zu uns" (79,23 b.24 a) gehören. Sie befinden sich außerhalb der Wahrheit. Die Vollmacht ist angemaßt und eingebildet. Wenn die Autorität tatsächlich einer Beauftragung durch Gott entspräche, wäre die Legitimation durch eine hierarchisch geordnete Institution unnötig. Die kritische Bewertung gipfelt in dem Urteil „wasserlose Gräben" (79,30 b.31 a). Hier verarbeitet der Sprecher eine Metapher, die auf eine lange Überlieferungsgeschichte zurückblickt. Der Graben, der Wasser auf die Felder führen, die Zisterne, die Wasser aufbewahren soll, werden zu einer trügerischen Illusion, wenn sie unsachgemäß angelegt sind. Sie halten nicht, was sie versprechen. Jeremia beschreibt die nichtigen Götzen, denen das Volk Israel „nachläuft" (2,5) als „rissige Brunnen, die das Wasser nicht halten" (2,13; vgl. 14,3). In Zeiten der Bedrängnis ist bei ihnen keine Hilfe zu finden. Das konstatierende Element schlägt um in richtende Intention, wenn 2 Petr 2,17 die Gerichtsfinsternis ins Spiel bringt, die über die dort an-

---

[307] Vgl. 1978, 61 ff.
[308] 1977, 233; vgl. auch Scholten 1987, 88 ff.
[309] Koschorke 1978, 61 Anm. 42 liest in 79,16–21 einen „Schluß a minore ad maius".
[310] Koschorke 1978, 67.

gesprochenen Widersacher hereinbrechen wird. Was wie ein unverfänglliches Naturbild erscheint, ist in Wahrheit ein vernichtender Urteilsspruch.

Nach Koschorke enthält der letzte Listenabschnitt den „deutlichste(n) Beleg der Polemik von ApcPt gegen die kirchliche Hierarchie"[311], als deren Exponenten Bischof und Diakon genannt wurden. Ämter sind dem Sprecher suspekt[312], weil in ihnen hierarchisches Denken herrscht[313], das dem Geist der wahren Bruderschaft widerspricht. Es ist nicht ausgeschlossen, daß in den letzten Listenabschnitten das Selbstverständnis einer gnostischen Gruppe den Gedankengang geleitet hat[314]. Schwierig gestaltet sich jedoch die weitere Interpretation, sobald der Ort einer kirchenpolitischen Kontroverse festgelegt werden soll. Koschorke nimmt als Ausgangspunkt das Reden in der gesprägten Sprache des Judenchristentums. Besonders eng soll der Autor sich an Inhalt und Substanz von Matthäus 23 anlehnen. In der Tat lassen sich viele Berührungspunkte, Überschneidungen und wörtliche Übereinstimmungen zwischen der Pharisäer-Rede und den Listenabschnitten benennen[315]. Welche Strategie mag

---

[311] 1978, 64; vgl. Brashler 1977, 234.

[312] Vgl. auch die Kritik in 2ApcJac (NHC V, 4) 48,17–20; 2LogSeth (NHC VII, 2) 60, 26 ff.; 61, 21 ff.

[313] Die πρωτοκαθεδρία gehört ansonsten in die Schablonen der Ketzerpolemik; vgl. dazu Beyschlag 1964, 106 Anm. 14; Pagels 1976 a, 301 ff.

[314] Zum gnostischen Kirchenverständnis vgl. Koschorke 1978, 77 ff.

[315] Vgl. 1978, 66 f. u. ö.; so auch T. V. Smith 1985, 133 f. Im einzelnen meint Koschorke folgende „Anspielungen" zu erkennen, mit denen die Widersacher der Gnostiker, d. h. die Kirchenführer, als die „modernen *Pharisäer*" kenntlich gemacht werden sollen:

79, 28–30 a	Sie richten sich nach dem Urteil der Ersten in der Hierarchie.	Mt 23, 6 ff.
79, 24 b–26 a	Sie beanspruchen für sich	23, 6–10
74, 10 f.	Würdetitel.	vgl. 18, 1 ff.
78, 31–79, 21	Sie korrumpieren die wahre Bruderschaft.	23, 8
78, 20–22	Sie behindern den Glauben an den Soter.	23, 23
74, 5 ff. 79, 20 ff.	Sie verfolgen und töten die Sendboten.	23, 34
72, 9–13; 73, 11–14; 81, 28–32	Sie sind blind und haben weder Führung noch Selbsterkenntnis	23, 16.17.19.26 vgl. 15, 14

Das Besondere an dieser Intertextualität wäre dann der Prozeß, in dem der gnostische Verfasser mit seiner Polemik gegen die aktuellen Amtsträger die mt. Vorwürfe gegen die historischen Pharisäer konvergieren läßt, um nach Vollzug einer weiteren Inversion letztere als die eigentlichen Häretiker zu brandmarken. – Prämisse für die Argumentation ist die Spätdatierung von ApcPt und die Annahme, daß der Verfasser das Matthäus-Evangelium als verbindliche Überlieferung akzeptiert hat. Kurz, Koschorke möchte den Verfasser als judenchristlich orientierten Gnostiker ausweisen.

Um welchen Typ von Judenchristentum handelt es sich, wenn in ApcPt die Bilder von

den Verfasser geleitet haben, als er traditionelle Stoffe rezipierte und applizierte?

An der subversiven Sprachverwendung, die sich darin zeigt, daß Stereotypen der religiösen Diskussion bzw. Ketzerschablonen[316], die aus der frühchristlichen Literatur bekannt sind, ohne Skrupel in die eigene Rede eingearbeitet werden, ist nicht zu zweifeln. Aus eben diesem Grund muß aber die Interpretation mit einer Mehrschichtigkeit in der wörtlichen Aussage rechnen und sollte diese nicht unmittelbar als Information nehmen. Die Polarisierung der zwei Gruppen verdankt sich primär dem prinzipiellen Dualismus des gnostischen Denkens, aufgrund dessen dann die Situation beschrieben wird. Da es um das Profil der unsterblichen Seelen geht, fließt in die Beschreibung der übrigen Seelen ein Maximum an Vorwürfen und Ablehnung. Die Front ist also in einem hohen Maß stilisiert.

Der Verfasser setzt einen Kommunikationsprozeß in Gang, der die Bezugstexte und die intendierten Leser in einen provozierenden Austausch verwickelt. Dieser Vorgang kommt in dem „Wir" zum Ausdruck, mit dem der Sprecher sich und Petrus zusammenfaßt (vgl. 73, 25 a; 75, 16 f.; 79, 23 b; 84, 12), dem er die Offenbarungsrede vorgetragen hat. Obwohl der Diskurs wie ein frontales Referat auftritt, begegnet in der ersten Person Plural ein hermeneutisches Signal, das an die dialogische Atmosphäre erinnert.

4.6.3.5 Zur Verarbeitung von konventionellen Formen und Traditionen

Die folgende Zusammenfassung von Beobachtungen zur Textverwendung bereitet den Abschnitt vor, in dem die Aussageabsicht der gesamten Rede im Blick auf das gnostische Ich erörtert wird.

Juden und Häretikern konvergieren? Wie erklären sich, so muß Koschorke auch gefragt werden, Auswahl von und Umgang mit synoptischen Materialien, die über die o. g. Zuordnung zu Mt 23 par hinausdrängen? – Daß ApcPt sich nicht nur auf ausgewählte mt Traditionen bezieht, sondern die Endfassung des Evangeliums voraussetzt, unterstreicht Tuckett 1986, 117 ff. Nach Schenk 1983, 79 Anm. 67 „dürfte" ApcPt „<Mt>" noch als Petrusevangelium gekannt und gewertet haben". Gegen eine direkte Abhängigkeit gnostischer Offenbarungsschriften von den Synoptischen Evangelien spricht sich Luttikhuizen (1988, 164 ff.) aus. Indirekte oder kritische Referenz seien der Grund dafür, daß dem Leser viel vertrautes Material begegnet. Koschorke verweist selbst auch auf johanneische Parallelen (vgl. 1978, 19 f.); ebenso Scholten (1987, 82 Anm. 15), der im übrigen davor warnt, „die Häufigkeit der direkten oder indirekten Verwendungen des Mt überzubewerten" (88). Vgl. auch Köhler 1987, 406: „... der Verfasser der ApcPt ... rezipiert das Mt äußerst selektiv und benützt es nur da, wo es zu dem ‚paßt', was er ohnehin sagen will". Die Alternative, „ob Gnosis sich an Bibelexegese erst entzündet oder fertig da ist und sich dann dem Text eisegetisch nähert" möchte Colpe (1980, 123) im letzteren Sinne entschieden wissen.

[316] Auch Noema (NHC VI, 4) zeigt, daß die Gnostiker sich nicht scheuen, gängigen Schablonen zu folgen.

Der Sprecher zeigt sich mit Überlieferungsbereichen vertraut, die auch in die Evangelien Eingang gefunden haben und dort kanonisiert wurden. Insbesondere nimmt er Logien auf, die zur Sammlung Q zählen, die unter die Pharisäer-Polemik zu rechnen sind, oder Topoi, die aus dem Bereich des apokalyptischen Denkens stammen. Keineswegs ist es nun so, daß er sich mit einem Textbereich identifiziert. Vielmehr eignet er sich die Logik der Logien und Topoi an, um mit ihrer Hilfe seine Redeintention zu stärken. D. h. aber, daß die aufgenommenen Materialien in den Prozeß einer semantischen Veränderung gebracht werden. Daher genügt es nicht, einfach eine biblische Textstelle als möglichen Bezugspunkt zu behaupten. Vielmehr ist es „necessary both to locate a text within a history of tradition and to provide some sort of explanation for the process of continuity and change"[317]. Motive und Topoi aus dem apokalyptischen Denkhorizont werden funktional eingesetzt, um eine Aussage zu präzisieren, aber nicht um eine Grundtendenz einzuführen. Die Q-Logien leiten jeweils Gedankengänge ein, die dann nach einer Inversion eine andere Perspektive aufschließen. Wollte man die Position des Sprechers kennzeichnen, müßte man ihn in die Nähe des weisheitlich orientierten Denkens der Logienquelle stellen. Denn dieser Überlieferungsbereich findet weitgehende Zustimmung, während die Passionsgeschichte und andere Traditionen[318] zurückgewiesen bzw. auf den Kopf gestellt werden. Präferenz für und Distanzierung von bestimmte(n) Überlieferungen signalisieren Rahmenbedingungen, die den Rezipienten der Offenbarungsrede auf den Weg zur Gnosis leiten.

Als zweiter Bereich war die Auseinandersetzung mit einer gegnerischen Front aufgefallen. Bedenkenlos nimmt der Verfasser aggressive Vorwürfe, formelhafte Schmähungen, assoziative Invektiven und düstere Lageschilderungen auf. In frühchristlicher Zeit gehörten diese Elemente zum Stil der religiösen Mitteilung, weil durch sie das Selbstverständnis der Gruppe Förderung erfuhr. Hier scheut sich der Sprecher nicht, sprachliche Anleihen im polemischen Bereich zu machen, um sein Anliegen zu sichern. Wie er bestimmte Logien denen entwendet, die ein Monopol darauf beanspruchen, so kehrt er auch „Ketzerschablonen" um und richtet sie gegen die Erstbenutzer.

Bei der Selektion vorgegebener Traditionen und Formen hat der Verfasser sich an Kriterien orientiert, die durch den mythologischen Überbau, der in Gestalt fundamentaler Assoziationen sichtbar ist, bereitgestellt wurden. Die entscheidende Rolle bei der Auswahl der Materialien wie bei

---

[317] J. Z. Smith 1978, XI. Wenn Robinson 1982 a, 27 ff. den Transformationsprozeß mit dem Modell der „two-level-interpretation of scripture" (27) bzw. der „text-plus-interpretation" (34) in Verbindung bringt, das der Pesher-Methode von Qumran vergleichbar ist, erfaßt er nur partiell die Radikalität gnostischer Textverarbeitung.

[318] Vgl. 70, 21 ff.; 71, 15 ff.; 72, 1 f. mit Mt 16, 16 ff.; Joh 21, 15 ff.

der Gestaltung der Rede kommt allerdings dem prädestinatianischen Dualismus zu. Es handelt sich um eine ontologische Vorgabe, die der Sprecher gegenüber der Gegenwart geltend macht. Aufgrund dieser Vorgabe wird ein Prozeß inszeniert, der die vorfindliche Lebenswelt als falsche Wirklichkeit disqualifiziert. Das dualistische Apriori zieht sich wie eine Leitlinie[319] durch die gesamte Offenbarungsrede. Dem Zuhörer ist damit signalisiert, daß er den Sprecher nur dann verstehen kann, wenn er dessen dualistische Perspektive übernimmt. Zwischen Licht und Finsternis, Wahrheit und Lüge, unsterblichen Seelen und ihrem sterblichen Widerpart besteht ein unversöhnlicher Widerspruch. Genauer, die Unvereinbarkeit bestand eigentlich schon immer, insofern die ontologischen Grundlagen angesprochen sind. Mit dem Ereignis von Gnosis ist eine neue Phase eröffnet. Darum steht der Gnostiker nicht mehr im theoretischen Sinne vor dem Unvereinbaren, sondern hat es hinter sich gelassen.

Nun erweckt die Offenbarungsrede durch inversive und suggestive Textverwendung den Eindruck, eine konkrete Konfliktsituation klären zu können. Es kommt aber nicht darauf an, das Ausgesagte rekonstruktiv und retrospektiv auf einen Anlaß im Vorfindlichen zurückzuführen. Vielmehr soll der Zuhörer in der Lage sein, sich selbst im Gegenüber zum Kosmos zu definieren und das gnostische Ich zu übernehmen. M. a. W., der ontologisch und prädestinatianisch intendierte Dualismus zieht frühchristliche und andere Materialien an sich, so daß ein Bild der Verhältnisse in Kosmos und Geschichte entsteht. Es ist das Bild der Pseudo-Wirklichkeit, die jede historische Gegebenheit transzendiert. Es hat sie schon immer gegeben. Es wird sie noch solange geben, bis der Erlöser der Demiurgenherrschaft ein Ende bereitet hat. Wer allerdings im Ereignis der Gnosis steht, der befindet sich jenseits der falschen Wirklichkeit. Für ihn hat sich die Parusie des Soter schon vollzogen.

Warum malt die Liste über sieben Stationen ein solches Ausmaß an Bedrohung und Gefährdung vor Augen, so daß Petrus mit Furcht reagiert (vgl. 79,32 b–80,7)? Erinnert man sich daran, daß der Sprecher vehement gegen die Vielgestaltigkeit und Vielfalt von Dogmen (vgl. 74,19 b.20 a) Stellung bezogen hat, gewinnt die Liste an Transparenz. Die sieben Abschnitte beziehen sich nicht auf sieben verschiedene Gestalten oder Gruppierungen, sondern meinen immer dieselbe Bezugsgröße. Mit der differenzierten Darstellung soll die innere Zerrissenheit und Haltlosigkeit des dualistischen Gegenüber demonstriert werden.

---

[319] Vgl. dazu Tröger 1981, 32: Uns begegnet der „Versuch, Welt-*Erfahrung* und Welt-*Anschauung* ins rechte Verhältnis zu setzen und die Spannung zwischen Welt und Mensch, die der Gnostiker als besonders unerträglich empfunden haben muß, auf der geistig-religiösen Ebene in einer ungewöhnlich radikalen Weise zu lösen. Das aber heißt, die materielle Welt zu transzendieren und jenseits von ihr die Befreiung von ihren bedrückenden Zwängen zu suchen."

Durch inversive Verwendung von frühchristlicher Polemik disqualifiziert der Sprecher die Widersacher, weil sie keine Gnosis haben und auch nicht danach suchen. Das literarische Paradigma „Liste" ist also nicht an ein quantifizierendes Aussageziel gebunden. Vielmehr liegt der Entscheidung für diese Form eine Redestrategie zugrunde, die mit der sprachlichen Mitteilung ironisch spielt. Der Verfasser knüpft an dieses Verfahren die Absicht, mit der Sprache den Absprung von Welt, Geschichte *und* Sprache zu vollziehen. Deswegen praktiziert der Sprecher eine „rhetoric of incongruity"[320].

4.6.4 Die Relevanz der Offenbarungsrede für das gnostische Ich

Textanalyse und Interpretation haben zu dem Ergebnis geführt, daß der Erlöser mit seiner Rede eine gnostische Anthropodizee[321] entwirft. Der Erzähler Petrus motiviert die Rezeptionsfähigkeit des Dialoganten Petrus, während er in Wahrheit den intendierten Leser herausfordert.

In welchem Maß es um das gnostische Ich geht, zeigt der anthropologische Exkurs (75, 7 b–76, 23 a), mit dem die ontologische Dimension des Gegensatzes von sterblichen und unsterblichen Seelen eröffnet wird. Der Soter klärt das wahre Sein der Gnostiker, indem er ihre Prädestination argumentativ nachweist. In diesem Begründungsvorgang setzt sich, unbeschadet der gnostischen Aneignung oder vielleicht durch sie verstärkt, die weisheitliche Tendenz der Logienquelle Q[322] fort. Die Gnostiker befinden sich in Synousie mit dem Soter. Wo diese Wesenseinheit als Prämisse nicht akzeptiert ist, dort herrscht die Sphäre der sterblichen Seelen. Alles kommt also darauf an, den Dualismus zu realisieren und das gnostische Ich sich finden zu lassen. Mit seiner Rede qualifiziert der Soter die Zeit der Rede als Zeit des Gerichts, das zur Demaskierung dieses Äon führt. Dagegen konstituiert sich der Äon der Gnosis, wenn der Zuhörer sich vom Kosmos abwendet und sich allein auf sich richtet. Radikale Internalisierung[323] des prädestinatianischen

---

[320] Der Ausdruck stammt von J. Z. Smith 1978, 206.

[321] Den Begriff hat Robert Haardt (1980, 37 ff.) in die Diskussion eingebracht. Vgl. Tröger 1981, 38: „Es geht den Gnostikern um die metaphysische Begründung für ihre antikosmische Lebenseinstellung, aber mehr noch um die *Selbstrechtfertigung des Menschen.* Nicht Theodizee, sondern Anthropodizee ist das Anliegen gnostischen Denkens".

[322] Vgl. Robinson 1971, 67 ff.; Köster 1980 a, 476 ff.; 1990, 149 ff. und neuerdings J. S. Kloppenborg, The Formation of Q: Trajectories in Ancient Wisdom Collections, Philadelphia 1987; R. A. Piper, Wisdom in the Q-Tradition, Cambridge 1989; A. D. Jacobson, Wisdom Christology in Q, Sonoma/CA 1990.

[323] Vgl. Ménard 1969, 54: „Wesentlich ist die Gnosis eine Mystik durch Introversion. Die einzige, wahre Kenntnis ist die des νοῦς, der sich selbst entdeckt. Dieser kann die Einigkeit, die Gleichheit, die Einheit des menschlichen Subjekts mit dem göttlichen Objekt erzeugen. Der Mensch, der sich selbst entdeckt, kann sich mit Gott selbst identifizieren."

Dualismus verwirklicht die Synousie mit dem Erlöser und verbürgt die Anthropodizee.

Rezeptionshilfe erfährt der Dialogant und Zuhörer Petrus darin, daß ihm das Auserwähltsein der „Kleinen" (vgl. 78, 20; 79, 19; 80, 1 [?]; 80, 11) vor Augen gestellt wird. Auf sie trifft zu, was von den unsterblichen Seelen gesagt ist. Und um ihretwillen ergreift der Erlöser überhaupt das Wort. Mit dieser titularen Bezeichnung beanspruchen die Gnostiker den Platz, den Mt[324] in seinem Evangelium den Glaubenden zugesprochen hat. Die unsterblichen Seelen sind die Kleinen. Ihr paradoxer Status läßt sich nur mit dieser mehrdeutigen Selbstbezeichnung[325] benennen.

Einerseits sind die „Kleinen" großer Bedrängnis ausgesetzt (vgl. 74, 2; 74, 20 f.; 79, 11 f.; 79, 20 f.; 80, 3.10 f.). Denn dem Werturteil der kosmischen Mächte zufolge können die Gnostiker nur „klein" und bedeutungslos sein. Die Rede des Soter rückt sie jedoch in die Sphäre des Lebens. Darum muß bei dieser titularen Bezeichnung eine Konnotation stolzen Selbstbewußtseins mitgehört werden, die unter dem Schein sozialer Etikettierung verborgen ist. Spricht für dieses Verständnis nicht auch die Tatsache, daß die unsterblichen Seelen von den Mächten wie Geiseln (vgl. 77, 2 ff.) behandelt werden, weil sie ihnen das Leben entreißen wollen, es aber nicht zuwege bringen? Die Gegner der „Kleinen" müssen diese als überlegen anerkennen. Man darf allerdings nicht übersehen, daß die Physiognomie der „Kleinen" trotz der dualistischen Vorgabe ambivalent bleibt. Erst mit der Parusie des Soter (vgl. 80, 8 b–23 a) werden die unsterblichen Seelen ihre wahre Natur offenbaren. Bis dahin signalisieren Ambivalenz und Paradoxie die Aporie der gnostischen Existenz. Aber auch diese temporale Perspektive gerät in Bewegung, insofern der Soter im Dialog epiphan wird. Mit seiner Rede zielt der Soter auf die Konstituierung des gnostischen Ich, d. h. auf ein Ende von Ambivalenz und Paradoxie. Der Erfolg bzw. die Aufhebung der Aporie hängt von der Inszenierung der Rede-Intention ab. Es ist also damit zu rechnen,

---

[324] Vgl. Michel, ThW IV, 650 ff.; Käsemann 1964, 90; E.Schweizer 1973, 116; 233 f.; 355 f. Die titulare Bezeichnung der zu Jesus Gehörenden als „die Kleinen" ist wahrscheinlich vormarkinisch, wie Schweizer zu Mt 10, 42 bemerkt (1973, 164; vgl. 1968, 111 zu Mk 9, 42 f.).

[325] Daß „klein sein" und „Niedrigkeit" als Anzeichen von Defizienz gilt, läßt sich aus UW (NHC II, 5) 124, 11; LibThom (NHC II, 7) 139, 11 f.; 2LogSeth (NHC VII, 2) 53, 34 ff.; 54, 4 ff.; EpPt (NHC VIII, 2) 138, 17–20 erschließen. Möglicherweise hat gnostisches Denken in diesem Punkt die heidnische Polemik gegen das Christentum reproduziert; vgl. Vogt 1975, 401 ff. Dagegen begründet Inter (NHC XI, 1) mit dem Vorbild der Selbsterniedrigung des Soter, der aus Liebe der Herrlichkeit entsagt hat und in die Niedrigkeit hinabgestiegen ist (vgl. 15, 17–26), eine Paränese. An dieser humilitas (10, 28: ⲑⲃ̄ⲃⲓⲟ) soll der Gnostiker sich im Umgang mit seinesgleichen (vgl. 15, 26 ff.; 17, 33 f.) orientieren. Zur Mehrdeutigkeit der titularen Selbstbezeichnung vgl. Scholten 1987, 89.

daß ApcPt bis zu einem gewissen Grad die Notwendigkeit von Verkündigung und Mission einräumt[326].

---

[326] In dieser Schlußfolgerung ist Koschorke zuzustimmen. Gegenüber seiner kirchenpolitisch aufgezogenen Auslegung sind jedoch Vorbehalte anzumelden. Die „Kleinen" werden in konsequenter Anwendung dieser Perspektive als „die im Machtbereich der orthodoxen Kirchenführer lebenden Gemeindechristen" (1978, 83) bestimmt. Sie sind Verführte, die nicht zu ihrer Bestimmung gelangen können. „‚Lebende' können die ‚Kleinen' vielmehr deshalb genannt werden, da sie als potentielle Gnostiker gelten" (ebd.; Hervorhebung z. T. von mir). Das Verhältnis zwischen der gnostischen Fraktion und den orthodoxen Kirchenführern wird als ein Ringen um Einfluß auf die „Kleinen", die Masse des Kirchenvolkes beschrieben (vgl. 84). Gerade die Rede des Soter dokumentiere, wie gespannt die Konkurrenz-Situation ist. Eine definitive Grenz-Ziehung scheint noch nicht erfolgt zu sein. Zwischen den Kokurrenten herrsche kein absoluter Gegensatz, meint Koschorke. Die Gnostiker setzen die kirchliche Wirklichkeit voraus, möchten sie aber nur als Entwicklungsstufe zur Gnosis hin verstanden wissen. Worauf es ihrer Überzeugung nach ankomme, sei die Kompetenz zum Unterscheiden der Wirklichkeit, um so den Zugang zu wahrer Gnosis zu ermöglichen. „Gnosis realisiert sich ... als unterscheidende Schichtung des Gemeindeglaubens" (87). Die ekklesiastische Fraktion dagegen identifiziere die vorfindliche kirchliche Wirklichkeit mit dem Absoluten. Darum komme es zu Polemik, wo die Möglichkeit der Differenzierung und Transzendierung behindert bzw. die Taktik des Verwechselns als Zugang zur Offenbarung gelehrt werde. „Man könne also sagen, daß das, worin *Sohm* den ‚Sündenfall' des Katholizismus gesehen hat – daß dieser nämlich die sichtbare an die Stelle der unsichtbaren Kirche gesetzt habe –, auch der Vorwurf der gnostischen Polemik ist" (78).

Das Einnehmende an dieser Auslegung erweist sich als das eigentlich Problematische. Ausgangspunkt und Ziel der Analyse haben im Blick auf die historische Kontroverse ihre Plätze getauscht, so daß die hypothetische Konstruktion als die Reproduktion der faktischen Verhältnisse erscheint. Aus dieser grundsätzlichen Einschätzung resultieren folgende *Anfragen*:

Erstens stellt Koschorke Behauptungen über soziologische Sachverhalte auf, die den Horizont von Vermutungen nicht verlassen. Er kann nicht sagen, warum und in welcher Form es zu dem Konflikt gekommen ist. Bestand Kontakt zwischen Gemeinden unterschiedlicher Provenienz, der dann aggressive Ausmaße annahm? Sind gnostische Wanderprediger von außen in eine Gemeinde eingedrungen und haben diese gespalten? Hat es innerhalb der Gemeinde Flügelkämpfe gegeben? – Koschorke hält letzteres für erwiesen, äußert sich jedoch nicht zu Details (vgl. 86; 88 f.).

Zweitens ist es fraglich, ob ApcPt de facto eine Dreischichtung der Menschen in Gnostiker, potentielle Gnostiker, die verführbar und unentschieden sind, und die Kirchenführer als Vertreter der Archonten durchführt. In den anthropologischen Reflexionen des Traktats liegt kein differenziertes System vor. Selbst wenn der Verfasser einen Gruppenhorizont voraussetzt (vgl. 89), sind seine Intentionen nicht auf den Ausbau einer Ekklesiologie gerichtet.

Drittens unterläßt es Koschorke, die Rede des Soter formkritisch zu untersuchen. Ihm entgeht zwangsläufig das Element der Rede-Strategie. So wird er ein Opfer der gnostischen Sprachverkehrung und (miß)versteht den Diskurs vordergründig als historische Information.

Gegenüber dieser kirchenpolitischen Einordnung des Traktats sollten die Überlegungen von T. V. Smith gehört werden. Seiner Analyse (vgl. 1985, 126 ff.) zufolge bleibt „unclear ... wether these opponents should be characterized as pro- or anti-Peter ... It remains possible ... that the opponents were, in fact, anti-Peter Christians, in which case they might be able to be identified with the groups which stand behind the Gospels of Mary

Wenn Petrus die Rede weitergibt, wandelt er sich vom Zeugen zum Mittler der Offenbarung und zum Garanten der gnostischen Identität. Insofern ist die Petrusgestalt durch einen Doppelcharakter – der Jünger ist autoritativer Garant und exemplarische Existenz – gekennzeichnet. Darin wiederholt sich die Struktur, die auch dem Soter als Offenbarer und Interpret der Offenbarung eigentümlich ist. Diese Übereinstimmung mit dem Erlöser qualifiziert die paradigmatische Stellung des Petrus in der gnostischen Gemeinde. Wie Jakobus in der gnostischen Jakobus-Literatur repräsentiert er den „prototype of the Gnostic"[327] und gilt als maßgebliche Identifikationsfigur. Die Interaktion zwischen Petrus und dem Soter thematisiert und bildet ab, was alle Gnostiker betrifft.

Der Umgang mit historischen Elementen und das polemische Interesse an der Gegenwart lenken die Aufmerksamkeit auf die Situation des Autors. Kann die Furchtreaktion des Hörers Petrus, können die Aussagen über Verfolgung, Anfeindung und Martyrium der Gnostiker dazu verwandt werden, um für die Schrift einen Sitz im Leben zu bestimmen? Die Beantwortung dieser Frage hängt an dem Stellenwert von Verfolgung und Martyrium für die Gnosis im allgemeinen und für ApcPt im besonderen. Eins kann mit Gewißheit gesagt werden. Es trifft nicht zu, daß Gnostiker aus Angst vor dem Tod Verfolgung und Martyrium umgangen haben. Die gnostische Einstellung[328] zu diesen Widerfahrnissen ist vielgestaltig und wechselt von Traktat zu Traktat. Neben der Verwerfung einer theologischen Überhöhung des Martyriums und der Polemik gegen einen Martyriumsenthusiasmus[329] gibt es auch andere Stimmen. Das Martyrium kann in EpJac (NHC I, 2)[330] als die konsequente Form der Askese ausgegeben werden, weil es ein Weg ist, der aus der fremden Welt herausführt. In beiden Jakobus-Apokalypsen[331] wird die Fremdheit des Gnostikers in der Welt anhand des Martyriumsmotiv entfaltet. Daß Gnostiker das Martyrium erlitten haben, kann aus verschiedenen Bemerkungen in

---

and Thomas" (135). Die Alternative „Orthodoxie-Gnosis" reduziert die komplexen Kontroversen um Petrus im 2.Jh. Da in gnostischer Literatur ein positives und ein negatives Petrusbild begegnen, rechnet Smith mit der Möglichkeit „that Apoc Pet's polemic is directed against other Gnostic groups" (ebd.). Vgl. auch Pearson 1990, 74.

[327] Brashler 1977, 210; vgl. 156; ferner Perkins 1980, 115; Pratscher 1988, 195ff.

[328] Einige Positionen hat Koschorke 1978, 134ff. skizziert. Vgl. jetzt die ausführliche Darstellung von Scholten 1987.

[329] Vgl. TestVer (NHC IX, 3) 31,22–34,11 ohne 32,22–33,24. Stroumsa macht darauf aufmerksam, daß die gnostischen Vorbehalte gegenüber dem Martyrium eine Konsequenz des elementaren Mißtrauens gegenüber dem Kosmos sind. Denn: „even martyrdom implies, in a way, the attribution of a certain value to powers who rule this world" (1980, 283).

[330] So sprechen 4,22–5,23 von „Verfolgung", „Bedrängnis" und „Kreuzigung". Denen, die dem Herren bis in den Tod nachfolgen, ist die „Krone" als Auszeichnung verheißen. Vgl. auch 8,30–9,1.

[331] Vgl. 1 ApcJac (NHC V, 3) 31,24; 32,17ff.; 2 ApcJac (NHC V, 4) 62,21ff.; dazu Funk 1976, 193ff.; 211ff.

der Überlieferung erschlossen werden[332]. Insgesamt gesehen hat das Martyrium im gnostischen Denkbereich aber nicht die Relevanz, die ihm im frühen Christentum beigemessen wird. Das demonstriert auch ApcPt. Denn die Rede des Soter ist weit davon entfernt, Verfolgung, Leiden und Martyrium als Vorgänge zu werten, die den Gnostiker auszeichnen[333]. Allenfalls schärfen diese Widerfahrnisse eine notwendige Dissonanz ein. Für die Identifikation des historischen Ortes tragen die allgemein gehaltenen Aussagen wenig aus. Daran ändert auch der Eindruck nichts, es mit Informationen zu tun zu haben. Die Situation bleibt fiktiv und wird durch einen suggestiven Redevorgang erwirkt, der im ontologischen Dualismus begründet ist. Konflikte, Verfolgung und Leiden ergeben sich zwangsläufig bzw. a principio. M. a. W., der Gnostiker kann nicht anders als in einem permanenten Gegensatz zur historischen Welt existieren. Er destruiert den Kosmos und konstituiert dadurch sein Selbstverständnis. Mit der fiktiven Weissagung, die den kontroversen Augenblick als kommendes Ereignis ausgibt, weckt der Sprecher die Aufmerksamkeit der Rezipienten. Denn die eigentliche Gegenwart ist nicht identisch mit der vorfindlichen Wirklichkeit[334], sondern entfaltet sich in der gnostischen Heilserfahrung von absoluter Jenseitigkeit. Die Abgrenzung der Gnostiker gegenüber anderen Gruppen und Lehren hat funktionale Bedeutung und ist mit der Frage nach der Identität des gnostischen Ich verknüpft.

Im Verlauf der Interpretation des Diskurses wurde mehrfach von der *Redestrategie* gesprochen, die der Erlöser zur Verwirklichung seiner Redeintention einsetzt. Als *erstes* Element ist die Interdependenz von Exkurs und Liste zu nennen. Die Ausführungen über den Dualismus der Seelen bilden das ontologische Fundament, auf dem eine fiktive Situation entworfen wird. M. a. W., Wirklichkeit wird nicht einfach abgebildet, sondern von der anthropologischen Vorgabe her transparent gemacht und neu geordnet. In seinem wie eine Liste strukturierten Vortrag kommt der Sprecher immer wieder auf die ontologischen Voraussetzungen zurück. Der Diskurs behandelt das Thema, das den Dialoganten Petrus umtreibt (vgl. 72, 4 ff.) und auch den Zuhörer Petrus (vgl. 79, 32 b–80, 8 a) in Unruhe versetzt. Und zwar wird die Existenz der feindlichen Welt

---

[332] Vgl. Dial (NHC III, 5) 140, 9 ff.; 2LogSeth (NHC VII, 2) 59, 22–26; PS 179, 26 ff.

[333] Das unterscheidet den Verfasser von ApcPt auch von Paulus, für den die Leidenserfahrungen christologische Relevanz haben (vgl. z. B. 2Kor 4, 10). Zumal den Christen in Philippi trägt er diese Überzeugung vor (vgl. Phil 1, 29; 3, 10 f.; 4, 11 f.) und grenzt sich gegen ein Wirklichkeitsverständnis ab, das die Leiden ausklammert. Zur Sache vgl. Walter 1977, 417 ff.

[334] Vgl. Brashler 1977, 233: „the time being described here is near the end of the long period of relative peace in the second half of the third century, when the orthodox church was free to develop its internal organization as well as its political standing in the empire". Ähnlich Koschorke 1978, 17; vgl. 33 f.; 58 ff.: Anfang bis Mitte des 3. Jhs.

nicht einfach negiert. Vielmehr demaskiert der Soter die kosmischen Mächte und legt ihre Todesverfallenheit bloß. Petrus und die Gnostiker befinden sich jenseitig in der Geschichte. Sie nehmen teil an der virtuellen Entmachtung der Mächte, die der Soter mit seiner Rede dramatisch inszeniert. Das gnostische Ich hat sein Sein aus der Konsubstantialität mit dem Soter. Auf diese Übereinstimmung, auf das inklusive „Wir" als Ermöglichungsgrund und Ziel hebt der Diskurs ständig ab.

Damit ist auch das *zweite* Element der Redestrategie genannt, die Bezugnahme der Rede auf den Dialog, obwohl man eher den Eindruck einer „structural imbalance"[335] hat. Auf den ersten Blick scheint der Soter allgemeine Informationen vorzutragen, in Wahrheit wendet er sich permanent an den Dialoganten Petrus und provoziert dessen Hör- und Reflexionskompetenz. Obwohl ein anderes Sprachmuster vorliegt, ist der Erzählrahmen nicht aufgehoben. Und selbst wenn nur einer spricht, ist Petrus nicht aus der Dialogsituation entlassen. Durch den anthropologischen Diskurs wird ihm sein wahres Ich zugesprochen. Folgt er der Perspektive, die der Soter mit der Liste aufgeschlossen hat, so internalisiert er dieses neue Ich. Das gelingt in dem Maße, wie er die dialogfördernden Elemente von ironischer Verkehrung und Negation erkennt und ihre Weisung begreift. Vor allem die Negationen und Zurückweisungen aktivieren die Interaktion zwischen Sprecher und Zuhörer[336]. Dieser wird dazu gebracht, sich dem Kriterium der Negation zuzuwenden und Schlußfolgerungen selbständig zu treffen, d. h., seine Situation zu identifizieren und sich an der Entmachtung der Mächte zu beteiligen.

Die Redestrategie tendiert ständig dazu, den Vortragsrahmen zu transzendieren und auf jener Kommunikationsebene zu agieren, die auch im I. Dialogteil das eigentliche Ziel gestellt hatte: die Verwicklung des intendierten Dialoganten in das Dialoggeschehen resp. seine Integration in die Rede. Dieser Sachverhalt begegnet als *drittes* Element in metakommunikativen Aspekten. Über seine selbstverständliche Verarbeitung von linguistisch-formalen und traditionellen Faktoren nimmt der Sprecher den Zuhörer Petrus und jeden Leser in einen intendierten Horizont hinein. Anknüpfungen und Assoziationen[337] schlagen einen Weg vor, den die Rezipienten bereitwillig gehen, weil sie ihn zu kennen meinen. Im Verlauf der Rede und im Vollzug des Hörens entdecken sie jedoch, daß

---

[335] Brashler 1977, 156.

[336] Vgl. Iser 1980, 112: „The various types of negation invoke familiar and determinate elements or knowledge only to cancel them out. What is cancelled, however, remains in view, and thus brings about modifications in the reader's attitude toward what is familiar or determinate – in other words, he is guided to adopt a position *in relation* to the text."

[337] Dazu gehört auch „die Vorliebe für metaphorische, Aktion vortäuschende Ausdrucksweise …, die zum Teil bereits durch den Kontext ihrer Verwendung den Literalsinn ausschließt" (Scholten 1987, 85).

sie an einem anderen Ziel angekommen sind, als sie aufgrund der An-fangserwartungen vermuten konnten. Fast unbemerkt ist das, was kon-ventionell und bekannt war, in anderes verkehrt, umfunktioniert, ironisch unterlegt oder radikalisiert worden. Haben die Rezipienten diesen Re-deverlauf erkannt und akzeptiert, so sind auch sie dabei, die gnostische Perspektive zu übernehmen. Mit Hilfe der Sprache distanzieren sie sich von sprachlich konstituierten Kontexten und transzendieren die vorfind-liche Welt.

In exemplarischer Weise wird das an der Verwendung von eschatolo-gischen Topoi und Denkstrukturen in der Soter-Rede sichtbar. Zunächst war es erstaunlich, in einer gnostischen Schrift explizite Bezugnahmen auf Denkstrukturen der apokalyptischen Eschatologie zu finden. Die In-terpretation der Rede hat dann gezeigt, daß diese Strukturen besonders geeignet sind, den Bruch mit Geschichte und Kosmos zu dramatisieren. „Die Übernahme eschatologischen Stoffes durch gnostische Systeme be-sagt nicht, daß das Heil hier eschatologisch verstanden wird. Der Stoff der Eschatologie bietet sich gnostischem Denken deshalb als geeignet an, weil er außerhalb dieser Welt spielt"[338]. Es geht weniger um eine bestimmte Weltsicht, als vielmehr um die „kognitive Dissonanz"[339], die das Selbstverständnis der „Kleinen" als Erwählte bestätigt.

Die eschatologischen Topoi mit ihrer totalisierenden Tendenz signa-lisieren, daß es nicht um Nebensächlichkeiten geht, sondern um die ele-mentare Krisis, die sich mit der Einsicht in die Jenseitigkeit des Ich vollzieht. Weil der Soter derjenige ist, der die Krisis personifiziert, sind die, die sich mit ihm in Synousie befinden, ebenfalls die Krisis in Person. Sie mögen zwar „klein" sein, in Wahrheit richten die Gnostiker den Kosmos und die Mächte.

---

[338] Schottroff 1970, 95; vgl. MacRae 1983, 317 ff. Das „Vordringen traditioneller Escha-tologie" und apokalyptischer Kategorien hält auch Scholten (1987, 86 f.) für bemerkenswert. In dem Maße, wie die Gruppe sich als Minorität erkennt, bewertet sie die Situation als beginnende Endzeit.
[339] Vgl. Festinger 1957; 1967, 347 ff.; s. u. 240 Anm. 34.

4.7 Der inszenierte Dialog II (80, 23 b–82, 17 a)

Auf die Offenbarungsrede folgt ein längeres Textstück, in dem Petrus seine Rolle als Dialogant und als Erzähler wieder wahrnimmt. Rede-wechsel, Imperative und direkte Anrede signalisieren, daß die Sprach-verwendung in das explizit Dialogische zurückgekehrt ist.

4.7.1 Zu Textstruktur und Ziel der Analyse

Das im Anschluß an diese Überlegungen folgende Gliederungsschema zeigt, in welcher Form der zweite ausführliche Dialog zwischen Petrus und dem Soter in das Textstück eingebaut ist. Um diesen Redewechsel, in dem die Beteiligten zweimal das Wort ergreifen, sind narrative Pas-sagen gelegt, mit denen der Erzähler Petrus das Dialoggeschehen rahmt. Am Anfang gibt eine Erscheinung (81, 3 b–6 a), auf die referierend Bezug genommen wird, den Anstoß zum Redewechsel. Der Erzähler scheint durch das Geschaute irritiert zu sein. Nachdem der Soter seinen letzten Dialogbeitrag beendet hat, wird eine Epiphanie thematisiert (82, 3 b–14), mit der Petrus sein erstes Referat überbietet. Von Irritation kann keine Rede mehr sein. Wiederum hat die dialogische Interaktion bewirkt, daß sich am Dialoganten eine Veränderung vollzieht. Er folgt den Weisungen des Soter und gewinnt aufgrund seines Gehorsams Kompetenz zur Gno-sis. Mit diesem Selbstverständnis kann Petrus seinem Auftrag nachkom-men, der ihm für das kommende Gerichtsszenarium zugedacht ist: Zeuge des Soter zu sein (vgl. 80, 23 b–81, 3 a mit 82, 15–17 a).

In Struktur und Verlauf entspricht dieser Dialog weitgehend dem, was in der ersten dialogischen Interaktion (72, 4 b–73, 14 a) wahrgenommen worden ist. Deshalb greifen wir auf Kategorien und Betrachtungsweisen, die dort relevant waren[340], ohne ausführliche Begründung zurück. Ein Unterschied auf der Sachebene sollte aber gegenüber der ersten Dialog-passage von Anfang an beachtet werden. Im Mittelpunkt steht das Kreu-zigungsgeschehen, das in einen Sieg des Soter über die Archonten um-schlägt[341]. Auf dieses Thema hatten der Diskurs 71, 15 b–72, 4 a explizit und der erste Dialog eher implizit vorbereitet. Unter kompositionellem Aspekt kommt es im zweiten Dialog zum inhaltlichen Höhepunkt des Traktats. Das zeigt sich auch in der Tatsache, daß der Erzähler Petrus in seinem Epiphanie-Referat auf das Geschehen Bezug nimmt und der Soter selbst das Mysterium in einem Beauftragungsdiskurs 82, 18–84, 11 b reflektiert. Mit dem abschließenden diskursiven Textstück fordert die Pragmatik des gesamten Traktats noch einmal Aufmerksamkeit. Eine

---

[340] S. o. 96 f.

[341] Nach Koschorke (1978, 37) dient die Passage dazu, die „Häresie" (74, 21 f.), die der Glaube an den „Toten" (74, 13 f.) darstellt, zu bekämpfen.

spezifische Disposition[342] und die Wiederaufnahme von zentralen Gedanken aus dem anthropologisch-dualistischen Exkurs unterstreichen das Ziel der gnostischen Kommunikation.

Mit der Analyse dieser zweiten Dialogpassage werden Einsichten aus der ersten dialogischen Interaktion präzisiert und vertieft. Die inhaltliche Konzentration auf das Kreuzigungsgeschehen bestätigt den gnostischen Charakter von ApcPt. Am Ende steht die Erkenntnis, daß der Rezipient der eigentliche Dialogant des Traktats ist. Um seinetwillen wurde das literarische Unternehmen „Dialog" überhaupt inszeniert.

Hier nun die Textstruktur im schematischen Überblick:

80,23b-26a   Diskursiver Übergang: Soter
80,26b-81,3a   Eröffnung einer Gerichtsszene: Soter

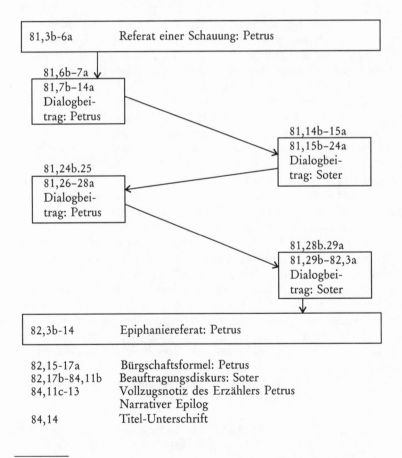

81,3b-6a   Referat einer Schauung: Petrus

81,6b–7a
81,7b–14a
Dialogbei-
trag: Petrus

81,14b–15a
81,15b–24a
Dialogbei-
trag: Soter

81,24b.25
81,26–28a
Dialogbei-
trag: Petrus

81,28b.29a
81,29b–82,3a
Dialogbei-
trag: Soter

82,3b-14   Epiphaniereferat: Petrus

82,15-17a   Bürgschaftsformel: Petrus
82,17b-84,11b   Beauftragungsdiskurs: Soter
84,11c-13   Vollzugsnotiz des Erzählers Petrus
                  Narrativer Epilog
84,14   Titel-Unterschrift

---

[342] S. u. 197 f.

4.7.2 Ankündigung des Gerichts über die Widersacher (80, 23 b–81, 3 a)

Im Anschluß an seinen letzten Diskursbeitrag (vgl. 80, 8 b–23 a: Antwort auf den petrinischen Rede-Eingriff) leitet der Soter selbst zur Dialogszene über. Mit einer direkten Anrede (80, 23 b), zwei Aufforderungen (80, 23 c; 80, 24 a) und einem Szenenweiser (80, 26 b) signalisiert die Rede, daß ein neuer Sachzusammenhang eröffnet ist. Die Konjunktionen ⲟⲩⲛ (80, 24 a), ⲅⲁⲣ (80, 27 a; 81, 2 b), ⲇⲉ (80, 29 b.31 a) geben den Aussagen ein nuanciertes und argumentierendes Profil. Ein Blick auf die Tempusverwendung zeigt die Dominanz präsentischer und futurischer Verbformen. Es geht also um die Gegenwart, die in bestimmter Weise transparent gemacht wird. Petrus sieht sich (vgl. die erneute Anrede 80, 31 a) in ein forensisches Geschehen verwickelt. Darauf verweist das Stichwort ϩⲁⲡ/ „Rechtsspruch" (80, 28 a). In noch stärkerem Maße präzisiert ⲁϩⲉⲣⲁⲧ= die Situation. Es liegt ein t.t. aus der Rechtssphäre[343] vor, die der Verwendung des koptischen Verbs im gnostischen Horizont besonderes Gewicht verleiht: Petrus wird mitten unter den Anwesenden auftreten (80, 31 b.32 a); der Unsichtbare „trat zu" (81, 2 b). Die Textaussage gewinnt an Gewicht, wenn man weiß, daß dieses Verb den Auftritt des Zeugen vor Gericht meint (vgl. auch 82, 27 a; 82, 31 a).

Unter dieser semantischen Voraussetzung bekommen die erwähnten Personen eine Rolle zugewiesen und konstituieren das Gerichtsszenarium. Außer den bekannten Protagonisten wirken noch zwei andere Repräsentanten von Handlungen auf der Szene. Ein Handlungsträger bleibt anonym, ist aber durch Präfixe, Suffix, Verbformen und Demonstrativpronomen als größere Gruppe charakterisiert (vgl. 80, 27 b.28 a; 80, 28 b–30). Man wird nicht fehlgehen, in der namenlosen Gruppe die Antagonisten, d. h. die Widersacher des Soter angesprochen zu sehen[344]. Sie kommen, um an ihm das Todesurteil zu vollstrecken (vgl. 71, 27 ff.; 72, 5 b–8 a). Diese Absicht fällt jedoch auf sie selbst zurück. Sie bringen sich selbst in Schmach und Schande. Über sie wird triumphiert (vgl. 80, 28 b.29 a). Die verbale Ausdrucksweise[345] ist dem passivum divinum vergleichbar und schlägt einen Bogen zu dem vierten Handlungsträger in der Szene. Unter dem Titel ⲡⲓⲁϩⲟⲣⲁⲧⲟⲥ (81, 3 a) wird derjenige eingeführt, der dem Verfahren seinen angemessenen Verlauf zurückgibt. Da er der Unsichtbare ist, stehen die anderen als solche, die aus dem Sichtbaren kommen, fest und sind damit als Pseudorichter qualifiziert. Er weist die Widersacher zurück und bekämpft sie. Durch den Auftritt dieses Zeugen haben sich die Rollen in fundamentaler Weise verkehrt. Die

---

[343] Hinweis von Frau Prof. Dr. U. Kaplony-Heckel/Marburg. Vgl. auch Crum 1979, 537 b; 538 a; Westendorf 1965/1977, 297 Anm. 7: „feststehen = erwiesen sein".
[344] Vgl. das anaphorischer ⲛⲁⲓ in 80, 27 b.
[345] Vgl. Till 1970, 165 f.

Richter werden zu Angeklagten und Verurteilten[346], während der zur Hinrichtung Bestimmte, d. h. der Soter, unbehelligt aus der Szene hervorgeht (vgl. 80, 29 b.30).

In dieser Eröffnung des Gerichtsszenariums fällt eine eigentümliche Verschränkung der Ebenen auf. Der Soter agiert als Subjekt einer Szenenbeschreibung, in der er zugleich auch als Objekt auftritt. M. a. W., die Szene lebt von einer gewissen Doppelbödigkeit, auf die u. a. die Konjunktionen aufmerksam machen. In der Perspektive des Soter laufen also zwei Redeziele zusammen. Einmal schildert und bespricht er die Gerichtsszene, an der er beteiligt ist, die ihn aber nicht betrifft. Seine Rede richtet sich an Petrus, der auch in dem Geschehen vorkommt. Im Gegensatz zum Soter droht Petrus in eine fatale Betroffenheit zu fallen. Deswegen wird eine zweite Aussageebene eröffnet. Der Sprecher argumentiert (vgl. 81, 1 b–3 a) mit der Ignoranz der Widersacher und dem Auftritt des Unsichtbaren. Diese argumentativen Elemente geben dem Aufruf zur Furchtlosigkeit (80, 32 b.33 a) überzeugendes Gewicht. Die Perspektive, die der Soter voraussetzt, hat ihre Begründung jenseits der Szene, was u. a. der Auftritt des Unsichtbaren demonstriert. Darum ist das, was sich abspielt, von Anfang an durch die eschatologische Richtungsanzeige 80, 24 b–26 a überboten. Diese Argumentation soll Petrus in die Lage bringen, seine Rolle als Zeuge (80, 31.32 a) wahrzunehmen und gegen die Widersacher für die Wahrheit aufzutreten. Wie der Erlöser unantastbar ist, so auch der, der zu ihm gehört und sein Zeuge ist: Petrus. Die Zusammengehörigkeit beider gilt unbestritten. Dennoch ist ein Unterschied festzustellen. Mit der adversativen Konjunktion ⲆⲈ (80, 31 a) wird signalisiert, daß für den Zeugen eine andere Lage besteht und andere Bedingungen gelten als für den Soter. Seine Zeugenschaft kann der Angesprochene erst dann verwirklichen, wenn er die Perspektive des Soter übernommen hat. Die Imperative in 80, 23 b.24 a sollen Petrus zur Identifikation mit seiner Rolle führen und auf die eschatologische Klimax (80, 24 b–26 a) konzentrieren: die Übereinstimmung[347] bzw. die Einheit mit dem jenseitigen[348] Vater.

Bei seinem Versuch, synoptische Parallelen zu finden, die den Autor von ApcPt inspiriert haben, schätzt Koschorke[349] die kreative Motivie-

---

[346] Mit diesem Geschehen beginnt die Inversion der Verhältnisse, von der 80, 8 ff. die Rede war; s. o. 139.

[347] Zu den unterschiedlichen Übersetzungen der Textstelle s. o. 57.

[348] Dem Attribut ⲀⲦⲬⲰⲢⲘ̄ kommt die exemplarische Bedeutung zu, das Wesen der Übereinstimmung mit dem jenseitigen Vater gegenüber dem Kosmos abzugrenzen. In ÄgEv (NHC III, 2; IV, 2) wird ⲀⲦⲬⲰⲢⲘ̄ neben ἄφθαρτος gebraucht, wenn die Rede auf den ungewordenen und unbeschreibbaren Gott kommt (Belegstellen bei Siegert 1982, 189).

[349] Er überschreibt den Abschnitt 80, 23 ff. mit dem Titel „Aufbruch von Gethsemane" (1978, 19) und will in 80, 23 b–26 a eine Anspielung auf Joh 19, 30 erkennen; vgl. auch 1ApcJac (NHC V, 3) 24, 10 f. Für 80, 27 behauptet er als Hintergrund Mt 26, 46par.

rung, die vom gnostischen Mythos ausgeht, zu gering ein. Im bisherigen Verlauf hatte der Traktat mehrfach (vgl. 71,5 f.; 71,27 ff.; 72,5 ff.; 77,26 ff.) von den Anschlägen der Archonten auf den Erlöser gesprochen. Er ist ihrem Neid ausgesetzt. Sie verfolgen ihn, um ihn in ihre Macht zu bekommen. Dabei sind sie völlig unwissend und verblendet (vgl. 81,1 b.2 a). In ihrer Anmaßung überschätzen sie sich, so daß sie zum Opfer der eigenen Vermessenheit werden. Die Epiphanie des Unsichtbaren vollendet schließlich das Gericht an ihnen (vgl. 81,2 b.3 a).

Dieser Ausgang begründet die Gelassenheit des Soter. Weil er nicht aus diesem Äon stammt, können die Archonten ihm nichts anhaben. Mit seiner Rede macht er die Wirklichkeit transparent, so daß die Seinen, hier repräsentiert durch Petrus, furchtlos unter den Widersachern auftreten können (vgl. 80,32 b–81,1 a). In seiner Perspektive wird alles Vorfindliche überboten. Wie in den Eingangsdiskursen ist die Rede von einer assertorischen Tendenz bestimmt. Dort hatte die dialogische Interaktion für die Plausibilität der gnostischen Assertio gesorgt. Die Frage ist hier, in welcher Form Aufruf und Rollenzuweisung begründet werden.

Untersucht man die Redehandlungen, so fallen zwei Tendenzen auf. Der Soter stellt Petrus auf eine noch ausstehende Zeit ein (vgl. 80,26 b–28 a; 80,31.32 a). In gegenläufiger Weise macht er eine kontrafaktische Wirklichkeit bewußt, deren ontologische Macht – der Soter war und ist unantastbar (80,29 b.30); der Unsichtbare tritt als Zeuge (81,2 b.3 a) auf – die Anschläge der Widersacher ins Leere laufen läßt. Durch die juristische Dimension in ⲁⲍⲉⲣⲁⲧ= erhält der Diskurs eine argumentative Basis, von der her die Rollenzuweisung abgeleitet wird.

Es ist aber noch auf einen weiteren konnotativen Faktor in ⲁⲍⲉⲣⲁⲧ= zu achten. „Stehen" bzw. „festes Auftreten" bildet einen Gegensatz zu den Tätigkeiten, die ein „Bewegtsein" implizieren. Dieser Kontrast hat zugleich theologische Relevanz. Denn das Bewegtsein kennzeichnet den Kosmos und seine Repräsentanten. Dagegen ist ⲁⲍⲉⲣⲁⲧ= dem jenseitigen Vater und dem Gnostiker[350] vorbehalten. Durch diese semantischen Implikationen rückt die Aussage in den Horizont gnostischer Soteriologie. „Unbewegtheit" und „Ruhe" sind also Metaphern für das, was der Gnostiker sucht: Erkenntnis. Die Suche ist erfolgreich gewesen, wenn er die Übereinstimmung mit dem jenseitigen Vater findet bzw. wenn sich die Synousie mit dem Erlöser auftut[351]. Gnostische Existenz „(sc. is) standing and at rest after the likeness of the One"[352]. Ist dieser Status erreicht, hat der Gnostiker die historischen Bedingtheiten, vor allem die Bewegtheit des Kosmos transzendiert. ⲁⲍⲉⲣⲁⲧ= bringt mit der soteriologischen Dimension einen spezifisch gnostischen Gedanken zum Aus-

---

[350] Vgl. Allog (NHC XI,3) 59,9–61,22; 66,29 ff.
[351] Vgl. Williams 1981, 819 ff., bes. 821 f.
[352] Allog (NHC XI,3) 59,22 f.; vgl. 60,31 ff.; Übers.: NHL 497.

druck[353]. „Unbewegtheit, unerschütterliches Auftreten, festes Gegründet-sein, Ruhe" umschreiben metaphorisch das zentrale Ziel gnostischer Su-che nach Erlösung. „They said to him, ,What is the place to which we are going?' The [Lord] said, ,Stand in the place you can reach!'"[354]. Wahrscheinlich begegnet in dieser Metapher das, was mit „Auferste-hung"[355] als dem zentralem Inhalt ekklesiastischen Denkens rivalisiert.

Wenn Petrus mit der Aufgabe betraut wird, für die gnostische Wahr-heit mitten unter den Widersachern einzustehen, dann ist mit dem Verb ⲀϨⲈⲢⲀⲦ= zugleich die soteriologische Dimension präsent. Die zweifache Bedeutung des verbalen Ausdrucks ist ein metakommunikatives Signal. Über die Identifikation mit Petrus – die kollektive Figur der intendierten Gnostiker – gerät die jeweilige Gegenwart in die Interpretationsperspek-tive des Soter. Seinen an Petrus gerichteten Aufruf vernimmt auch der Rezipient, der durch Kommunikationssignale, Verschränkung der Ebe-nen und Bedeutungsvielfalt aufnahmebereit gemacht worden ist.

4.7.3 Realisierte Gnosis im Dialog (81,4 b–82,17 b)

4.7.3.1 Phasen der dialogischen Interaktion (s. Schema nächste Seite)

4.7.3.2 Das Referat einer Schauung

Nachdem der Soter die Gerichtsszene angekündigt hat, referiert der Er-zähler Petrus auf der Ereignisebene die neue Situation (81,4 b–6 a). Er blickt mit der Vollzugsformel 81,3 b.4 a zurück und leitet einen Perspek-tivwechsel ein (vgl.81,4 b). Als Erzähler nimmt er den Standpunkt des Dialoganten ein und berichtet, was dieser gesehen hat. Ohne daß der Ereigniszusammenhang besonders herausgestellt oder angedeutet wird, entsteht die dramatische Szene. Der Dialogant Petrus sieht, wie die Widersacher gegen den Soter vorgehen[356]. Es ist „so, als ob er von ihnen ergriffen würde" (81,4 c–6 a).

---

[353] Williams hat den Topos u. a. bei Plato, im Neuplatonismus und bei Philo untersucht. Wichtig ist seine Feststellung: „certain features of the theme of stability/instability in Gno-stic literature ... may be best explained as developments from Jewish wisdom" (1981, 827). Vgl. jetzt auch Williams 1985. Dieser Aspekt vertieft die verschiedentlich angemerkte Nähe der Gnosis zur Weisheit.

[354] Dial (NHC III, 5) 142, 16 ff.; Übers.: NHL 253.

[355] Es ist konsequent, wenn ApcPt diesen Sachbereich mit keinem Wort erwähnt. Weil der Gnostiker Petrus – sobald er zur Erkenntnis gekommen ist – den Tod nicht zu fürchten braucht, entsteht auch nicht die Notwendigkeit, sich mit der Auferstehung der Toten zu beschäftigen. In der Perspektive dieses Traktats trägt die realpräsentische Einschätzung der Gegenwart des Heils den Akzent. Neben dieser Position steht der Versuch von Rheg (NHC I, 4), die Rede von der Auferstehung der Toten mit gnostischem Denken zu verbinden. Vgl. Gaffron 1970, 218 ff.; Peel 1974; Layton 1979.

[356] Vgl. 72, 4 ff.

	Petrus	Soter
I.	Referat (81,4b-6a)	
II.	[Rede-Einleitung 81,6b.7a] Fragen (81,7b-14a)	[Rede-Einleitung 81,14b.15a] Antworten (81,15b-23) Aufforderung (81,24a)
III.	[Vollzugsnotiz 81,24b.25a Rede-Einleitung 81,25b] Behauptung (81,26b.27a) Aufforderung (81,27b.28a)	[Rede-Einleitung 81,29a) Rekurs auf eine Zitation (81,29b.30) Aufforderung (81,30a) Aufforderung (81,31a) Begründung (82,1b-3a)
IV.	Referat (82,3b-17a)	

Die Ausdrucksweise entspricht nicht dem Referatstil, der Faktisches mitteilt. Vielmehr gibt der Satz zu verstehen, daß Petrus irritiert ist und das Geschehen nicht eindeutig einordnen kann. Im Gegensatz zu den vorangegangenen Szenen (vgl. 72, 8 f.; 79, 32 f.) weckt das Geschehen „als ob"[357] keine Furchtreaktion. Das, was Petrus sieht, bedeutet aber eine Zuspitzung der Situation und bewegt ihn zur Nachfrage. Implizit kommt in diesem Referat zur Sprache, daß die Perspektive des Dialoganten von dem bestimmt ist, was er mit seinen natürlichen Augen sieht, und nicht von dem, was der Soter gesagt hatte. Nach dem Referat vollzieht sich im Modus des erinnerten Ich (vgl. 81,6b.7a) der Übergang zur dialogischen Rede.

4.7.3.3 Dialog-Geschehen: Vom Sehen zum Erkennen

In dieser Interaktion initiiert der Dialogant Petrus den Dialog und schließt ihn auch narrativ ab. Anders als in der ersten Dialogpassage geschieht der Redewechsel im Bereich der direkten Rede. Durch das Verb ΝΑΥ/ „sehen", das in allen Phasen der Interaktion begegnet, wird eine Isotopie konstituiert, die dem Geschehen Epiphaniecharakter verleiht. Im Verlauf des Redewechsels widerfährt Petrus eine Veränderung. Er gibt seinen Standpunkt (vgl.81,4b.5a) auf und übernimmt die dialogisch erschlossene Perspektive des Soter. Das unbestimmte und irritierte ΝΑΥ der ersten Phase unterliegt einer Klärung in der zweiten und dritten Phase. Aus

---

[357] ⲉⲩⲭⲉ hat eine Nuance des Irrealis; vgl. Till 1970, 224.

dem Prozeß geht ein Sehen hervor, das die Defizite überwunden hat und kompetent ist, die Epiphanie der Herrlichkeit des Soter wahrzunehmen. Der betonte Hinweis auf die vollzogene Wahrnehmung in Phase IV. (vgl. 82, 3 b.4 a; 82, 15 a) signalisiert, daß der Dialogant Petrus zur Gnosis des Erlösers gekommen ist. Mit der referierten Epiphanie (82, 3 b–17 a) blickt der Erzähler auf das zurück, was ihm als Dialoganten widerfahren ist und was ihn noch jetzt bestimmt.

Die zweite Dialogphase nimmt explizit Bezug auf die in I. referierte Schauung. „Was sehe ich" (81, 7 b), fragt der Dialogant und wendet sich direkt an den Soter (vgl. 81, 8 a). In dieser Frage kommt die Ratlosigkeit des Fragestellers angesichts eines irritierenden Geschehens zum Ausdruck. Den Grund für seine Irritation gibt Petrus unmittelbar danach an. Zweierlei nimmt er wahr, was simultan vor sich geht und dennoch sich ausschließt. Er sieht, wie der Soter von den Widersachern ergriffen wird (81, 8 b.9 a). Zu dieser Wahrnehmung steht in Spannung, daß der Soter ihn, den Dialoganten, festhält (81, 9 b.10 a). Da beides gleichzeitig geschieht, droht es die Identität des Soter zu zerreißen. Diese Aporie reflektiert Petrus in seiner zweiten Frage (81, 10 b–14 a), die ausdrücklich zwischen zwei Gestalten unterscheidet. Er sieht, daß „neben" bzw. „über" dem Kreuz (81, 11 b)[358] einer steht, der das Geschehen belacht (81, 11 a; 81, 11 c. 12 a). Aus der Fortsetzung der Frage muß erschlossen werden, daß am Kreuz „ein anderer" (81, 12 b) hängt. Dieser andere wurde von den Widersachern angenagelt (vgl. 81, 12 c–14 a).

In gedrängter Form erinnert die Frage an das Passionsgeschehen, dessen Zeuge Petrus hier noch einmal wird[359]. Wie im ersten Teil der Anfrage geht es um die Identität des Soter, obwohl er ungenannt bleibt und das Geschehen in dramatische Distanz gerückt ist. Petrus blickt auf eine Szene, die sich vor seinen Augen ausbreitet, während er zunächst selbst in die Vorgänge verwickelt schien.

In dieser zweiten Dialogphase thematisiert Petrus mit seinem Beitrag die entscheidende Aporie, vor die das gnostische Denken sich gestellt sieht. Die „Geschichte" des Soter provoziert eine Irritation, weil sie den Anschein erweckt, als sei der Soter dem Leiden ausgesetzt. Unter diese Aporie gerät auch die Beziehung des Gnostikers zu seinem Seinsgrund. Doch zeichnet sich in dem Dialogbeitrag ein Unterschied ab zwischen dem leidensfähigen und dem vom Leiden nicht betroffenen Soter[360]. Offensichtlich soll die Aporie durch einen dramatischen Akt gelöst werden: der Erlöser spaltet sich in zwei Gestalten auf. Anrede, Fragen und wi-

---

[358] S. o. 58 Anm. 77.
[359] Vgl. Mt 26, 50 par; 27, 35 ff. par; Lk 24, 39; Joh 20, 20.25.27 (zu diesem Motiv vgl. Bauer 1909, 216 ff.).
[360] In dieser Unterscheidung steckt ein „Grundmuster gnostischer Christologie" (Koschorke 1978, 24 Anm. 9).

dersprüchliches Geschehen konstituieren eine Aufforderung zur Stellungnahme.

Die Rede-Einleitung 81,14b.15a signalisiert, daß sich ein Sprecher- und Perspektivwechsel vollzieht. Der Soter nimmt das Wort und beantwortet die an ihn gerichteten Fragen. Im Blick auf den Dialogverlauf könnte man annehmen, der Verfasser folge dem apokalyptischen angelus-interpres-Modell[361] oder dem Pesher-Verfahren[362]. Zweifellos bedient er sich konventioneller Strukturelemente aus diesem Bereich, um mit ihrer Hilfe sein Anliegen zu profilieren. Von der Übernahme eines Modells kann aber nicht die Rede sein. Es geht in der Frage-Antwort-Struktur um die Klärung elementarer Probleme, die dem Soter vorgelegt werden[363]. Darum begleitet ein autoritativer und offenbarender Anspruch seine Redebeiträge. Die Antwort korrespondiert hier der Anfrage, sowohl im Blick auf das Erfragte als auch in Wiederaufnahme bestimmter Formulierungen. Ausdrücklich wendet der Soter sich seinem Gegenüber und der thematisierten Szene zu (vgl. 81,15b.16a). Dadurch, daß die Antwort identifizierende Elemente enthält, erfüllt sie die Erwartungen, die an sie gerichtet sind. Gleichzeitig verschärft sie die Dramatik des Geschehens, da sich zu bestätigen scheint, was Petrus vermutet hat. Für die Kontinuität des Dialogs sorgt am Ende die Aufforderung zum genauen Hinsehen (81,24a).

Auch der Soter beschreibt die Szene. Derjenige, der lachend[364] neben bzw. über dem Kreuz steht (vgl. 81,16.17a), ist der lebendige Jesus (81,17b.18a). Antithetisch (vgl. 81,18b) ist von ihm eine zweite Gestalt abgehoben, die dem Kreuzigungsvorgang (81,18c–22a) unterworfen ist. Dieser Gekreuzigte wird als das fleischliche Abbild (81,20b.21a: ΠΙϹΑΡΚΙΚΟΝ ΝΤΑϤ ΠΕ) des Lebendigen identifiziert und „der Ausgetauschte" (81,21b)[365] genannt. Ihn haben die Widersacher einem Gerichtsverfahren unterworfen und richten ihn schließlich hin (vgl. 81,22a). Zwischen dem Lebendigen und dem Gekreuzigten besteht ein vordergründiger Zusammenhang, der mit der Kategorie „Abbild" (81,22b.23: ΠΗ ΕΤΑϤϢΩΠΕ ΚΑΤΑ ΠΕϤΕΙΝΕ) ausgedrückt wird. D.h., der Gekreuzigte ist nicht mit dem Lebendigen identisch. Er, der Gekreuzigte, ist das inadäquate Machwerk derjenigen, die den Soter nicht erkennen können. Ihr Vorgehen ist in Wahrheit Selbstbetrug. Warum und wann das „Abbild" entstanden ist, darüber gibt der Beitrag des Soter keine Auskunft[366].

---

[361] Darauf will Brashler (vgl. 1977, 147 ff.; 169) ApcPt festlegen.

[362] Vgl. Klauck 1978, 85 ff.; 355.

[363] S. o. 19 ff.

[364] Vgl. Brashler 1977, 169: „whose laughter vividly demonstrates that he is completely unaffected by the crucifixion".

[365] Das koptische Wort ϢΕΒΙΩ (vgl. 83,6) gibt Anlaß zu unterschiedlichen Übersetzungen und Spekulationen; s. o. 58 Anm. 80.

[366] Vielleicht enthält die Aussage implizite Kritik an der theologischen Hochschätzung

Mit dem Imperativ 81, 24 a fordert der Soter Petrus auf, beide Gestalten anzusehen, und d. h., zu vergleichen[367]. Die Aufforderung ergänzt die gerade abgeschlossene Identifikation. Denn der Erlöser artikuliert seine Distanz zum Gekreuzigten. Andererseits identifiziert er sich ausdrücklich mit dem Lebendigen (vgl. 81, 24 a). Petrus soll ihn, den Redenden, anschauen, dann werde er erkennen, wer die heitere und lachende Gestalt neben bzw. über dem Kreuz ist. Im übrigen signalisiert der Imperativ dem Angeredeten, daß der Dialog noch nicht beendet ist, auch wenn die identifizierenden Antworten das Erfragte geliefert haben. Offen ist nämlich, wie Petrus jetzt das Geschaute einschätzt und ob er die Auskunft des Soter internalisiert hat.

Mit diesem Dialogbeitrag ist die zweite Phase der Interaktion abgeschlossen. Andererseits steigert sich die Spannung, weil alles auf die Reaktion des Dialoganten ausgerichtet ist. Die Vollzugsnotiz 81, 24 b.25 a belegt, daß Petrus der Aufforderung gefolgt ist. Zugleich gibt der Erzähler bekannt, daß er in seiner Eigenschaft als Dialogant erneut zu Wort kommen will. Über den Inhalt der Schauung bzw. über ihre Relevanz hat die Vollzugsnotiz nichts mitgeteilt. Um so mehr richtet sich die Aufmerksamkeit auf das, was Petrus nach vollzogenem Sprecherwechsel sagt. An die Anrede (81, 26 a), mit der die Würde des Soter unterstrichen wird, schließen eine Behauptung (81, 26 b.27 a) und eine Aufforderung (81, 27 b.28 a) an.

Es ist evident, daß Petrus die Perspektive des Soter nicht übernommen hat. Er will die Aporie naiv auflösen und macht einen praktischen Vorschlag. Da die Widersacher sich auf eine Gestalt – den Gekreuzigten – konzentrieren, ist ihre Aufmerksamkeit gebunden. Sie können nicht die ganze Szene überwachen. Folglich entgeht ihnen die Tatsache, daß noch eine andere Gestalt – der Lebendige, der Erlöser – da ist und mit ihm, Petrus, spricht. So schlägt er vor, die Gelegenheit zur gemeinsamen Flucht (81, 27 b. 28 a) zu nutzen. In diesem Dialogbeitrag wird Petrus ganz wie in der Furchtreaktion (vgl. 72, 5 b–9 a) von vordergründigen Gegebenheiten geleitet. Seine Argumentation zeigt, daß er das klärende Wort des Soter nicht beherzigt und die dualistisch strukturierte Wirklichkeit nicht erkannt hat. Er bleibt dem Vorfindlichen ausgeliefert und ist unfähig zum Transzendieren. Obwohl er im ersten Dialog den himmlischen Standpunkt eingenommen hatte, ist er wieder zurückgefallen in die Begrenztheit des Kosmos. Streng genommen manifestiert Petrus mit seinem Beitrag eine Einstellung, die seine Aufgabe als Anfang der Gnosis

---

von Gen 1, 26 und an (neu-)platonischen Reflexionen zum Idee-Abbild-Thema. Scholten (1987, 87) hebt die „theoretischen Unklarheiten und Inkonsequenzen" hervor, die durch die Zusammenstellung von „ϲⲁⲣⲕⲓⲕⲟⲛ", der Austausch-Vorstellung und dem Urbild-Abbild-Denken entstehen.

[367] Auch Thomas wird vom johanneischen Jesus zum Sehen aufgefordert (vgl. Joh 20, 27).

für andere fundamental in Frage stellt. Die dialogische Interaktion erreicht darum in der dritten Phase einen kritischen Höhepunkt. Dieser dramatische Faktor hat zugleich metakommunikative Relevanz. Denn der Rezipient spürt, wie das Agieren des Apostels ihn selbst ins Spiel bringt. Über die Identifikation mit Petrus war er an der dialogischen Interaktion beteiligt. Nun gefährdet der Dialogant Petrus den Erfolg des Dialogs durch seinen naiven Pragmatismus. Auch im Blick auf die globale Intention des Traktats bringt der Vorschlag ein retardierendes Moment zur Geltung. Die Frage ist, wie der Rezipient sich als intendierter Dialogant verhält; ob er das Signal, das der spannungsvolle Augenblick bedeutet, richtig versteht und im Dialog bleibt.

Einigermaßen merkwürdig klingt die Aufforderung zur Flucht nach vollzogener Kreuzigung. Biblische Anknüpfungspunkte gibt es dafür nicht. Die Notiz von der Jüngerflucht nach der Gefangennahme Jesu (vgl. Mt 26, 56 par) kommt dafür nicht in Betracht. Allenfalls könnte eine gnostische Applikation von Mk 8, 31–33 in Erwägung gezogen werden[368],

---

[368] Vgl. Werner 1974, 583 Anm. 24; EpJac (NHC I, 2) 5, 33–6, 4. In ApcPt vertritt Petrus mit seinem Dialogbeitrag durchaus das Anliegen des synoptischen Petrus. Dessen Rede (vgl. Mk 8, 32) wird vom synoptischen Jesus (vgl. Mk 8, 33) massiv zurückgewiesen. Der Soter aus ApcPt bewegt sich in einem Denkhorizont, der im Gegensatz zu Wort und Tat des synoptischen Jesus steht, aber eine Nähe zum synoptischen Petrus zeigt. Diesem ist der Gedanke fremd, daß der Messias leiden muß. Jener hatte sich vom Leiden des „Ausgetauschten" (vgl. 81, 15 ff.) distanziert.

Vertritt Petrus in Mk 8, 31 ff. vielleicht den Standpunkt einer enthusiastischen Gruppe, in der die Passion Jesu als Skandal aufgefaßt wurde? Ist diese Gruppe auch für die Überlieferung von Wundergeschichten verantwortlich, die Jesus als charismatischen Gottesmann (vgl. H. D. Betz 1980, 416 ff.; Lührmann 1987, 94 f.) zeigen? Bilden Gruppen dieser Art vielleicht das Milieu, in dem die Jesus-Überlieferung allmählich eine gnostische Zuspitzung erfuhr?

Die bisherige Erforschung von ApcPt neigt dazu, in dem Judenchristentum der Mt-Überlieferung den maßgeblichen historischen Ausgangspunkt zu sehen. Doch ist die Plausibilität dieser Perspektive keineswegs gesichert und steht aufgrund verschiedener Einwände zur Disposition (Vgl. Scholten 1987, 88). Im übrigen gibt der Traktat keine konkreten Anhaltspunkte, die eine unanfechtbare Lokalisierung erlauben. Die Offenbarungsrede (73, 14 b–80, 23 a), von der am ehesten Informationen erwartet werden könnten, hält das Problem in der Schwebe.

Auch zur Abfassungszeit der Schrift können nur Vermutungen aufgestellt werden. Aufgrund der Übereinstimmungen zwischen ApcPt und 2Petr kommt T. V. Smith zu der „tentative conclusion that 2Peter and the Coptic Apocalypse of Peter are products of the same Petrine controversy some time in the latter half of the second century". Die Unterschiede versteht er als Beweis für eine „situation in which two pro-Peter groups were polemicizing against each other as rivals" (1985, 141). So auch Werner 1989, 634 und Pearson 1990. Schenk erkennt in der Polemik gegen Hermas (s. o. 158) „eine zeitgeschichtliche Profilierung" und denkt an „die Zeit vor der Mitte des 2. Jahrhunderts" (1983, 80) als Abfassungszeit des Hermashirten wie der Petrusapokalypse. Daß die Auslegung jener Textstelle 78, 18 umstritten ist, findet bei Schenk keine Erwähnung. Er schlägt vielmehr vor, ernsthaft die „‹heiße Spur›" zu prüfen, „ob mit ApcPt nicht ein authentisches Dokument des Alexandriners Basilides vorliegt, der sich ja als Schüler eines Dolmetschers des Petrus (Glaukias)

die eine Meinung aufgreift, mit der der Evangelist im Streit liegt. Jedenfalls provoziert das, was der Dialogant in der dritten Phase äußert, einen
Sprecherwechsel und verlangt nach einem Korrektiv, wenn denn Petrus

---

verstand ... und der auch Wert auf die apostolische Legitimation seiner geheimen Her-
renworte legte" (ebd.).

Angesichts der Urteilsdivergenzen gibt es zwei Möglichkeiten: entweder die Suche nach
dem „Sitz im Leben" aufzugeben, weil sie doch in eine pseudogenealogische Projektion
umschlägt, oder die neuen Aspekte, die im Laufe der Analyse wahrgenommen worden sind,
zu vertiefen und als Argument für eine Beschreibung des Trägerkreises, des geistigen Mi-
lieus usw. zu prüfen. Im Sinne einer Problemanzeige sei im folgenden genannt, was die
Analyse bisher als bedenkenswert zu Tage gefördert hat.

Es ist aufgefallen, daß der Vf. zustimmend auf Logien-Material zurückgreift und für
seine Argumentation in Anspruch nimmt. Weil er sich gleichzeitig von der Passionstradition
distanziert, kann vermutet werden, daß er seinen Standpunkt im Horizont weisheitlich
orientierten Denkens hat. Auf jeden Fall muß er mit judenchristlicher Weisheitsliteratur
vertraut gewesen sein, die in der Logienquelle exemplarisch Gestalt gewonnen hat. „Re-
ligionsgeschichtlich kommen wir mit der Logienquelle ins Milieu einer weisheitlich geräg-
ten judenchristlichen Apokalyptik. Geographisch ist die Logienquelle in Palästina oder in
seiner Umgebung zu lokalisieren" (Luz 1973, 528). Enthusiastische, dualistische und syn-
kretistische Tendenzen können diesem literarischen Genre ein neues theologisches Profil
gegeben haben. Als „Gattung hat Q bei christlichen Gnostikern nachgewirkt" (Vielhauer
1975, 329), was u. a. EvThom (NHC II, 2), Dial (NHC III, 5) und EpJac (NHC I, 2) zeigen.
Die geographischen Vermutungen zu Q treffen sich mit Überlegungen von Rudolph (s. o.
15) und Adam (1967, 291 ff.), die in Syrien eine Institution der Lehrunterweisung annehmen, der auch der gnostische Dialog nahesteht. Überdies gehört Petrus als religiöse Identifikationsfigur auch in diesen geographischen Raum, in dem ein „Judentum aus zweiter
Hand" (Berger, TRE XIII, 521) und mythologische Konstruktionen systemschöpferische
Faktoren waren.

Als weiteres Moment fällt in ApcPt eine Affinität zu bestimmten Einstellungen auf, mit
denen der Evangelist Markus sich kritisch auseinandersetzt. Petrus erscheint in dieser Kontroverse als Repräsentant problematischer Überzeugungen. Auch wenn Mk nicht gegen eine
gnostische Gegnerschaft polemisiert (vgl. Schmithals 1984, 124 f.), kann seine Reaktion auf
ein enthusiastisches Gegenüber nicht bestritten werden.

Verschiedentlich ist darauf hingewiesen worden, daß hinter der Mt-Gemeinde eine radikale Bewegung von Wanderpropheten sichtbar wird. E. Schweizer hält ApcPt für eine
„Selbstdarstellung" dieser Bewegung, die sich „später in seßhaften Sondergemeinden gesammelt" hat und „in historischer Kontinuität zur Mönchsbewegung des 4. Jhs" steht (1985,
92). Käsemann (1964, 82 ff.) und Barth (1968, 60 ff.; 149 ff.) haben in Detailstudien plausibel gemacht, daß Mt gegen hellenistische Pneumatiker, ihr radikales Eschatologiever-
ständnis und ihre relativierende Einstellung zum Gesetz argumentiert. Diese Position über-
schneidet sich mit Ansichten, die auch im Mk-Evangelium kontrovers diskutiert werden.
Darum „ist die Vermutung vielleicht nicht ganz abwegig, daß die Falschpropheten (sc.,
gegen die Mt in 7, 15 polemisiert,) in irgendeiner Weise ‚Markiner' gewesen sein könnten"
(Luz 1985, 403).

Auch wenn diese Aspekte nur hypothetische Bedeutung haben, ist mit der Skizze eine
Fragerichtung angezeigt, in der die Suche nach dem Sitz im Leben weitergehen kann. ApcPt
gehört mit hoher Wahrscheinlichkeit in einen Denkhorizont, der affirmativ Perspektiven
vertritt und u. U. noch ausgebaut hat, mit dem das Mk- und Mt-Evangelium kontrovers
diskutieren. Der gnostische Traktat wäre dann auch zur radikal-enthusiastischen Verarbeitung der Jesus-Überlieferung – das sieht auch Brashler 1977, 175 – in der frühchristlichen
Literatur zu rechnen.

gnostischer Apostel bleiben soll. Darum und weil er direkt angesprochen wurde, ergreift der Soter das Wort.

Nach der Rede-Einleitung (81,28 b), in der der Erzähler ausdrücklich vermerkt, daß er in seiner Rolle als Dialogant angesprochen wird, präsentiert der Soter eine abschließende Argumentation. Sie besteht aus einem Zitat (81,29 f.), einer Handlungsanweisung mit Zielangabe (81,31–82,1 a) und einer Begründung (82,1 b–3 a).

Der Erlöser zitiert sich selbst (vgl. 81,29 a). Er ruft den ersten Dialog in Erinnerung, in dessen Verlauf er die Widersacher demontiert hatte (vgl. 72,10 c–13 a; 73,12 b–14 a; 76,20 b–23 a). Mit der Selbstzitation greift er auf seine Autorität zurück, die in jenem Zusammenhang unter Beweis gestellt worden war. Er erinnert aber auch an den ontologischen Dualismus. Zugleich kritisiert er Petrus, weil dessen „Sehen" nicht der gnostischen Perspektive entspricht. Trotz Erwählung und Dialog hat Petrus die Offenbarung des Soter nicht internalisiert. Darum wird das Urteil über die Widersacher erneuert und Petrus zu einer Nicht-Relation aufgefordert (vgl. 81,30 b). Er soll sie nicht aufwerten, indem er sie fürchtet. Eigentlich hat er ja das Stadium der Blindheit hinter sich gelassen. Wenn er aus der Einheit mit dem Erlöser auf die Szene blickt, müßte er wissen, daß das Geschehen den Gnostiker nicht tangiert. Darum soll er es sich wie ein Bühnenstück mit Hilfe der Deuteworte des Soter anschauen, distanziert und unbewegt. Die Aufforderung verspricht ein Stück, über das der Zuschauer nur lachen kann. Weil die Widersacher keine Gnosis haben, verstehen sie nichts von dem, was sie „aufführen" (vgl. 81,31 c–82,1 a). Durch ihre Aktionen zieht so eine unfreiwillige Ironie, die alle ernstgemeinten Unternehmungen aufhebt[369]. Angesichts solcher Gegnerschaft bleibt dem Soter nur distanzierte Gelassenheit (vgl. 81,10 b–12 a.16–17 a). Auch Petrus soll die Widersacher ruhig tun lassen, was sie tun wollen. Die Begründung 82,1 b–3 a signalisiert also den determinierten Handlungsverlauf der Szene. Selbst wenn das Geschehen zunächst den gegenteiligen Eindruck vermittelt, sollen Petrus und mit ihm der Rezipient wissen, daß das Gerichtsverfahren sich umkehrt und auf die Widersacher zurückfällt. Gefangen in ihrer Ruhmsucht (vgl. 71,33 ff.) und Blindheit (vgl. 72,12 a; 73,13 a; 81,30 a; 83,3 b), bemerken die Gegner nicht, daß sie das Gebilde ihrer illusionären Einbildung (vgl. 81,23) kreuzigen. Sie verwechseln das Bild mit der (pneumatischen) Wirklichkeit und fallen der eigenen Konfusion zum Opfer.

Mit ⲡϣⲏⲣⲉ...ⲛ̅ⲧⲉ ⲡⲓⲉⲟⲟⲩ ⲛ̅ⲧⲁⲩ (82,1 b.2 a) ist der sarkische Leib des Soter gemeint, den dieser zeitweise angenommen hat und zu dem die Widersacher Zugang haben, da sie selbst Sarx sind. Umstritten ist,

---

[369] Diese Beobachtung fördert das Textverständnis mehr als die Suche nach neutestamentlichen Anspielungen, die Koschorke betreibt (vgl. 1978, 20; genannt werden dort Joh 18,4–8; Mt 26,63par; Lk 24,34par).

ob die Textstelle eine Anspielung auf 1Kor 2, 8 enthält[370], wo Paulus gegen die Ignoranz derjenigen polemisiert, die den „Kyrios der Doxa" gekreuzigt haben. Man beachte aber, daß hier nicht vom Kyrios die Rede ist, sondern vom „Sohn", d. h., vom reproduzierten Selbst der Widersacher. Aufgrund der antithetischen Satzstruktur müssen ΠΑΔΙΑΚⲰΝ (82, 2 b.3 a) und der nicht-leibliche Leib des Soter (vgl. 83, 7 f.) in Beziehung gesetzt werden. Das, was den Widersachern grundsätzlich entzogen ist, bedient sich einer vermeintlich objektiven Gestalt[371], steigert aber in Wirklichkeit das paradoxe Auftreten des Soter. Die beschränkte Wahrnehmung der anderen demonstriert nur die fehlende Gnosis.

Was im Dialog über den Soter gesagt worden ist, gehört in den Horizont der mythologischen Erlöservorstellung[372]. ApcPt rekurriert auf diesen Mythos insofern die christologische Aporie im gnostischen Sinne aufgelöst werden kann. Andere gnostische Texte müssen befragt werden, um die dramatische Szene, die der Soter mit seinen Dialogbeiträgen konstituiert, adäquat verstehen zu können.

Exkurs: Zur Interpretation des Kreuzestodes Jesu im gnostischen Denken

Der Auftritt des lachenden Soter, der neben dem Kreuz steht, an das ein anderer angenagelt wird, hat verschiedene Parallelen. In seinem Referat über die Christologie des *Basilides* schreibt Irenäus: „Der ungewordene und unnennbare Vater, da er ihre Verderbnis sah, habe seinen erstgeborenen Nus – das sei der, der Christus heißt – gesandt, die, die ihm glauben, von der Macht derer, die die Welt gemacht hätten, zu befreien. Ihren (der Engel) Völker sei er auf Erden als Mensch erschienen und habe Wundertaten vollbracht. Darum habe er auch nicht gelitten, sondern ein Simon von Kyrene habe, dazu gezwungen, das Kreuz für ihn getragen; er (Simon) sei von ihm (Jesus) verwandelt worden, daß er für Jesus gehalten wurde, und sei aus Unwissenheit und Irrtum gekreuzigt worden, Jesus aber habe Simons Gestalt angenommen, dabeigestanden und sie verlacht. Denn da er eine unkörperliche Kraft sei und der Nus des ungewordenen Vaters, habe er sich verwandelt wie er wollte und sei

[370] In diesem Sinne argumentieren Koschorke 1978, 22 f. und Brashler 1977, 172. Der Topos von der Ignoranz der Archonten begegnet aber auch in paganen Nag Hammadi-Texten (z. B. ParSem [NHC VII, 1] 36, 2–24; ApcAd [NHC V, 5] 77, 4–20) und gehört zu einem mythologischen Horizont, der unabhängig vom christlichen Denken existiert und auf letzteres wahrscheinlich eingewirkt hat. Vgl. MacRae 1978, 155. 1Kor 2, 8 b könnte auch als Motto über die Anschuldigungen gesetzt werden, die Jakobus in 2ApcJac (NHC V, 4) 57–59 gegen die Jerusalemer Autoritäten vorbringt; so Funk 1976, 206 f. H.-M. Schenke macht auf Noema (NHC VI, 4) 41, 13–42, 21 als Kontext für das Verstehen von 1Kor 2, 8 aufmerksam (1973, 220).
[371] Man beachte, daß der Terminus ΔΙΑΚⲰΝ als Metapher des nichtleiblichen Leibes fungiert und nicht als Amtsbezeichnung wie in 79, 26 gebraucht ist.
[372] S. o. 154 ff.; vgl. ExAn (NHC II, 6).

zu dem aufgestiegen, der ihn gesandt habe, und habe sie verlacht, da sie ihn nicht halten konnten und er allen unsichtbar war."[373] Dieser Bericht wird durch *2LogSeth* als elementare christologische Position der Gnostiker bestätigt:

„... denn ihre Gedanken sahen mich nicht
denn sie waren Taube und Blinde.
Dadurch, daß sie das aber tun,
richten sie sich (selbst).
Wahrlich < nicht > mich sahen und bestraften sie,
ein anderer – ihr Vater – war jener,
der die Galle und den Essig trank,
nicht ich war es, der mit dem Rohr geschlagen wurde,
ein anderer war es, der das Kreuz auf seiner Schulter trug,
nämlich Simon.
Ein anderer war es, dem die Dornenkrone aufs Haupt gesetzt wurde;
ich aber ergötze mich in der Höhe
an dem ganzen (scheinbaren) Reichtum der Archoten
und dem Samen ihres Irrtums
< und der Prahlerei > ihres eitlen Ruhms;
und ich lachte über ihren Unverstand."[374]

In diesen szenischen Schilderungen ist die Passionsgeschichte auf den Kopf gestellt und gnostisch ausgeführt worden. Unter der Voraussetzung, daß der Soter per definitionem leidensunfähig ist, passen die Gnostiker die Tradition an die Vorgabe des ontologischen Dualismus an. Als Repräsentant des ungewordenen und höchsten Gottes ist der Soter radikal von dem finsteren Kosmos und dessen Treiben geschieden. Leiden hat, abgesehen davon, daß es nicht in seine Wesensstruktur gehört[375], mit

---

[373] Adv.haer. I 24,4; Übers.: Foerster, Gnosis I, 81 f.; vgl. auch Epiphanius, Panarion 24,3,2–5.

[374] 2LogSeth (NHC VII, 2) 55,36–56,20; Übers.: Berliner Arbeitskreis 1975, 102 f.; vgl. auch 60,15–22. Man beachte, daß Simon in 2LogSeth nur das Kreuz trägt, nicht aber an Jesu Stelle den Tod erleidet. Tröger 1975, 269 ff. liest die Position des Basilides in den Traktat hinein; vgl. Brashler 1977, 179 Anm. 27. Das Motiv der lachenden Erlösergestalt, die sich von den Anschlägen der Widersacher distanziert, begegnet auch UW (NHC II, 5) 116,25 ff. und HA (NHC II, 4) 89,23 ff. Vgl. ferner ActJoh 102 (Text in: Schneemelcher II, 171).

[375] Der Gnostiker Justin soll nach dem Bericht des Hippolyt (vgl. Foerster, Gnosis I, 77) gelehrt haben, daß Jesu Leib am Kreuz bleibt, während das rein Geistige sich zum Vater erhebt. Nach Exc. Theod. 61,6 f. trennt sich der Geist, der bei der Jordantaufe auf den Soter herabgestiegen war, vom Todesleib des Gekreuzigten und kehrt an seinen Ursprungsort zurück. In das Geschehen ist die Vernichtung des Todes und die Auferweckung des Leibes einbezogen. Auch ActJoh 97 ff. (Text in: Schneemelcher II, 168 ff.) geht davon aus, daß Jesus am Kreuz sich des vom Demiurgen erschaffenen Leibes entledigt hat.

dem Soter nichts zu tun. Dagegen qualifiziert es den Kosmos und ist
Zeichen von mangelnder Erkenntnis.

Bereits um 100 n. Chr. hat *Kerinth* eine dualistisch ausgerichtete Christologie vorgetragen. Mit der Taufe ist Christus bzw. die himmlische
Macht, die nicht mit dem Weltschöpfer identisch ist, auf den Menschen
Jesus herabgekommen. Dieser habe dann, so berichtet Irenäus, den un-
bekannten Vater verkündigt. „Am Ende aber habe sich Christus wieder
von Jesus getrennt, Jesus sei gekreuzigt worden und auferstanden, Christus aber sei leidensunfähig geblieben, da er pneumatisch gewesen sei."[376]
In dieser scharfen Unterscheidung zwischen Jesus und Christus kommt
das Eigentümliche im gnostischen Denken zum Ausdruck: die dualistische Struktur und der Topos von der Überlistung der Archonten. Der
Soter hat nicht gelitten, da er nicht in die Sarx eingegangen ist. Nur
zeitweilig[377] und zur Überwindung der Mächte hat er sich in Fleisches-
gestalt verkleidet[378]. Mit diesem Vorgehen beabsichtigt er, die Angehörigen der Lichtwelt, die im Kosmos versklavt sind, zu befreien und in
ihre eigentliche Heimat zurückzuführen. Sein Auftritt im Kosmos (vgl.
Zostr [NHC VIII, 1] 131, 14 f.) ruft die Seinen und bereitet ihnen den
Weg. Deshalb verschränkt Basilides, nach dem Referat des Irenäus, konsequent die christologische mit der anthropologischen Ebene[379].

Der Gnostiker bedarf keines Erlösers, der den Fluchtod auf sich
nimmt (vgl. Gal 3, 13; 2 Kor 5, 21), zu dem der Sünder verurteilt ist. Denn
das Problem der Sünde gibt es nicht. Weil er seiner Herkunft nach gött-
lich ist, kann sich der Gnostiker den Aporien des Kosmos gegenüber
indifferent verhalten. „Das Unterpfand seiner Errettung ist seine verbor-
gene Identität mit dem Erlöser, die der himmlische Erwecker wieder ins
Bewußtsein ruft. Das ist alles. Das genügt"[380]. Wenn er die Jenseitigkeit
des Soter erkannt hat, hat er zugleich seine eigene Herkunft erkannt.
Denn: „sehen sie mich", sagt der Erlöser in 2LogSeth (NHC VII, 2), „so
sehen sie sich selbst" (58, 5 f.).

Die hier vorgestellten Interpretationen des Kreuzestodes Jesu repräsentieren einen Ausschnitt aus den Denkmodellen, mit denen Gnostiker
die Aporie bewältigen wollen, die an die Erlösungsfrage gebunden ist.

---

[376] Irenäus, Adv.haer. I 26, 1; Übers.: Foerster, Gnosis I, 50. Auch der Bericht des Hippolyt
über Basilides hebt hervor, daß nur der sarkische Teil Jesu gelitten habe, nicht aber der
psychische, der aus der Hebdomas stamme (vgl. Refut. VII 27, 10–12). Die Passion habe
zum Ziel gehabt, das im Kosmos Vermengte voneinader zu trennen.

[377] Neben Kerinth sind frühe Vertreter dieser Position Satornil (vgl. Irenäus, Adv.ha-
er. I, 24, 1 f.; Foerster, Gnosis I, 56 f.) und die Archontiker (vgl. Irenäus, Adv.haer. I 1, 4;
Foerster, Gnosis I, 382).

[378] Zum Motiv der Übertölpelung der Archonten durch den Erlöser, vgl. Jonas 1975,
634.

[379] Vgl. Irenäus, Adv.haer. I 24; Übers.: Foerster, Gnosis I, 82.

[380] Tröger 1975, 270; vgl. jetzt Desjardins 1990.

Trotz aller Verschiedenheit der Denkwege und Akzentsetzung muß der Konsens gesehen werden, der darin besteht, daß Leiden dem jenseitigen Soter fremd ist. Ein anderer leidet und wird gekreuzigt[381]. Zwischen dem leidensunfähigen Pneuma des Soter und seiner körperlichen Erscheinung wird streng unterschieden.

Neben jenen Stimmen, die sich bewußt vom Passionsgeschehen distanzieren, gibt es andere, die aus Gründen der Anpassung und Selbstbehauptung oder weil sie Hybris und Ignoranz der Archonten bloßstellen wollen, die christliche Passions- und Kreuzestradition in die Gnosis zu integrieren versuchen. Auch aus diesem Bereich seien exemplarische Äußerungen angeführt.

EpJac (NHC I, 2) fordert zum Glauben an den gekreuzigten Soter auf. „Niemand wird erlöst werden, wenn er nicht an mein Kreuz gla[ubt]" (6, 3 ff.).[382]

Auch *EV* (NHC I, 3) stellt die theologische Relevanz des Kreuzestodes Jesu heraus: „Daher duldete der Barmherzige, der Getreue, Jesus, indem er die Leiden auf sich nahm ... da er wußte, daß sein Tod für viele Leben ist ... Er wurde an ein Holz genagelt. Er machte die Anordnung des Vaters am Kreuze bekannt. O diese große Lehre, da er sich zum Tode hinab begab, obwohl er mit dem ewigen Leben bekleidet war! Nachdem er die ganz zerrissenen Kleider von sich abgestreift hatte, be-

---

[381] Als beispielhaft und symptomatisch können außer der o. g. Passage aus 2LogSeth noch folgende Äußerungen angesehen werden:

„So it is with Christ:
if, on the one hand, he is comprehensible, on the other hand he is incomprehensible with respect to his actual being" (Silv [NHC VII, 4] 102, 1–5; Übers.: NHL 388).

„Und danach werde ich den offenbaren, der die Archonten zurechtweist, und ich werde diesen zeigen, daß er ungreifbar ist. Wenn sie ihn ergreifen, dann wird er über sie alle Herr" (1ApcJac [NHC V, 3] 30, 1–6; Übers.: Böhlig/Labib 1963, 40). In 31, 18–20 versichert der Soter: „Niemals habe ich irgendwie Leiden erlitten, noch wurde ich gequält" (Übers.: Böhlig/Labib 1963, 41).

„Jesus is a stranger to this suffering" (EpPt [NHC VIII, 2] 139, 21 ff.; Übers.: Meyer 1979, 41). Vorangegangen war eine credoartige Schilderung (139, 15 ff.) von Passion und Auferstehung Jesu, die mit Hilfe des Sophia-Mythos gedeutet werden.

„Nichts von dem also, was sie über mich sagen werden, habe ich gelitten", heißt es in ActJoh 101 (Text: Schneemelcher II, 170).

In Protennoia (NHC XIII, 1) sagt die weibliche Offenbarergestalt: „... ich habe Jesus angezogen. Ich trug ihn weg von dem verfluchten Holz, und ich versetze ihn in die Wohnungen seines Vaters" (50, 12–15; Übers.: G. Schenke 1985, 51).

Noema (NHC VI, 4) 41, 23 ff. schildert, daß der Akt der Kreuzigung den Erlöser nicht betrifft, vielmehr sich gegen die Archonten richtet. Vgl. auch Inter (NHC XI, 1) 5, 27–35. In Zostr (NHC VIII, 1) findet sich folgende Aussage: „Also there was the one who suffers, although he is unable to suffer" (48, 27 f.; Übers.: NHL 416). Wahrscheinlich handelt es sich um eine christlich inspirierte Glosse in dem ansonsten paganen Traktat.

[382] Übers.: Kirchner 1989, 17; vgl. 5, 33–6, 18.

kleidete er sich mit der Unvergänglichkeit, die niemand von ihm zu nehmen imstande ist" (20, 10-32)[383].

Der *Brief an Rheginus* über die Auferstehung (NHC I, 4) entwickelt einen positiven Sarx-Begriff und kann deshalb die Geschichtlichkeit des Soter, d. h., auch seinen Kreuzestod bedenken (vgl. 47, 4-6 mit 47, 6-8). In Grenzen erkennen *TractTrip* (NHC I, 5) 115, 3-5 und *Inter* (NHC XI, 1) 14, 29 ff. dem Kreuz eine soteriologische Bedeutung zu. Eine Mißbilligung der doketistischen Vorstellungen enthält der Traktat *Melch* (NHC IX, 1) 5, 1 ff. Zahlreich sind die gnostischen Zeugnisse[384], in denen die Realität des Kreuzestodes vorausgesetzt ist, auch wenn sie eine eigenwillige Antwort auf die Frage geben, wie es sich denn mit Leiden und Sterben des Soter Jesus verhält. Gegenüber jenen o. g. dichotomisch bestimmten Äußerungen zeichnet sich in diesen Zeugnissen ein neuer, totalisierender Leidensbegriff ab. Leiden heißt, an die Materie gefesselt und dem Kosmos ausgeliefert zu sein. Erlösung als Befreiung vom Leiden bedeutet dann entsprechend, zur Materie auf Distanz gehen, von ihr loskommen (vgl. 2ApcJac [NHC V, 4] 57, 6 ff.; 62, 21 ff.). Dem Kreuzesgeschehen kommt die Funktion zu, die Illusion der Archonten aufzudecken, die meinen, den Tod des Erlösers als historisches Faktum realisiert zu haben. „Die Kreuzigung wird zur Siegesfeier über die Welt des Demiurgen, zum Exempel für die Scheidung von Licht und Finsternis"[385]. Der Gnostiker soll das Leiden durchschauen und die wahren Zusammenhänge sehen. „Das Leiden erkenne, und das Nicht-Leiden wirst du haben!"[386] Wenn die Gnostiker die Botschaft verkünden, daß der Soter ohne Kleid ist, d. h., daß sein Leib nicht den Kategorien der Faktizität unterworfen ist, dann setzen sie die Entmachtung der Archonten fort und führen den Kampf des Erlösers gegen sie effektiv weiter (vgl. EpPt [NHC VIII, 2] 137, 13 ff. 22 ff.).

Es bleibt die Frage nicht aus, ob es den Autoren gelingt, das Dilemma aufzulösen, das mit der Paradoxie des leidenden Soter gegeben ist. Einerseits führen sie immer Elemente mit, die zu jenem Traditionsbereich in Spannung[387] stehen. Andererseits droht die Gefahr, daß die Autoren

---

[383] Übers.: Foerster, Gnosis II, 69 f.

[384] Vielleicht setzt sich der Evangelist Markus – wenn man der Analyse von Schenk folgen darf (1973, 231 ff.) – kritisch mit einer eigenwilligen Interpretation des Kreuzigungs-Berichts auseinander, der die „Himmelfahrt Jesu vom Kreuz aus" entworfen hatte.

[385] Tröger 1975, 275.

[386] ActJoh 96, 42; Übers.: Schneemelcher II, 168.

[387] EpJac (NHC I, 2) vertritt trotz großer Nähe zum neutestamentlichen Horizont dichotomische Tendenzen (vgl. 3, 17 ff.; 6, 19 ff.), die nicht zu übersehen sind. In EV (NHC I, 3) begegnet eine typisch gnostische Sarx-Vorstellung (vgl. 31, 1-8), die der positiven Interpretation des Kreuzes widerspricht. Ob die Argumentation von Rheg (NHC I, 4), die der Auferstehungstopos gnostisch akzentuiert (vgl. 45, 14-46, 2), gelungen ist, wird kontrovers diskutiert; vgl. H.-M. Schenke 1968, 123 ff. mit Gaffron 1970, 218 ff. und Peel 1974, 141 ff.

ihr gnostisches Selbstverständnis verlieren. Daher bleiben Zweifel[388] sowohl an der Plausibilität der Traditionsbezogenheit als auch gegenüber der Verwirklichung der gnostischen Perspektive. Das „Ineinander von begrifflicher Nähe und sachlicher Unvereinbarkeit"[389] hinterläßt in den christologischen Überlegungen Spannungen und befremdliche Tendenzen, die durch den Dialog geklärt werden sollen. Daß die Gnostiker mit kohärenten Entwürfen ein möglichst großes Publikum ansprechen wollten, ist unwahrscheinlich. Es kam ihnen auf würdige Empfänger ihrer Botschaft an.

Das christologische Modell, das die zweite Dialogphase von ApcPt entfaltet und das viele Übereinstimmungen mit dem Denken von 2LogSeth[390]

---

[388] Die Aporie besteht offensichtlich darin, daß sie die dualistische Unterscheidung in der Christologie überziehen und immer in der Nähe eines tendenziellen Doketismus bleiben. Daher kann die Plausibilität einer christlichen Gnosis in Zweifel gezogen werden. „Wenn Christologie Interpretation der Bedeutung des Menschen Jesus von Nazareth ist, dann ist eine Christologie, die die Menschheit Jesu selber aufhebt (Doketismus), eben sachlich unmöglich" (H.-M. Schenke 1973, 229). „Die sogenannte ‚christliche Gnosis' ist ... von vornherein ein weltanschaulicher und religiöser Zwitter, eine contradictio in adjecto" (Tröger 1977, 45).

[389] Adam 1965, 310.

[390] Der Traktat *2LogSeth* (Übersetzungen liegen vor von Krause/Girgis 1973, 106 ff.; vom Berliner Arbeitskreis für koptisch gnostische Schriften 1975, 97 ff.; in NHL 363 ff.; vgl. Tröger 1975; Perkins 1980, 114 f.) steht in NHC VII unmittelbar vor ApcPt und teilt in vielerlei Hinsicht denselben Denkhorizont (s. auch Scholten 1987, 90 ff.). Zentrales Thema der zweiteiligen Schrift ist die Synousie des Soter mit seinen gnostischen Brüdern (vgl. 59,9-11). Zuerst geht es um das Schicksal des Soter (49,10-59,19); im zweiten Teil wird dann der Weg der Gnostiker beschrieben (59,19-70,10). Die Schrift tritt als Offenbarungsrede des Erhöhten an die Seinen auf, die ihrem Wesen nach auch „von oben" stammen (vgl. 61,7 ff.). Mit seinem „lebenspendenden Wort" (vgl. 49,20 ff.) leitet der Soter sie in ihre wahre Identität (vgl. 58,4 ff.; 59,9 ff.; 62,6 f. u. ö.). Zur Verwirklichung dieses Ziels steigt er in die Geschichte herab. Er inszeniert ein großes Täuschungsmanöver, damit die Archonten überwunden werden (vgl. 51,20-52,3). Im Vergleich mit ApcPt fällt auf, daß 2LogSeth in weitaus größerem Umfang auf mythologische Komplexe zurückgreift. Gerade die christologische Passage zeigt den fundamentalen Charakter des Mythos vom Abstieg und Aufstieg des Erlösers. Auf dieser Basis wird unter allegorischer Verwendung der neutestamentlichen Berichte von Kreuzigung und Tod Jesu das gnostische Erlösungsdrama (vgl. auch die Beschreibung der Erlösung in ExAn [NHC II,7] 132,6 ff.; 133,3 ff. und AuthLog [NHC VI,3] 22,13 ff.; 24,17 f.) inszeniert, in dem ein polemisch-kontroverser Akzent dominiert. Bemerkenswert am Diskurs von 2LogSeth ist, daß die Passionstradition offensichtlich in eine Offenbarungsrede eingepflanzt wird, die der Soter in der 1. Person vorträgt. Der Redekomplex muß aufgrund der mythologischen Materialien als unabhängiger, d. h. nicht- bzw. vorchristlicher Sachzusammenhang beurteilt werden (vgl. Brashler 1977, 181; 187 ff. Diese Liste sollte mit der Aufstellung verglichen werden, die Bultmann 1925 [= 1967, 55 ff.] aufgrund wesentlich eingeschränkterer Quellenkenntnis für den gnostischen Erlösermythos gemacht hat.). Beide Traktate repräsentieren ein wichtiges Argument gegen die Auslegungstendenz, den gnostischen Erlösermythos als Reaktion auf den frühchristlichen Glauben an Christus zu interpretieren (z. B. O. Betz 1976, 79; vgl. dazu Schmithals 1984, 11 ff.). Vielmehr muß davon ausgegangen werden, „that Gnostic redeemer myths had

zeigt, gehört in den radikal-dualistischen Horizont. Mit pointierter Entschiedenheit nimmt der Sprecher einen Schnitt zwischen dem lebendigen Soter und dem vor, der dem sarkischen Kosmos verhaftet ist. Um zu verhindern, daß das christologische Dilemma in eine Art Zwei-Naturen-Problemlösung[391] umschlägt, entfaltet der Sprecher seine Perspektive als dramatisches Geschehen. Der Hauptakteur kommentiert die Szene, in der die Archonten zu triumphieren scheinen, mit Gelächter. Er verlacht diejenigen, die sich selbst zum Gespött gemacht haben. Tödliche *Ironie* greift insofern ein, als die vermeintlichen Richter sich unversehens als Delinquenten erfahren müssen. Diese ironische Verkehrung macht das spezifisch Gnostische in dem christologischen Modell von ApcPt aus. Der Soter distanziert sich durch den Vorgang der Inversion von theologischen Positionen, die an das Kreuzesgeschehen geknüpft waren, und bewahrt zugleich den Status jenseitiger Souveränität. Lachend demonstriert er in OgdEnn (NHC VI, 6) die Übereinstimmung mit dem ungewordenen Vater: „Ich freue mich aber, o mein Vater, da ich dich lachen sehe" (58, 31 f.). Dem gnostischen Lachen korrespondiert eine Verachtung des Verlachten[392]. „Immer drückt dies Lächeln, das zugleich Spott ist, das Bewußtsein einer sieghaften Überlegenheit aus. Die irrende Welt und die unwissende Menge sind nur eines verächtlichen Lächelns wert"[393].

Der ironische Unterton begleitet die gesamte dialogische Interaktion.

---

already developed apart from Christianity and were available in the cultural milieu of early Christians such as the author od ApocPetr" (Brashler 1977, 195; vgl. Tröger 1977, 45 ff.; H.-M. Schenke 1981, 588 ff.; Rudolph 1990, 138 ff.). Im Unterschied zu 2LogSeth scheint der Verfasser von ApcPt in seiner christologischen Perspektive den Mythos eher funktionalistisch gebraucht zu haben. Brashler spricht von einer „demythologized version of the same Christology in *Treat. Seth* replete with its mythological background" (1977, 182).

[391] Nach von Harnack (1909, 286 Anm. 1) ist nicht der Doketismus charakteristisch für die gnostische Christologie, sondern die Zwei-Naturen-Lehre. Allerdings denken die Gnostiker nicht die Vereinbarkeit des „vere Deus" mit dem „vere homo", sondern forcieren vielmehr die Unterscheidung des Menschen Jesus vom Pneuma-Christus. Tröger empfiehlt, mit der Verwendung des Begriffs „Doketismus" zurückhaltend zu sein (vgl. auch Brox 1984; Rudolph 1990, 169 ff.; dagegen hält Scholten 1987, 81 an der alten Kategorie fest: „Schilderung einer soteriologisch bedeutungslosen, inkorporationsdoketischen Passion Christi"). In den Nag Hammadi-Traktaten findet sich seiner Beurteilung nach kein Doketismus. Äußerungen, die ein Gefälle in diese Richtung haben, nennt er „doketistisch" (1977, 46 f.).

[392] Vgl. EvPh (NHC II, 3) 74, 34 ff.; EV (NHC I, 3) 17, 28 f.; ActJoh 100.

[393] Gaffron 1969, 135. Eine informative Einführung in die Problematik gibt Dart 1976, 107 ff.; 131 ff.; 1988, 93 ff. Der Soter lacht, während er die Fragen des verunsicherten Jüngers beantwortet: AJ (NHC II, 1) 13, 19; 22, 11 f.; 26, 25 f. Mit ironischem Spott reagiert der Soter auf die Selbstprädikationen des eitlen Demiurgen: 2ApcJac (NHC V, 4) 52, 19–21; 53, 15–17; 2LogSeth (NHC VII, 2) 53, 27 ff.; 68, 16–20. Sophia lacht über die Mächte, weil sie blind in ihrer Unwissenheit sind: UW (NHC II, 5) 113, 13 ff. Die ironische Bearbeitung eines liturgischen Formulars erscheint in 2LogSeth (NHC VII, 2) 62, 27–64, 1. Den Bitten um Vergebung wird die Sündlosigkeit der Sprechenden betont (litaneiartig) gegenübergestellt; denn die Erinnerung an die Heilstaten Gottes ruft nur Lachen hervor.

Wenn Koschorke behauptet, daß die Ironie aus der „Anerkennung des Wortlautes" z. B. der Passionsgeschichte bei gleichzeitiger „Verneinung der Sache"[394] entsteht, dann lokalisiert er die Sachfrage ausschließlich auf der literarischen Ebene, was nicht falsch ist. Er übersieht jedoch, daß in gnostischer Perspektive eine ironische Grundstruktur die vorfindliche Wirklichkeit bestimmt und allem Geschehen inhärent ist. Darum sind die Widersacher höchst ironische Figuren, die, ohne es zu wissen, sich als die eigentlichen Urheber der ironischen Konstellation aufführen. M. a. W., der Sprecher nimmt mythologische Vorstellungen in Anspruch, um die Szene transparent zu machen. Diesen Durchblick erlangt auch derjenige, der den metakommunikativen Signalen[395] des Soter folgt. Demnach gehört die Ironie zur Struktur des Dialogs und hat hermeneutische Bedeutung. Auch der befremdliche Eindruck, den das dramatische Geschehen auf den Rezipienten macht, ist beabsichtigt. Der Erzähler schützt so die gnostische Mitteilung vor unwürdigen Empfängern. Tröger sieht in der Szene nur einen „Mummenschanz"[396]. Elegant ziehe der Soter sich aus der Affäre wie ein „Zaungast" mit „händereibende(r) Schadenfreude des eigentlich gemeinten, aber nicht getroffenen Zuschauers"[397]. Das eigenwillige Drama von ApcPt läßt sich aber nicht auf die Alternative von kerygmatischer actio einer ekklesiastischen Majorität und polemischer reactio einer gnostischen Minorität reduzieren. Wahrscheinlicher ist, daß der Traktat in einer Region entstanden ist, wo verwickelte religiöse Verhältnisse herrschten. Was das christologische Denken angeht, muß bereits für das 1. Jh. mit einer großen Vielfalt[398] gerechnet werden. Mit dem Dialogbeitrag des Soter (81, 29 b–82, 3 a) ist die dritte Phase abgeschlossen. Autoritative Rede und argumentative Begründung unterlaufen das naiv-pragmatische Ansinnen des Dialoganten Petrus. Wer in der Einheit mit dem Soter steht und sich durch den Dialog in die erleuchtende Perspektive bewegen läßt, der hat die Aporie (vgl. 81, 4 b.5 a.7 b–14) transzendiert. Durch die Imperative wird Petrus direkt herausgefordert[399]. Der Dialog ist insofern beendet, als der Soter signalisiert, daß er den Redewechsel nicht fortführen will. Gerade die Selbstzitation wirkt wie ein Schlußpunkt. Es gibt nichts, was der Sprecher außerdem noch sagen könnte.

---

[394] 1978, 203.
[395] Zur metakommunikativen Relevanz der Ironie s. o. 172 f.
[396] Tröger 1975, 269.
[397] 1975, 273; 268.
[398] In der vorpln. und nachpln. Verkündigung werden Jesus von Nazaret, Kreuz und Auferstehung und das Herrsein Jesu Christi sehr unterschiedlich proklamiert (vgl. Köster 1971, 147 ff.).
[399] Eine vergleichbare Aufforderung zum „Sehen" findet sich in ApcPl (NHC V, 2) 19, 10–14.

4.7.3.4 Das Epiphanie-Referat

In die dialogische Interaktion gehört als IV. Phase das Referat (82, 3 b–17 a), in dem berichtet wird, was der Dialogant Petrus erfährt, als er der Aufforderung folgt. Sein Tun (vgl. 82, 3 b.4 a) vollzieht sich innerhalb einer neuen Perspektive.

Der Erzähler führt das Geschehen, in das der Dialogant Petrus verwickelt ist, im Modus des erinnerten Ich weiter. Petrus wird im Gegensatz zu seinem Beitrag in Phase III. als Gnostiker erwiesen, der die Offenbarung versteht, weil er an ihr partizipiert. Mit der Rückkehr zur narrativen Ebene ist also eine Transformation des Dialoganten bzw. die Genese des Gnostikers verbunden.

Petrus erzählt, wie eine weitere Gestalt auf der Szene erscheint[400] und sich den beiden Dialoganten nähert (vgl. 82, 4 b.5 a). Der Erzähler sagt, wen er in dem Ankommenden erkennt. Dieser Identifikationsprozeß vollzieht sich in drei Schritten. Zunächst stellt Petrus eine Übereinstimmung (82, 5 b.6) hinsichtlich der äußeren Erscheinung fest. Der Neuankömmling gleicht[401] dem Co-Dialoganten und dem, der neben dem Kreuz heiter lachend steht. Dann folgt über die parenthetische Formulierung 82, 7.8 a: „Er war aber voll des Heiligen Geistes"[402] eine Beschreibung der Gestalt. Sie ist durch das Pneuma qualifiziert, da sie aus dem Pleroma (vgl. 71, 1–3: 83, 10–15) kommt. Das Pneuma verbindet den Lachenden mit dem Dialoganten. Aufgrund dieser Entwicklung wird schließlich die Identitätsaussage formuliert: ᴀγω ᾑτοϥ πιϲωτнр/„und er ist der Erlöser" (82, 8 b.9 a), die in die Nähe eines Bekenntnisses kommt. Petrus hat die Dialogbeiträge des Soter internalisiert und ihn erkannt. Das Geschehen, dessen er ansichtig geworden ist, dient dazu, die Jenseitigkeit des Soter und die Ignoranz der Archonten manifest zu machen. Was der Erzähler präsentiert, ist eine Szene, die Gnosis konstituieren will. Ihr Stellenwert zeigt sich sowohl in der klimaktischen Komposition der Phasen innerhalb der dialogischen Interaktion als auch in den Stilelementen von Epiphanieschilderungen, die der Erzähler einsetzt[403]. Einmal erwähnt Petrus das große Licht (82, 9 b.10 a), das die Gestalten (82, 10 b), d. h. den Soter umgibt[404]. Allein Gnosis nimmt das jenseitige Licht wahr, das

---

[400] Petrus sieht „eine Mehrzahl ... äußerlich gleichartiger", „räumlich jedoch auseinander getretener Gestalten des Soter" (Koschorke 1978, 24). Figurendoppelungen begegnen im Perlenlied der Thomasakten (108, 15; 110, 42; 112, 76 ff.), in PS 78, 1 ff. 18 f. und in Act-Joh 92. Jonas bemerkt: „eine der typischen Verdoppelungen des gnostischen Denkens" (1964, 323 Anm. 1; vgl. 367).

[401] Obwohl auch das Verb ϵιηϵ gebraucht wird wie 81, 24 f., kommt hier doch eine andere Nuance als dort zum Ausdruck. Es geht um Übereinstimmung und Konvergenz.

[402] S. o. 59 Anm. 82.

[403] S. o. 116 ff.

[404] Die Szene erinnert an Mk 9, 2 ff. und hat Berührungspunkte mit der Verwandlungsschilderung in ApkBar (syr) 51, 3–12.

mit den Kategorien der Vorfindlichkeit nur approximativ beschrieben werden kann. Weiterhin gehört auch die „Menge der unbeschreiblichen und unsichtbaren Engel" zur Topologie der Epiphanieszene[405]. Sie preisen den Soter, der in seiner Herrlichkeit von ihnen offenbar gemacht worden ist (82, 14 b). Bereits im ersten Dialog war Petrus Zeuge einer himmlischen Szenerie geworden (vgl. 73, 9 f.), in der dem Soter Lobpreis dargebracht worden war[406]. In diesem Erzähler-Referat tritt insofern etwas Neues hinzu, als der Lobpreis das szenische Geschehen bewußt macht und die Überwindung der Mächte proklamiert. Negative Attribute, Lichtmetapher und Lobpreis für den Offenbarer unterstreichen das Mysterium der Erleuchtung und Identitätserkenntnis. Der Dialogant Petrus ist zur Gnosis gelangt, die über dramatische Inszenierung in ihm Evidenz gewonnen hat.

Noch einmal bringt Petrus sich aufgrund seines Doppelcharakters ins Spiel. Er bestätigt die Epiphanie mit einer Bürgschaftsformel: „Ich aber habe es gesehen" (82, 15)[407] und bezeugt[408], daß die Jenseitigen sich zum Soter bekannt und sein wahres Wesen bestätigt haben. Mit dieser Aussage, in der Formulierungen von Phase I. (81, 4 b–6 a) aufgenommen werden, die aber im Gegensatz zu jener ersten Wahrnehmung steht, ist der zweite Dialog zu einem angemessenen Abschluß gekommen. Es gibt keine beunruhigende Frage mehr, die Petrus dem Soter vorlegen müßte. Die Erkenntnis des Soter hat auch zur Erkenntnis des eigenen Ich geführt. Mit der Epiphanieszene kehrt „Ruhe" ein, die Petrus als Schauung des jenseitigen Lobpreises erfährt. Dieser Abschluß korrespondiert dem einleitenden und narrativen Vorspann von ApcPt (vgl. 70, 14 ff.), der die jenseitige Wirklichkeit als unabdingbares Vorzeichen einer gnostischen Perspektive eingeführt hatte. Damit scheint die Aufgabe des Traktats erfüllt zu sein. Jedoch wird ein erneuter Sprecherwechsel (82, 17 b) mitgeteilt. Der Soter ergreift das Wort zu einem speziellen Diskurs, der den Rest der Schrift ausmacht.

---

[405] Vgl. Jes 6, 1 ff.; Mt 4, 11 par; 28, 1–10 par; Lk 2, 8 ff.; Joh 1, 51.

[406] Vgl. EpJac (NHC I, 2) 15, 16 ff.: „... Und wir sahen mit unseren Augen und hörten mit unseren Ohren Lobgesänge und Dankeslieder der Engel und Jubel von Engeln und Größen des Himmels sangen Loblieder, und wir selbst jubelten mit" (Übers.: Kirchner 1989, 33).

[407] Aufgenommen ist hier der Emendationsvorschlag von Brashler 1977, 63.

[408] Analoge Formulierungen, mit denen die Glaubwürdigkeit des Gesagten, Gehörten oder Geschehenen verbürgt werden soll, begegnen: Joh 1, 34 a; 19, 35; Apk 22, 8; Mt 28, 7; vgl. auch 2 Petr 1, 16; 1 Joh 1, 1–3; 2 ApcJac (NHC V, 4) 46, 6 ff.

4.8 Beauftragung und Sendung des gnostischen Apostels (82, 17 b–84, 13)

Zunächst erscheint der Redebeitrag des Soter wie ein unbegründeter und redundanter Nachtrag. Warum ein erneuter Sprecherwechsel? Könnte es sein, daß die auftragsaitiologische Funktion der Dialogszenen nicht hinreichend zum Zug gekommen ist[409] und deshalb literarisch nachwirkt? Dann wäre der Grund für die Textfortsetzung in den strukturellen Möglichkeiten des Epiphaniephänomens zu suchen, das den Traktat prägt.

4.8.1 Beschreibung der Ringkomposition in 82, 17 b–84, 13

Ist der strukturelle Zusammenhang dieses letzten Teils von ApcPt transparent geworden, wird auch eine funktionale Beziehung zwischen dem Redebeitrag des Soter, dem Redehandeln des Erzählers und den Dialogbeiträgen des Petrus erkennbar. Das, was der Soter sagt, akzentuiert in pointierter Weise zentrale Sachverhalte des gesamten Traktats. Aufmerksamer Textwahrnehmung entgeht nicht, daß der Schlußabschnitt eine Reihe von Stücken und Sätzen enthält, die einander korrespondieren.

Schematische Darstellung der Ringkomposition

82, 17 b	A	Rede-Einführung (Petrus)
82, 18 a	B	Ermutigungsformel
82, 18 b–20	C	Reditus ad electionem
82, 21–83, 15 a	D	Begründung mit Identifikationsdiskurs
83, 15 b–19 a	E	Beauftragung
83, 19 b–84, 6 a	D′	Begründung
		Interpretation einer Sentenz
84, 6 b–10.11 a	C′	Heilszusage. Friedensgruß
84, 11 b	B′	Ermutigungsformel
84, 11 c–13	A′	Vollzugsnotiz (Petrus). Epilog

Der Erzähler Petrus leitet den Abschnitt ein (vgl. 82, 17 b) und stellt mit einer Vollzugsnotiz (vgl. 84, 11 c–12 a) im narrativen Epilog das Ende des Soterdiskurses fest. In diesem narrativen Rahmen bewegt sich die Rede des Offenbarers auf höchst unterschiedlichen Ebenen. Der Ermutigungsformel 82, 18 a entspricht der Mutzuspruch 84, 11 b. Der angeredete Petrus wird bei seiner Sonderstellung behaftet (82, 18 b–20), die ihn zu einem Vertrauten und Repräsentanten des Soter par excellence macht. Darum sind Furcht und Gefahren ausgeschlossen. D. h., die Heilszusage (84, 6 b–10) ist mit einer formelhaften Wendung (reditus ad electionem)[410] verbun-

---

[409] Zu diesem Sachverhalt vgl. Theißen 1974, 105.
[410] Der reditus ad electionem führt zu dem Augenblick der μεταμόρφωσις oder ἀποθείωσις

den, die Petrus an seine Erwählung und den Sonderstatus als Offenbarungsempfänger erinnert (82, 18 b–20). Beide Rede-Elemente haben appellative Funktion. Sie konvergieren in dem Auftrag zur Verkündigung
(83, 15 b–19 a). Hier befindet sich das Zentrum der Rede bzw. der Anlaß,
der zu dieser Ringkomposition geführt hat. Um E als Mittelpunkt grup-
pieren sich zwei längere explikative Ausführungen (D und D'), mit denen
die appellativen Anreden C und C' begründet werden, obwohl in der
linearen Abfolge D' eine Begründung für E zu liefern scheint. Bei 82, 21–
83, 15 a handelt es sich um Ausführungen, in denen identifizierende Tendenzen dominieren. Der Soter nimmt das Epiphanie-Referat (82, 3 b–17 a)
des Erzählers auf und vertieft die christologische Reflexion. In 83, 19 b–
84, 6 a rekurriert die Rede auf den ontologischen Dualismus[411]. Der Soter
interpretiert einen eigenen Ausspruch im Hinblick auf den fundamentalen
Gegensatz zwischen sterblichen und unsterblichen Seelen. Während es
hier in D' um die Anthropodizee geht, ist in D die Christodizee thematisiert. Beide Komplexe sind eng miteinander verknüpft, interpretieren
sich gegenseitig und machen die gnostische Perspektive aus.

Die schematische Darstellung der Ringkomposition zeigt, daß Beauftragung und Sendung des gnostischen Apostels das erklärte Ziel im letzten Redebeitrag von ApcPt ist. Zugleich werden Anthropodizee und
Christodizee als die entscheidenden Faktoren der gnostischen Kommunikation herausgestellt. Der Rezipient hat nunmehr die Orientierung und
Lesehilfe bekommen, die ihn noch mehr in den Dialog verstricken. Möglicherweise wird er zu einer erneuten Lektüre des Dialogs getrieben. Im
Verlauf des Lesevorgangs tritt der Rezipient an die Stelle des Dialoganten
Petrus und wiederholt den Dialog, der auch ihn zur Gnosis führt.

4.8.2 Mahnung zur Perseveranz

Der Diskurs steht im Zeichen der Mahnung zur Standhaftigkeit und
Furchtlosigkeit: ϭⲙ̄ϭⲟⲙ/„Sei standhaft!" (82, 18 a); ϭⲙ̄ ⲛⲟⲙⲧⲉ/„Sei
zuversichtlich!" (84, 11 b). Mit diesen Imperativen schärft der Soter die
gnostische Perseveranz ein. Bereits 71, 22 a hatte er Petrus in analoger
Weise angesprochen und in der Eröffnung der Gerichtsszene (vgl.
80, 23 ff.) jeglichen Anlaß zu Angst oder Sorge prinzipiell ausgeräumt.
Wer standhaft und ohne Angst vor dem Kosmos ist, der existiert im
Horizont des Heils[412]. Die Mahnung zur Perseveranz übernimmt die

---

zurück, d. h. jenem Vorgang, in welchem „das θεωθῆναι seine subjektive Erlebnisadäquation
findet" (Jonas 1964, 202). Die Frage, ob und in welcher Form die gnostische Grunderfah-
rung mit der μύησις, dem singulären Initiationsritus, oder mit der ἐποπτεία, der heiligen
Schau in den Mysterien, verglichen werden kann, geht über die Fragestellung dieser Untersuchung hinaus; zur Sache vgl. Berner 1972, 122 ff.; 223 ff.

[411] S. o. 142 ff.
[412] S. o. 178 ff. Der Zuspruch θαρσεῖτε begegnet immer wieder im Kontext von Wunder-

Funktion, die sonst dem Weckruf[413] zukommt, mit dem das jenseitige Selbst des Gnostikers aus der kosmischen Versklavung herausgerufen wird. Durch diesen Ruf erfüllt der Soter seinen Auftrag, der darin besteht, daß er Worte „aus der Fülle der Wahrheit" in Erinnerung ruft (vgl. 71, 2 f.; 70, 25). Protennoia stellt sich im gleichnamigen Traktat folgendermaßen vor:

> „Ich bin ein
> Ru[f, der lei]se [erklingt], wobei ich existiere
> se[it Anbeginn i]m Schwei-
> [gen. Ich bin es], bei [dem] jeder [Ruf ist;]
> und der verbor[gene Ruf], der ex[istiert i]n
> mir, (ist) i[n dem] uner[reichbaren],
> unmeßbaren [Gedanken], i[n dem] unermeßlich[en] Schwei[gen].
> Ich [kam herab in die] Mitte der Unterwel[t] ...
> Ich bin es, der beladen ist mit dem Ruf.
> Durch mich kommt die Gnosis hervor, wobei ich
> existiere in dem, was unaussprechbar und unerkennbar ist. Ich bin die Erkenntnis und das
> Wissen, wobei ich aus[sende] einen Ruf durch
> einen Gedanken. I[ch] bin (es), der existierende Ruf,
> wobei ich rufe in einem jeden, und sie [mich] erken[nen] werden
> an ihr, sofern ein Same in [ihnen] existiert.
> Ich bin der Gedanke des Vaters, u[n]d [du]rch
> mich kam hervor [der R]uf, welcher ist
> die Erkenntnis der (Dinge), die kein Ende haben"[414].

Die Aufforderung zur Perseveranz kommt in die Nähe der analogen Mahnungen von Markus 13, 9-13.28-37, in denen der Redaktor die apokalyptische Vorlage ergänzt[415], um Standhaftigkeit im Glauben einzu-

---

Erzählungen (z. B. Mk 5, 36; 6, 50; 10, 49; Mt 9, 2.22) und signalisiert den Epiphaniecharakter (vgl. auch Apg 23, 11) des sich vollziehenden Geschehens. Zu dieser Epiphanieformel vgl. Pesch 1976, 155.

[413] Vgl. Jonas 1964, 126 f.; 129 f.; 133; 324 f.; MacRae 1967, 496 ff.; Kirchner 1989, 82 f.; ferner Eph 5, 14; Perlenlied (ActThom 110, 43 ff.; 111, 52 f.; Text: Foerster, Gnosis I, 455 ff.); OdSal 8, 3-5; 11, 13 f.; 15, 1-3 (Text: Hennecke-Schneemelcher II, 586; 591; 594 f.).

[414] NHC XIII; 35, 32 ff.; Übers.: G. Schenke 1984, 27; 29.

[415] Vgl. die Liste der paränetischen Signale bei Pesch 1968, 77. Seiner Interpretation zufolge gibt vor allem der Imperativ βλέπετε einer anti-apokalyptischen Mahnrede Profil. Gegen diese Betrachtung wendet Brandenburger 1984, 33 ein, daß nicht jede anredende Verbform auch ein Imperativ sei. Nicht alle Befehlsformen können so eindeutig der markinischen Redaktion zugewiesen werden wie βλέπετε und γρηγορεῖτε in V.5 b.9 a.23 a.33 a.35 a.37 b (vgl. 1984, 33; 77; 166 f.). Die Aufforderungen und Anweisungen in Mk 13, 11 b.c; 14 c. 15. 16; 18 gehören wahrscheinlich der Vorlage an. In der Endgestalt des Textes dominieren testamentarisch-apokalyptische Strukturen, die einen „festen Folge-

schärfen. Allein, die Motivation ist eine andere als im gnostischen Kontext: während der Abwesenheit des erhöhten Herrn wartet die Gemeinde auf die endgültige Verwirklichung des Heils in der Parusie. In ApcPt wird dagegen eine andere Art von Perseveranz angemahnt. Mit der Haltung, die Petrus einnehmen soll, stellt er die schon erreichte Erlösung existierend unter Beweis. Der Imperativ ruft den Gnostiker zu seiner Herkunft zurück: „... ergründe dich selbst und erkenne, wer du bist, wie du bist und wie du sein wirst", fordert der Erlöser Judas Thomas auf[416]. Im Evangelium Veritatis wird der Zusammenhang zwischen Gerufensein und Erkenntnis folgendermaßen thematisiert: „Daher ist einer, wenn er erkennt, einer von oben. Wenn er gerufen wird, hört er, antwortet er und wendet sich dem zu, der ihn ruft, steigt zu ihm empor und erkennt, wie er gerufen wird. Da er weiß, tut er den Willen dessen, der ihn gerufen hat. Er wünscht ihm zu gefallen ... und empfängt Ruhe. Ihm wird der Name des Einen zuteil. Wer so erkennen wird, erkennt, woher er gekommen ist und wohin er gehen wird"[417].

4.8.3 Erinnertes und zugesprochenes Heil

Die an den Dialoganten Petrus gerichteten Ermutigungsformeln (B und B′) sind nur verständlich auf dem Hintergrund von performativen Heilszusagen, die jenen Aufforderungen Plausibilität geben[418]. Petrus wird an seine Erwählung erinnert (vgl. 71,15-21.24-27 a). Durch die Teilnahme am Dialog und dem Empfang der Offenbarungsrede ist der Apostel in die Wesenseinheit mit dem Soter gelangt. An diese Vorgaben wird angeknüpft, wenn es heißt: „Denn dir wurde es gewährt, diese Geheimnisse aufgrund von Offenbarung zu erkennen" (82,18b-20). Die spezifische Art des Erwähltseins äußert sich darin, daß ihm das ⲘⲨⲤⲦⲎⲢⲒⲟⲚ (vgl. 73,15.16a)[419] anvertraut wurde. Aufgrund dieses Status gehört Petrus schon jetzt in das Eschaton und steht in Distanz zum Kosmos. Weil die

---

zusammenhang zwischen Weissagung und Paränese" (1984, 79) widerspiegeln. Eine Analyse der Einzelmotive (vgl. 127 ff.) zeigt Übereinstimmungen mit der apokalyptischen Paränese in Juden- und Urchristentum. Nimmt man die verschiedenen „paränetischen Partien von Markus 13 konstruktiv zusammen, hat man in V.33-36(37) die umfassende *paränetische Grundlegung* zu sehen, während die paränetischen Einschübe V.5 b-6.9-13 und 21-23 mögliche und nötige Konkretionen ins Auge fassen" (130).

[416] LibThom (NHC II,7) 138,8-10; Übers.: H.-M. Schenke 1989, 25. Im Perlenlied heißt es: „Gedenke, daß du ein Königsohn bist ... Denke an dein goldbesticktes Kleid, denke an die Perle" (ActThom 110,4ff.; Übers.: Foerster, Gnosis I,457).

[417] NHC I,3; 22,1 ff.; Übers.: Foerster, Gnosis II,70 f.

[418] Vgl. das begründende ⲅⲁⲣ in 82,18b und 84,8b, sowie das konkludierende ⲟⲩⲛ in 84,7 a.

[419] Vgl. Mk 4,11; ferner Gaffron 1969, 101 ff.: Möglicherweise entspricht μυστήριον dem, was in anderen Nag Hammadi-Texten (z. B. ÄgEv; Protennoia) mit einer Terminologie beschrieben wird, die der theologia negativa nahesteht.

Jenseitigkeit des gnostischen Ich als anthropologische Vorgabe unbedingt gilt, kann auch der Ruf zur Perseveranz ergehen.

Dem reditus ad electionem (82, 18 b–20), der dem Gnostiker in Erinnerung ruft, wer er ist, entspricht in der Ringkomposition der Abschnitt 84, 6 b–11 a. Ausdrücklich wird der Dialogant in die schützende Gegenwart des Soter gestellt. Petrus soll beherzt sein (84, 7 b.8 a). Die Begründung dieser Aufforderung[420] zur Furchtlosigkeit erfolgt mit einer „Beistandsformel": ϯⲛⲁϣⲱⲡⲉ ⲅⲁⲣ ⲛ̄ⲙⲙⲁⲕ (84, 8 b.9 a)[421]. Zu den Konsequenzen der hilfreichen Nähe des Soter gehört, daß der Angesprochene von seinen Widersachern unbehelligt bleibt (vgl. 84, 9 b.10). Nichts von dem, was die Machthaber des Kosmos zum Erreichen ihrer Ziele einsetzen, wird Petrus betreffen. Im Tenor bekräftigt die Zusage das, was bei der Eröffnung der Gerichtsszene (vgl. 80, 21 ff.; bes. 80, 32–81, 1 a) dem Dialoganten prinzipiell zugesichert worden war. Sowenig die Widersacher gegen ihn, den Soter, haben etwas ausrichten können, sowenig können sie gegen seinen Apostel, der nicht aus diesem Äon stammt, unternehmen.

Um die Synousie von Soter und Gnostiker adäquat ausdrücken zu können, wird mit Form-Elementen argumentiert, die an das Modell des Heilsorakels erinnern und die Existenz des Apostels im Horizont realisierten Heils vergewissern. Stil und Struktur des Heilsorakels[422] erfüllen eine metakommunikative Aufgabe, insofern sie den Angeredeten von einer Einstellung überzeugen wollen, die dem gnostischen Daseinsverständnis angemessen ist. Dabei bleibt die Rede keineswegs im theoretischen Modus. Vielmehr konstituieren die kompositionellen Elemente B, C und B′, C′ das gnostische Ich, indem sie Aporien, Widrigkeiten und Furcht als überwundene Unmöglichkeiten[423] transparent machen. Die performative Kraft der Rede, deren Autorität durch die Imperative unter Beweis gestellt wurde, realisiert in Petrus bzw. im Rezipienten das, was dessen Gnostiker-Sein ausmacht. Zwischen Heilsorakel und Beauftragung besteht ein notwendiger Zusammenhang.

---

[420] ⲧⲁϣⲣⲟ und ⲙ̄ⲡⲣ̄ ⲣ̄ϩⲟⲧⲉ sind Imperative. Vgl. auch Becker 1965, 50 ff.: Exkurs zur Formel „Fürchte dich nicht". Mit der Trostformel μὴ φοβεῖσθε wird „die Furcht des Erscheinungsempfängers vor der göttlichen Majestät des Erscheinenden abgewehrt" (Pesch 1976, 362); vgl. Mk 5, 36; 16, 6; Mt 28, 5; Lk 1, 13.30.

[421] Zur Beistandsformel vgl. Preuss 1968, 139 ff.; Gen 26, 3.24; 28, 15; 31, 3; Ex 3, 12; Dt 31, 23; Jos 1, 9; 3, 7; 7, 12 u. ö.; Mt 28, 20.

[422] Vgl. die grundlegenden Analysen von Begrich 1963, 14 ff.; 1964, 217 ff. und die kritische Weiterführung der formgeschichtlichen Untersuchung durch Westermann 1964, 117 ff.; Elliger 1978, 133 ff.; Merendino 1972, 1 ff.; O. Fuchs 1982, 314 ff.

[423] Gegen Koschorke, der in der Heilszusage nur eine Vertröstungsabsicht erkennen will: „Und das ist zugleich der Trost, mit dem der Soter den Gnostiker Ptr auf den Weg in seine gefahrvolle Zukunft entläßt" (1978, 36).

4.8.4 Die Adressaten der apostolischen Sendung

Das Erkennen, das Petrus geschenkt wird, d. h., das Selbstverständnis des gnostischen Ich, ist kein Selbstzweck. Vielmehr erhält der Angesprochene die apostolische Funktion, den übrigen, die auch zur Gnosis eingeladen sind, ⲁⲣⲭⲏ zu sein (vgl. 71, 19–21). Er soll das, was er erkannt hat (vgl. 83, 15 f.), an würdige Adressaten weitergeben. Die Empfänger seiner Verkündigung sind hier mit dem Titel ⲛⲓⲁⲗⲗⲟⲅⲉⲛⲏⲥ (83, 17 b) vorgestellt, der anschließend durch eine abgrenzende Definition erläutert wird.

Hörkompetenz (vgl. 70, 20 ff.) haben allein diejenigen, „die nicht aus diesem Äon stammen" (83, 18.19 a). Die Beauftragung führt in bejahender Weise aus, was der Soter bereits 73, 16 b–18 a nach dem ersten Dialog eher restriktiv formuliert hatte. Der Mitteilung einer exklusiven Offenbarung entspricht der Befehl, sie keinem Unberufenen anzuvertrauen. In diesem Verfahren kommt die Absicherung und Distanzierung der sich dualistisch gegenüberstehenden Bereiche zur Sprache. Es wird unmißverständlich gesagt, daß Gnosis nur zu denen kommt, die zu ihr gehören[424]. Durch diese Maßnahme, die auch aus anderen gnostischen Traktaten mit esoterischer Tendenz[425] bekannt ist, wird der Verkündigungsauftrag in spezifischer Weise eingeschärft. Die Weisung, sich nur an die „Fremden" zu wenden, installiert Petrus nicht nur als Funktionsträger und Boten. Wenn er weitergibt, was er gesehen hat, spricht in ihm der Ruf, ja, er ist der Ruf. Darum ist die Erzählung „ApcPt" selbst die Erfüllung der erzählten Beauftragung und konfrontiert mit dem Rufer. Die „Fremden", die nicht aus diesem Äon stammen[426], können ihn hören, weil auch er nicht aus diesem Äon stammt. Sein Ruf verbindet alle, die

---

[424] Vgl. Schottroff 1970, 96 ff.

[425] Vgl. EpJac (NHC I, 2) 1, 16–22: „Ich sende sie dir, zwar dir allein, aber weil du ein Diener an der Erlösung der Heiligen bist. Sei jedoch sorgsam und hüte dich, diese Schrift vielen auszuhändigen!" (Übers.: Kirchner 1989, 9); AJ (NHC II, 1) 31, 28 ff.: „I have said everything to you that you might write them down and give them secretly to your fellow spirits, for this is the mystery of the immovable race" (Übers.: NHL 123); SJC (NHC II, 4) 82, 9 ff.: „Euch aber (δέ) ist es gegeben zu wissen, und denen, die zu wissen würdig sind" (Übers.: Till 1955, 205); 1ApcJac (NHC V, 3) 36, 13–16: „You are to hide <these things> within you, and you are to keep silence. But you are to reveal them to Addai" (Übers.: NHL 266). Ferner Dan 8, 26; 12, 4; Mk 5, 43; 7, 36; 8, 30; 9, 9. Zum Topos „Geheimhalten des Geoffenbarten" s. auch Festugière 1950, 351 f.; Pesch 1976, 148 f.; Grese 1979, 195 Anm. 755; Berger 1981, 304 f.

[426] Fraglos handelt es sich bei ⲁⲗⲗⲟⲅⲉⲛⲏⲥ um eine gnostische Selbstbezeichnung. Das bestätigt Epiphanius (Panarion 40.2.1; 40.7.1.4) sowie der Titel der Offenbarungsschrift von NHC XI, 3; 45, 1–69, 20. Vgl. auch ÄgEv (NHC IV, 2) 50, 21; ParSem (NHC VII, 1) 26, 17–25; Zostr (NHC VIII, 1) 128, 7; TestVer (NHC IX, 3) 69, 6. Die Gnosis „selber aber wird geheimgehalten …, weil sie nur erahnt werden kann … Sie ist nicht Sache des Verstandes". Allein diejenigen, die ihrer „würdig" sind, erhalten Zugang zu ihr. Sie sind die „Fremden" (Foerster, in: ders., Gnosis I, 33). Vgl. auch Jonas 1972, 49 ff.

jenseitig in der Welt sind. In den „Fremden" herrscht also dieselbe Er-
wählungsstruktur vor, die den Status des Dialoganten und Erzählers
Petrus konstituiert hatte. Als unsterbliche Seelen oder als die Kleinen
sind sie disponiert, das Pleroma bzw. den Soter bei sich aufzunehmen.

4.8.5 Eine gnostische Christodizee

Das, was Petrus als Mysterium anvertraut wurde, was also den Inhalt
von Gnosis ausmacht, wird in 82, 21–83, 15 a entfaltet. Es geht um die
Identität des Soter angesichts der Aporie, die das Kreuzigungsgeschehen
bedeutet. Thematisiert ist ebenfalls die souveräne Jenseitigkeit des Erlösers in Kontraposition zu den Umtrieben der Widersacher, was in den
bisherigen Soter-Diskursen immer wieder angeklungen ist (vgl.
71, 4 ff.27 ff.; 72, 4 ff.; 80, 23 ff.). Die kontroversen Fragen wurden in den
dialogischen Interaktionen über die dramatische Inszenierung der Gnosis
einer Lösung zugeführt (vgl. 72, 4 b–73, 18 a; 81, 3 b–82, 17 a). Petrus hat
in seiner Funktion als Erzähler zusammengefaßt (vgl. 82, 3 b–14.15–17),
wohin der Dialog den Dialoganten Petrus geführt hat. Wenn der Soter
mit seinem letzten Redebeitrag das Problem der Christodizee noch einmal aufgreift, dann darf der Rezipient sicher sein, daß diese Redundanz
einem der zentralen Anliegen des Autors von ApcPt gilt.

Das folgende *Gliederungs-Schema* von 82, 21–83, 15 a (= Passage D in
der Ringkomposition) zeigt den Verlauf der Rede:

(a) 82, 21–26 a   identifizierender Kommentar
(b) 82, 26 b–83, 4 a   identifizierender Kommentar
(c) 83, 4 b–8 a   Konklusion
(d) 83, 8 b–15 a   Selbstvorstellung des Soter und Vollendung.

Spezifische Gliederungssignale tragen eine dynamische Struktur in den
Diskurs des Soter. Die betont an den Anfang gestellten Demonstrativ-
pronomen пн ет… (82, 21 a) und пн ле ет- … (82, 26 b.27 a) leiten zwei
geschlossene Aussageperioden (a: 82, 21 a–26 a; b: 82, 26 b–83, 4 a) ein.
Aus der anaphorischen Qualität der Pronomina wird ersichtlich, daß der
Gegenstand der Aussagen im Bereich des bereits Gesagten zu suchen ist.
Es folgt ein Beitrag zur Identität der Gestalten, die vor Petrus in der
Epiphanie-Szene aufgetreten sind. Die Beschreibung der jeweiligen Ge-
stalt ist eindeutig und gibt den unüberbrückbaren Gegensatz zwischen
beiden zu erkennen.

Nach Art einer Bilanz faßt 83, 4 b–8 a diese Antithese im begrifflichen
Gegenüber von cωмα/„Leib" und cωмα йатcωмα/„nicht-leiblicher
Leib" zusammen. Die Perspektive des kommentierenden Sprechers hat
abschließende Autorität. Mit den Konjunktionen оⲩн ара (83, 4 b) ist
die konkludierende Aussageabsicht syntaktisch gesichert.

Nach diesen anaphorischen Aussageperioden geht der Sprecher auf eine Artikulationsebene über, auf der er seine eigene Identität (83, 8 b–15 a) klärt. M. a. W., es geht um die Selbstoffenbarung des Soter im gegenwärtigen Augenblick. Das betont vorangestellte ⲀⲚⲞⲔ/„ich" (83, 8 b) markiert den neuen Aussagehorizont. Auch hier ist die Verknüpfung mit der dialogischen Interaktion und dem Epiphaniereferat evident. Gerade das Ich-bin-Wort nimmt den intendierten Gnostiker für die Gegenwart des Soter in Beschlag.

Alle vier Abschnitte vertreten die identifikatorische Tendenz in grammatikalischer und kompositorischer Hinsicht (vgl. 82, 22; 82, 28; 83, 4.7.12). D. h., dem Sprecher liegt daran, daß die komplexe Szene, die Dialogant und Erzähler mit ihren Beiträgen aufgebaut hatten, adäquat verstanden wird. Im folgenden sollen die vier Abschnitte analysiert und interpretiert werden.

(a) 82, 21–26 a richtet die Aufmerksamkeit auf den Gekreuzigten, jenen „der angenagelt wurde" (82, 21). In dieser Formulierung steckt ohne Zweifel eine Anspielung auf den traditionellen Passionsbericht, der bereits mit Reserve[427] und Kritik bedacht worden war. Das Demonstrativum ⲠⲎ (82, 21 a) wird durch den unmittelbar folgenden Relativsatz präzisiert und durch die Liste[428] der sich anschließenden attributiven Bestimmungen konkretisiert. In der Aufzählung der identifizierenden Aussagen steckt ein Ziel: der Angenagelte (82, 21) soll unmißverständlich disqualifiziert werden. Das geschieht vornehmlich dadurch, daß Prädikate, die aus traditionellem Zusammenhang bekannt sind, in gegenteiliger Absicht eingesetzt werden. Erneut tritt der Inversionsmechanismus in Kraft, der die Hierarchie bestehender Verhältnisse und dogmatischer Ansichten unterläuft.

Von der präsentierten Gestalt wird ausgesagt, daß sie der „Erstgeborene" ist (82, 21 b.22 a). In biblischen Kontexten kommt diesem Begriff ein hervorragender Stellenwert zu[429]. Dagegen gibt er Anlaß zu Kontroversen, wenn christologische Positionen beschrieben werden[430]. Für eine gnostische Perspektive ist es schlechterdings unannehmbar, daß der Soter auf der Seite der Schöpfung steht. Der Gnostiker kann nicht akzeptieren, daß sein jenseitiger Ursprung und sein pneumatisches Ziel mit dem Ge-

---

[427] Vgl. 71, 27 ff.; 72, 4 ff.; 80, 23 ff.; 81, 13 ff.19 ff. Der Angenagelte ist derjenige, der in ekklesiastischen Kreisen verehrt wird (vgl. 74, 13 f.).

[428] In der Satzkonstruktion fällt die Teilung durch die Konjunktion ⲘⲚ̄ (82, 22 b.23 b) und durch die Genitiv-Verbindung Ⲛ̄ⲦⲈ- ... (82, 25 f.) auf.

[429] Vgl. Lk 2, 7; Röm 8, 29; Kol 1, 15.18; Hebr 1, 6; 11, 28; 12, 23; Apk 1, 5 und Michaelis, ThWV I, 872 ff.; Langkammer, EWNT III, 458 ff.; E. Schweizer 1976, 58 ff.

[430] Koschorke nennt als Beispiel Irenäus, Adv.haer. IV 4, 2: „neque primogenitum mortuorum sciunt, separatim Christum intelligentes, tamquam impassibilem perseverantem, et separatim eum qui passus est Jesum" (1978, 21 Anm. 4).

schaffenen in Verbindung gebracht wird. Weder am historisch-genealogischen noch am heilsgeschichtlichen Denken hat er Interesse. Der Soter steht in Distanz zur geschaffenen Welt. Darum sind dem Gnostiker alle Versuche suspekt, Soter und Kosmos in eine bejahende Beziehung zu bringen.

Dagegen macht es keine Schwierigkeiten, den Angenagelten gänzlich auf die Seite des Geschaffenen zu setzen. Er wird „Haus der Dämonen" (82, 22 b.23 a) und „Steinkrug, in dem sie hausen" (82, 23 b.24) genannt[431]. Durch diese metaphorischen Aussagen wird der Angenagelte als Objekt im Herrschaftsbereich der Archonten proklamiert. Da Geschaffensein und Körperlichkeit zu seinem Wesen gehören, unterliegt er den Kräften[432], die in der geschaffenen Welt herrschen. Mit der Logik dieser Aussage wird erneut der ontologische Dualismus von ApcPt bestätigt. Nie könnte der Sprecher die Ansicht vertreten, ἔχομεν δὲ τὸν θησαυρὸν τοῦτον ἐν ὀστρακίνοις σκεύεσιν (2Kor 4, 7), weil er dann ein dialektisches Wirklichkeitsverständnis übernehmen und den Schöpfergott bejahen müßte. Beides widerspricht der gnostischen Perspektive.

Zwei Genitivbestimmungen (82, 25) und ein Relativsatz (82, 26 a) steigern die Disqualifizierung des Angenagelten. Er gehört Elohim bzw. stammt von ihm ab (ⲚⲦⲈ ⲈⲖⲰⲈⲒⲘ̄)[433]. Wird mit dieser Aussage nicht der alttestamentliche Gottesname[434] und damit der Schöpfergott zurückgewiesen? Die Distanzierung nimmt radikale Form an, weil Elohim mit den Dämonen in Verbindung steht. Da die Gnostiker den Schöpfer ablehnen, weisen sie auch den zurück, der aus bzw. von ihm stammt oder geschaffen wurde[435]. Der Angenagelte ist „der (Mensch) des Kreuzes" (82, 25 b). Da im Text das griechische Lehnwort ⲠⲒⲤⲦⲞⲤ verwendet ist[436], kommt wahrscheinlich Kritik an einem Denken zum Ausdruck, das im Gekreuzigten den Grund der Erlösung sieht. So zentral der ἐσταυρωμένος für den Apostel Paulus ist[437], so ablehnend stehen ihm die Gnostiker gegenüber. Ob aber hinter 82, 25 b eine „bewußte" antipaulinische Tendenz steht, wie Koschorke[438] meint, ist schwer auszumachen. Im nord-

---

[431] Die Übersetzung folgt Werner 1974, 581; H.-M. Schenke 1975 b, 133; Brashler 1977, 63. Zum mythologischen Hintergrund vgl. Werner 1989, 643 Anm. 37.

[432] Im spätantiken Horizont ist vorausgesetzt, daß geistige Mächte die Menschen beherrschen; vgl. Jonas 1964, 191 ff.

[433] ⲚⲦⲈ- bezeichnet den Genitiv oder ein Besitzverhältnis; s. Till 1970, 67; 110 f.

[434] Vgl. Gen 2, 7; Exc. Theod. 50, 1 (Übers.: Foerster, Gnosis I, 197).

[435] Koschorke (1978, 21) meint, hier werde auf Mk 15, 34 angespielt (ἐλωὶ, ἐλωὶ, λεμὰ σαβαχθάναι), weil diese Textstelle in gnostischen Schriften öfters zitiert ist (vgl. Gaffron 1969, 244 Anm. 172; ferner Bauer 1909, 224 f.). Das Wort des Gekreuzigten sei von den Gnostikern als Bestätigung ihrer Ansicht verstanden worden, wonach das Geschöpf des Demiurgen von diesem selbst vernichtet wurde.

[436] Weitaus häufiger findet sich das koptische Wort ⲠϢⲎ/„Holz" für das Kreuz Jesu.

[437] Vgl. Gal 2, 19 f.; 3, 1.13; 5, 24; 6, 14; 1Kor 1, 23; 2, 2; Röm 6, 6; Phil 2, 8; 3, 18 u. ö.

[438] 1978, 22; s. o. 134 ff.

palästinischen Raum wurde die theologische Diskussion nicht ausschließlich von Paulus und seinen Gegnern bestritten. Sowohl bei Mt als auch bei Mk[439] gibt es Spuren, die auf Kontroversen mit theologischen Positionen schließen lassen, in denen Jesu Leiden und Tod in enthusiastisch-pneumatischer Perspektive erschien. Auffällig ist auch, daß in der Logienquelle, die dem weisheitlichen Denkhorizont nahesteht, die Passionstradition ganz fehlt. Diese enthusiastischen und weisheitlichen Tendenzen werden – aus welchen Gründen auch immer – im Fortgang der Geschichte der frühchristlichen Gemeinden radikalisiert worden sein. Abgrenzungen gegen eine soteriologische Interpretation der Passion Jesu gehören zu den ersten Schritten eines derartigen Denkens.

Mit der Formulierung ϢΟΟΠ ϨΑ ΠΝΟΜΟϹ/„der unter dem Gesetz ist" (82, 26 a) wird die Wesensbeschreibung des Angenagelten abgeschlossen. Es liegt nahe, in dem Relativsatz eine Anspielung auf Gal 4, 4: γενόμενον ὑπὸ νόμου[440] und damit wiederum eine antipaulinische Spur zu vermuten. Für die Interpretation von ApcPt 82, 26 a sind derartige Referenzen nicht bedeutungslos. Zuerst geht es aber um die Aussage selbst im Horizont der schon mitgeteilten Kriterien. ΝΟΜΟϹ gehört in den Bereich der alttestamentlichen Faktoren, die für die Disqualifizierung des Angenagelten aufgeboten sind. Mit ΝΟΜΟϹ wird in abstrahierender Weise vom Schöpfergott gesprochen. Die Ablehnung, die ihn trifft, wird auf all das ausgedehnt, was zu ihm gehört. Wer also ϨΑ/„unter" dem Nomos steht, ist per se suspekt und kann weder offenbarende noch erlösende Funktion haben[441]. Man könnte fragen, ob die Erwähnung des Nomos nicht in polemisch-kritischer Absicht auf theologische Reflexionen zielt, die Kreuz und Gesetz miteinander verbinden (vgl. Gal 3, 13; Joh 18, 31; 19, 7)[442]. Während die neutestamentlichen Autoren in je eigener Weise die Überbietung des Nomos durch das Kreuzesgeschehen reflektieren, sind dem Gnostiker beide Sachverhalte als vorfindliche Gegebenheiten gleichermaßen verrufen. Der Soter steht jenseitig und souverän über beiden. Mit dem, was den alttestamentlichen Horizont erfüllt, hat er nichts zu tun (vgl. 71, 6 ff.). Daß er auch über die Passionsüberlieferung erhaben ist[443], zeigt der Diskurskontext. Es besteht kein Zweifel daran, daß das

---

[439] S. o. 184 f.; 191 Anm. 384.

[440] Hier geht das analog gebildete und gnostischem Denken nicht weniger anstößige γενόμενον ἐκ γυναικός voraus. Der Apostel greift auf formelhafte Aussagen einer Sendungschristologie zurück, deren Ziel die Erlösung (ἐξαγοράζειν – Gal 3, 13; 4, 5) ist. Vgl. E. Schweizer 1970 b, 83 ff.; H. D. Betz 1979, 207 f.

[441] Vgl. auch UW (NHC II, 5) 117, 33 ff. Nomos und Materie werden aufeinander bezogen. Gegenpole sind das Pneumatische und Psychische.

[442] Möglicherweise klingt Gal 3, 13 in EpJac (NHC I, 2) 13, 23–25 an: „Ich habe mich für euch unter den Fluch begeben, damit ihr erlöst werdet" (Übers.: Kirchner 1989, 31). Zum Hintergrund von Gal 3, 13 vgl. G. Jeremias 1963, 133 ff.

[443] Vgl. ÄgEv (NHC III, 2) 65, 17 ff.; wahrscheinlich liegt ein Interpretament vor, das christlichen Einfluß erkennen läßt; s. Böhlig/Wisse 1975, 37 f.; 196 f.

Ziel dieser identifizierenden Beschreibung des Angenagelten Disqualifikation und Zurückweisung ist. Die Argumente „Teil des Dämonenbereichs, ans Kreuz geschlagen und dem Gesetz unterworfen zu sein", begründen mit aller Deutlichkeit, daß der Soter und der Angenagelte nicht identisch sein können. Was zu dieser Gestalt in der Epiphanieszene gesagt wurde, meint jene Un-Wirklichkeit der toten Seelen, mit der weder der Soter noch die Gnostiker etwas zu tun haben.

(b) Der zweite mit einem Demonstrativum eingeleitete Komplex (82, 26 b–83, 4 a) wendet sich der Gestalt zu, die neben dem Angenagelten (82, 27 b) erschienen ist. Kompositionelle und strukturelle Gegebenheiten räumen von vornherein jeden Gedanken daran aus, daß die beiden Gestalten etwas miteinander zu tun haben können. Mit diesem Aussage-Komplex wird die wahre Wirklichkeit eingeführt, die der vorher beschriebenen Un-Wirklichkeit diametral entgegengesetzt ist. Das bestätigt sogleich die identifizierende Aussage 82, 26 b–28 a. Der lebendige Erlöser – man beachte, daß der Soter von sich in der dritten Person spricht – betritt das Szenarium, um Zeugnis von der wahren Wirklichkeit abzulegen[444].
Die dann folgende Formulierung ⲡⲓϣⲟⲣ︤ⲡ︥ ⲛ̄ϩⲏⲧ︤ϥ︥ ist schwer zu übersetzen[445]. Legt man aber den Geschehensablauf zugrunde, kommt eine Lösung in Sicht. Der Sprecher schildert zwei aufeinander folgende Ereignisse (zuerst – dann), in die der Soter und seine Widersacher verwickelt sind. Weil sie ihn in ihrer Verblendung nicht erkennen, wenden sie sich wieder von ihm ab. Dieser Vorgang erhält prinzipielle Bedeutung, wenn der mythologische Grundton mitgehört wird. Immer schon haben die Archonten versucht, den Soter in ihre Gewalt zu bekommen, um den gescheiterten Aufstand gegen Gott zu kompensieren. Aber wie alle bisherigen Anschläge ins Leere gegangen sind, so gelingt auch dieser Bemächtigungsversuch nicht. Die Widersacher selber vereiteln ihr Vorhaben aufgrund eigener Blindheit und Verwirrtheit. Das Unternehmen gibt sie der Lächerlichkeit preis. So lassen sie vom Soter ab (82, 30 b), nachdem sie ihn schon ergriffen hatten (82, 29 b. 30 a). Ein ironisches Spektakel findet statt, weil die vermeintliche Allmacht der Archonten sich als Anmaßung und Ignoranz erweist. Untereinander sind sie zerstritten (82, 33 b; 83, 1 a). Sie sind unfähig zu sehen (83, 2 a). Ja, sie sind blind von Anfang an (83, 3 b. 4 a). An dieser Stelle argumentiert der Sprecher mit dem anthropologischen Urteil, auf das er Petrus immer wieder hingewiesen hat (vgl. 72, 10 ff.; 73, 12 ff.; 81, 30). Die ironische Tendenz der

---

[444] Zur juristischen Terminologie des verbalen Ausdrucks s. o. 176; vgl. auch Joh 1, 26.
[445] Vgl. Krause 1973, 177: „der erste von ihm"; Werner 1974, 581: „ < der seelische Erstgeborene> "; Brashler 1977, 65: „the primal part in him"; Werner 1989, 643: „der zuvor in ihm war". Im übrigen s. o. 59.

Szene kulminiert im Lachen (82, 31 b) des jenseitigen Soter. Mit seiner
Gegenwart bezeugt er die wahren Machtverhältnisse und liefert die Widersacher dem Spott aus, den sie ihm zugedacht hatten. Der Sprecher
schildert das Geschehen so, als betrachte der Soter distanziert eine Komödie. In Wirklichkeit spielt er in dem Stück mit und vollzieht durch
seine Reaktion das Gericht an den Widersachern, dessen Unabwendbar-
keit er selber angekündigt hatte.

(c)   Nach diesen zwei Deutekomplexen zieht der Sprecher Bilanz (vgl.
83, 4 b: ογn apa). Der Gegensatz zwischen dem Angenagelten und dem
lebendigen Soter wird mit Hilfe des Soma-Begriffs zusammengefaßt. Auf
der Szene bleibt das Leidensfähige (83, 5 a) zurück. Denn der Leib
(83, 5 b) ist „das Ausgetauschte" (83, 6 a; vgl. 81, 21)[446], das illusorische
Spiegelbild seines Selbst, keinesfalls aber der Offenbarungsort oder die
Heimat des Soter. In keinem Moment ist er an das Soma gebunden. Daß
unter den Archonten der Eindruck entstehen konnte, er habe und sei
Soma, hängt mit seinem Auftreten im Kosmos zusammen, wo er den
Ruf der Gnosis in Erinnerung bringt. Den Mächten bleibt aber verborgen, daß der Soter „nicht-leiblicher Leib" (83, 7 b.8 a) ist. Für den Lebendigen sind sie blind (vgl. 81, 18; 82, 28). Deshalb haben sie ihn losgelassen (83, 6 b.7 a) und sich an den anderen gehalten. Der Angenagelte
ist in seinem Soma das Ziel ihrer Anschläge, gleichzeitig aber auch die
Manifestation ihres Scheiterns.
    Während der Sprecher den identifizierenden Kommentar distanziert
vorgetragen hatte[447], so als betrachte er das Geschehen von außen, zeigt
die Konklusion, daß er an der Szene sehr wohl beteiligt ist. Der Sprecher
gibt sich als der zu erkennen, der zu dem „nicht-leiblichen Leib" des
Lebendigen gehört. Das belegt der Possessiv-Artikel πα- in 83, 7 b.8 a.

(d)   Die Komposition der Rede ist klimaktisch angelegt. Eine identifizierende Mitteilung in der Konklusion und der betonte Einsatz 83, 8 b
leiten zum Höhepunkt 83, 8 b–15 a. Der Soter sagt, wer er ist, und zwar
in einer Formulierung, die an traditionelle Selbstvorstellungsaussagen erinnert: anoκ λε πινoepon μπηλ/„ich nun bin der verständige Geist"
(83, 8 b.9 a). Implizit spricht der Nominalsatz[448] aus, wo der Soter ist und
wer ihn erkennen kann. Allein derjenige, der im Pneuma ist bzw. zum
Pneuma gehört, bringt die Voraussetzungen mit, die die Synousie mit

---

[446] S. o. 58 Anm. 80; 182.
[447] Vgl. das Demonstrativpronomen πн in 82, 21 a; 82, 26 b.
[448] Vgl. die Übersetzungsvorschläge von Krause 1973, 177: „Ich aber (δέ) (bin) der verständige (νοερόν) Geist (πνεῦμα)"; Werner 1974, 581: „Ich (selbst) aber bin der nur geistig
wahrnehmbare Geist"; ebenso 1989, 643; Brashler 1977, 67: „And … I am the intellectual
… spirit".

dem Soter konstituieren: Gleiches wird von Gleichem erkannt[449]. Der anschließende Relativsatz erläutert und ergänzt die Selbstvorstellung durch die Lichtmetapher (83, 9 b.10 a). Das Verb ΜΕϨ ΕΒΟΛ/„erfüllen" suggeriert eine räumliche Vorstellung. In Wahrheit kommt es aber darauf an, daß das Licht „aufstrahlt" (83, 10 b) und seine Wahrheit demonstriert. Die Lichtmetapher hebt hervor, daß der Soter nicht zur Un-Wirklichkeit gehört, sondern aus dem jenseitigen Lichtreich stammt (vgl. 72, 23 ff.; 82, 9 f.).

Nach dieser Aussage wendet der Soter sich Petrus zu und kommentiert die Epiphanie, deren Zeuge der Dialogant geworden ist (vgl. 83, 11 a). Petrus hatte referiert, „wie einer sich uns nähern wollte; er sah aus wie er und jener (andere), der neben dem Kreuz lachte" (82, 4–6). Diesen „zu mir Kommenden" (83, 11 b.12 a) nennt der Soter jetzt ΠΙΠΛΗΡШΜΑ ΝΤΑΝ ... ΝΝΟΕΡΟΝ /„unsere geistig wahrnehmbare Fülle" (83, 12 b. 13 a)[450]. Das Pleroma führt die Vereinigung des vollkommenen Lichtes mit dem Pneuma des Soter durch (vgl. 83, 13 b–15 a). Darin geschieht das Mysterium. Der Erlöser ist das Pleroma[451].

ApcPt inszeniert das vollendete Sein des Soter (vgl. 80, 24; 83, 12 b.13 a) als dramatisches Geschehen vor dem Hintergrund der Kreuzigung. Auf mehreren Ebenen, in denen das szenische Element bestimmend ist, wird die gnostische Christodizee realisiert. Der Dialog zwischen Petrus und dem Soter (81, 6 b–82, 3 a) lenkt die Aufmerksamkeit auf die Aporie, in der Gnostiker sich befinden. Daß ein dramatisches Geschehen bevorsteht, hat die Einleitung in die Gerichtsszene angekündigt (80, 23 b–81, 3). Mit seinem Epiphaniereferat (82, 3 b–14) bestätigt Petrus die empfangene Gnosis. Höhepunkt ist dann der Abschnitt (82, 21–83, 15 a), in dem der Soter das Geschehen erläutert und sich selbst identifiziert. Der Verwirklichungsprozeß der Christodizee verläuft komplex, weil der Sprachgestus mehrfach wechselt (Dialog, Referat, Ankündigung, Kommentar) und weil dualistische Strukturen (Leib, nichtleiblicher Leib) sich mit dem trichotomischen Modell (Leib als Ersatz, körperloser Licht-Leib, das verständige Pneuma)[452] verschränken. Die Komplexität[453] wird noch dadurch gesteigert, daß der Soter wie ein an-

---

[449] S. o. 142 f.

[450] ΝΤΑΝ kann sich auf die Soter-Gestalten beziehen, die das Pleroma vereint. Denkbar ist aber auch, daß der angeredete Petrus in den inkludierenden Plural einbegriffen ist.

[451] „Pleroma" als Bezeichnung für den Soter begegnet 2ApcJac(NHC V, 4) 46, 8 f.; EpPt(NHC VIII, 2) 136, 16; vgl. auch Kol 1, 19; 2, 9. Im Rahmen seines Tradition-Applikation-Schemas sieht Koschorke in der Pleroma-Gestalt „Auferstehung und Himmelfahrt in Person" repräsentiert (1978, 25).

[452] Auf ein trichotomisches Modell, das der Anthropologie der Valentinianer verwandt ist, stößt man in EpJac(NHC I, 2) 11, 35–12, 13; AJ(NHC II, 1) 25, 17 ff.; Noema (NHC VI, 4) 37, 23 ff.; Silv(NHC VII, 4) 92, 23 ff.; 93, 26 ff.; vgl. Tröger 1981, 37.

[453] Vgl. Koschorke 1978, 25: „Der Erlöser erscheint also trichotomisch verstanden zu

gelus interpres agiert, obwohl er selbst der Offenbarer ist. Es wäre falsch, ein auffälliges Detail zum zentralen Anliegen der christologischen Passage zu machen. Vielmehr muß darauf geachtet werden, wie Sprachgestus, Strukturen und gestalterische Faktoren die Jenseitigkeit des Soter bzw. seine Unverfügbarkeit im Vorfindlichen herausstellen. „Diese Christologie ist im strengen Sinne nicht doketistisch, aber sie distanziert sich doch in bemerkenswerter Deutlichkeit vom Passionsgeschehen, indem sie es der ... sarkischen Sphäre zuweist und als Selbstgericht der Blinden versteht"[454].

Am Anfang von ApcPt wurde als Grund für den Dialog genannt, ein „Erkennen" zu fördern, „das dem Soter angemessen ist" (vgl. 71, 26 f.). Der Autor steuert dieses Ziel auf dem Weg einer dramatischen Inszenierung an. Vor dem Dialoganten spielt sich ein verwickeltes Geschehen ab. „Peter and the Savior are observers who are watching themselves in the drama of the crucifixion that occurs before their eyes"[455]. An der Verwendung des Verbs ⲚⲀⲨ/„sehen", das fast ausschließlich auf Petrus bezogen ist, läßt sich die Adäquatheit von Gnosis ablesen. Dort, wo es vom Soter heißt: ⲉ[ϥ]ⲚⲀⲨ (82, 32 a), ist evident, daß er das Unwesen der Archonten (vgl. 82, 33 b–83, 1 a) durchschaut hat. Die parallele Formulierung ⲉϥⲤⲞⲞⲨⲚ Ⲭⲉ ⲌⲈⲚⲂⲀⲗⲗⲉ ⲘⲘⲓⲤⲉ Ⲛⲉ/„er weiß (ja), Blindgeborene sind es" (83, 2 b–4 a) legt die Frage nahe, ob ⲚⲀⲨ und ⲤⲞⲞⲨⲚ sich nicht gegenseitig interpretieren. Im „Sehen" geschieht „Erkennen"[456]. Petrus soll erkennen, zumal dort, wo er zum „Sehen" aufgefordert wird. Die erste dialogische Interaktion hatte ihn beim Sehen behaftet (vgl. 72, 4 ff.). Aus seiner Fixiertheit auf die vorfindliche Situation wird Petrus zur Perspektive des Soter befreit. In dem Maße, wie er „sieht" und den Soter „erkennt", realisiert er seine Erwählung zur Gnosis. Aber auch die zweite dialogische Interaktion stellt auf das „Sehen" ab (vgl. 81, 3 ff.). Erneut muß Petrus sich von den Aufforderungen des Soter wecken lassen, damit er richtig „sieht", d. h. adäquat „erkennt". In seinem Epiphaniereferat (82, 3 ff.) bezeugt der Apostel die Gnosis, zu der er gelangt ist.

---

sein ..., ist aber trotzdem vierteilig gedacht." Ähnlich argumentieren Werner 1974, 577 und H.-M. Schenke 1975b, 133. Brashler (vgl. 1977, 174) will in dem szenischen Geschehen die Konkretion eines gnostischen Credo wiederfinden, das er hinter 71, 27–72, 5 vermutet. Dieser Versuch überzeugt nicht.

[454] Tröger 1977, 48. H.-M. Schenke (1975b, 130) und Brashler (1977, 174 ff.) verwenden einen zu weit gefaßten Doketismus-Begriff; s. o. 193 Anm. 391.

[455] Brashler 1977, 130; vgl. auch 132, wo von „flashback to a past event", d. h. der Kreuzigung, geredet wird, „that is explained by the Savior in a kind of post-resurrection appearance to Peter". Brashler deutet den Vorgang als Vision im apokalyptischen Rahmen.

[456] Vgl. 2ApcJac (NHC V, 4) 57, 8–19; 58, 20–23. Es geht um ein „Sehen" dessen, was eigentlich unsichtbar ist. So erscheint der lebendige Soter nach SJC (NHC III, 4) „not in his previous form, but in the invisible spirit. And his likeness resembles a great angel of light. But his resemblance I must not describe. No mortal flesh can endure it" (91, 10–14; Übers.: NHL 222).

Was er „sieht", ist die dramatische Inszenierung eines Stückes, in dem er selbst und ein „objektives" Geschehen vorkommen. Dies entspricht aber einem endogenen Vorgang bei dem, der seine Synousie mit dem Soter erkennt. Durch den Identifikationsdiskurs legitimiert der Soter die Seh-Handlung des Petrus (vgl. 83, 11), d. h., er bestätigt die Erkenntnis als adäquat.

Der Autor von ApcPt hat eine besondere Strategie gewählt, um die gnostische Christodizee mitteilbar zu machen. Da seine Perspektive derjenigen widerspricht, die den „Namen eines Toten" in den Mittelpunkt stellt (vgl. 74, 13 f.), muß er ein hohes Maß an literarischem Geschick aufbieten, um die Plausibilität der eigenen Position sicherzustellen. Er inszeniert ein Drama, dessen Verlauf der Dialogant „sieht" und dessen Reflexion in verschiedenen Sprach-Gesten das „Sehen" in Gnosis überführt[457].

---

[457] Das gnostische „Sehen" überbietet in der Tat das leibliche Sehen. Darin ist Koschorke (vgl. 1978, 26 f.) zuzustimmen. Formalistisch und der Aussageintention von ApcPt nicht angemessen erscheint dagegen sein „Stufenmodell", das er in der Argumentation des Autors erkennen will. Der Gnostiker verstehe besser, weil er hinter das Vordergründige zu „sehen" vermag. Darum könne er „ein richtiges Verständnis dessen …, was die kirchlichen Evangelien berichten" (1978, 18) anbieten. Man müsse ApcPt als „gnostische Exegese, umgesetzt in visionäre Gegenständlichkeit" (1978, 26) verstehen. Im Blick auf den theologischen Stellenwert des „Sehens" ist an die soteriologische Implikation zu erinnern, die das Verb auszeichnet. Zwischen „Sehen" und „Wissen um Erlösung" besteht ein enger Zusammenhang, der eine lange Vorgeschichte in jüdischer und christlicher Literatur hat (vgl. Michaelis, ThW V, 315 ff.), die Koschorke nicht berücksichtigt. Seine Interpretation geht von der Hypothese einer kirchenpolitischen Konfliktsituation aus (s. o. 169 f. = Anm. 326). Aufgrund dieser Prämisse postuliert er eine Textrezeption durch die Gnostiker, die auf dem Prinzip der einfachen Umkehrung beruhen soll. In Wirklichkeit verläuft der Umgang mit Traditionen in wesentlich komplexeren Bahnen. Im gnostischen Rezeptionsprozeß kommen außer der Umkehrung von Texten auch Zustimmung, Ablehnung, Anspielung, Kommentar, Allegorisierung, Verzerrung, Eintragung usw. vor, wenn es darum geht, die eigene Perspektive zu präzisieren. Die semantische Überraschung, die diese hermeneutischen Schritte implizieren, schließt aus, daß Gnostiker nur in den Bahnen des Tradition-Redaktion-Modells gedacht haben. Unter der Voraussetzung, daß mündliche Überlieferung maßgeblich das Leben bestimmt hat, erscheint der gnostische Umgang mit Texten als völlig offener Prozeß. Es ist durchaus denkbar, daß der Autor von ApcPt sich Strukturen, die in schriftlich fixierter oder mündlich zirkulierender Form vorgegeben waren, für seine Intentionen nutzbar gemacht hat. Diese Appropriation wird ihm umso leichter gefallen sein, als er mit einer enthusiastischen Grundtendenz, die in der Tradition vorkam, sympathisieren konnte. Hinsichtlich der Problematik von „Sehen" und „Erkennen" finden sich übrigens im *Mk-Evangelium* signifikante Hinweise. Die Blindenheilungen 8, 22–26 und 10, 46–52 stehen innerhalb der Komposition des Evangeliums in Antithese zur Blindheit derer, die sich für sehend halten. Jesus schenkt das „Sehen", d. h., er eröffnet den Zugang zur βασιλεία. Wem das Mysterion gegeben ist (vgl. 4, 11), der „erkennt". Jedoch sehen die Jünger und „sehen" auch nicht, d. h. sie „verstehen" nicht (vgl. 6, 52; 8, 17 f.). Dagegen gibt es Außenseiter (vgl. 10, 52; 15, 39.40), die „sehen" und nachfolgen. Wer nach Galiläa geht, wohin der Auferstandene vorausgegangen ist, der wird ihn dort „sehen" (16, 7). „Auferstehung Jesu bedeutet also für Markus den Gekreuzigten als Erhöhten *sehen*" (Schreiber 1961, 174; vgl. 166; 170

4.8.6 Ortsangabe der Offenbarung als Anthropodizee des Gnostikers

Der Abschnitt, der in der Ringkomposition der gnostischen Christodizee korrespondiert (83, 19 b–84, 6 a), geht in spezifischer Weise auf die Adressaten der gnostischen Verkündigung ein. Was Petrus gesehen bzw. erkannt hat[458], das soll er an würdige Adressaten weitergeben. Darin besteht seine Sendung (vgl. 80, 31 b.32 a), für die übrigen den verläßlichen Anfang der Gnosis zu machen.

An die Beauftragungsformel (83, 15 b–19 a) schließt ein Gedankengang an, der begründet (vgl. 83, 19 a: ΓΑΡ), warum die Verkündigung exklusiven Charakter hat. In negativer und in positiver Hinsicht werden Ortsangaben der Wahrheit mitgeteilt (83, 19 b–26 a). Stichwortanknüpfung[459] stellt die Verbindung mit dem folgenden Zitat (83, 27 b–30 a) eines synoptischen Logion her. Der Sprecher unterbricht die Zitation in der zweiten Periode, um eine kommentierende Parenthese anzubringen (83, 30 b–84, 4 a), bevor er das Zitat abschließt (84, 4 b–6 a). Sowohl in der Ortsangabe der Offenbarung, als auch in der Parenthese geht es um den Gegensatz zwischen dem unsterblichen und dem sterblichen Sein, d. h., um die ontologische Grundlage, die im bisherigen Traktat erkenntnisleitend gewirkt hat. Zum Abschluß seines Redebeitrags kommt der Soter erneut auf die gnostische Anthropodizee zu sprechen. Dieser Komplex stellt zusammen mit der Christodizee den elementaren Inhalt der Mitteilung dar. Zieht man von der Anthropodizee eine Verbindung zum Verkündigungsauftrag (83, 15 b–19 a), so wird augenfällig, daß Petrus nicht scheitern kann. Denn die gnostische Offenbarung sorgt selbst dafür, daß und wo sie angemessen rezipiert wird. Das scheint paradox zu sein, entspricht aber der Strategie gnostischer Kommunikation. Mit der Konjunktion ΓΑΡ (83, 19) simuliert der Sprecher einen argumentativen Gedankengang. In Wahrheit will er den diskursiven Denkweg überbieten, indem er beschritten wird. Mit Hilfe des doppelbödigen Stils wird aus der linearen Denkstruktur in die zirkuläre Denkweise geführt, die dem Gnostiker eigentümlich ist. Denn Gnosis entsteht weder aufgrund von induktiven noch von deduktiven Argumenten. Vielmehr tritt sie dort auf, wo sie immer schon war: Gnosis kommt von Gnosis bzw. Gnosis stellt sich ein, wo sie bereits ist.

Anm. 1; 176; ferner 1986, 213 Anm. 7; 354). Auch das *Joh-Evangelium* verbindet „Sehen" und „Erkennen". So demonstriert die Heilung des Blindgeborenen cap. 9, daß die Sehenden in Wahrheit blind sind und der Blinde zu Recht sehend wird. Diejenigen, die den Logos annehmen (1, 14 b), sollen „den Himmel offen" (vgl. 1, 50 f.) bzw. den Vater (vgl. 12, 45; 14, 7.9) sehen. Das Verhältnis von „Sehen" und „Erkennen bzw. Glauben" wird im Verlauf der Geschichte der johanneischen Gemeinde allerdings unterschiedlich beurteilt (vgl. 2, 23; 6, 36; 20, 18.29). Zur Sache vgl. Hahn 1972, 125 ff.

[458] Vgl. 73, 15 f.; 82, 18 f.

[459] Das Verb ϯ/„geben" begegnet in 83, 26 a und 83, 28 b.

Die negative Ausgrenzung der Offenbarung[460] bedeutet, daß sie in den Menschen, die dem sterblichen Sein angehören, keinen Aufenthalt nimmt (83, 19 b–21 a). Dagegen beschreibt die folgende Aussage[461] mit zwei Aspekten, wo und warum die Offenbarung anzutreffen ist. *Erstens* hat sie Raum bei den Erwählten (83, 22.23 a), bei denen also, die durch den Ruf des Soter geweckt wurden. Die Erwählung macht *zweitens* offenbar, daß sie „aus dem unsterblichen Sein" stammen (83, 23 b.24 a), ein Argument, das sie in absoluten Gegensatz zu jener erstgenannten Gruppe stellt. Aufgrund dieser Disposition sind sie in der Lage, den bei sich aufzunehmen, der seinen „Überfluß" austeilt (83, 25 b.26 a)[462]. Die Sequenz der Aspekte steuert auf den Höhepunkt zu: die Souveränität des Offenbarers, der das vollkommene Licht und das verständige Pneuma in sich vereint hat (vgl. 83, 13 ff.). Mit diesen Aussagen ist die Ortsangabe der Offenbarung hinreichend bestimmt. Sie bleibt autolokativ und liefert sich keineswegs an die Überzeugungskraft verbaler Kommunikation aus. Im Grunde stimmen die negative und die positive Ortsangabe mit den prinzipiellen Überlegungen überein, die der Soter mit seiner Offenbarungsrede als Exkurs vorgetragen hatte. Das prädestinatianische Denken, der ontologische Dualismus, die Synousie von Gnostiker und Erlöser geben den anthropologischen Reflexionen in ApcPt Profil. Jede affirmative Aussage in diesem Horizont impliziert eine Negation, die über den unmittelbar angesprochenen Petrus auch den Rezipienten provoziert.

Die Einführung in das Zitat stellt dieses in ein Konklusionsgefälle (vgl. 83, 26 b.27 a), d. h., die prädestinatianische Tendenz wirkt weiter. Wesentlicher aber ist die Verknüpfung zwischen dem „Geben", von dem das Zitat spricht, und dem „Austeilen des Überflusses", das den Soter auszeichnet. Bei dem Zitat handelt es sich um das Logion, das aus Mk 4, 25; Mt 13, 12; Lk 8, 18 b (vgl. Lk 19, 26; Mt 25, 29) bekannt ist. Eine selbständige Überlieferung findet sich in EvThom (NHC II, 2) 88, 16–18 (= Logion 41). Der folgende *Überblick* stellt die griechischen und koptischen Versionen nebeneinander[463]. Anschließend sollen der literarische Charakter untersucht und die überlieferungsgeschichtlichen Zusammenhänge problematisiert werden.

---

[460] Im Text steht das Wort ΤΑ6ΙΟ/„Gabe, Kostbarkeit, Herrlichkeit, Gnade" (vgl. Westendorf 1965/1977, 224; Siegert 1982, 100) und nicht 600Υ, ΜΝΤΡΡΟ, ΑΟΧΑ oder ΤΙΜΗ.

[461] 6Ι ΜΗΤΙ/„wenn nicht etwa, es müßte denn sein, daß" setzt mit konditionaler Konnotation (vgl. Bauer 1988, 444; Crum 1979, 74 b; Westendorf 1965/1977, 48) die positive Alternative von ihrem Gegenbild ab.

[462] Zu 2ΟΥΟ vgl. Crum 1979, 735 a; Westendorf 1965/1977, 401 f.

[463] Zitiert nach Horner 1969 (= 1911 ff.) bzw. der Edition des EvThom von Guillaumont u. a. 1959.

(a)   *Mt 13,12*   *Mk 4,25*   *Lk 8,18b*

a	ὅστις γὰρ ἔχει	ὃς γὰρ ἔχει,	ὃς ἂν γὰρ ἔχῃ,
b	δοθήσεται αὐτῷ	δοθήσεται αὐτῷ,	δοθήσεται αὐτῷ,
b'	καὶ περισσευθήσεται,		
c	ὅστις δὲ οὐκ ἔχει,	καὶ ὃς οὐκ ἔχει,	καὶ ὃς ἂν μὴ ἔχῃ,
d	καὶ ὃ ἔχει	καὶ ὃ ἔχει	καὶ ὃ δοκεῖ ἔχειν
e	ἀρθήσεται ἀπ' αὐτοῦ.	ἀρθήσεται ἀπ' αὐτοῦ.	ἀρθήσεται ἀπ' αὐτοῦ.

a	ⲡⲉⲧⲉ ⲟⲩⲛ̄ⲧⲁϥ ⲅⲁⲣ	ⲡⲉⲧⲉⲟⲩⲛ̄ⲧⲁϥ ⲅⲁⲣ	ⲡⲉⲧⲉⲟⲩⲛ̄ⲧⲁϥ ⲅⲁⲣ
b	ⲥⲉⲛⲁϯ ⲛⲁϥ	ⲥⲉⲛⲁϯ ⲛⲁϥ	ⲥⲉⲛⲁϯ ⲛⲁϥ
b'	ⲛ̄ϥⲣ̄ϩⲟⲩⲟ		
c	ⲁⲩⲱ ⲡⲉⲧⲉⲙⲛ̄ⲧⲁϥ	ⲁⲩⲱ ⲡⲉⲧⲉⲙⲛ̄ⲧⲁϥ	ⲁⲩⲱ ⲡⲉⲧⲉⲙⲛ̄ⲧⲁϥ
d	ⲡⲕⲉⲉⲧⲉⲟⲩⲛ̄ⲧⲁϥⲥϥ̄	ⲡⲕⲉⲉⲧⲛ̄ⲧⲁϥ	ⲡⲉⲧϥ̄ϫⲱ ⲙ̄ⲙⲟϥ ϫⲉ ⲟⲩⲛ̄ⲧⲁϥⲥ̄
e	ⲥⲉⲛⲁϥⲓⲧϥ̄ ⲛ̄ⲧⲟⲟⲧϥ̄.	ⲥⲉⲛⲁϥⲓⲧϥ̄ ⲛ̄ⲧⲟⲟⲧϥ̄.	ⲥⲉⲛⲁϥⲓⲧϥ̄ ⲛ̄ⲧⲟⲟⲧϥ̄.

(b)   *Mt 25,29*   *Lk 19,26*

a		λέγω ὑμῖν
b	τῷ γὰρ ἔχοντι παντὶ δοθήσεται	ὅτι παντὶ τῷ ἔχοντι δοθήσεται,
c	καὶ περισσευθήσεται,	
d	τοῦ δὲ μὴ ἔχοντος	ἀπὸ δὲ τοῦ μὴ ἔχοντος
e	καὶ ὃ ἔχει	καὶ ὃ ἔχει
φ	ἀρθήσεται ἀπ' αὐτοῦ.	ἀρθήσεται.

a		ϯϫⲱ ⲙⲙⲟⲥ ⲛⲏⲧⲛ̄
b	ⲟⲩⲛ ⲅⲁⲣ ⲛⲓⲙ ⲉⲧⲉⲩⲛ̄ⲧⲁϥ	ϫⲉ ⲟⲩⲟⲛ ⲛⲓⲙ ⲉⲧⲉⲟⲩⲛ̄ⲧⲁϥ
c	ⲥϩⲉⲛⲁϯ ⲛⲁϥ ⲁⲩⲱ ⲛϥ̄ⲣ̄ϩⲟⲩⲟ	ⲥⲉⲛⲁϯ ⲛⲁϥ
d	ⲡⲉⲧⲉⲙ̄ⲙⲛ̄ⲧⲁϥ ⲇⲉ ⲡⲕⲉ ⲉⲧⲉⲛ̄ⲧⲁϥ	ⲡⲉⲧⲉⲙⲛ̄ⲧⲁϥ ⲇⲉ ⲥⲉⲛⲁϥⲓ ⲛ̄ⲧⲟⲟⲧϥ̄
e	ⲥⲉⲛⲁϥⲓⲧϥ̄ ⲛ̄ⲧⲟⲟⲧϥ̄.	ⲙ̄ⲡⲕⲉⲉⲧⲉⲩⲛ̄ⲧⲁϥⲥϥ̄.

(c)   *ApcPt 83,27b–30a; 84,4b–6a*   *EvThom 41 (= 88,16–18)*

a	ⲟⲩⲟⲛ ⲛⲓⲙ ⲉⲧⲉ ⲟⲩⲛ̄ⲧⲁϥ	ⲡⲉⲧⲉⲩⲛ̄ⲧⲁϥ ϩⲛ̄ ⲧⲉϥ ϭⲓϫ
b	ⲥⲉⲛⲁϯ ⲛⲁϥ	ⲥⲉⲛⲁϯ ⲛⲁϥ
c	ⲁⲩⲱ ⲟⲩⲟⲛ ⲛⲁⲣ ϩⲟⲩⲟ ⲉⲣⲟϥ	
d	ⲡⲏ ⲇⲉ ⲉⲧⲉ ⲙ̄ⲙⲛ̄ⲧⲁϥ	ⲁⲩⲱ ⲡⲉⲧⲉ ⲙⲛ̄ⲧⲁϥ
		ⲡⲕⲉⲩⲏⲙ ⲉⲧⲟⲩⲛ̄ⲧⲁϥ
f	ⲥⲉⲛⲁϥⲓⲧϥ̄ ⲛ̄ⲧⲟⲟⲧϥ̄	ⲥⲉⲛⲁϥⲓⲧϥ̄ ⲛ̄ⲧⲟⲟⲧϥ̄.
g	ⲁⲩⲱ ⲥⲉⲛⲁⲟⲩⲁϩϥ̄ ⲉⲡⲏ	
h	ⲉⲧϣⲟⲟⲡ.	

Mk 4, 25 ist ein zweigliedriger Spruch[464]. In Form eines relativischen Kon-
ditionalsatzes werden eine positive und eine negative Korrelation zwischen Gegenwart und Zukunft zur Sprache gebracht. Protasis und Apodosis stellen einen Zusammenhang her zwischen Haben und Bekommen
bzw. Nichthaben und Wegnehmen. Die zweite Periode ist um eine Differenzierung des ἔχειν erweitert, die aber die Struktur des strengen antithetischen Parallelismus[465] unterbricht. In den passivischen Verbformen

---

[464] Vgl. Bultmann 1964a, 84.

(δοθήσεται, ἀρθήσεται) ist nicht sofort das passivum divinum zu identifizieren. Denn der Stil entspricht „weisheitlicher Formsprache"[466]. Die Intention stimmt mit Sentenzen der Erfahrungsweisheit überein, die Beobachtungen und Gegebenheiten aus dem sozialen Alltag geltend machen: Reiche werden immer reicher, Arme dagegen nur noch ärmer[467].

Dieses ursprünglich selbständige Logion ist jetzt in den markinischen Kontext eingebunden. Durch das begründende γάρ entsteht ein funktionaler Zusammenhang mit dem vorangehenden Wort, einem Grundsatz eschatologischen Rechts[468]. Darüber hinaus muß der Kontext von c. 4 als hermeneutischer Rahmen berücksichtigt werden: ὑμῖν τὸ μυστήριον δέδοται τῆς βασιλείας τοῦ θεοῦ (4, 11). Unter dieser Voraussetzung ist es plausibel, in den passivischen Verbformen δοθήσεται und ἀρθήσεται das passivum divinum zu lesen[469]. Entsprechend muß das gnomische Futur als eschatologisches verstanden werden. Das Wort verwandelt sich also aus einer weisheitlichen Sentenz in einen eschatologischen Spruch, der Gericht impliziert. Thematisiert werden weder ein materielles noch ein intellektuelles Haben, sondern das ἔχειν, das im Gericht Bestand hat. Das Kontrastierende der Formulierung ist mit seiner „eschatologischen Unbedingtheit" eine „bewußte(n) Herausforderung aller menschlichen Gefühle von dem, was recht und billig ist"[470]. Gott ist derjenige, der gibt und nimmt. An den Adressaten seines Handelns hat das Wort kein Interesse. Es geht „in drastischer Härte" ausschließlich um „Gottes Souveränität"[471]. Ebenso ungewöhnlich wie dieser drastische Spruch ist die Intention, die der Kontext den Jüngern einschärft: βλέπετε τί ἀκούετε (4, 24 b).

Sind drastischer Stil und Paradoxie hinreichend interpretiert, wenn sie als Elemente einer esoterischen Grundtendenz[472] gelesen werden, mit der Markus in c. 4 Jesu Lehre präzisiert? Oder gibt es in dem Spruch Signale,

---

[465] J. Jeremias definiert: „Zwei Extreme werden so scharf gegenübergestellt, daß kein Raum für Zwischengrößen bleibt" (1973, 26 Anm. 11).

[466] Pesch 1976, 252; vgl. Zimmermann 1974, 191; Berger (1984 a, 62 ff.) ordnet Mk 4,25 unter die „Sentenzen" ein.

[467] Vgl. Bultmann 1964 a, 112 und Spr 11, 24; 15, 6. Schniewind nennt das Logion „ein hartes Sprichwort des Alltags" (1956, 250).

[468] Zu Mk 4, 24 vgl. Pesch 1976, 252 f.; Lührmann 1987, 89.

[469] So J. Jeremias 1973, 22.

[470] Lohmeyer 1967, 202; vgl. auch Berger 1984 a, 67. Nach Grundmann bleibt der Spruch im weisheitlichen Horizont; das Ziel ist: „rechte Erkenntnis" (1965 b, 97).

[471] Pesch 1976, 253. Der Zusatz καὶ προστεθήσεται ὑμῖν in Mk 4, 24 entspricht dem Gottesverständnis in 4, 25. Käsemanns Urteil, Markus habe 4, 25 „die ursprüngliche Stilform aufgelöst" und „gnomisch abgewandelt" (1964, 97), setzt einen überlieferungsgeschichtlichen Prozeß voraus, der von einer ursprünglich eschatologischen Prägung zur weisheitlichen Auflösung des Spruches verläuft. Unterschätzt Käsemann nicht die Komposition von Mk 4, die das eschatologische Verständnis des Wortes gerade stützen will?

[472] So Sellin 1983, 522 ff.

die das theologische Anliegen noch deutlicher erkennen lassen, die bisher aber übersehen worden sind? Vor der Behandlung dieser Frage, sollen die übrigen Versionen betrachtet werden.

Die *Mt-Version* hat in der Protasis jeweils das generalisierende ὅστις anstelle eines bestimmten Relativpronomens ὅς (vgl. Mt 13,12a mit Mk 4,25a und 13,12c mit 4,25c). Der Zusatz καὶ περισσευθήσεται (Mt 13,12b') dürfte aus der Feder des Redaktors stammen[473]. In struktureller Hinsicht hat die redaktionelle Hinzufügung eine bemerkenswerte Folge: sie bringt den Parallelismus, der bei Mk durch 4,25d gestört ist, wieder ins Gleichgewicht. Da Mk 4,24 nicht in den Mt-Kontext übernommen wurde, schließt der Spruch direkt an Mt 13,11b an, obwohl „das οὐ δέδοται 11b noch nicht mit dem ἀρθήσεται ἀπ' αὐτοῦ 12 auf gleicher Stufe steht"[474]. So verschärft Mt durch eine kontextuelle Verknüpfung den negativen Akzent im Logion.

Lukas folgt weitgehend der Mk-Vorlage. Die Protasis formuliert er konjunktivisch um und intensiviert den konditionalen Charakter der Relativsätze. In der Apodosis der zweiten Satzperiode heißt es statt ὃ ἔχει nun eingeschränkt ὃ δοκεῖ ἔχειν. Anders als Mk 4,24 zielt Lk nicht auf den Inhalt. Ihm geht es um die Modalität des Hörens: βλέπετε οὖν πῶς ἀκούετε (Lk 8,18A). Lk und Mt beziehen den Spruch, darin Mk nach redaktionellen Veränderungen folgend, auf Jesu Verkündigung der βασιλεία. Die paränetische Tendenz der vorangegangenen Verse wird weitergetragen.

Die *Spruchquelle Q* überliefert das Logion in einer weiteren Version (Lk 19,26; Mt 25,29) und zwar am Ende der Parabel von den Talenten (Lk 19,12–27; Mt 25,14–30). Unter inhaltlichen Gesichtspunkten besteht Übereinstimmung mit Mk 4,25 par, nicht dagegen hinsichtlich der literarischen Struktur[475]. Der relativisch formulierte Anfang der jeweiligen Protasis ist durch eine Partizipialkonstruktion ersetzt. In der ersten Satzperiode wird das Partizip durch παντί gesteigert (vgl. Lk 19,26b; Mt 25,29b). Das Logion bezieht sich auf das Geschehen in der Parabel[476] und betont in allegorischer Absicht den Besitzstand. Dieser Akzent lebt davon, daß der Erzähler die Situation „ohne Hemmungen" durch massives „Bank- und Zinsvokabular" beschreibt[477]. Lukas präzisiert die Satz-

---

[473] So Klostermann 1927, 119; Zimmermann 1974, 185; Lührmann 1969, 107. Nach Lohmeyer 1967, 202 Anm. 1 hat der Zusatz folgende Absicht: „Der Spruch soll aus der positiv rechtlichen Sphäre, in die er zu gehören scheint, seiner Form nach herausgenommen und in die Sphäre des eschatologischen Gerichtes hineingestellt werden".

[474] Klostermann 1927, 119.

[475] Das betont Lührmann 1969, 107.

[476] Vgl. die begründende Verknüpfung mit γάρ bei Mt. Die Formel in Lk 19,26a: λέγω ὑμῖν scheint eine für Q typische Einleitung in den Schlußkommentar zu Parabeln zu sein (vgl. Mt 18,13 par; Lk 14,24).

[477] Schulz 1972, 298.

konstruktion in 19,26 d. Der Vergleich mit 8,18 zeigt, daß er δοκεῖ V.18 d streicht. Matthäus hat in 25,29 c καὶ περισσευθήσεται wie schon 13,12 b' ergänzt. Auch wenn das Logion nicht aus der Parabel erwachsen ist[478], trifft es sich als Kommentar doch mit der eschatologischen Intention: die Naherwartung zu stärken angesichts der durch die Parusieverzögerung ausgelösten Aporie[479].

Struktur und redaktionelle Bearbeitung des Logion zeigen, daß in allen Versionen ein eschatologischer Horizont dominiert, der die ursprünglich weisheitliche Tendenz verdrängt. Im Anschluß an *J. D. Crossan* soll die Interpretation noch einmal aufgenommen werden, weil ein wichtiges Detail übersehen worden ist. Anknüpfungspunkt für die hermeneutische Reflexion ist die paradoxe Struktur der Sentenz.

Crossan setzt mit einer Beobachtung zum antithetischen Parallelismus ein. Ihm ist aufgefallen, daß in Mk 4,25 die Zeile 25 d: καὶ ὃ ἔχει den Parallelismus aufbricht[480]. Er versteht die Zeile als interpretierenden Eintrag in das Logion, d. h., als einen ersten „Versuch", der „erklären" soll, „wie man mit nichts in der Hand, ausgeraubt werden kann"[481]. M. a. W., die ursprüngliche Eigenart des Spruches, die im radikalen Paradox sich ausdrückte, wurde nicht mehr verstanden und sollte erläutert werden. Der Eintrag hat den Sinn aber eher verschleiert als erklärt. In den folgenden Überlieferungsphasen haben Lk und EvThom die Struktur ebenfalls umgeformt und mit ihren kommentierenden Anmerkungen die Aussageabsicht verändert. Die lukanische Version (Lk 8,18 B) schränkt mit der Bemerkung καὶ ὃ δοκεῖ ἔχειν das Paradox ein. EvThom tut das auf seine Weise auch und spricht von „dem kleinen Rest, den er hat" (88,17 b.18). „Beide Versionen versuchen darzutun, daß das ‚Nichts' eigentlich nicht ‚Nichts' meint"[482]. Mt 13,12; 25,29 füllen schließlich die erste Spruchhälfte auf. Anlaß für alle Zusätze und Ergänzungen sind die Schwierigkeiten gewesen, die das doppelte Paradox bei Applikation und Rezeption gemacht hat. Das Logion widersprach in struktureller und semantischer Hinsicht jeglicher Logik.

Diese Eigentümlichkeit führt Crossan auf die Grundtendenz in Jesu Verkündigung zurück. Jesus wollte nichts anderes, als das Kommen des Reiches Gottes zur Sprache bringen. Wie die βασιλεία die Welt in Frage stellt, aber nur als Paradox ausgesagt werden kann, so verhält es sich

---

[478] Anders Weder, der zu zeigen versucht, „daß das Logion inhaltlich ausgezeichnet zur ursprünglichen Parabel paßt. Deshalb ist m. E. der Schluß unausweichlich, daß das Logion *hier* seinen Ursprungsort hat und erst sekundär zu einem frei tradierten Herrenwort (wie Mk 4,25) geworden ist" (1984, 200).

[479] Vgl. Schulz 1972, 297 f.

[480] Crossan 1982, 127 ff.; bes. 157 ff.; vgl. jetzt auch 1983, 197 ff. Schon Klostermann 1971, 43 macht auf das überschießende καὶ ὃ ἔχει aufmerksam.

[481] Crossan 1982, 157.

[482] Ebd.

auch mit dem Wort, das vom Kommen dieses Reiches spricht. Eigentlich ist die Sprache ungeeignet, um das Paradox des Reiches Gottes auszusagen. Denn es „unterhöhlt auch die Sprache und kann nur in entstellter Sprachlichkeit ausgedrückt werden"[483]. Paradoxe Sprache ist also nicht Ausdruck von Un-Logik, sondern notwendiges Medium der eschatologischen Botschaft. „Das Paradox ist die Form des Eschaton"[484]. In der frühchristlichen Überlieferung hat das Fremde des Reiches Gottes, repräsentiert in einer befremdlichen Sprache, eine Reaktion evoziert, die sich im eschatologischen Horizont artikulierte. Das Unverfügbare wird possessiven Vorstellungen und verobjektivierenden Erfahrungen unterworfen, damit es in der Lebenswelt Referenzpunkt wird. Zweifellos hat diese Applikation die ursprüngliche Aussageabsicht, der an der befremdlichen und befreienden Souveränität der βασιλεία im Gegensatz zur Welt gelegen war, verdrängt.

Eine eigene Rezeption hat der Spruch im gnostischen Kontext erfahren. So stimmt das Logion in *EvThom* (NHC II, 2) 88, 16–18 weitgehend mit der synoptischen Version Mk 4, 25 par überein. Die Verbformen stehen im Futur. Es fehlen die begründende Konjunktion, die Mk um willen der Komposition gesetzt hatte, ebenso wie die Erweiterungen von Mt und Lk. Ergänzende Zusätze sind ⲉⲛ ⲧⲉϥ ⲥⲓⲝ und ⲡⲉⲕⲩⲏⲙ.

EvThom knüpft bei der weisheitlichen Vorgeschichte des Spruches an. Das bringt eine Zurücknahme der eschatologischen Tendenz im gnostischen Horizont mit sich und führt zu einer Akzentverlagerung. Die Rede vom „Haben" bzw. „Nichthaben" zielt also auf Gnosis. „Die ‚Habe' des Gnostikers κατ' ἐξοχήν ist ja seine Gnosis und wer diese ‚Habe' der Gnosis nicht besitzt, lebt eben nach Log 3 ‚in Armut', hat also ‚wenig'. Wer sie aber besitzt, dem wird ‚gegeben' werden, nämlich Unvergänglichkeit"[485]. Mit dieser Erklärung interpretiert Schrage eigentlich nur die erste Spruchperiode von EvThom 88, 16–18. Unter der Voraussetzung des realpräsentischen Charakters von Gnosis, wobei ‚Haben' und ‚Sein' konvergieren, muß aber auch das Gegenteil zur Geltung gebracht werden. D. h., wer keine Gnosis hat, der ist eo ipso verloren[486]. Bei der strengen antithetischen Struktur des Spruches wird sofort die Problematik von ⲡⲕⲉⲩⲏⲙ ⲉⲧⲟⲩⲛⲧⲁϥ/„auch das Wenige, das er hat" sichtbar. Denn dieser Zusatz widerspricht der ontologischen Grundlage gnostischen

---

[483] 1982, 158.

[484] 1982, 156. Die theologische Relevanz der paradoxen Sprachform hebt auch Ricoeur 1982, 322 ff.; 332 ff. hervor.

[485] Schrage 1964, 97. Er verweist auf analoge Formulierungen in EvPhil (NHC II, 3) 121, 3 ff.; 124, 19 ff. Vgl. auch Fieger 1991, 137 ff.

[486] Auch EvThom 93, 29–33 ist als doppeltes Paradox formuliert: „Jesus sagte: Wenn ihr dies in euch erworben habt, wird euch das, was ihr habt, retten. Wenn ihr dies nicht in [euch] habt, [wird] das, was ihr nicht in euch habt, euch sterben lassen." (Übers.: Blatz 1987, 109).

Denkens, das von einem radikalen Dualismus ausgeht. Für den Gnostiker kommt es nicht darauf an, „ein wenig" bzw. etwas zu haben. In bezug auf das „Leben" gibt es für ihn nur ein exklusives Entweder-Oder. Wer zur Erkenntnis gelangt ist, der „hat". Jede Abweichung von diesem Axiom fällt unter das Urteil „nicht haben". Vor dem Hintergrund dieser Überlegungen ist die Frage berechtigt, ob EvThom die Überführung des Spruches in den gnostischen Horizont gelungen ist. Es sieht ganz danach aus, daß die Vorlage bestimmend bleibt und die gnostische Perspektive nur eingeschränkt zur Sprache kommt.

In *ApcPt* hat das Logion sowohl einen eigenen Kontext als auch eine spezifische Gestalt[487] bekommen. Das zeigt ein Vergleich mit den synoptischen Varianten auf den ersten Blick.

Die Zeilen a/b und d/f haben die Struktur des antithetischen Parallelismus. Zwischen der Gegenwart des Habens (ⲟⲩⲛ̄ⲧⲁϥ) bzw. des Nichthabens (ⲙ̄ⲛⲛ̄ⲧⲁϥ) und der Zukunft (ⲥⲉⲛⲁϯ bzw. ⲥⲉⲛⲁϥⲓⲧϥ̄) wird eine Korrelation konstituiert. Dabei entscheidet die Protasis (a; d) über die Folgen (b; f). Die Gegenwart ist also Kriterium dessen, was in der Zukunft geschieht. In den genannten Textzeilen zieht das doppelte Paradox die Aufmerksamkeit auf sich. Ohne den Kontext entsprechen die Satzperioden jener radikalen Affirmation, die Crossan erschlossen hat.

In der vorliegenden Gestalt ist die strenge Form des antithetischen Parallelismus jedoch zweifach gebrochen. Einmal ist in die zweite Periode eine Parenthese eingelassen, mit der der Nichthabende näherhin skizziert wird. Dann ist die Apodosis in beiden Fällen mit ⲁⲩⲱ-Sätzen (c; d; g) erweitert. Die singuläre Stellung des Habenden wird Zeile c hervorgehoben. Zeile g und h führen aus, was das privative Geschehen für den Habenden impliziert[488], der dann auch als einer, der „ist" (ⲉⲧϣⲟⲟⲡ) vorgestellt wird. Ihm wird hinzugefügt werden. Beide Ergänzungen kommentieren ein Geschehen, das auf das Subjekt der ersten Periode bezogen ist. Dieses literarische Vorgehen hebt den antithetischen Parallelismus auf, obwohl vordergründig die Struktur von positiver und negativer Periode ausgewogen zu sein scheint.

Der Anfang mit dem Indefinitpronomen ⲟⲩⲟⲛ ⲛⲓⲙ und folgendem Relativpartikel ⲉⲧⲉ- entspricht dem Beginn im synoptischen Logion. Allerdings fehlt die Konjunktion γάρ. Durch die Zitat-Einleitungsformel wird ein neuer Akzent[489] gesetzt: ⲉⲧⲃⲉ ⲡⲁï ⲁⲉⲓϫⲟⲟⲥ (83, 26 b.27 a). Diese Formel signalisiert in ähnlicher Weise wie λέγω ὑμῖν (Lk 19, 26 a) die Autorität des Sprechenden.

---

[487] S. o. 60 f.

[488] Vgl. die entfernte Parallele in Mt 25, 28; Lk 19, 24 b.

[489] S. o. 213 und ApcPt 72, 10 b–11 a; 73, 12; 81, 29.

Der Kommentar in Zeile c legt dar, was ϲⲉⲛⲁϯ für den Habenden bedeutet. Eine entfernte Parallele zu Mt 13,12 b′ (= 25,29 c) ist spürbar. Während Mt den Überfluß affirmativ konstatiert, geht es in der koptischen Version um die Exklusivität und Unerreichbarkeit des Subjekts: keiner wird größer sein als er, der hat. Zeile c ist als Frage intendiert, die nur mit „Nein" beantwortet werden kann.

In der Protasis zur zweiten Periode verwendet der Sprecher das Demonstrativum ⲡⲏ ⲗⲉ (Zeile d), um das Subjekt des Nichthabens von ⲟⲩⲟⲛ ⲛⲓⲙ deutlich abzusetzen. Zusätzlich zu dieser Differenzierung tritt die Parenthese, so als sei gefragt worden, wer denn der sei, der nichts hat. Die Auskunft, die erteilt wird, identifiziert. Derjenige, der nichts hat, ist „der Mensch der Erdenwelt" (83,30 b.31 a). Die Bedeutung von ⲧⲟⲡⲟⲥ ergibt sich aus der sachlichen Nähe des Wortes zu „Kosmos". Durch die Genitiv-Verbindung ⲛ̄ⲧⲉ- ist angezeigt, daß der Mensch dem Kosmos bzw. dem ⲧⲟⲡⲟⲥ gehört und von ihm sein Wesen erhält. Lapidar konstatiert der Aussagesatz 83,31 b.32 a.b, worin das Sein des Kosmosmenschen besteht. Er ist definiert[490] durch den Tod. Die Verbindung mit dem Geschaffenen unterwirft ihn (vgl. 83,34) dem Kreislauf von Sterben und Geborenwerden. Weil er ganz dem Kosmos zugewandt ist[491], kann das Sein dieses Menschen ein Sein aus dem Tode genannt werden. Denn auf ihn trifft zu, was der Soter über die sterblichen Seelen gesagt hatte (vgl. 75,7 b–76,23 a). Die identifizierende Auskunft denkt den ontologischen Dualismus mit der Antithese des synoptischen Zitats zusammen. Durch diesen Vorgang wird die eigentliche Aussageabsicht des Spruches gnostisch affiziert. Im Fortgang der Parenthese zeigt es sich, daß die Interpretation auf dem richtigen Weg ist. War zunächst typisierend von „dem Menschen" geredet, so wechselt der Kommentar nun in die Pluralform (vgl. 84,3 b.4 a). Der Sprecher rekurriert auf den bereits öfters assoziierten Versuch der Archonten, den Soter in ihre Gewalt zu bekommen[492]. Alle Bemächtigungsversuche müssen jedoch scheitern, weil sie die Grenzen des Kosmos nicht zu überschreiten vermögen, die der ontologische Dualismus gesetzt hat. Darum endet das Streben nach unsterblichem Sein für die Archonten im Gericht, das sie sich selbst bereiten. Sie demonstrieren ihre Zugehörigkeit zu den sterblichen Seelen.

Nachdem der Sprecher mit Hilfe von typisierenden Elementen und mythologischen Assoziationen das Subjekt des Nichthabens (Zeile d) skiz-

---

[490] ϣⲟⲟⲡ ist Qualitativ. Den eigentümlichen Stil solcher Definitionssätze (vgl. auch 70,25 ff.; 74,14; 78,18.21 ff.; 79,30 ff.; 83,31) bringt Schenk (1983, 79 f.) mit der Pesher-Tradition in Verbindung.

[491] ⲟⲩⲟⲧⲃ̄ (vgl. 83,32 b.33 a) ist ebenfalls Qualitativ: „umwenden, austauschen; sich ändern"; in der Nebenbedeutung auch „hinübergehen = sterben"; so Crum 1979, 496 a; Westendorf 1965/1977, 280.

[492] ⲁⲙⲁϩⲧⲉ; vgl. 81,6 a.10; 82,29.

ziert hat, kehrt er zum Zitat zurück (vgl. 84, 4 b–6 a). Zeile e schließt das Logion ohne die Einschränkung der synoptischen Versionen (vgl. Mk 4, 25 d; Mt 13, 12 d; Lk 8, 18Bd) ab. Die radikale Tendenz der doppelten Paradoxie bleibt in Kraft, nur wird sie über die Parenthese durch den ontologischen Dualismus präzisiert. „Haben, Geben, Nichthaben, Nehmen" sind nunmehr vom Gegensatz zwischen Sein und Nichts her zu verstehen. In diesem Gefälle steht auch, was als kommentierender Zusatz Zeile f; g (= 84, 5 b.6 a) noch folgt. Derjenige, dem „hinzugefügt wird", ist als einer vorgestellt, der zum wahren Sein gehört[493]. Zwischen diesem Zusatz und der Frage in Zeile c besteht ein enger Zusammenhang. In beidem wird das singuläre und nicht zu überbietende „Sein" des Gnostikers unterstrichen. Diese Konvergenz von „Haben" und „Sein" bringt das spezifisch Gnostische in der Rezeption des weisheitlichen Spruches zu Gehör. Darüber verliert die Frage an Bedeutung, auf welchen Überlieferungszusammenhang[494] der Autor von ApcPt sich bezieht. Gnosis offenbart sich nur dort, wo unsterbliches Sein ist, d. h. unter denen, die erwählt wurden, den Erlöser bei sich aufzunehmen. Da die Erwählten aus dem Pleroma stammen, können sie auch den Überfluß annehmen, den der austeilt, der das Pleroma ist. Es bestätigt sich also, daß die Neufassung des Spruches aufs engste mit den Ortsangaben für die Offenbarung verzahnt ist. Das ⲉⲧⲃⲉ ⲛⲁⲓ (83, 26 b.27 a) steht völlig zu Recht, und der begründende Anschluß (83, 19 b) an die Beauftragungsformel (83, 15 b– 19 a) ist durch die Interpretation als zutreffend erwiesen. Würdige Adressaten der Offenbarung sind die „Fremden". Sie sind es um so mehr, als sie sich in Übereinstimmung mit dem Soter befinden. Wie er so stammen auch sie nicht aus diesem Äon und können über die Archonten nur lachen.

Innerhalb der Ringkomposition korrespondieren die Abschnitte D und D': Christodizee und Anthropodizee erweisen sich als die zentralen Anliegen des Traktats. Gleichzeitig elementarisiert diese Entsprechung die Aufgabe, mit der Petrus betraut ist, Gnosis weiterzutragen. Aus der Abfolge der Redeteile geht schließlich hervor, daß die Aufmerksamkeit auf die Anthropodizee zentriert ist. Aufgrund des kommunikativen Verhaltens, das schon mehrfach beobachtet worden ist, zeigt auch die Schlußpassage, wie sehr der Autor mit dem Rezipienten rechnet. Er soll sich im Status des Fremden, d. h. des Gnostikers, der im „Sein" ist, entdecken.

---

[493] 84, 6 a: ⲡⲏ ⲉⲧ ϣⲟⲟⲡ; Qualitativ!

[494] Die vorgelegte Interpretation geht von einer großen Nähe zu der Aussageform aus, die Crossan plausibel gemacht hat. Darum hat der Vergleich mit dem bei Mk und Q überlieferten Spruch bzw. mit der Mt-Version der Parabel von den Talenten nur die Funktion, Stationen der Auslegungsgeschichte zu rekonstruieren.

4.8.7 Die Sendung Petri im Kontext der gnostischen Verkündigungsstrategie

Petrus ist als Erwählter angesprochen, der in den dialogischen Interaktionen dazu gebracht wird, seine Berufung zu realisieren und die gnostische Perspektive zu übernehmen. Indem er die Dialoge, insbesondere die Epiphanie des Soter erzählt, begibt er sich auf ein problematisches Feld: er verobjektiviert den Status des Gnostikers, obwohl dieser nur jenseitig im Objektiven existiert. M. a. W., die Doppelgestalt von Dialogant und Erzähler offenbart die Aporie, mit der Gnosis kämpft. Ihr esoterisches Selbstverständnis schließt Mitteilungen an die Allgemeinheit aus. Dennoch kann sie nicht nicht-kommunizieren. In dieser Patt-Situation ist die Ambivalenz begründet, die der gnostischen Überlieferung eigentümlich ist. Durch Sprach-Handeln auf zwei Ebenen soll in ApcPt die Aporie unterlaufen werden.

Der Verkündigungsauftrag wird stufenweise enthüllt (vgl. 73, 14 ff.; 80, 24 ff.; 82, 18 ff.; 83, 15 ff.; 84, 6 ff.) und gewinnt in dem Maße Konturen, wie der Berufene sich die gnostische Perspektive aneignet. Dieser Prozeß kulminiert in der Schlußpassage. Unter Rückgriff auf konventionelle Elemente aus Berichten, die von der Berufung eines Propheten bzw. von der Beauftragung eines Boten handeln, stellt der Verfasser die Installation Petri zum Repräsentanten der Offenbarung dar. Ein Vergleich mit dem alttestamentlichen Berufungsformular macht diesen literarischen Vorgang transparent. Aufgrund der Durchsicht von verschiedenen Berufungsberichten hat W. H. Schmidt die Konstanten des Handlungsablaufs zusammengestellt, die ein Modell[495] vermuten lassen:

	Ex 3,10–12E	Ri 6	1 Sam 9 f.	Jer 1
Auftrag	10	14	(9, 16)	5
Einwand	11	15	9, 21	6
Abweisung des Einwandes	12	16		7 f.
Zeichen	12	17 ff.	10, 2 ff.	(9)

Das Paradigma reflektiert den dialogischen Prozeß zwischen dem, der beruft, und demjenigen, der berufen werden soll. Zur Annahme der Beauftragung kommt es erst, nachdem die Einwände des Berufenen entkräftet worden sind und der Auftrag beglaubigt ist. Trotz Variationen im Detail und kontextuell bedingten Unterschieden besteht große Übereinstimmung in den übrigen Phasen, so daß ein konventionelles Formular für den Berufungsvorgang behauptet werden kann. Die Beauftragung umfaßt in der Regel den Versuch einer allgemeinen Motivierung und die Benennung eines konkreten Ziels, um derentwillen Jahwe den berufenen

---

[495] W. H.Schmidt 1977, 124.

Menschen schickt. Daß die Strukturen des Berufungsvorgangs eine literarische und theologische Wirkungsgeschichte haben, zeigt sich u. a. in Apg 9, 1 ff. par.

Auch der gnostische Petrus erhebt Einwände gegen die Beauftragung, und zwar dergestalt, daß er den Beauftragenden in Frage stellt. Furchtreaktionen (vgl. 72, 8 f.; 79, 32 ff.; 81, 26 ff.) und fehlende Einsicht (vgl. die Dialoge) präsentieren Petrus als jemanden, der unter dem Einfluß des Kosmos steht. Der Soter selbst entkräftet die Furcht in der dialogischen Interaktion und stattet Petrus mit dem Mysterion aus, das die Gnosis ist. Durch den Rückgriff auf Epiphaniestrukturen kommt die Dimension der beglaubigenden Zeichen zur Sprache. Man kann also unterstellen, daß ApcPt bewußt auf den Handlungsablauf des Berufungsformulars rekurriert, um Petrus als gnostischen Apostel zu installieren. „Berufung" und „Sendung" konstituieren eine Basis-Isotopie in der Struktur des Traktats.

Der Verfasser will dieses Formular verstärken. Deshalb baut er in die Ringkomposition Elemente ein, die in großer Nähe zu den Ansagen realisierten Heils stehen, wie sie das alttestamentliche Heilsorakel macht[496]. Als Beispiel sei *Jesaja 41, 10–13* zitiert:

„Fürchte dich nicht, denn ich bin mit dir!
Blicke nicht ängstlich, denn ich bin dein Gott!
Ich hab' dich gestärkt, ich hab' dir geholfen,
ich hab' dich gefaßt mit meiner hilfreichen Hand.
Siehe, beschämt und zuschanden werden
alle, die wider dich entbrannt sind.
Es werden zu nichts und vergehen,
die wider dich streiten.
Du wirst sie suchen und nicht finden,
die mit dir hadern.
Es werden null und nichtig,
die dich bekämpfen!
Denn ich bin Jahwe, dein Gott,
bins, der deine Hand faßt,
der zu dir sagt: ,fürchte dich nicht'.
Ich hab' dir geholfen!"[497]

---

[496] Als „Heilszusage" qualifiziert Westermann 1964, 120 ff. verschiedene Texte bei Deuterojesaja (41, 8–13; 41, 14–16; 43, 1–4; 43, 5–7; 44, 1–5 [54, 4–6]) und unterscheidet sie von solchen, die er „Heilsankündigung" nennt, z. B. 41, 17–20. Es handelt sich um Texte, die Joachim Begrich mit der formgeschichtlichen Kategorie „Heilsorakel" benannt hatte. Diese Kategorie wird in der neueren Forschung (vgl. z. B. Merendino 1972, 1 ff.; O. Fuchs 1982) kritisch diskutiert.

[497] Übers.: Begrich 1964, 223.

Auf die Anrede (48, 8 f.), die vielfach erweitert wird, folgt der Heilszuspruch: „Fürchte dich nicht!" Diese Zusage ist zweifach begründet. Zunächst wird die Zuwendung Jahwes zum Ausdruck gebracht: „Ich bin mit dir!" Dann ist von Jahwes Handeln zugunsten des Angeredeten die Rede und zwar fast immer mit Verbformen im Perfekt: „Ich habe dich gerufen; ich helfe dir". In dem Abschnitt, der die Folgen thematisiert, handelt es sich um (futurische) Ankündigungen von Heil, das dem Adressaten gilt, und von Unheil, das über die Feinde kommen wird. Das Singuläre in dieser Sprachverwendung muß in der performativen Valenz der Heilzusage gesehen werden. „Der Ruf ‚Fürchte dich nicht!' ist nicht nur ‚Mahnung zur Furchtlosigkeit' (Begrich), sondern mit ihm wird die Furcht beseitigt"[498]. Demnach betonen die perfektischen Verbformen, daß Jahwes Eingreifen um des Flehenden willen eine objektive Abgeschlossenheit hat. Die Heilszusage ist deshalb „*keine* Ankündigung, sondern eine Zusage, die im Augenblick dieses Zuspruches den Wandel schafft"[499].

Es bereitet keine Schwierigkeiten, in 82, 18 a; 84, 11 b sowie in 84, 6 b–11 a (vgl. 80, 32 f.) konventionelle und formelhafte Sprachverwendung zu finden. Epiphanie-Elemente signalisieren den Augenblick realisierten Heils. Im Vordergrund steht die Zusage: „Fürchte dich nicht!", die aus der Wesenseinheit des Sprechers mit dem Angeredeten begründet wird. Auch hier erschließt die performative Kraft der Zusage jenseitige Gegenwart als rettende Dimension und schließt Bedrohung aus[500]. Zu der realpräsentischen Tendenz gesellt sich der Akzent, den die Imperative setzen. Mit autoritativem Anspruch wird die Situation, in der sich der Hörer bzw. Dialogant befindet, interpretiert. Der Angeredete soll „aufwachen" und im Vollzug der Aufforderung das gnostische Gegenwartsverständnis realisieren. Von ihm, dem Gnostiker, hängt es nämlich ab, ob die Un-Wirklichkeit identifiziert und demontiert wird. Mit dem Rückgriff auf Sprachkonventionen stilisiert der Autor die Aufgabe des Apostels. Im Kosmos, mitten unter den Widersachern (vgl. 80, 31 f.) soll er auftreten wie ein Zeuge vor Gericht. Hören und annehmen werden jedoch nur die „Fremden", d. h., diejenigen, die der Gnosis würdig sind, weil sie die Erwählung haben. Für die anderen bedeutet das Zeugnis des Apostels Entlarvung und Gericht, weil ihre Zugehörigkeit zu den sterblichen Seelen endgültig manifest wird. Auf Petrus trifft zu, was *TestVer* (NHC IX, 3) über den wahren Gnostiker sagt: „... and he was filled

---

[498] Westermann 1964, 118.

[499] Westermann 1964, 119. Zuspruch, Trostformel, Identitätsproklamation sind zu festen Bestandteilen von Erzählungen geworden, die eine rettende Epiphanie thematisieren.

[500] Vgl. EvMar (BG 1) 8, 12 ff.; EpPt (NHC VIII, 2) 140, 15 ff.: „Then Jesus appeared, saying to them, ‚Peace to [all] of you and everyone who believes in my name! Now as you go, there shall be for you joy and grace and power. So do not be afraid; behold, I am with you for ever'" (Übers.: Meyer 1979, 43). Ferner auch AJ (NHC II, 1) 21, 18 f.; (NHC IV, 1) 3, 5 f.

[with wisdom. He] bore witness to the truth [..] the power, and he went [into] Imperishability, the place whence he [came] forth, having left the world which has the appearance of the [night, and] those that whirl the [stars in] it. This, therefore, is the true testimony: When man comes to know himself and God who is over the truth, he will be saved, and he will crown himself with the crown unfading"[501].

Nach diesen Darlegungen kann kein Zweifel mehr daran bestehen, daß dem Autor von ApcPt an der Verbreitung seiner theologischen Perspektive gelegen war. Gegen vordergründige Mißverständnisse grenzt er sich mit esoterischer Strategie ab und legitimiert Petrus als gnostischen Apostel.

Zahlreiche Äußerungen in anderen Nag Hammadi-Texten lassen erkennen, daß gnostische Gruppen sehr wohl ihre Einsichten weiterverbreitet haben. So erklärt *EpPt*(NHC VIII, 2) die gnostische Verkündigung zum unerläßlichen Instrument im Kampf gegen die Mächte: „Then the apostles worshipped again saying, ‚Lord, tell us: In what way shall we fight against the archons, since [the] archons are above us?' Then [a] voice called out to them from the appearance saying, ‚Now you will fight against them in this way, for the archons are fighting against the inner man. And you are to fight against them in this way: Come together and teach in the world the salvation with a promise. And you, gird yourselves with the power of my Father, and let your prayer be known. And he, the Father, will help you as he has helped you be sending me. Be not afraid!' Then Peter and the other apostles saw [him] and they were filled with a holy spirit. And each one performed healings. And they parted in order to preach the Lord Jesus"[502].

Noema (NHC VI, 4) referiert eine Szene, in der derjenige auftritt, der das Gesetz des Äon und die Archonten (vgl. 41, 30–42, 11) besiegt. Verbunden mit seiner Epiphanie und dem Erscheinen des neuen Äon ergeht eine Instruktion der Jünger zur Verkündigung (vgl. 42, 15–31).

Von einer Beauftragung im Himmel spricht *ParSem*(NHC VII, 1). Sem soll auf Erden verkündigen, was der Offenbarer ihm mitgeteilt hat, „through the voice of the fire" (41, 8; vgl. 40, 31–41, 20). Der Gesandte und seine Proklamation tragen bei zur Vollendung. „Henceforth, o Sem, go in grace and continue in faith upon the earth. For every power of light and fire will be completed by me because of you. For without you they will not be revealed until you speak them openly"[503].

Nach *SJC*(NHC III, 4) erhalten die Jünger den Auftrag (vgl. 118, 3 ff.), mit der Offenbarung gegen das Vergessen und die Verblendung, das die

---

[501] 44, 22–45, 6 (Übers.: NHL 454).
[502] 137, 13–138, 1; 140, 7–13 (Übers.: NHL 435 ff.).
[503] 48, 30–49, 4 (Übers.: NHL 361).

Archonten verbreiten, vorzugehen. „Therefore, tread upon their graves, humiliate their malicious intent"[504]. Das Wort ist Handlung, mit der die gnostischen Verkündiger die Widersacher des Soter besiegen.

Auch in *EvMar* (BG 1) erteilt der Soter den Jüngern einen Verkündigungsauftrag, der mit Heilszusagen verknüpft ist: „Peace be with you. Receive my peace to yourselves. Beware that no one lead you astray, saying, ‚Lo here!' or ‚Lo there!' For the Son of Man is within you. Follow after him! Those who seek him will find him. Go then and preach the gospel of the kingdom."[505]

Die Fragen, die Judas Thomas in *LibThom* (NHC II, 7) an den Erlöser richtet (vgl. 138, 21 ff.; 141, 19 ff.; 142, 19 ff.), geben zu erkennen, daß gnostische Einsichten verbreitet werden – und auf Unverständnis stoßen. Darum tröstet der Soter (vgl. 141, 25 ff.; 142, 26 ff.) seinen Gesprächspartner. Wenn in anderem Zusammenhang davor gewarnt wird, zu den Reichen zu gehen (vgl. ActPt [NHC VI, 1] 11, 26–12, 8) oder mit der Offenbarung Handel zu treiben (vgl. AJ [NHC II, 1] 31, 34 ff.), dann ist das Faktum gnostischer Verkündigung vorausgesetzt. M. a. W., die Gnostiker konnten nicht nicht-kommunizieren. Das Umstürzende ihrer Erkenntnis hat sie gedrängt, das Neue weiterzusagen[506]. Um bei diesem Vorgehen ihren jenseitigen Status nicht zu gefährden, haben sie mit literarischen und esoterischen Elementen eine kommunikative Strategie entwickelt, bei der die Unverwechselbarkeit von Verkündigung und Verkündiger gewahrt blieb. Dieses Sprachhandeln sichert den hohen Anspruch der gnostischen Kommunikation: mit Hilfe der Sprache den Absprung von Kosmos *und* Sprache zu ermöglichen.

Wahrscheinlich hat die Erfahrung, daß dieses Ziel eine kaum zu lösende Aporie enthält, in späterer Zeit zu solitären Schritten geführt. *Silv* (NHC VII, 4) 97, 3–98, 22 belegt diese Entwicklung, die vor allem in der koptischen Mönchsweisheit fortlebt[507]. Der Abschnitt warnt vor der Freundschaft überhaupt und vor dem kommunikativen Austausch mit anderen Menschen. Statt dessen empfiehlt er, sich mit seinem Gottesverhältnis aus der Kommunikation zurückzuziehen. „My son, do not have anyone as a friend. But if you do acquire one, do not entrust yourself to him. Entrust yourself to God alone as father and as friend ... Be pleasing to God, and you will not need anyone"[508]. In diesem Rückzugs-Ethos verzichtet der Gnostiker auf ein essentielles Element

---

[504] 119, 1 f. (Übers.: NHL 243); vgl. 108, 15 f.
[505] 8, 14–22 (Übers.: NHL 525); vgl. 18, 18 f.; 19, 1 f.
[506] Vgl. EV (NHC I, 3) 32, 35 ff.; Melch (NHC IX, 1) 14, 9–15; Koschorke 1978, 221 ff. Die esoterische Tendenz, die Zahl der Rezipienten zu begrenzen (vgl. EpJac [NHC I, 2] 1, 1 f.; LibThom [NHC II, 7] 138, 1 ff.; 1ApcJac [NHC V, 3] 38, 15 ff.; 2ApcJac [NHC V, 4] 44, 11 ff.) ist kein Gegenargument.
[507] Vgl. Funk 1976, 8 ff.
[508] 98, 5 ff. (Übers.: NHL 386 f.).

der Gnosis, die Dynamik der transformativen Kommunikation. Er unterwirft die Selbstevidenz der gnostischen Einsicht subjektiven Bedingungen. M. a. W., in der Synousie mit dem Soter wird noch einmal eine Reduktion vollzogen, mit der Folge, daß das gnostische Ich verarmt. Rückzugstendenzen spielen in den o. g. Textbeispielen noch keine Rolle. Im Gegenteil, Gnostiker existieren mit der Vorgabe einer kommunitären Grundstruktur, und Gnosis hängt davon ab, ob die transformative Kommunikation gelingt. In diesen Voraussetzungen stimmen die Autoren der Nag Hammadi-Traktate auch mit der hermetischen Schrift *Poimandres* überein, deren Beitrag zu der hier verhandelten Problematik abschließend skizziert werden soll.

Nachdem der Erzähler in c. 2–26 die dialogische Interaktion und die Offenbarungsmitteilung des Poimandres reproduziert hat, verläßt er den ekstatischen Rahmen (vgl. c. 1; 27). In den letzten narrativen Passagen stellt er dar, daß er die Aufforderung des Offenbarers, „Führer (sc. zu) werden für die, die des würdig sind" (c. 26), und Rettung zu vermitteln, übernommen hat. Das Selbstverständnis des Erzählers wird entscheidend durch die Beauftragung zur Verkündigung bestimmt. In seiner Rede dominieren Weckruf, Mahnung zur Umkehr und Aufforderungen, sich von der Finsternis abzuwenden (vgl. c. 27; 28). Die appellative Struktur der Paränesen gründet auch hier in einem ontologischen Dualismus[509].

Ist die Predigt ans Ziel gekommen, vereinigt sich der zur Gnosis geführte Hörer im Dankgebet mit den übrigen, die auch vom Geist der Wahrheit erfüllt sind. Eine exemplarische Artikulationsebene repräsentiert der Hymnus c. 31, mit dem der Erzähler den Grund der Gnosis preist. Im Lobpreis dessen, der eigentlich unaussprechlich und unsagbar ist, „den (sc. nur) das Schweigen nennt", erreicht Erkenntnis ihren Höhepunkt. Der Aufstieg der Seele ist vollendet[510].

Der narrative Schluß mit den Sprachgesta von Paränese und Hymnus manifestiert die pragmatische Intention des Traktats. Wenn der Rezipient durch den Erzähler geweckt und in Bewegung gebracht ist, erschließt sich ihm die Schrift in ihrer eigentlichen Aussageabsicht. Der Ruf der Bekehrungspredigt und das, was in c. 2–26 referiert wurde, koinzidieren zum Mysterium der Gnosis. Mit hermeneutischen und esoterischen Stilelementen demonstriert der Traktat eine bewußt gestaltete Struktur. Der erschwerte Zugang soll das Interesse des Rezipienten wecken, damit er zum Adressaten der Offenbarungsrede wird. Esoterische Elemente vergewissern ihn seiner Zugehörigkeit zum Heil und heben ihn aus der massa perditionis heraus. Er transzendiert jene Barrieren, wenn er erkennt, daß „die Vision ... recht eigentlich die Form des Rufes (sc. ver-

---

[509] Vgl. auch CH VII, 1–3 (Übers.: Foerster, Gnosis I, 429).
[510] Vgl. c. 24 f. Im achten Himmel gelangt der Gnostiker zu Gott. C. 26: τοῦτό ἐστι τὸ ἀγαθὸν τέλος τοῖς γνῶσιν ἐσχηκόσι, θεωθῆναι.

tritt), der den Menschen lehrt, wie er gefallen ist und wie er gerettet werden kann. Dieser Ruf ist in einem Mythos gegeben"[511]. Bei der Beschäftigung mit der hermetischen Schrift, d. h. im Lese-Vorgang, ereignet sich ein Austausch, in dessen Verlauf das Mysterium der Gnosis oder der Aufstieg der Seele beginnt. Der Rezipient tritt an die Stelle des Erzählers und erfährt das Mysterium. Dieser transformative Kommunikationsprozeß geht weiter. Denn wie der Erzähler zum Boten des Poimandres berufen wird, so nimmt auch das Lesemysterium[512] den Rezipienten in seinen Dienst. Aufgrund der Synousie mit dem Offenbarer tritt der gnostische Rezipient für andere an die Stelle des Offenbarers. Er wird zur ⲁⲣⲭⲏ der Erkenntnis[513].

4.8.8 Zur Semantik des Textendes

Mit einer Vollzugsnotiz und der epilogartigen Bemerkung ⲁϥϣⲱⲡⲉ ⲏⲣⲁⲓ ⲛ̄ⲍ̄ⲏⲧϥ̄ (84,11 c–13) ergreift der Erzähler noch einmal das Wort und beendet seine narrative Tätigkeit. Eigentlich hatte Petrus mit der Bürgschaftsformel (82,15–17 a) einen literarisch sinnvollen Abschluß gefunden. Der erneute Redebeitrag des Soter (82,18–84,11 b) hatte jedoch einen weiteren narrativen Rahmen erforderlich gemacht. Da Petrus hinter der Rede-Einführung 82,17 b steht, sollte er auch für die Formulierung 84,11 c–13 verantwortlich sein. Allerdings gibt es keinerlei Hinweis auf den Empfänger der Rede. Ob der Autor von ApcPt sich vielleicht selber im Epilog zu Wort meldet?

Wie dem auch sei, die abschließende Bemerkung bleibt in der Schwebe und gibt ihre Bedeutung nicht zu erkennen. Die vorliegenden Übersetzungen reflektieren diese Schwierigkeit:

„Als er dies sagte, war er in ihm (dem Geist)"[514].

„Als er diese (Worte) sprach, war er (Jesus) in ihm
(sc. dem Geist)"[515].

„Als er das (pl.) gesagt hatte, war er in ihm"[516].

„When he (Jesus) had said these things, he (Peter) came to himself"[517].

---

[511] Foerster, in: ders., Gnosis I, 419 f.

[512] Zu diesem Begriff vgl. Reitzenstein 1927, 51 f.; 64; 244; Wlosok 1960/61, 115 ff.: Die hermetische Gnosis; Köster 1980 a, 401; Berger 1981, 306; LaFargue 1985, 215 f. Auch OgdEnn (NHC VI, 6) verweist konstant auf „Bücher", aus denen die Kenntnis erlösender Weisheit kommt (vgl. 52,29; 53,33; 60,16; 61,26; 62,26; 63,5.17 u. ö.).

[513] Die Wesenseinheit mit dem Soter gibt dem Gnostiker Erlöserfunktion; vgl. EvPhil (NHC II, 3) 67,14 ff.

[514] Werner 1974, 582.

[515] H.-M. Schenke 1975 b, 131.

[516] Krause 1973, 179.

[517] NHL 378.

„When he (the Savior) had said these things, he (Peter) came to his senses"[518].

„Nachdem er dies gesagt hatte, kam er (Petrus) wieder zu sich"[519].

Bis auf Krause bemühen sich alle Übersetzer, die allgemeine Aussage zu konkretisieren. Deshalb ergänzen sie bzw. identifizieren die genannte 3. Person Singular. Werner (1974) und H.-M. Schenke gehen den nächstliegenden Weg. Der Sprecher, über dessen Tätigkeit der Erzähler hier noch referiert, sei ohne Zweifel der Soter. Den präpositionalen Ausdruck ⲚϨⲎⲦϤ deuten sie unter Bezugnahme auf 83, 8 b.9 a.14 b.15 a; 82, 7.8 a als Eingang des Soter in das Pneuma[520]. Unterschwellig setzt dieser Vorschlag das Modell vom Abstieg und Aufstieg des Erlösers voraus. Obwohl in ApcPt mythologische Vorstellungen verarbeitet werden, obwohl der Soter in seiner Selbstvorstellung (vgl. 70, 25 ff.) ein Kommen oder sogar ein Gesandtsein voraussetzt, wird auf jenes räumliche Vorstellungsmodell nicht explizit Bezug genommen. Es ist also fraglich, ob der mehrdeutige Schluß als „Aufstieg des Erlösers" interpretiert werden kann. Ohne Zweifel gehört das Pneuma zum Soter und ist für ihn eine Ortsangabe par excellence. Aber war der Soter nicht während der gesamten Dialoghandlung und in seinen Redebeiträgen Pneuma? Hat Petrus nicht die Einsicht gewonnen, daß der Soter wesentlich Geist ist? Wozu dann eine spezielle Einkehr in das Pneuma?

Die Vorschläge von Brashler, NHL und Werner (1989) lenken die Interpretation in eine andere Richtung. Bei dem Versuch, den Feststellungssatz ⲀϤϢⲰⲠⲈ ϨⲢⲀⲒ ⲚϨⲎⲦϤ ins Griechische zurückzuübersetzen, ist Brashler (im Anschluß an Böhlig) auf eine parallele Formulierung in Apg 12, 11 aufmerksam geworden. Dort heißt es von Petrus, nachdem er auf wunderbare Weise aus dem Gefängnis befreit worden war: καὶ ὁ Πέτρος ἐν ἑαυτῷ γενόμενος εἶπεν. Brashler will[521] in dieser Bemerkung einen Hinweis auf die ekstatische Atmosphäre des Geschehens erkennen. Entsprechend sei auch das Textende von ApcPt zu verstehen. Petrus erwache aus einem visionären Zustand, in dem er die Begegnung mit dem Offenbarer gehabt hat. Wie der Anfang[522], so akzentuiere auch der Schluß den apokalyptisch-visionären Charakter der ganzen Schrift. Aber genau das ist in der Interpretation von ApcPt umstritten, ohne daß die Existenz apokalyptischer Formelemente geleugnet wird.

---

[518] Brashler 1977, 69.

[519] Werner 1989, 643.

[520] Offensichtlich dient CH I c. 27 als Analogie: „Nach diesen Worten vereinigte sich Poimandres für mich mit den Kräften" (Übers.: Foerster, Gnosis I, 417). Nach Koschorkes Lesart (vgl. 1978, 13) vollzieht sich die Erhöhung oder Himmelfahrt des Soter.

[521] Vgl. 1977, 129 f.; diese Auslegung wird auch von T. V. Smith 1985, 126 f. vertreten.

[522] S. o. 80 ff.

Unter der Voraussetzung, daß der Erzähler für die Schlußbemerkung verantwortlich ist, lassen sich weitere Varianten bilden:

„Nachdem er diese (Worte) gesagt hatte,
war er (der Soter) in ihm (Petrus); [bzw.]
war er (Petrus) in ihm (dem Soter)."

Wie man die Möglichkeiten auch durchspielt, man endet bei dem Eindruck, daß die Mehrdeutigkeit und das Schwebende in der Aussage intendiert sind. Petrus kann im Horizont des Offenbarungsverständnisses dieser Schrift auf keinen Fall formulieren: „Nachdem er diese (Worte) gesagt hatte, war er (der Soter) in mir". Der Wechsel von der Erzählform in der 1. Person in die der 3. Person deutet an, daß sich der Erzähler vom Erzähler distanziert, ja distanzieren muß, um sich selbst als Fremden, Fremdgewordenen den ΑΛΛΟΓΕΝΗC zu präsentieren. In der narrativen Schlußnotiz begegnet darum ein entscheidender Beleg für die vom Verfasser wiederholt geltend gemachte Konversion des redenden Ich. Diese will als Transformation in die dem Kosmos und auch der Sprache entzogene Sphäre eines Jenseits von Kosmos und Sprache verstanden sein. Der Verfasser wählt eine stilistische Strategie, um dem Rezipienten den hermeneutischen Schlüssel zuzuspielen. Als intendierter Gnostiker hat er diesen Schlüssel in Gestalt der Metakommunikativa schon längst in der Hand. Läßt er sich auf den Weg ein und folgt den Lesesignalen, ist er dabei, die Rolle des Dialoganten zu übernehmen und sein jenseitiges Ich bzw. die Synousie mit dem Soter zu erkennen. Der narrative Epilog mit seiner schwebenden und mehrdeutigen Aussage ist zwar das Letzte in ApcPt. Jedoch bedeutet dieser Schluß noch lange nicht das Ende, sondern provoziert die Fortsetzung des Dialogs in der Gegenwart des Rezipienten.

5. Ergebnis und Ausblick

1. „The Peter-figure was far from being the exclusive property of ‚orthodox' second century Christian groups: Peter, like Paul, John, James and Thomas, was welcomed by Gnostics as a Gnostic champion to be appealed to in the battle with orthodoxy. There is an astonishing lack of reference to Peter among ecclesiastical authors of the first half of the second century"[1]. Erst gegen Ende des 2. Jahrhunderts wächst das Interesse an Petrus, nachdem u. a. Irenäus sich um ihn, wie auch um Paulus und Johannes, bemüht hat. Im 3. Jahrhundert steht der Apostel als kirchliche Autorität fest. Jenes Schweigen in der ersten Hälfte des 2. Jahrhunderts könnte darin begründet sein, „that Peter was already so linked in their minds with ‚heretical' groups"[2], daß ekklesiastische Autoren eine Bezugnahme auf ihn scheuten. Clemens von Alexandrien[3] berichtet, der Gnostiker Basilides habe sich gerühmt, Lehren von Petrus bzw. über dessen Dolmetscher Glaucius überliefert bekommen zu haben.

Mit ihren Berichten erwecken die Häresiologen immer den Eindruck, die Gnostiker hätten ihre eigene Verkündigung über die der Apostel bzw. Jesus-Jünger gestellt. Doch ist nicht zu übersehen, daß Petrus in der Nag Hammadi-Sammlung eine erstaunliche Rolle spielt. Außer ApcPt (NHC VII, 3) sind noch „Die Taten des Petrus und der zwölf Apostel" (NHC VI, 1) und der „Brief des Petrus an Philippus" (NHC VIII, 2) zu nennen, die den Jünger und Apostel in das Zentrum rücken[4]. Die genannten Traktate sehen in ihm den paradigmatischen Gnostiker. Daneben stehen Texte, in denen der Jünger Petrus anderen Figuren untergeordnet oder disqualifiziert wird[5]

Diese Ambivalenz enspricht dem kontroversen Petrusbild, das sich in den Schriften des Neuen Testamentes niedergeschlagen hat. Neben Hochschätzung erfährt Petrus dort auch Kritik und Zurückweisung[6]

---

[1] T. V. Smith 1985, 214.

[2] Ebd.

[3] Vgl. Strom. VII 106, 4.

[4] Vgl. Perkins 1980, 113 ff.; Berger 1981, 278 ff.; T. V. Smith 1985, 102 ff.; Baumeister 1985, 3 ff.; Pérez 1989, 65 ff.; Pearson 1990, 67 ff.

[5] Polemik begegnet in EvMar (BG 1); EvThom (NHC II, 2) 82, 25; 83, 8; 99, 18 ff. Unterordnung spricht EpJac (NHC I, 2) aus; vgl. 2, 7 ff.; 1, 23–25 mit 16, 5–11.

[6] Zur Hochschätzung vgl. u. a. Lk 24, 34; Apg 1–12; 1 Kor 15, 5; 1 und 2 Petr; Mt 16, 13–20. Zur Kritik vgl. Gal 2, 11–14; Mk 8, 31 ff.; Joh 21; die Passionsüberlieferung. Vielleicht schildert Mk 9, 2–8 eine Epiphanie des Auferstandenen vor Petrus, die in polemisch-kriti-

ApcPt – und Entsprechendes ist von ActPt bzw. EpPt zu sagen – zeichnet ein Bild, das zur neutestamentlichen Überlieferung in Widerspruch steht und sich eher einem enthusiastischen Horizont verdankt, wo über Petrus nie hätte gesagt werden können: μάρτυς τῶν τοῦ Χριστοῦ παθημάτων (1 Petr 5,19). Petrus Gnosticus repräsentiert die Identifikationsfigur in radikal-pneumatischen Gruppen. Mk und Mt bestätigen implizit durch polemische Tendenzen die Kontroverse mit derartigen Kreisen bereits in der zweiten Hälfte des 1. Jahrhunderts.

Der geographische Raum, in dem Petrus bedeutsanm geworden ist, war Westsyrien, hatte er doch einst in Antiochien die theologische Leitung der Gemeinde gehabt[7] Nach der ältesten Lokaltradition (vgl. 1 Kor 15,5) galt er als „der erste und wichtigste Zeuge der Auferstehung"[8]. Das Matthäus-Evangelium ist mit großer Wahrscheinlichkeit in diesem Raum entstanden. Die Rolle, die Petrus in diesem Evangelium spielt, entspricht der Autorität, die der Apostel in der Folgezeit für die Überlieferung und die literarische Produktion bekommt. Unter seinem Namen entfalten sich im judenchristlichen Bereich umfangreiche Traditionen. Nicht auszuschließen ist, daß der Einfluß des Petrus bzw. ein Petrus-Mythos bis nach Korinth gereicht hat[9] „Wie auf der einen Seite die syrische Petrustradition im Heidenchristentum aufgegangen ist, so hat sich auf der anderen Seite bei den judenchristlichen Sekten des folgenden Jahrhunderts der Anspruch erhalten, die wahre Lehre des Petrus bewahrt zu haben."[10]

Darüber sollte aber nicht vergessen werden, daß in der Weltstadt Antiochien und in dem multikulturell geprägten Westsyrien die Petrustradition nur einen religiösen Faktor unter vielen repräsentiert hat. Die christlichen Gruppen haben sich zunächst noch dem Judentum zugehörig gewußt. Nach der Trennung von diesem religiösen Rahmen mußten sie ihre Identität neu konstituieren. Neben der judenchristlichen Gruppe werden in diesem Milieu auch hellenistisch orientierte Christen existiert haben. Wahrscheinlich sind die Hellenisten von Apg 6 nach ihrer Vertreibung aus Jerusalem in den westsyrischen Raum ausgewichen. Es ist also mit einer spannungsvollen und konfliktreichen Lage zu rechnen, deren theologisches Spezifikum in der Pluriformität bestand. Köster spricht von „einer theologischen Entwicklung, in der die Christologie in zunehmendem Maße metaphysischer Systematisierung und mythologi-

---

scher Absicht zurückdatiert wurde. Auf die markinische Petrus-Polemik gehen Schreiber 1961, 169 f.; 177 f.; Robinson 1982 a, 9; T. V. Smith 1985, 162–190 ein.

[7] Vgl. Norris, TRE III, 99 ff.; Hengel 1979, 79 ff.; Köster 1980 a, 597; Berger 1981, 274 ff.

[8] Köster 1980 a, 599.

[9] Vgl. 1 Kor 1,12; Hengel 1979, 83; Vielhauer 1979 b, 169 ff.

[10] Köster 1980 a, 600 f.

scher Spekulation verfiel"[11]. Die antiochenische Theologie ist, wenn sie
die Gegenwart des Heils aufgrund der in Kreuz und Auferstehung Jesu
vollzogenen Weltenwende proklamierte, zwar nicht Reflex der Situation.
Sie hat aber auch die Radikalisierung dieser eschatologischen Perspektive
nicht verhindern können.

Um die Petrusgestalt ist es in den unterschiedlichen Gruppen zu hef-
tigen Kontroversen gekommen. Enthusiasten haben den Apostel für sich
in Anspruch genommen, weil er selber Anknüpfungspunkte für charisma-
tische Grenzüberschreitungen gezeigt hat (vgl. Gal 2, 12 a). Diese Aneignung blieb nicht unbeeinflußt von der Gegenbewegung, die in Petrus den
Garanten der sich formierenden ekklesiastischen Autorität sah[12]. ApcPt
hat hinreichend auf derartige Kontroversen verwiesen. Der Traktat „seems
to admit the reader to the debates about authority and legitimacy in the
early second century which also underlie II Peter in the New Testament".
In dieser Hinsicht ist MacRae[13] zuzustimmen. Ist damit aber schon das
spezifisch gnostische Interesse an Petrus getroffen? Geht es nicht vielmehr
um den Offenbarungsempfänger par excellence bzw. um das Paradigma
des gnostischen Ich, das christliche Traditionen, die institutionell dome-
stiziert sind, in dualistisch-mythologischer Perspektive zu überbieten?

Das eigentliche Interesse der Gnostiker an der Petrusfigur richtet sich
auf die Tatsache, daß der Pneumatiker über unmittelbare Offenbarung
des Soter verfügt und nicht auf die Vermittlung von Menschen bzw.
Institutionen angewiesen ist. Dieses Moment und der besondere Stellenwert des Apostels in der religiösen Öffentlichkeit bewirken, daß Petrus
zum Paradigma eines Erlösungsmodells aufsteigt, das jenseits von orga-
nisierter Überlieferung ausschließlich auf pneumatischer Basis existiert.
Petrus nimmt dieselbe Funktion wahr, die auch Thomas und Jakobus als
„Herrenbrüder" vertreten. Ihre Bruderschaft[14] begründet die Kompetenz
zur Gnosis, was jedoch nicht im physischen Sinne mißverstanden werden
darf. „Brüder" des Soter sind Thomas und Jakobus insofern, als sie in
der Wesenseinheit mit ihm existieren bzw. an seinem Pneuma teilhaben.
Jeder, der seine Erwählung zur Gnosis realisiert, darf sich als „Bruder"
des Soter verstehen. Die Metapher signalisiert den Prozeß von Kommunikation und Applikation, der das gnostische Ich konstituiert hat.

---

[11] Köster 1971, 115; vgl. 112–118. Unter dieser Voraussetzung wäre noch einmal die
Beziehung zwischen dem apokryphen Petrusevangelium, das in Antiochien bzw. in einer
Fraktion der Kephaspartei seinen Ursprung hatte (so Vielhauer 1975, 641 ff.; Quispel 1979,
191; Schneemelcher I, 184 f.) und der gnostischen ApcPt zu untersuchen. Vgl. auch das
Urteil von T. V. Smith: „The Jewish-Christian group which produced the Gospel must then
be understood as a predecessor of the Gnostic community behind ApocPet" (1985, 136).

[12] Vgl. Joh 21, 15–17; Lk 24, 31 ff.; Berger 1981, 271; 315.

[13] 1976, 619.

[14] Vgl. LibThom (NHC II, 7) 138, 4–21; 1ApcJac (NHC V, 3) 24, 12–18; 2ApcJac (NHC
V, 4) 46, 20 ff.; 50, 11–51, 19.

Petrus Gnosticus kann als der Inbegriff einer „metaphysischen Revolte" (A. Camus) verstanden werden. *Einmal* bringt er in seinen Beiträgen das Chaotische und die Todesverfallenheit des Kosmos in allen seinen Dimensionen zum Ausdruck. Er versteht sich in dieser Welt als Fremder[15] und nach Heimat Suchender. *Zugleich* offeriert Petrus in seinen antithetischen Beiträgen eine Perspektive, die Strukturen des Kosmos auf den Kopf stellt. Er fordert dazu auf, eine Inversion des Bestehenden zu vollziehen. Das bringt Neu-Orientierung. Denn in einer demiurgisch bestimmten Welt „bedeutet *Verkehrtherumsein* tatsächlich *Richtigherumsein*"[16]. Der Gnostiker, der in Petrus sein Paradigma gefunden hat, läßt die „kosmische Paranoia"[17] hinter sich. Zwar „steht er kopf", aber eigentlich ist es das Bestehende, das völlig verkehrt ist. Nur durch eine radikale Inversion kann der Gnostiker seine Freiheit vom heillos verdrehten Kosmos demonstrieren.

2.   Auf den ersten Blick scheint der gnostische Dialog Ausdruck eines literarischen Synkretismus zu sein. Dabei wird leicht übersehen, daß die Appropriation von Elementen aus anderen (Gattungs-) Bereichen neue Bedeutungshorizonte schafft. Der Dialog erhebt den Anspruch, Heil bzw. rettende Gnosis in und trotz der Geschichte zu offenbaren. In den gnostischen Traktaten sind „ideale Szenen" entworfen, die als Paradigmata der „wahren Welt" die Erfahrungsdifferenz zwischen Affirmation und Realität überwinden sollen.

Der Begriff „Dialog" läßt an die Situation der Mündlichkeit bzw. an die direkte Wechselrede denken. Offensichtlich rechnen die christlichen Gnostiker mit der Dimension des literarischen Wortes als Aktionsbereich religiöser Tradition. Weil wahrscheinlich das mündliche Wort und mit ihm die Institutionen, in denen es einen Sitz im Leben hatte, von einer Krise getroffen waren, bedurfte es spezifischer Aufarbeitung, um z. B. die Relevanz von Herrenworten zu sichern. Für die christliche Gnosis formuliert EvThom (NHC II, 2) darum zum Auftakt eine signifikante Weisung: „Wer die Interpretation dieser Worte findet, wird den Tod nicht schmecken"[18]. Die Plausibilitätskrise der Mündlichkeit[19] bewirkte, daß

---

[15] Das führt Jonas 1964, 66 ff.; 141 ff.; 238 ff. aus.

[16] J. Z. Smith 1979, 302; vgl. auch 294: „*Auf dem Kopf stehen bedeutet anders-als-menschlich sein*, bedeutet, daß man ein System räumlicher Beziehungen aus einer nichtmenschlichen Welt übernommen hat. *Auf dem Kopf stehen heißt fremd, nicht dazugehörig sein*". Zu diesem Urteil gelangt der Autor aufgrund der Analyse eines Abschnitts aus den apokryphen Petrusakten, die berichten, daß Petrus mit dem Kopf nach unten gekreuzigt worden sei (vgl. Schneemelcher II, 243 ff.; bes. 287).

[17] J. Z. Smith 1979, 299.

[18] 80, 12–14; Übers.: Blatz 1987, 98; vgl. auch Joh 8, 52.

[19] Der Rahmen dieser Arbeit würde erheblich überschritten, wenn die Überlegungen z. B. von W. Ong (The Presence of the Word, New Haven 1967; Interfaces of the Word,

literarisches Wort und Interpretation an Bedeutung gewannen. In der antiken Welt war die Öffentlichkeit der Polis das Forum, auf dem sich das Leben der Menschen verwirklichte. Konventionelle Regeln sorgten für die adäquate Inszenierung der Lebensvollzüge – wie auf einer Bühne. Grenzsituationen wurden in den Aufführungen des Theaters reflektiert und anschaulich gemacht, um die Katharsis für das Theater „Lebenswelt" vorzubereiten. Der Mensch hatte seine Identität coram publico, d. h. in Korrespondenz zur Öffentlichkeit. In dem Maße, wie die Polis sich auflöste, wurde auch diese elementare Lebensstruktur einer Veränderung unterworfen[20]. Die Öffentlichkeit verlor ihren Status als identitätsstiftende Macht. Während die faktische Lebenswelt zum Streitobjekt der politischen Mächte verfiel, gewann die Innenwelt der Menschen immer mehr an Bedeutung. Die coram-Struktur wurde internalisiert und in den Menschen verlegt. Indem das Ich die Funktion des einstigen Forum über nahm, entstand eine Gegenwelt zum Kosmos, dem sich der Einzelne immer mehr entfremdete. Strukturen der inszenierenden Dramaturgie fanden Eingang in das literarische Wirken und schufen eine Mündlichkeit zweiten Grades. Im religiösen Bereich verband sich das literarische Phänomen mit dem Offenbarungsdenken, das sich durch esoterische bzw. hermetische Gewandung zusätzliche Evidenz verschaffte. Dabei entstanden Texte, die als Lese-Mysterium in nicht-institutionalisierten Zirkeln mit dem Ziel der Internalisierung meditiert[21] werden konnten.

Warum haben Gnostiker sich überhaupt auf das geschriebene Wort eingelassen und diesem eine Stellvertreterfunktion zugebilligt? Einer Klärung dieser Eigentümlichkeit kommt man näher, wenn man sieht, daß die gnostischen Texte nicht das lebendige Sprechen reflektieren. Ihre Sprache ist vielmehr das Ergebnis eines literarischen Prozesses, betont G. Schenke im Blick auf Protennoia (NHC XIII, 1)[22]. Wahrscheinlich ist nie so „gemischt" gesprochen worden, wie es die Texte unterstellen. Esoterischer, elitärer und synkretistischer Stil, antiautoritäres und pietätsloses Verhalten, entweltlichende und asketische Tendenzen[23] zeigen eine

---

Ithaca/London 1977; Orality and Literacy. The Technologizing of the Word, London/New York 1982) oder W. H. Kelber (The Oral and the Written Gospel. The Hermeneutics of Speaking and Writing in the Synoptic Tradition, Mark, Paul and Q, Philadelphia 1983) in die Diskussion einbezogen würden. Darum muß dieser Hinweis genügen.

[20] Jonas rekurriert ebenfalls auf den Theatervergleich, nimmt ihn aber nur für die stoische Ethik in Anspruch (vgl. 1963, 15).

[21] S. o. 228 mit Anm. 512.

[22] Vgl. 1984, 19.

[23] Vgl. Wisse 1983, 142: „These writings reflect ... the speculations and visions of individuals and the literary traditions which they used and imitated. One expects to find such individuals among itinerant preachers, magicians, sages, philosophers, ascetics, visionaries or holy men, roles which gradually began to merge in the second and third century C. E.".

intellektuelle Strategie an, die im Bereich des geschriebenen Wortes Transzendenz zu inszenieren beansprucht. Die hohe Einschätzung von literarisch manifester Offenbarung[24] erklärt, warum Gnostiker nicht konsequent alle Gegebenheiten im Kosmos verachtet haben. So übernimmt im Perlenlied der Thomasakten der Brief, den der Königssohn erhält[25], d. h. ein literarisches Produkt, die Funktion, die im gnostischen Erkenntnisprozeß dem Weckruf des Soter zukommt. Mit dem Objekt „literarisches Wort" wird das Objektive überboten und die jenseitige Herkunft des gnostischen Ich erschlossen.

3. Die Struktur von Frage und Antwort gibt nicht nur Einblick in die Textdisposition, sie begründet auch einen Handlungszusammenhang. Da jeder Dialogant mit seinen Redebeiträgen etwas bewirken will, treten Perspektivwechsel, retardierende Momente, Spannungen, Mißverständnisse, Sprachebenenwechsel und empfängerorientierte Tendenzen auf. Szenische Elemente konstituieren die Eigenart des Redewechsels und entfalten das Thema. Dramatische Sprache, direkte Rede und Anrede begründen eine Atmosphäre der Unmittelbarkeit, die über die formulierte Dialogsituation hinausweist. Der Dialog zielt auf den Rezipienten und will ihn in das Redegeschehen hineinziehen. Durch die szenischen Elemente angeregt, entsteht ein Dialog zweiter Ordnung.

Verschiedene Faktoren gewährleisten, daß der Dialog in ApcPt die Zeit der Offenbarung heraufführt. An erster Stelle ist die Doppeldeutigkeit der Petrusgestalt zu nennen. Durch seine Funktion als Erzähler schafft Petrus den situativen Zusammenhang, in dem er als erinnertes Ich vorkommt. Die erzählten Szenen zeigen ihn in der Rolle des Dialoganten, der nach kommunikativem Austausch die Perspektive des Soter übernimmt. Dieses Einverständnis erweist sich als die geheime Voraussetzung des gesamten Traktats. D. h., der Erzähler wiederholt die dialogische Sprachhandlung des Soter und reicht sie an die „Überadressaten"[26] oder Rezipienten weiter. Wenn sie sich in den Dialogprozeß verwickeln lassen, haben sie teil an der inszenierten Offenbarung. Die Doppelgestaltigkeit Petri ist also Ausdruck einer Strategie, die auf die Rezeption der im Dialog verhandelten Sache zielt. Auf der Strukturebene wiederholt sich dieser dramatische Vorgang in Gestalt des Wechsels zwischen dem narrativen und dem dialogischen Sprachgestus. In der Alternation von Dialog und Erzählung liegt ein verfremdender Faktor, der auf die Intention des Traktats konzentriert.

---

[24] Das „Buch" hat einen besonderen Stellenwert; vgl. EV(NHC I, 3) 19,35; 20,9.12.24; 21,4; 22,39; ÄgEv(NHC III, 2); OgdEnn(NHC VI, 6) 60,16; 61,18.26.28; 62,23.26; 63,5.17; Foerster, Gnosis II,69.
[25] Vgl. ActThom 110 f.; Übers.: Foerster, Gnosis I, 457 f.
[26] S. o. 114; 115 f.

Mit dieser strukturellen Eigentümlichkeit ist ein anderer elementarer Aspekt verbunden, der als Verschränkung von Sprechsituationen erscheint. Im literarischen Dialog beansprucht zunächst die text-interne bzw. intra-textuelle Konstellation Aufmerksamkeit. Dann gelangt auch die text-externe bzw. extra-textuelle Sprachebene in den Blick. Sie ist das eigentliche Kommunikationsziel, zu dem der Autor führt[27]. Aus der Lektüre des Dialogs entsteht also eine dialogische Interaktion zweiter Ordnung. Der Leser begleitet das dramatische Geschehen und erfährt dabei, wie durch Reflexion in verschiedenen Sprachgesten seine eigene Perspektive an Gnosis herangeführt wird. Wenn er Petrus als Teil seiner selbst erkennt, beginnt eine Neuauflage des Dialogs bzw. realisiert sich das Mysterium der Gnosis in ihm.

Dieser Vorgang bleibt kontingent. Gleichwohl entwirft der Autor von ApcPt ein Paradigma für offenbarende Kommunikation und bereitet die Verwandlung des Lesers in einen Dialoganten vor. Die befremdliche Tendenz, eingeführt durch die Verdoppelung der Petrusgestalt, findet in dem eigenwilligen Umgang mit Sprache und Bedeutung eine Fortsetzung: Konventionelle Sprachelemente werden ihrem eigentlichen Kontext entzogen und verpflanzt; Begriffe unterliegen dem ironischen Konversionsmechanismus oder bleiben bewußt in einer Sphäre der Mehrdeutigkeit; dadurch, daß die koptischen Pronomina nicht eindeutig zugeordnet werden können, geht von ihnen immer ein Moment der Unbestimmtheit aus. Das esoterische Element sorgt von Anfang an dafür, daß der Dialog nicht zu einem verrechenbaren Sprachgegenstand absinkt. Wo verobjektivierende Aussagen auftreten, sind sie nicht als solche intendiert, sondern wollen als das Ergebnis einer bewußten Sinnverdrehung gelesen werden. Der Verfasser spielt also auf verwirrende Weise mit den Ebenen der alltäglichen und der metaphorischen Sprache. Über diesen Gestus signalisiert er dem Leser, daß, warum und in welcher Weise er eine andere Einstellung zum Kosmos einnehmen kann. Sprachliche Verfremdung distanziert von einer allmächtig erscheinenden Lebenswelt und schafft die Voraussetzung für die Übereinstimmung mit dem Soter.

Der Grund für dieses Vorgehen liegt darin, daß der Gnostiker den Trugcharakter der Sprache durchschaut hat, weil auch sie zum Kosmos gehört und der ⲠⲖⲀⲚⲎ unterliegt[28]. Indem er das metaphorische Verwirrspiel steigert, vertieft er die Irrtumsverfallenheit der Sprache und potenziert ihren Lügencharakter. Gleichwohl soll das literarische Wort bei der Konstituierung des gnostischen Ich mitwirken. Der Leser wird sich fragen, unter welchen Bedingungen es dem Gnostiker gelingt, diesen Widerspruch aufzulösen. Nun ist allerdings zu berücksichtigen, daß der

---

[27] S.o. 73 ff.; 99 ff.

[28] Vgl. EvPhil (NHC II, 3) 53, 23 ff. und die Zurückweisung der ⲠⲖⲀⲚⲎ in ApcPt 73, 27; 74, 17; 75, 5; 77, 25.26; 80, 10.13.17.

gnostische Dialog ein Sprachverständnis voraussetzt, das in der Sprache nicht den Abschluß des Denkens sieht. Es gibt keine Kontinuität des Denkens in die Sprache hinein. Also kann sie problemlos hintergangen werden. Das substantiell und semantisch Relevante „liegt" für die Gnostiker prinzipiell jenseits der Sprache, auch wenn es im Gesprochenwerden epiphan wird. Dieses Sprachverständnis leitet das Redeverhalten des Autors und erklärt dem Rezipienten die Aporie, die mit der Dialogform als solcher verbunden ist. Zwischen dem Ziel des gnostischen Dialogs und der Logik dialogischer Sprachverwendung besteht eine Spannung, die aber letztlich die theologische Intention des Autors promoviert.

Bei den Offenbarungsempfängern setzt die Offenbarung der gnostischen Wahrheit einen Prozeß der Entweltlichung bzw. der Introversion[29] in Gang. Daneben manifestiert sich die Wesenseinheit mit dem Soter auch als endogener Vorgang. D. h., die Dialoganten sind an der Offenbarung beteiligt. Sie sind Teil des Pneuma und des ungewordenen Vaters. Sobald sie dessen Jenseitigkeit erkennen, haben sie ihre Heimat und Herkunft[30] (wieder)gefunden. Darum kann man sagen, daß der gnostische Dialog bis zu einem gewissen Grad ein „Zwie-Selbst-Gespräch" bzw. eine „stilistisch aufgelöste" Offenbarung[31] ist. Auf der Ebene dialogischer Sprachverwendung inszeniert der gnostische Autor einen internen Prozeß der Gottheit: ὁμοίωσις θεῷ als Bestimmung des Gnostikers und ὁμοίωσις ἀνθρώπῳ als Geschick der Gottheit konvergieren. Transzendenz wird epiphan.

Die Interdependenz von literarischer Struktur und theologischer Intention weist den gnostischen Dialog als Sprachhandlung aus. Durch sie wird dem Gnostiker nicht nur der epistemologische Bruch mit dem Bestehenden vermittelt. Ihm wird auch die Möglichkeit gezeigt, die Distanzierung vom Kosmos existentiell durchzuhalten. Der Dialog läßt den Gnostiker entdecken, was er immer schon ist und was seine Zukunft ihm bringen kann.

4.   Der gnostische Dialog ist leserorientiert, insofern sein Ziel die Konstituierung des Gnostikers ist. Daneben tritt der intendierte Empfänger auf der kommunikativen Sprachebene als Co-Produzent des Textes in Erscheinung. Einerseits determiniert seine Existenz die Struktur des Dialogs. Andererseits bringt der Autor die mit dem Rezipienten geteilte Sprachkompetenz ins Spiel, um in der Inszenierung die gewünschte Wir-

---

[29] Vgl. Schlier 1928, 194: „Durch Hören und durch Sehen kann man die Gnosis gewinnen. Im Hören sieht man und im Sehen hört man, beidesmal versteht man innerlich." Ferner: Jonas 1969, 315 ff.

[30] Diesen Sachverhalt meint wohl Rudolph, wenn er von „Selbst-Aufklärung" spricht (vgl. 1968, 103).

[31] Formulierungen von Colpe 1979 a, 1590.

kung anzulegen. Der virtuelle Rezipient ist an der Textherstellung beteiligt, wird aber gleichwohl erst in der Begegnung mit dem Text konstituiert.

Damit der Rezipient sich seiner selbst bewußt wird, arbeitet der Autor von ApcPt metakommunikative Elemente in den Text ein. Es handelt sich um sprachliche Äußerungen, die eine text-externe Situation für Dialog, Narratio und Diskurs transparent machen. Außer den o. g. redestrategischen Eigentümlichkeiten sind auch die phatischen Elemente, die direkte Rede und der Anredecharkater besprechender Tempusformen als Metakommunikativa anzusehen. Das inkludierende „Wir"[32], das verschiedentlich im Offenbarungsdiskurs von ApcPt begegnet, gilt ebenfalls den intendierten Empfängern. Jeder Perspektivwechsel im Redegeschehen verlangt ein Mitgehen und impliziert eine Stellungnahme. Sprecher- bzw. Hörersignale gelten deshalb sowohl den Dialoganten im Text als auch denen, die es im Vollzug der Lektüre werden sollen. Die Metakommunikativa wirken auf einen Dialog zweiter Ordnung hin.

Das Besondere dieses redestrategischen Vorgehens liegt darin, daß es die Rezeption der Mitteilung organisiert, ihre individuelle Form legitimiert und den Rezipienten konstituiert. M. a. W., es geht um die Kontinuität der dialogischen Interaktion. Kommunikativ-pragmatische Textanalyse hat gezeigt, daß der Rezipient der eigentliche Dialogant im Dialog mit dem Soter ist. Die insistierende Redehaltung des Soter demonstriert eine permanente Suche nach dem Dialogpartner und hält den Eingang in den Dialog offen.

Aus der kommunikativen Kompetenz, die Autor und Rezipient miteinander teilen, folgt, daß der Dialogant mehr ist als Statist im szenischen Geschehen. Er kennt den Code und kann die hermeneutischen Winke aufnehmen. Auf diese Gemeinsamkeiten stellt der Autor den Text ab. Das ist gemeint, wenn der Rezipient Co-Produzent im literarischen Prozeß genannt wird. Zwischen ihm und dem Autor findet Kommunikation statt, die simultan mit dem erzählten Dialoggeschehen ist. Um seinetwillen wurde der Dialog[33] überhaupt inszeniert.

Diese Erkenntnis geht über die Funktionsbeschreibungen hinaus, die sich auf ein instrumentalisiertes Verständnis des Dialogs als Katechese, Initiation oder Exegese beschränken. Worin liegt nun die *theologische Relevanz* des Sprachgestus „Dialog"? – Unter phänomenologischem und historischem Aspekt gehört die gnostische Position zu den Versuchen, die Krise der Spätantike zu bewältigen. Von anderen Reaktionen und

---

[32] Vgl. ApcPt(NHC VII, 3) 73,25; 75,16 f.; 79,23 f.; 83,12; ferner 70,32 ff.; 71,14 f.; 77,18 f.; 80,1 f.24 f.; 83,8 f.

[33] Mit Janik kann hier von „„kommunizierte(r) Kommunikation"" gesprochen werden (1985, 13).

sinnstiftenden Antworten unterscheiden sich die Gnostiker dadurch, daß sie das Dasein im Kosmos zur permanenten Krise erklären. Folglich propagieren sie radikale Distanz und kognitive Dissonanz[34] gegenüber der vorfindlichen Wirklichkeit. Wenn sie so die Krise verschärfen, werten sie den Kosmos noch weiter ab. Im Gegenzug wird auf die ontologische Macht des jenseitigen Pneuma gesetzt, das die Gnostiker aufweckt. Durch Partizipation an der dramatischen Sprachhandlung transzendieren sie die Krise, die das Dasein permanent ist.

Das gebrochene Verhältnis der Gnostiker zu allem Vorfindlichen erstreckt sich auch auf die Sprache. Sie nehmen sie dennoch in Anspruch, um die Wirklichkeit zu überwinden. In dem Habitus, daß sie von Transzendenz reden, indem sie sie inszenieren, manifestiert sich die Unmöglichkeit, nicht nicht-kommunizieren zu können. Darum suchen sie auf dem Weg sprachlicher Subversion von Sprache einen Ausweg aus diesem Paradox. Im Vorgang der Verdoppelung unterläuft der Autor von ApcPt das, wovon er nicht absehen kann. Er demonstriert am Redeverhalten des Soter und mit der narrativen Strategie des Erzählers, wie der Absprung von Kosmos und Sprache mit Hilfe der Sprache[35] aussehen kann. So entspricht der erzählte Dialog als Text dem Ruf, der den Gnostiker weckt und in den Status des „Fremden" versetzt. Das gnostische Selbstverständnis resultiert dann auf der text-externen Dialogebene aus der Evokation, die in Gestalt eines Lesemysteriums stattgefunden hat. Der Gnostiker existiert in der Geschichte und dennoch jenseits ihrer Bedingungen in der Synousie mit dem Erlöser.

---

[34] S. o. 173. Die Bedeutung der Theorie der kognitiven Dissonanz für die Interpretation gnostischen Denkens liegt in ihrer Präventivkraft. D. h., aufgrund der Transparenz von Dissonanzreduktionsprozessen kann die spezifische Eigenart gnostischer Gedankengänge wahrgenommen werden. Weiterhin wird verhindert, daß Gnosis einseitig als Krisenphänomen verstanden und der ontologische Dualismus zu gering eingeschätzt wird. Im Gegensatz zu dem Reduktionsmechanismus, den Festinger (1957; 1967; vgl. auch Schönbach 1966) beschrieben hat, liegt dem Autor von ApcPt nichts daran, mit der ekklesiastischen Wirklichkeit in Einklang zu kommen. Vielmehr will er Konsens stören und Konsonanz in Frage stellen. M. a. W., er fördert und ermöglicht Dissonanz-Erfahrung, indem er Dissonanz radikalisiert. Er schafft die kognitiven Voraussetzungen, damit Dissonanz im Blick auf die Gegenwart entsteht. Dissonanz gewinnt damit den Rang eines Prüfsteins für wahre Erkenntnis. Wenn der Gnostiker jenseitig in der Welt lebt, muß er nach kognitiver Dissonanz streben, und sei es mit kognitiven Elementen eben dieser Welt.

[35] Dieses Vorgehen ist mit der Intention des modernen Romans vergleichbar, der nach Iser darauf zielt, „die Technik der Darstellung und die dargestellte Wirklichkeit im Bewußtsein des Lesers zu trennen, damit der Auswahlmodus nicht mit der gezeigten Wirklichkeit verwechselt werde" (1979, 389; vgl. 383 ff.). Das Problem gnostischer Hermeneutik thematisiert auch LaFargue, d. h. „the relation between language and saving *Gnosis*" (1985, XII; vgl. 200 ff.).

6. Literaturverzeichnis

Textausgaben der koptischen Gnostica, andere Quellentexte, Übersetzungen, Monographien, Kommentare, Sammelbände, Lexika, Reader usw. werden nicht gesondert aufgeführt, sondern alphabetisch nach Verfassern bzw. Herausgebern geordnet. Ein vollständiges Verzeichnis der Ausgaben und Übersetzungen der Nag Hammadi-Traktate findet sich in D. M. Scholer, Nag Hammadi Bibliography 1948–1969, NHS I, Leiden 1971; fortgeführt in dessen „Bibliographia Gnostica Supplementum" in Novum Testamentum, ab 1971.

Im Anmerkungsteil ist Literatur, die zitiert oder auf die Bezug genommen wird, mit dem Namen des Verfassers bzw. der (des) Herausgeber(s), dem Erscheinungsjahr und den entsprechenden Seitenangaben aufgeführt. Wenn ein Autor mehrere Veröffentlichungen aus einem Jahr aufzuweisen hat, übernehmen lateinische Buchstaben die Aufgabe der Identifizierung. Die Abkürzungen richten sich nach S. Schwertner, Internationales Abkürzungsverzeichnis für Theologie und Grenzgebiete, Berlin/New York 1974 bzw. TRE, Abkürzungsverzeichnis 1976.

A. Allgemeine Hilfsliteratur

Aland, K., 1983: Vollständige Konkordanz zum griechischen Neuen Testament. 2 Bde., Berlin 1983

Aufstieg und Niedergang der Römischen Welt, hrsg. von H. Temporini/W. Haase, Berlin/New York 1973 ff. (= ANRW)

Bauer, W., 1988: Griechisch-deutsches Wörterbuch zu den Schriften des Neuen Testaments und der übrigen urchristlichen Literatur, 6. Auflage, Berlin 1988

Braun, E./Rademacher, H. (Hrsg.), 1978: Wissenschaftstheoretisches Lexikon, Graz/Wien/Köln 1978

Crum, W. E., 1979: A Coptic Dictionary, Oxford 1979 (= 1939)

Exegetisches Wörterbuch zum Neuen Testament, hrsg. von H. Balz/G. Schneider, 3 Bde., Stuttgart/Berlin/Köln/Mainz 1980 ff. (= EWNT)

Georges, K. E., 1879: Lateinisch-Deutsches Handwörterbuch I, siebte fast gänzlich umgearbeitete und sehr vermehrte Auflage, Leipzig 1879

The Interpreter's Dictionary of the Bible, ed. G. A. Buttrick, I–IV, New York/Nashville 1962. Suppl(ementary Volume) 1976 (= IDB)

Der Kleine Pauly. Lexikon der Antike, hrsg. von K. Ziegler/K. Sontheimer, I–IV, Stuttgart/München 1964 ff. (= KP)

Lambdin, Th. O., 1988: Introduction to Sahidic Coptic, Macon 1983. reprinted 1988

Lewandowski, T., 1976: Linguistisches Wörterbuch I, 2. Auflage, Heidelberg 1976

- 1984: Linguistisches Wörterbuch I, 4. neu bearbeitete Auflage, Heidelberg 1984
- 1985: Linguistisches Wörterbuch II, 4. Auflage, Heidelberg 1985
Lexikon der Ägyptologie, begründet von W. Helck und E. Otto, fortgeführt von W. Helck und W. Westendorf, Wiesbaden 1972 ff. (= LÄ)
Liddell, H. G./Scott, R., 1985: A Greek-English Lexicon, 9. edition, Oxford 1940. Supplement 1968, Reprint 1985.
Paulys Realencyklopädie der klassischen Altertumswissenschaften, neu bearbeitet von Wissowa/Kroll, Stuttgart 1883 ff. (= PW)
Reallexikon für Antike und Christentum, hrsg. von Th. Klauser, Stuttgart 1941 ff. (= RAC)
Die Religion in Geschichte und Gegenwart, 3. Auflage, hrsg. von K. Galling, Tübingen 1957 ff. (= RGG)
Scholer, D. M., 1971: A Classified Bibliography of the Gnostic Library and of Gnostic Studies 1948-1969, NHS I, Leiden 1971
Siegert, F., 1982: Nag-Hammadi-Register. Wörterbuch zur Erfassung der Begriffe in den koptisch-gnostischen Schriften von Nag Hammadi, WUNT 26, Tübingen 1982
Theologische Realenzyklopädie, hrsg. von G. Krause/G. Müller, Berlin/New York 1976 ff. (= TRE)
Theologisches Wörterbuch zum Neuen Testament, begr. von G. Kittel, hrsg. von G. Friedrich, 10 Bde., Stuttgart 1933 ff. (= ThW)
Till, W. C., 1961: Koptische Dialektgrammatik, 4. Auflage, München 1961
- 1970: Koptische Grammatik (Saidischer Dialekt), 4. Auflage, Leipzig 1970
Westendorf, W., 1965/1977: Koptisches Handwörterbuch, Heidelberg 1965/1977

B. Spezialliteratur

Adam, A., 1965: Lehrbuch der Dogmengeschichte I, Gütersloh 1965
- 1967: Ist die Gnosis in aramäischen Weisheitsschulen entstanden?, in: U. Bianchi (ed.), 1967, 291-300
Aland, B. (Hrsg.), 1978 a: Gnosis, FS für Hans Jonas, Göttingen 1978
- 1978 b: Gnosis und Kirchenväter. Ihre Auseinandersetzung um die Interpretation des Evangeliums, in: B. Aland (Hrsg.), 1978 a, 158-215
- 1984: Was ist Gnosis? Wie wurde sie überwunden? Versuch einer Kurzdefinition, in: J. Taubes (Hrsg.), 1984, 54-65
Aland, K./Nestle, E. : Novum Testamentum Graece, 26. neu bearbeitete Auflage, Stuttgart 1979
Alt, A., 1951: Die Weisheit Salomos, ThLZ 76, 1951, 139-144
Altheim, F./Stiehl, R. (Hrsg.), 1973: Christentum am Roten Meer, Bd. II, Berlin/New York 1973
Andresen, C., 1952/53: Justin und der mittlere Platonismus, ZNW 44, 1952/53, 157-195
Arthur, R. H., 1984: The Wisdom Goddess. Feminine Motifs in Eight Nag Hammadi Documents, Lanham/New York/London 1985
Assmann, J., 1984: Ägypten. Theologie und Frömmigkeit einer frühen Hochkultur, Stuttgart/Berlin/Köln/Mainz 1984
Auerbach, E., 1959: Mimesis. Dargestellte Wirklichkeit in der abendländischen Literatur, 2. Auflage, Bern/München 1959

Bachtin, M. M., 1979: Ästhetik des Wortes, hrsg. von R. Grübel, Frankfurt/Main 1979

Badura, B., 1972: Kommunikative Kompetenz. Dialoghermeneutik und Interaktion. Eine theoretische Skizze, in: B. Badura/K. Gloy (Hrsg.), Soziologie der Kommunikation, Stuttgart 1972, 246–264

Barc, B. (éd.), 1981: Colloque International sur les Textes de Nag Hammadi (Québec 22–25 août 1978), BCNH, Section Études 1, Québec/Louvain 1981

Barns, J., 1975: Greek and Coptic Papyri from the Covers of the Nag Hammadi Codices. A Preliminary Report, in: M. Krause (ed.), 1975 a, 9–17

Barth, G., 1968: Das Gesetzesverständnis des Evangelisten Matthäus, in: G. Bornkamm/G. Barth/H. J. Held, Überlieferung und Auslegung im Matthäus-Evangelium, WMANT 1, 5. Auflage, Neukirchen-Vluyn 1968, 54–154

Barthes, R., 1971: Die strukturale Erzählanalyse am Beispiel von Apg 10–11, in: X. Léon-Dufour (Hrsg.), Exegese im Methodenkonflikt, München 1971, 117–141

Bauer, W., 1909: Das Leben Jesu im Zeitalter der neutestamentlichen Apokryphen, Tübingen 1909

– 1964: Rechtgläubigkeit und Ketzerei im ältesten Christentum, BHTh 10, 2. Auflage, Tübingen 1964

Baumeister, Th., 1985: Die Rolle des Petrus in gnostischen Texten, in: T. Orlandi/M. Krause (eds.), Acts of the Second International Congress of Coptic Studies, Rom 1985, 3–12

Becker, J., 1965: Gottesfurcht im Alten Testament, AnBibl 25, Rom 1965

Begrich, J., 1963: Studien zu Deuterojesaja, hrsg. von W. Zimmerli, ThB 20, München 1963

– 1964: Das priesterliche Heilsorakel, in. J. Begrich, Gesammelte Studien zum Alten Testament, hrsg. von W. Zimmerli, ThB 21, München 1964, 217–231

Berger, K., 1977: Exegese des Neuen Testaments. Neue Wege vom Text zur Auslegung, Heidelberg 1977

– 1981: Unfehlbare Offenbarung. Petrus in der gnostischen und apokalyptischen Offenbarungsliteratur, in: Kontinuität und Einheit, FS für F. Mussner, Freiburg 1981, 261–326

– 1984 a: Formgeschichte des Neuen Testaments, Heidelberg 1984

– 1984 b: Hellenistische Gattungen im Neuen Testament, in: ANRW II. 25.2, 1984, 1031–1432

– Art. Gnosis/Gnostizismus, I. Vor- und außerchristlich, in: TRE XIII (1984), 519–535

– 1987: Einführung in die Formgeschichte, Tübingen 1987

Berliner Arbeitskreis für koptisch-gnostische Schriften, 1973: Die Bedeutung der Texte von Nag Hammadi für die moderne Gnosisforschung, in: K.-W. Tröger (Hrsg.), 1973 a, 13–76

– 1974: s. A. Werner 1974

– 1975: s. H. G. Bethge 1975

Berner, W. D., 1972: Initiationsriten in Mysterienreligionen, im Gnostizismus und im antiken Judentum, Diss. theol. Göttingen 1972

Bertram, G., 1927: Die Himmelfahrt Jesu vom Kreuz aus und der Glaube an seine Auferstehung, in: Festgabe für A. Deissmann, Tübingen 1927, 187–217

Bethge, H. G., 1975: Zweiter Logos des Großen Seth. Die zweite Schrift aus Nag-Hammadi-Codex VII, ThLZ 100, 1975, 97–110

Betz, H. D., 1966: Zum Problem des religionsgeschichtlichen Verständnisses der Apokalyptik, ZThK 63, 1966, 391–409
- 1968: Apokalyptik in der Theologie der Pannenberg-Gruppe, ZThK 65, 1968, 257–270
- 1970: The Delphic Maxim ΓΝΩΘΙ ΣΑΥΤΟΝ in Hermetic Interpretation, HThR 63, 1970, 465–484
- 1979: Galatians. A Commentary on Paul's Letter to the Church in Galatia, Philadelphia 1979
- 1980: Jesus als göttlicher Mensch, in: A. Suhl (Hrsg.), 1980, 416–434
Betz, O., Art. φωνή κτλ., in: ThW IX, 272–294
- 1976: Das Problem der Gnosis seit der Entdeckung der Texte von Nag Hammadi, VF 21, H. 2, 1976, 46–80
Beyschlag, K., 1964: Kallist und Hippolyt, ThZ 20, 1964, 103–124
Bianchi, U. (ed.), 1967: Le Origini dello Gnosticismo. Colloquio di Messina, 13–18 Aprile 1966, Studies in the History of Religion XII, Leiden 1967 (= Neudruck 1970)
Blatz, B., 1987: Das koptische Thomasevangelium, in: W. Schneemelcher (Hrsg.), 1987, 93–113
Blumenberg, H., 1957: Licht als Metapher der Wahrheit. Im Vorfeld der philosophischen Begriffsbildung, Studium Generale 10, 1957, 432–447
- 1958: Epochenschwelle und Rezeption, PhR 6, 1958, 94–120
Böhlig, A., 1968: Zum Antimimon Pneuma in den Koptisch-Gnostischen Texten, in: A. Böhlig, Mysterion und Wahrheit. Gesammelte Beiträge zur spätantiken Religionsgeschichte, AGSU VI, Leiden 1968, 162–174
- 1978: Zur Struktur gnostischen Denkens, NTS 24, 1978, 496–509
- /Labib, P., 1963: Koptisch-gnostische Apokalypsen aus Codex V von Nag Hammadi im Koptischen Museum zu Alt-Kairo, Sonderheft der Wissenschaftlichen Zeitschrift der Martin-Luther-Universität Halle-Wittenberg 1963
- /Wisse, F. (eds.), 1975: NHC III, 2 und NHC IV, 2. The Gospel of the Egyptians, NHS IV, Leiden 1975
Bornkamm, G., 1971: Die Vorgeschichte des sogenannten Zweiten Korintherbriefes, in: G. Bornkamm, GA IV, München 1971, 162–194
Bousset, W., 1967: Kyrios Christos. Geschichte des Christusglaubens von den Anfängen des Christentums bis Irenäus, Nachdruck, Göttingen 1967
Brandenburger, E., 1984: Markus 13 und die Apokalyptik, FRLANT 134, Göttingen 1984
Brashler, J. A., 1977: The Coptic „Apocalypse of Peter": A Genre Analysis and Interpretation, Diss. Claremont 1977
Breuer, D., 1974: Einführung in die pragmatische Texttheorie, München 1974
Brinker, K./Sager, S. F., 1989: Linguistische Gesprächsanalyse. Eine Einführung, Berlin 1989
Bröker, G., 1979: Lachen als religiöses Motiv in gnostischen Texten, in: P. Nagel (Hrsg.), 1979, 111–125
Brox, N., 1984: „Doketismus" – eine Problemanzeige, ZKG 95, 1984, 301–314
- 1989: Erleuchtung und Wiedergeburt. Aktualität der Gnosis, München 1989
Buckley, J. J., 1980: A Cult-mystery in The Gospel of Philipp, JBL 99, 1980, 569–581
Bühler, K., 1982: Sprachtheorie. Die Darstellungsfunktion der Sprache. Ungekürzter Neudruck der Ausgabe von 1934, Stuttgart 1982

Bultmann, R., 1964 a: Die Geschichte der synoptischen Tradition, FRLANT 29, 6. Auflage, Göttingen 1964
- 1964 b: Das Evangelium des Johannes, KEK II, 10. Auflage, Göttingen 1964
- 1967: Die Bedeutung der neuerschlossenen mandäischen und manichäischen Quellen für das Verständnis des Johannesevangeliums, in: R. Bultmann, Exegetica, Tübingen 1967, 55–104
- /Lührmann, D. : Art. φαίνω κτλ., in: ThW IX, 1–11
Burchard, C., 1970: Der dreizehnte Zeuge. Traditions- und kompositionsgeschichtliche Untersuchungen zu Lukas' Darstellung der Frühzeit des Paulus, FRLANT 103, Göttingen 1970
- 1983: Joseph und Aseneth, JSHRZ 2/4, Gütersloh 1983
Clemens Alexandrinus: Extraits de Théodote (Excerpta ex Theodoto) Texte grec, introd., trad. et notes de Francois Sagnard, nouveau tirage, Paris 1970
- Werke III. Band, Stromata Buch 7.8; Excerpta ex Theodoto u. a., hrsg. von L. Früchtel, CGS 17, 2. Auflage, Berlin 1970
Collins, J. J., 1975: Jewish Apocalyptic against its Hellenistic Near Eastern Environment, BASOR 220, 1975, 27–36
- (ed.), 1979 a: Apocalypse: The Morphology of a Genre, Semeia 14, 1979
- 1979 b: Introduction. Towards the Morphology of a Genre, in; J. J. Collins (ed.), 1979 a, 1–20
Colpe, C., 1969: Vorschläge für eine terminologische und begriffliche Übereinkunft zum Thema des Kolloquiums, in: W. Eltester (Hrsg.), 1969, 129–132
- 1973: Heidnische, jüdische und christliche Überlieferung in den Schriften aus Nag Hammadi II, JAC 16, 1973, 106–126
- 1979 a: Art. Corpus Hermeticum, in: KP V (1979), 1588–1592
- 1980: Heidnische, jüdische und christliche Überlieferung in den Schriften aus Nag Hammadi IX, JbAC 23, 1980, 108–127
- 1981: Art. Gnosis II (Gnostizismus), in: RAC XI (1981), 537–659
Conzelmann, H., 1963: Die Apostelgeschichte, HNT 7, Tübingen 1963
- Art. φῶς κτλ., in: ThW IX, 302–349
- 1974: Die Mutter der Weisheit, in: ders., Theologie als Schriftauslegung, BETh 65, München 1974, 167–176
Coseriu, E., 1981: Textlinguistik. Eine Einführung, Tübinger Beiträge zur Linguistik 109, 2. Auflage, Tübingen 1981
Crossan, J. D., 1982: Gleichnisse der Verkehrung, in: W. Harnisch (Hrsg.), 1982, 127–158
- 1983: In Fragments. The Aphorisms of Jesus, San Francisco 1983
Dahl, N. A., 1964: Der Erstgeborene Satans und der Vater des Teufels (Polyk. 7, 1 und Joh. 8, 44), in: W. Eltester/F. H. Kettler (Hrsg.), Apophoreta: FS für Ernst Haenchen, BZNW 30, Berlin 1964, 70–84
- 1981: The Arrogant Archon and the Lewd Sophia: Jewish Traditions in Gnostic Revolt, in: B. Layton (ed.), 1981, 689–712
Dart, J., 1976: The Laughing Savior. The Discovery and Significance of the Nag Hammadi Gnostic Library, New York 1976
- 1988: The Jesus of Heresy and History. The Discovery and Meaning of the Nag Hammadi Gnostic Library, San Francisco 1988 (revised and expanded edition of J. Dart 1976)
Denning-Bolle, S. J., 1987: Wisdom and Dialogue in the Ancient Near East, Numen XXXIV, 1987, 214–232

Desjardins, M. R., 1990: Sin in Valentinianism, Atlanta 1990

Dibelius, M., 1961: Die Formgeschichte des Evangeliums, 4. Auflage, Tübingen 1961

Diels, H., 1903: Die Fragmente der Vorsokratiker, Berlin 1903

Dijk, T. A. van, 1980: Textwissenschaft. Eine interdisziplinäre Einführung, München 1980

Dittmann, J., 1979: Arbeiten zur Konversationsanalyse, Linguistische Arbeiten Bd. 75, Tübingen 1979

Dodd, C. H., 1954: The Dialogue Form in the Gospels, BJRL 37, 1954, 54–67

Donadoni, S. : Art. Dialog, in: LÄ I (1975) 1075–1079

Dörrie, H., 1976: Besprechung von „A. J. Festugière, La révélation d'Hermès Trismégiste", in: H. Dörrie, Platonica Minora, München 1976, 100–111

Dörrie, H/Dörries, H., 1966: Art. Erotapokriseis, in: RAC VI (1966) 342–370

Drijvers, H. J. W., 1975: Die Ursprünge des Gnostizismus als religionsgeschichtliches Problem, in: K. Rudolph (Hrsg.), 1975 a, 798–841

Dubois, J.-D., 1982: Le préambule de l'Apocalypse de Pierre (Nag Hammadi VII; 70, 14–20), in: J. Ries (éd.), 1982, 384–393

Elliger, K., 1978: Deuterojesaja (40, 1–45, 7), BK XI/1, Neukirchen-Vluyn 1978

Eltester, W. (Hrsg.), 1969: Christentum und Gnosis, BZNW 37, Berlin 1969

Emmel, St. (ed.), 1984: Nag Hammadi Codex III, 5. The Dialogue of the Savior, NHS XXVI, Leiden 1984

Epiphanius: Werke, hrsg. von Karl Holl, Bd. I: Ancoratus und Panarion 1–33, GCS 25, Leipzig 1915; Bd. II: Panarion 34–64, GCS 31, Leipzig 1922

Evans, C. A., 1981: Jesus in Gnostic Literature, Biblica 62, 1981, 406–412

The Facsimile Edition of the Nag Hammadi Codices. Published under the Auspices of the Department of Antiquities of the Arab Republic of Egypt in Conjunction with the UNESCO, Leiden 1972 ff.

The Facsimile Edition of the Nag Hammadi Codices, Codex VII, Preface: J. M. Robinson, Leiden 1972

The Facsimile Edition of the Nag Hammadi Codices. Introduction (J. M. Robinson), Addenda et Corrigenda (J. A. Brashler), Leiden 1984

Fallon, F. T., 1979: The Gnostic Apocalypses, in: J. J. Collins (ed.), 1979 a, 123–158

Fecht, G., 1972: Der Vorwurf an Gott in den „Mahnworten des Ipuwer". Zur geistigen Krise der ersten Zwischenzeit und ihrer Bewältigung, Heidelberg 1972

– Art. Bauerngeschichte, in: LÄ I (1975) 638–651

Festinger, L., 1957: A Theory of Cognitive Dissonance, Evanston/Ill. 1957

– 1967: An Introduction to the Theory of Dissonance, in: E. P. Hollander/R. G. Hunt (ed.), Current Perspectives in Social Psychology, 2. edition, New York/London/Toronto 1967, 347 ff.

Festugière, A. J., 1949: La Révélation d'Hermès Trismégiste, Vol. 2: Le Dieu Cosmique, Paris 1949

– 1950: La Révélation d'Hermès Trismégiste, Vol. 1: L'Astrologie et les Sciences Occultes, 2. édition, Paris 1950

Fieger, M., 1991: Das Thomasevangelium. Einleitung, Kommentar und Systematik, NTA N. F. 22, Münster 1991

Fischer, K. M., 1973 a: Tendenz und Absicht des Epheserbriefes, FRLANT 111, Göttingen 1973

– 1973 b: Der johanneische Christus und der gnostische Erlöser, in: K.-W. Tröger (Hrsg.), 1973 a, 245–266

- 1979: Zum gegenwärtigen Stand der neutestamentlichen Einleitungswissenschaften, VF 24, 1979, 3–35

Foerster, W. (Hrsg.), Die Gnosis II. Koptische und mandäische Quellen, Zürich/Stuttgart 1971

- Die Gnosis I. Zeugnisse der Kirchenväter, 2. Auflage, München/Zürich 1979
- Einleitung, in: W. Foerster, 1979, 7–35

Frankemölle, H., 1983: „Pharisäismus" in Judentum und Kirche. Zur Tradition und Redaktion in Matthäus 23, in: H. Frankemölle, Biblische Handlungsanweisungen. Beispiele pragmatischer Exegese, Mainz 1983, 133–190

Frankfort, H./Frankfort, H. A./Wilson, J. A./Jacobsen, T., 1981: Alter Orient – Mythos und Wirklichkeit, 2. Auflage, Stuttgart/Berlin/Köln/Mainz 1981

Friedländer, P., 1954: Platon. Band I, Seinswahrheit und Lebenswirklichkeit, 2. Auflage, Berlin 1954

Fuchs, E., 1970: Hermeneutik, 4. Auflage, Bad Cannstatt 1970

Fuchs, O., 1982: Die Klage als Gebet. Eine theologische Besinnung am Beispiel des Psalms 22, München 1982

Funk, W. P., 1976: Die Zweite Apokalypse des Jakobus aus NHC V, TU 119, Berlin 1976

Gadamer, H.-G., 1965: Wahrheit und Methode. Grundzüge einer philosophischen Hermeneutik, 2. Auflage, Tübingen 1965

- 1983: Platos dialektische Ethik und andere Studien zur platonischen Philosophie, 2. Auflage, Hamburg 1983

Gärtner, B. E., 1968: The Pauline and Johannine Idea of ‚To know God‘ Against the Hellenistic Background, NTS XIV, 1968, 209–231

Gaffron, H.-G., 1969: Studien zum koptischen Philippusevangelium unter besonderer Berücksichtigung der Sakramente, Diss. theol. Bonn 1969

- 1970: Eine gnostische Apologie des Auferstehungsglaubens: Bemerkungen zur „Epistula ad Rheginum", in: FS H. Schlier, Freiburg 1970, 218–227

Georgi, D., 1964: Der vorpaulinische Hymnus Phil 2, 6–11, in: E. Dinkler (Hrsg.), Zeit und Geschichte. Dankesgabe an R. Bultmann, Tübingen 1964, 263–293

- 1980: Die Weisheit Salomos, JSHRZ III/4, Gütersloh 1980
- 1984: Das Wesen der Weisheit nach der „Weisheit Salomos", in: J. Taubes (Hrsg.), 1984, 66–81

Grant, R. M., 1959: Gnosticism and Early Christianity, New York 1959

Greimas, A. J., 1971: Strukturale Semantik, Braunschweig 1971

Grese, W. C., 1979: Corpus Hermeticum XIII and Early Christian Literature, Studia ad Corpus Hellenisticum Novi Testamenti V, Leiden 1979

Gressmann, H. (Hrsg.), 1926: Altorientalische Texte zum Alten Testament, 2. Auflage, Berlin/Leipzig 1926 (= AOT)

Gruenwald, J., 1979: Jewish Apocalyptic Literature, in: ANRW II. 19.1, 1979, 89–118

Grundmann, W., 1965 a: Das palästinensische Judentum im Zeitraum zwischen der Erhebung der Makkabäer und dem Ende des Jüdischen Krieges, in: J. Leipoldt/W. Grundmann (Hrsg.), Umwelt des Urchristentums I, Berlin 1965, 143–291

- 1965 b: Das Evangelium nach Markus, ThHK 2, 3. Auflage, Berlin 1965

Guillaumont, A., 1959: Evangelium nach Thomas. Koptischer Text herausgegeben und übersetzt von A. Guillaumont u. a., Leiden 1959

Gülich, E./Raible, W., 1977: Linguistische Textmodelle. Grundlagen und Möglichkeiten, München 1977

Haardt, R., 1967: Die Gnosis. Wesen und Zeugnisse, Salzburg 1967

- 1980: Schöpfer und Schöpfung in der Gnosis. Bemerkungen zu ausgewählten Aspekten gnostischer Theodizeeproblematik, in: K.-W. Tröger (Hrsg.), 1980a, 37–48

Habermas, J., 1971: Vorbereitende Bemerkungen zu einer Theorie der kommunikativen Kompetenz, in: J. Habermas/N. Luhmann, Theorie der Gesellschaft oder Sozialtechnologie, Frankfurt/Main 1971, 101–141
- 1976: Was heißt Universalpragmatik?, in: K.O. Apel (Hrsg.), Sprachpragmatik und Philosophie, Frankfurt/Main 1976, 174–272

Haenchen, E., 1965: Aufbau und Theologie des „Poimandres", in: E. Haenchen, Gott und Mensch, GA I, Tübingen 1965, 335–377

Hahn, F., 1972: Sehen und Glauben im Johannesevangelium, in: Neues Testament und Geschichte. Historisches Geschehen und Deutung im Neuen Testament, FS O. Cullmann, Zürich 1972, 125–141

Hanson, P.H., 1976: Art. Apocalypse, Genre; Apocalypticism, in: IDB Suppl., 1976, 27–34

Harnack, A. von, 1909: Lehrbuch der Dogmengeschichte, Bd. I, 4. Auflage, Tübingen 1909

Harnisch, W., 1969: Verhängnis und Verheißung der Geschichte. Untersuchungen zum Zeit- und Geschichtsverständnis im 4. Buch Esra und in der syrischen Baruchapokalypse, FRLANT 97, Göttingen 1969
- 1973: Eschatologische Existenz. Ein exegetischer Beitrag zum Sachanliegen von 1. Thessalonicher 4, 13–5, 11, FRLANT 110, Göttingen 1973
- (Hrsg.), 1982: Die neutestamentliche Gleichnisforschung im Horizont von Hermeneutik und Literaturwissenschaft, WdF 575, Darmstadt 1982
- 1983a: Der Prophet als Widerpart und Zeuge der Offenbarung. Erwägungen zur Interdependenz von Form und Sache im 4. Buch Esra, in: D. Hellholm (ed.), 1983, 461–493
- 1983b: Die Ironie der Offenbarung. Exegetische Erwägungen zur Zionsvision im 4. Buch Esra, ZAW 95, 1983, 7595

Hartman, L., 1983: Survey of the Problem of Apocalyptic Genre, in: D. Hellholm (ed.), 1983, 329–343

Held, H.J., 1968: Matthäus als Interpret der Wundergeschichten, in: G. Bornkamm/G. Barth/H.J. Held, Überlieferung und Auslegung im Matthäusevangelium, WMANT 1, 5. Auflage, Neukirchen-Vluyn 1968

Helderman, J., 1984: Die Anapausis im Evangelium Veritatis. Eine vergleichende Untersuchung des valentinianisch-gnostischen Heilgutes der Ruhe im Evangelium Veritatis und in anderen Schriften der Nag-Hammadi-Bibliothek, NHS XVIII, Leiden 1984

Hellholm, D. (ed.), 1983: Apocalypticism in the Mediterranean World and the Near East. Proceedings of the International Colloquium on Apocalypticism, Uppsala, August 12–17, 1979, Tübingen 1983

Helm, R., Art. Lukian, in: PW XIII (1927) 1725–1777

Hengel, M., 1988: Judentum und Hellenismus. Studien zu ihrer Begegnung unter besonderer Berücksichtigung Palästinas bis zur Mitte des 2. Jh. v. Chr, 3. durchgesehene Auflage, Tübingen 1988
- 1979: Zur urchristlichen Geschichtsschreibung, Stuttgart 1979

Henne, H., 1975: Sprachpragmatik, Germanistische Linguistik 3, Tübingen 1975
- /Rehbock, H., 1982: Einführung in die Gesprächsanalyse, 2. erweiterte Auflage, Berlin/New York 1982

Hennecke, E./Schneemelcher, W. (Hrsg.), 1971: Neutestamentliche Apokryphen, Bd. II: Apostolisches, Apokalypsen und Verwandtes, 4. Auflage, Tübingen 1971 (= Hennecke/Schneemelcher II)

Hermann, A./Bardy, G., Art. Dialog, in: RAC III (1957) 928-955

Hilgenfeld, A., 1857: Die jüdische Apokalyptik in ihrer geschichtlichen Entwickelung. Ein Beitrag zur Vorgeschichte des Christentums, Jena 1857

Hippolytus von Rom: Refutatio omnium haeresium, hrsg. von P. Wendland, Werke III, GCS 26, Leipzig 1916

Hoffmann, M., 1966: Der Dialog bei den christlichen Schriftstellern der ersten vier Jahrhunderte, TU 96, Berlin 1966

Horner, G. (ed.), 1969: The Coptic Version of the New Testament in the Southern Dialects, Vol. I–VII, Oxford 1911-1924 (= reprint Osnabrück 1969)

Irenäus von Lyon: Adversus haereses. Ed. W. W. Harvey, 2 Bde., Canterbury 1857
– Fünf Bücher gegen die Häresien, übersetzt von E. Klebba, 2 Bde., BKV 3.4, München 1912

Iser, W., 1976: Der Akt des Lesens, München 1976
– 1979: Der implizite Leser. Kommunikationsformen von Bunyan bis Beckett, 2. Auflage, München 1979
– 1980: Interaction between Text and Reader, in: S. R. Suleiman/I. Crosman (ed.), The Reader in the Text. Essays on Audience and Interpretation, Princeton 1980, 106-119

Jacobsen, Th., 1981: s. H. Frankfort u. a., 1981

Janik, D., 1985: Literatursemiotik als Methode. Die Kommunikationsstruktur des Erzählwerks und fünf weitere Studien, Darmstadt 1985

Janssens, Y., 1980: Apocalypses de Nag Hammadi, in: J. Lambrecht (éd.), L'Apocalypse Johannique et l'Apocalyptique dans le Nouveau Testament, BEThL 53, Louvain 1980, 69-75

Jeremias, G., 1963: Der Lehrer der Gerechtigkeit, SUNT 2, Göttingen 1963

Jeremias, J., 1973: Neutestamentliche Theologie. Erster Teil: Die Verkündigung Jesu, 2. Auflage, Gütersloh 1973

Jonas, H., 1963: Gnosis, Existentialismus und Nihilismus, in: H. Jonas, Zwischen Nichts und Ewigkeit, Göttingen 1963, 5-25
– 1964: Gnosis und spätantiker Geist. Teil 1: Die mythologische Gnosis, FRLANT 33, 3. Auflage, Göttingen 1964
– 1966: Gnosis und spätantiker Geist. Teil 2/1: Von der Mythologie zur mystischen Philosophie, 2. Auflage, Göttingen 1966
– 1969: Myth and Mysticism: A Study of Objectification and Interiorization in Religious Thought, JR 49, 1969, 315-329
– 1972: The Gnostic Religion. The message of the Alien God and the Beginnings of Christianity, 4. edition, Boston 1972
– 1975: Typologische und historische Abgrenzung des Phänomens der Gnosis, in: K. Rudolph (Hrsg.), 1975 a, 626-645

Käsemann, E., 1964: Die Anfänge christlicher Theologie, in: E. Käsemann, Exegetische Versuche und Besinnungen II, Göttingen 1964, 82-104

Kallmeyer, W., 1981: Aushandlung und Bedeutungskonstitution, in: P. Schröder/H. Steger (Hrsg.), 1981, 89-127

Kallmeyer, W./Schütze, F., 1976: Konversationsanalyse, Studium Linguistik 1, 1976, 1-28

Kanth, R., 1981: Kommunikativ-pragmatische Gesprächsforschung: Neuere gesprächs- und konversationsanalytische Arbeiten, Zeitschrift für germanistische Linguistik 9, 1981, 202–222

Kautzsch, E. (Hrsg.), 1962: Die Apokryphen und Pseudepigraphen des Alten Testaments, 2 Bde., 2. Auflage, Darmstadt 1962 (= Kautzsch I/II)

Keller, C. A., 1977: Das Problem des Bösen in Apokalyptik und Gnosis, in: M. Krause (ed.), 1977 a, 70–90

– 1985: Gnostik als religionswissenschaftliches Problem, ThZ 41, 1985, 59–73

Kippenberg, H. G., 1981: Intellektualismus und antike Gnosis, in: W. Schluchter (Hrsg.), 1981, 201–218

– 1983: Ein Vergleich jüdischer, christlicher und gnostischer Apokalyptik, in: D. Hellholm (ed.), 1983, 751–768

Kirchner, D., 1989: Epistula Jacobi Apocrypha. Die zweite Schrift aus Nag-Hammadi-Codex I. Neu herausgegeben, übersetzt und kommentiert, TU 136, Berlin 1989

Klauck, H.-J., 1978: Allegorie und Allegorese in synoptischen Gleichnistexten, NTA N. F. 13, Münster 1978

Kloepfer, R., 1981: Das Dialogische in Alltagssprache und Literatur, in: P. Schröder/H. Steger, 1981, 314–333

Klostermann, E., 1927: Das Matthäusevangelium, HNT 4, 4. Auflage, Tübingen 1927

– 1971: Das Markusevangelium, HNT 3, 5. Auflage, Tübingen 1971

Koch, K., 1978: Esras erste Vision. Weltzeit und Weg des Höchsten, BZ N. F. 22, 1978, 46–75

– 1982: Einleitung, in: K. Koch/J. M. Schmidt (Hrsg.), Apokalyptik, WdF 365, Darmstadt 1982, 1–29

– 1983: Vom profetischen zum apokalyptischen Visionsbericht, in: D. Hellholm (ed.), 1983, 413–446

Köhler, W.-D., 1987: Die Rezeption des Matthäusevangeliums in der Zeit vor Irenäus, WUNT 2. Reihe 24, Tübingen 1987

Koschorke, K., 1973: Die „Namen" im Philippusevangelium. Beobachtungen zur Auseinandersetzung zwischen gnostischem und kirchlichem Christentum, ZNW 64, 1973, 307–322

– 1977 a: Eine gnostische Pfingstpredigt. Zur Auseinandersetzung zwischen gnostischem und kirchlichem Christentum am Beispiel der „Epistula Petri ad Philippum" (NHC VIII, 2), ZThK 74, 1977, 323–343

– 1977 b: Die Polemik der Gnostiker gegen das kirchliche Christentum. Skizziert am Beispiel des Nag-Hammadi-Traktates Testimonium Veritatis, in: M. Krause (ed.), 1977 a, 43–49

– 1978: Die Polemik der Gnostiker gegen das kirchliche Christentum. Unter besonderer Berücksichtigung der Nag-Hammadi-Traktate „Apokalypse des Petrus" (NHC VII, 3) und „Testimonium Veritatis" (NHC IX, 3), NHS XII, Leiden 1978

Köster, H./Robinson, J. M., 1971: Entwicklungslinien durch die Welt des frühen Christentums, Tübingen 1971

Köster, H., 1979: Dialog und Spruchüberlieferung in den gnostischen Texten von Nag Hammadi, EvTh 39, 1979, 532–556

– 1980 a: Einführung in des Neue Testament im Rahmen der Religionsgeschichte der hellenistischen und römischen Zeit, Berlin/New York 1980

– 1980 b: Gnostic Writings as Witnesses for the Development of the Sayings Tradition, in: B. Layton (ed.), 1980, 238–256

– 1984: Überlieferung und Geschichte der frühchristlichen Evangelienliteratur, in: ANRW II, 25.2, 1984, 1463–1542

- 1990: Ancient Christian Gospels. Their History and Development, London/Philadelphia 1990
Kraft, H., 1977: Zur Entstehung der Gnosis, in: Die Einheit der Kirche. Dimensionen ihrer Heiligkeit, Katholizität und Apostolizität, Festgabe P. Meinhold, Wiesbaden 1977, 325–338
Krause, M. (ed.), 1972a: Essays on the Nag Hammadi Texts in Honour of Alexander Böhlig, NHS III, Leiden 1972
- 1972b: Die Petrusakten im Codex VI von Nag Hammadi, in: M. Krause (ed.), 1972a, 36–58
- (ed.), 1975a: Essays on the Nag Hammadi Texts in Honour of Pahor Labib, NHS VI, Leiden 1975
- 1975b: Zur Bedeutung des gnostisch-hermetischen Handschriftenfundes von Nag Hammadi, in: M. Krause (ed.), 1975a, 65–89
- (ed.), 1977a: Gnosis and Gnosticism. Papers read at the Seventh International Conference on Patristic Studies (Oxford, September 8th-13th 1975), NHS VIII, Leiden 1977
- 1977b: Der *Dialog des Soter* in Codex III von Nag Hammadi, in: M. Krause (ed.), 1977a, 13–34
- 1978: Die Texte von Nag Hammadi, in: B. Aland (Hrsg.), 1978a, 216–243
- 1983: Die literarischen Gattungen der Apokalypsen von Nag Hammadi, in: D. Hellholm (ed.), 1983, 621–637
Krause, M./Girgis, V., 1973. Neue Texte, in: Altheim, F./Stiehl, R. (ed.), Christentum am Roten Meer, Bd. II, Berlin/New York 1973, 2–232
Krause, M./Labib, P., 1962: Die drei Versionen des Apokryphon des Johannes im Koptischen Museum zu Alt-Kairo, ADAIK, Kopt. Reihe 1, Glückstadt 1962
- 1971: Gnostische und hermetische Schriften aus Codex II und VI, ADAIK, Kopt. Reihe 2, Glückstadt 1971
LaFargue, J. M.,1985: Language and Gnosis. The Opening Scenes of the *Acts of Thomas*, HDR 18, Philadelphia 1985
Langkammer, H.: Art. πρωτότοκος, in: EWNT III (1983) 458–462
Layton, B., 1979: The Gnostic Treatise on Resurrection from Nag Hammadi. Edited with Translation and Commentary, HDR 12, Missoula 1979
- (ed.), 1980: The Rediscovery of Gnosticism. Vol. I: The School of Valentinus, Studies in the History of Religion XLI, Leiden 1980
- (ed.), 1981: The Rediscovery of Gnosticism. Vol. II: Sethian Gnosticism, Studies in the History of Religion XLI, Leiden 1981
- 1987: The Gnostic Scriptures. A New Translation with Annotations and Introductions, Garden City/N. Y. 1987
Leipoldt, J./Grundmann, W. (Hrsg.), 1965: Umwelt des Urchristentums I, Berlin 1965
Léon-Dufour, X. (Hrsg.), 1973: Exegese im Methodenkonflikt, München 1973
Lewandowski, Th., Art.: Sprechakt, in: E. Braun/H. Rademacher (Hrsg.), Wissenschaftstheoretisches Lexikon, Graz/Wien/Köln 1978, 556–561
Logan, A. H. B./Wedderburn, A. J. M. (ed.), 1983: The New Testament and Gnosis. Essays in honour of R. McL. Wilson, Edinburgh 1983
Lohfink, G., 1965: Eine alttestamentliche Darstellungsform für Gotteserscheinungen in den Damaskusberichten (Apg 9; 22; 26), BZ 9, 1965, 246–257
- 1966: Paulus vor Damaskus. Arbeitsweisen der neueren Bibelwissenschaft, dargestellt an den Texten Apg 9, 1–19; 22, 3–21; 26, 9–18, SBS 4, Stuttgart 1966

Lohmeyer, E., 1967: Das Evangelium des Matthäus, KEK-Sonderband, Göttingen 1967

Lorenzer, A., 1973: Sprachzerstörung und Rekonstruktion. Vorarbeiten zu einer Metatheorie der Psychoanalyse, Frankfurt/Main 1973

Lüdemann, G., 1975: Untersuchungen zur simonianischen Gnosis, GTA 1 Göttingen 1975

- 1987: The Acts of the Apostles and the Beginnings of Simonian Gnosis, NTS 33, 1987, 420-426

Lührmann, D., 1969: Die Redaktion der Logienquelle, WMANT 33, Neukirchen-Vluyn 1969

- 1972: Erwägungen zur Geschichte des Urchristentums, EvTh 32, 1972, 452-467
- 1987: Das Markusevangelium, HNT 3, Tübingen 1987

Luttikhuizen, G. P., 1988: The Evaluation of the Teaching of Jesus in Christian Gnostic Revelation Dialogues, NT XXX, 1988, 158-168

Luz, U., 1973: Die wiederentdeckte Logienquelle, EvTh 33, 1973, 527-533

- 1985: das Evangelium nach Matthäus, EKK I/1, Neukirchen-Vluyn/Zürich/Köln, 1985

MacDermot, V. (ed.), 1978 a: Pistis Sophia. Text ed. by C. Schmidt. Translation and notes by V. MacDermot, NHS IX, Leiden 1978

Mack, B. L., 1973: Logos und Sophia. Untersuchungen zur Weisheitstheologie im hellenistischen Judentum, StUNT 10, Göttingen 1973

MacRae, G. W., 1967: Sleep and Awakening in Gnostic Texts, in: U. Bianchi (ed.), 1967, 496-507

- 1970 a: The Jewish Background of the Gnostic Sophia Myth, NT 12, 1970, 86-101
- 1970 b: The Ego-Proclamation in Gnostic Sources, in: E. Bammel (ed.), The Trial of Jesus, SBT II/13, London 1970, 122-134
- 1976: Art.: Nag Hammadi, in: IDB Suppl. (1976) 613-619
- 1977: Discourses of the Gnostic Revealer, in: G. Widengren (ed.), 1977, 111-122
- 1978: Nag Hammadi and the New Testament, in: B. Aland (Hrsg.), 1978 a, 144-157
- 1983: Apocalyptic Eschatology in Gnosticism, in: D. Hellholm (ed.), 1983, 317-325

Ménard, J.-É., 1969: Das Evangelium nach Philippus und der Gnostizimus, in: W. Eltester (Hrsg.), 1969, 46-58

- (éd.) 1975: Les Textes de Nag Hammadi. Colloque du Centre d'Histoire des Religions (Strasbourg, 23-25 octobre 1974), NHS VII, Leiden 1975
- 1978: Apocalyptique et Gnose: Leur Eschatologie Respective, in: L'Apocalyptique (Études d'Histoire des Religions 3), Paris 1978, 159-177

Merendino, P. R., 1972: Literarkritisches, gattungskritisches und exegetisches zu Jes 41, 8-16, Biblica 53, 1972, 1-42

Meyer, M. W., 1979: „The Letter of Peter to Philip" (NHC VIII, 2). Text, Translation, and Commentary, Ph. D. Claremont 1979

Michaelis, W. : Art. ὁράω κτλ., in: ThW V, 315-371

- Art. πρῶτος κτλ., in: ThW VI, 866-883

Michel, O. : Art. μικρός, in: ThW IV, 650-661

Mittelstraß, J., 1984: Versuch über den sokratischen Dialog, in: K. Stierle/R. Warning (Hrsg.), Das Gespräch, München 1984, 11-27

Müller, Karl, 1920: Beiträge zum Verständnis der valentinianischen Gnosis, NGG phil.-hist. Kl., 1920, 179-242

Müller, Karlheinz, Art. Apokalyptik/Apokalypsen III. Die jüdische Apokalyptik. Anfänge und Merkmale, in: TRE III (1978) 202-251

Müller, Paul-Gerhard: Art. ἐπιφάνεια, in: EWNT II (1981) 110–112

Nagel, P. (Hrsg.),1968: Probleme der koptischen Literatur. Wissenschaftliche Beiträge der Martin-Luther-Universität Halle/Wittenberg, 1968/1 (K2), Halle 1968
- (Hrsg.), 1974: Studia Coptica, Berliner Byzantinische Arbeiten 45, Berlin 1974
- (Hrsg.), 1979: Studien zum Menschenbild in Gnosis und Manichäismus, Wissenschaftliche Beiträge der Martin-Luther-Universität Halle/Wittenberg, 1979/39 (K5), Halle 1979

Nock, A. D./Festugière, A.-J. (éd.), 1960: Corpus Hermeticum I., 2. éd. Paris 1960; II., 2. éd. Paris 1960

Norden, E., 1913: Agnostos Theos. Untersuchungen zur Formengeschichte religiöser Rede, Leipzig 1913

Norris, F. W. : Art. Antiochien I. Neutestamentlich, in: TRE III (1978) 99–103

Osing, J. : Art. Gespräch des Lebensmüden, in: LÄ II (1977) 571–573

Osswald, E.,1963: Zum Problem der vaticinia ex eventu, ZAW 75, 1963, 27–44

Otto, E., 1951: Der Vorwurf an Gott. Zur Entstehung der ägyptischen Auseinandersetzungsliteratur, Hildesheim 1951
- 1952: Weltanschauliche und politische Tendenzschriften, in: B. Spuler (Hrsg.), 1952, 112 ff.
- 1969: Wesen und Wandel der ägyptischen Kultur, Berlin 1969

Pagels, E. H., 1976 a: The Demiurge and his Archons: A Gnostic View of the Bishops and his Presbyters?, HThR 69, 1976, 301–314
- 1976 b: Art. Gnosticism, in: IDB Suppl. (1976) 364–368
- 1978: Visions, Appearances and Apostolic Authority: Gnostic and Orthodox Traditions, in: B. Aland (Hrsg.), 1978 a, 415–430
- 1980: Gnostic and Orthodox Views of Christ's Passion: Paradigms for the Christian Response to Persecution?, in: B. Layton (ed.), 1980, 262–288
- 1981: Versuchung durch Erkenntnis. Die gnostischen Evangelien, Frankfurt/Main 1981 (engl. 1979)

Pagels, E. H./Köster, H., 1978: Report on the *Dialogue of the Saviour* (CG III, 5), in: R. McL. Wilson (ed.), 1978, 66–74
- /–, 1984: Introduction, in: St. Emmel (ed.), 1984, 1–17

Painchaud, L.,1981: La Polémique Anti-Ecclésiale et l'Exégèse de la Passion dans le Deuxième Traité du Grand Seth (NH VII, 2), in: B. Barc (éd.), 1981, 340–352
- 1982: Le Deuxiéme Traité du Grand Seth, BCNH 6, Québec 1982

Pasquier, A., 1983: L'Évangile selon Marie, BCNH 13, Québec 1983

Pax, E., 1962: Art. Epiphanie, in: RAC V (1962) 832–909

Pearson, B.A., 1984: Jewish Sources in Gnostic Literature, in: M.E. Stone (ed.), 1984 a, 443–481
- 1990: The Apocalypse of Peter and Canonical 2 Peter, in: J.E. Goehring a.o. (eds.), Gnosticism & the Early Christian World, Sonoma/CA 1990, 67–74

Peel, M. L., 1970: Gnostic Eschatology and the New Testament, NT 12, 1970, 141–165
- 1974: Gnosis und Auferstehung. Der Brief an Rheginus von Nag Hammadi, Neukirchen-Vluyn 1974 (engl. 1969)

Pérez, G.A., 1989: El apóstol Pedro en la literatura gnóstica, Estudos Bíblicos (Madrid) 47, 1989, 65–92

Perkins, Ph., 1980: The Gnostic Dialogue. The Early Church and the Crisis of Gnosticism, New York/Ramsey/Toronto 1980
- 1981: Gnostic Christologies and the New Testament, CBQ 43, 1981, 590–606

Pesch, R., 1968: Naherwartungen. Tradition und Redaktion in Mk 13, KBANT, Düsseldorf 1968
- 1976: Das Markusevangelium, 1. Band, HThK II/1, Freiburg/Basel/Wien 1976
Pfister, R., 1924: Art. Epiphanie, in: PW Suppl. 4 (1924) 277-323
Plato: Opera, J. Burnet (ed.), Scriptorum Classicorum Bibliotheca Oxoniensis, 6 Vol., Oxford 1901-1913 (reprint 1967/68)
Pratscher, W., 1988: Mythische Vorstellungen als Mittel der Daseinsbewältigung in der gnostischen Jakobustradition, in: H. H. Schmidt (Hrsg.), Mythos und Rationalität, Gütersloh 1988, 195-208
Preuss, H. D., 1968: ... ich will mit dir sein, ZAW 80, 1968, 139-173
Pritchard, J. B. (ed.), 1955: Ancient Near Eastern Texts Relating to the Old Testament, 2. edition, Princeton 1955 (= ANET)
Quispel, G., 1979: Rezension „K. Koschorke, Die Polemik der Gnostiker gegen das kirchliche Christentum, NHS XII, Leiden 1978", Vig Chr 33, 1979, 191-193
Rad, G. von, 1962: Theologie des Alten Testaments I, 4. Auflage, München 1962
- 1965: Theologie des Alten Testaments II, 4. Auflage, München 1965
- 1970: Weisheit in Israel, Neukirchen-Vluyn 1970
Reitzenstein, R., 1904: Poimandres. Studien zur griechisch-ägyptischen und frühchristlichen Literatur, Leipzig 1904
- 1927: Die hellenistischen Mysterienreligionen, 3. Auflage, Leipzig 1927
Ricoeur, P., 1982: Biblische Hermeneutik, in: W. Harnisch (Hrsg.), 1982, 248-339
Ries, J. (éd.), 1982: Gnosticism et Monde Hellénistique. Actes du Colloque de Louvain-la-Neuve (11-14 mars 1980), Louvain 1982
Riessler, P., 1966: Altjüdisches Schrifttum außerhalb der Bibel, 2. Auflage, Darmstadt 1966
Robinson, J. M., 1970: On the Gattung of Mark (and John), in: D. G. Buttrick/J. M. Bald (ed.), Jesus and Man's Hope, Pittsburgh 1970, 99-129
- 1971: Logoi Sophon: Zur Gattung der Spruchquelle Q, in: H. Köster/J. M. Robinson 1971, 70-106
- 1977: The Jung Codex. The Rise and Fall of a Monopoly, Religious Studies Review 3, 1977, 17-30
- 1979 a: The Discovery of the Nag Hammadi Codices, Biblical Archeologist, Vol. 42, Nr. 4, 1979, 206-224
- 1979 b: Getting the Nag Hammadi Library into English, Biblical Archeologist, Vol. 42, Nr. 4, 1979, 239-248
- 1981: From the Cliff to Cairo. The Story of the Discoverers and the Middlemen of the Nag Hammadi Codices, in: B. Barc (éd.), 1981, 21-58
- 1982 a: Jesus. From Easter to Valentinus (Or to the Apostles' Creed), JBL 101, 1982, 5-37
- 1982 b: Early Collections of Jesus' Sayings, in: LOGIA. Les Paroles de Jésus - The Sayings of Jesus, J. Delobel (éd.), Leuven 1982, 389-394
- 1984: The Discovering and Marketing of Coptic Manuscripts. The Nag Hammadi Codices and The Bodmer Papyri, in: R. Holthoer/T. Linders (ed.), Sundries in honour of Torgny Säve-Söderbergh, Acta Universitatis Upsaliensis, Boreas 13, Uppsala 1984, 97-114
- (ed.), 1988 a: The Nag Hammadi Library in English, 3. Completely Revised Edition, Leiden/San Francisco 1988 (= NHL)
- 1988 b: Introduction, in: J. M. Robinson (ed.), 1988 a, 1-27

Rudolph, K., 1968: Der gnostische „Dialog" als literarisches Genus, in: P. Nagel (Hrsg.), 1968, 85–107
- 1973: Gnosis und Gnostizismus. Ein Forschungsbericht, ThR 38, 1973, 1–25
- (Hrsg.), 1975 a: Gnosis und Gnostizismus, WdF CCLXII, Darmstadt 1975
- 1975 b: Randerscheinungen des Judentums und das Problem der Entstehung des Gnostizismus, in: K. Rudolph (Hrsg.), 1975 a, 768–797
- 1977 a: Das Problem einer Soziologie und „sozialen Verortung" der Gnosis, Kairos 19, 1977, 35–44
- 1977 b: Simon – Magus oder Gnosticus, ThR 42, 1977, 279–359
- 1979: Zur Soziologie, soziologischen „Verortung" und Rolle der Gnosis in der Spätantike, in: P. Nagel (Hrsg.), 1979, 19–29
- 1980: Sophia und Gnosis. Bemerkungen zum Problem „Gnosis und Frühjudentum", in: K.-W. Tröger (Hrsg.), 1980 a, 221–237
- 1984: Gnosis und Gnostizismus. Forschung und Wirkungsgeschichte, ZdZ 38, 1984, 217–221
- 1989: Intellektuelle, Intellektuellenreligion und ihre Repräsentation in Gnosis und Manichäismus, in: P. Antes/D. Pahnke (Hrsg.), Die Religion von Oberschichten. Religion-Profession-Intellektualismus, Marburg 1989, 23–34
- 1990: Die Gnosis. Wesen und Geschichte einer spätantiken Religion, 3. Auflage, Göttingen 1990
Russel, D. S., 1964: The Method and Message of Jewish Apocalyptic, London 1964
Schäfer, K. Th., 1959: Art. Eisagoge, in: RAC IV (1959), 862–904
Schank, G./Schwitalla, J.,1980: Gesprochene Sprache und Gesprächsanalyse, in: H. P. Althaus/H. Henne/H. E. Wiegand (Hrsg.), Lexikon der Germanistischen Linguistik, 2. vollständig neu bearbeitete und erweiterte Auflage, Tübingen 1980, 313–322
Schenk, W., 1973: Die gnostisierende Deutung des Todes Jesu und ihre kritische Interpretation durch den Evangelisten Markus, in: K.-W. Tröger (Hrsg.), 1973 a, 231–243
- 1983: Das „Matthäusevangelium" als Petrusevangelium, BZ 27, 1983, 59–80
Schenke, G.,1984: Die dreigestaltige Protennoia. (Nag-Hammadi-Codex XIII), TU 132, Berlin 1984
Schenke, H.-M., 1965: Die Gnosis, in: J. Leipoldt/W. Grundmann (Hrsg.), 1965, 371–415
- 1968: Auferstehungsglaube und Gnosis, ZNW 59, 1968, 123–126
- 1973: Die neutestamentliche Christologie und der gnostische Erlöser, in: K.-W. Tröger (Hrsg.), 1973 a, 205–229
- 1975 a: Bemerkungen zur Apokalypse des Petrus, in: M. Krause (ed.), 1975 a, 277–285
- 1975 b: Zur Faksimile-Ausgabe der Nag-Hammadi-Schriften, ZÄS 102, 1975, 123–138
- 1975 c: Rezension „M. Krause/P. Lahib, Gnostische und hermetische Schriften aus Nag-Hammadi-Codex II und Codex VI", OLZ 70, 1975, 5–13
- 1975 d: Hauptprobleme der Gnosis. Gesichtspunkte zu einer neuen Darstellung des Gesamtphänomens, in: K. Rudolph (Hrsg.), 1975 a, 585–600
- 1978: Die Tendenz der Weisheit zur Gnosis, in: B. Aland (Hrsg.), 1978 a, 351–372
- 1981: The Phenomenon and Significance of Gnostic Sethianism, in: B. Layton (ed.), 1981, 588–616

- 1989: Das Thomas-Buch (Nag-Hammadi-Codex II,7). Neu herausgegeben, übersetzt und erklärt, TU 138, Berlin 1989

Schlieben-Lange, B., 1979: Linguistische Pragmatik, 2. überarbeitete Auflage, Stuttgart/Berlin/Köln/Mainz 1979

Schlier, H., 1928: Die Erlösung des Menschen in urchristlicher und in gnostischer Verkündigung, ThBl 7, 1928, 189–197
- 1965: Der Brief an die Epheser, 5. Auflage, Düsseldorf 1965
- 1975: Gnosis, in: K. Rudolph (Hrsg.), 1975 a, 495–509

Schluchter, W. (Hrsg.), 1981: Max Webers Studie über das antike Judentum. Interpretation und Kritik, Frankfurt/Main 1981
- (Hrsg.), 1985: Max Webers Sicht des antiken Christentums. Interpretation und Kritik, Frankfurt/Main 1985

Schmidt, C., 1892: Gnostische Schriften in Koptischer Sprache aus dem Codex Brucianus, TU 8, Berlin 1892
- 1962: Koptisch-gnostische Schriften, CGS 13, Leipzig 1905; 3. Auflage bearbeitet von W. Till, Berlin 1962

Schmidt, C./Schenke, H.-M., 1981: Koptisch-gnostische Schriften. Erster Band: Die Pistis Sophia, Die beiden Bücher des Jeu, Unbekanntes altgnostisches Werk, CGS 45, 4. Auflage, Berlin 1981

Schmidt, E. G.: Art. Dialogus, in: KP II (1979) 1575–1577

Schmidt, S. J., 1971: Text und Bedeutung. Sprachphilosophische Prolegomena zu einer textsemantischen Literaturwissenschaft, in: S. J. Schmidt (Hrsg.), Text-Bedeutung-Ästhetik, München 1971, 43–79

Schmidt, W. H., 1977: Exodus, BK II/2, Neukirchen-Vluyn 1977

Schmithals, W., 1984: Neues Testament und Gnosis, EdF 208, Darmstadt 1984

Schneemelcher, W. (Hrsg.), 1987: Neutestamentliche Apokryphen. I. Bd. : Evangelien, 5. Auflage, Tübingen 1987 (= Schneemelcher I)
- (Hrsg.), 1989: Neutestamentliche Apokryphen. II. Bd.: Apostolisches, Apokalyptisches und Verwandtes, 5. Auflage, Tübingen 1989 (= Schneemelcher II)

Schneider, A., 1923: Der Gedanke der Erkenntnis des Gleichen durch Gleiches in antiker und patristischer Zeit, in: Festgabe Clemens Baeumker, Münster 1923, 65 ff.

Schniewind, J., 1956: Das Evangelium nach Matthäus, NTD 2, 8. Auflage, Göttingen 1956

Scholten, C., 1987: Martyrium und Sophiamythos im Gnostizismus nach den Texten von Nag Hammadi, JbAC Erg. Bd. 14, Münster 1987

Schönbach, P., 1966: Dissonanz und Interaktionssequenzen, KZS 18, 1966, 253–270

Schottroff, L., 1970: Der Glaubende und die feindliche Welt. Beobachtungen zum gnostischen Dualismus und seiner Bedeutung für Paulus und das Johannesevangelium, WMANT 37, Neukirchen-Vluyn 1970

Schrage, W., 1964: Das Verhältnis des Thomas-Evangeliums zur synoptischen Tradition und zu den koptischen Evangelienübersetzungen, BZNW 29, Berlin 1964
- Art. τυφλός κτλ., in: ThW VIII, 270 ff.

Schreiner, J., 1981: Das 4. Buch Esra, JSHRZ V/4, Gütersloh 1981

Schreiber, J., 1961: Die Christologie des Markusevangeliums. Beobachtungen zur Theologie und Komposition des zweiten Evangeliums, ZThK 58, 1961, 154–183
- 1986: Der Kreuzigungsbericht des Markusevangeliums Mk 15,20 b–41. Eine traditionsgeschichtliche und methodenkritische Untersuchung nach William Wrede (1859–1906), BZNW 48, Berlin/New York 1986

Schröder, P./Steger, H., (Hrsg.), 1981: Dialogforschung. Jahrbuch 1980 des Instituts für deutsche Sprache, Düsseldorf 1981

Schulz, S., 1972: Q. Die Spruchquelle der Evangelisten, Zürich 1972

Schweizer, E., 1968: Das Evangelium nach Markus, NTD 1, 2. Auflage Göttingen, 1968

- 1970 a: Beiträge zur Theologie des Neuen Testaments, Zürich 1970
- 1970 b: Zum religionsgeschichtlichen Hintergrund der „Sendungsformel" Gal 4,4 f., Rö 8,3 f., Joh 3,16 ff., I Joh 4,9, in: E. Schweizer 1970 a, 83–95
- 1973: Das Evangelium nach Matthäus, NTD 2, 13. Auflage, Göttingen 1973
- 1974: Matthäus und seine Gemeinde, SBS 71, Stuttgart 1974
- 1976: Der Brief an die Kolosser, EKK XII, Zürich/Einsiedeln/Köln/Neukirchen-Vluyn 1976
- 1985: Zu einem neuen Matthäus-Kommentar, EvTh 45, 1985, 91 f.

Schweizer, H., 1981: Metaphorische Grammatik. Wege zur Integration von Grammatik und Textinterpretation in der Exegese, ATS 15, St. Ottilien 1981

- 1984: Wovon reden die Exegeten? Zum Verständnis der Exegese als verstehender und deskriptiver Wissenschaft, ThQ 164, 1984, 161–185

Schwitalla, J., 1979: Dialogsteuerung in Interviews. Ansätze zu einer Theorie der Dialogsteuerung mit empirischen Untersuchungen von Politiker-, Experten- und Starinterviews in Rundfunk und Fernsehen, Heutiges Deutsch I/15, München 1979

Sellin, G., 1983: Textlinguistische und semiotische Erwägungen zu Mk 4. 1–34, NTS 29, 1983, 508–530

Sieber, J. H., 1988: Introduction zu NHC VIII, 1, in: J. M. Robinson (ed.), 1988 a, 402 f.

Smith, J. Z., 1978: Map is not Territory. Studies in the History of Religion, Leiden 1978

- 1979: Geburt in verkehrter oder richtiger Lage?, in: W. A. Meeks (Hrsg.), Zur Soziologie des Urchristentums, ThB 62, München 1979, 284–309

Smith, T. V., 1985: Petrine Controversies in Early Christianity. Attitudes towards Peter in Christian Writings of the First Two Centuries, WUNT 2/15, Tübingen 1985

Spuler, B. (Hrsg.), 1952: Handbuch der Orientalistik, Erste Abteilung, I: Ägyptologie, 2: Literatur, Leiden 1952

Stanton, G. N., 1977: 5 Ezra and the Matthaen Christianity in the Second Century, JThS 28, 1977, 67–83

Stead, G. C., 1969: The Valentinian Myth of Sophia, JThS 20, 1969, 75–104

Steck, O. H., 1968: Das Problem theologischer Strömungen in nachexilischer Zeit, EvTh 28, 1968, 445–458

- 1976: Formgeschichtliche Bemerkungen zur Darstellung des Damaskusgeschehens in der Apostelgeschichte, ZNW 67, 1976, 20–28

Stegemann, H., 1983: Die Bedeutung der Qumranfunde für die Erforschung der Apokalyptik, in: D. Hellholm (ed.), 1983, 495–530

Stenzel, J., 1957: Kleine Schriften zur griechischen Philosophie, Darmstadt 1957

Stock, A., 1978: Textentfaltungen. Semiotische Experimente mit einer biblischen Geschichte, Düsseldorf 1978

Stone, M. E. (ed.), 1984 a: Jewish Writings of the Second Temple Period. Compendia Rerum Judaicarum ad Novum Testamentum, Section Two, Assen/Philadelphia 1984

- 1984 b: Apocalyptic Literature, in: M. E. Stone (ed.), 1984 a, 383–441

Stroumsa, G. G., 1980: The Gnostic Temptation, Numen XXVII, 1980, 278–286
- 1985: Die Gnosis und die christliche „Entzauberung der Welt", in: W. Schluchter (Hrsg.), 1985, 486–508
Strugnell, J./Dimant, D., 1988: 4Q Second Ezekiel, RdQ 13, 1988, 45–58
Suhl, A. (Hrsg.), 1980: Der Wunderbegriff im Neuen Testament, WdF 295, Darmstadt 1980
Taubes, J. (Hrsg.), 1984: Gnosis und Politik. Religionstheorie und politische Theologie, Bd. 2, München/Paderborn 1984
Techtmeier, B., 1984: Das Gespräch. Funktionen, Normen und Strukturen, Sprache und Gesellschaft Nr. 19, Berlin 1984
Tertullian: Sämtliche Schriften, hrsg. und übersetzt von K. A. H. Kellner, Bd. I und II, Köln 1882
- De praescriptione haereticorum, hrsg. von E. Preuen, 2. neu bearbeitete Auflage, Tübingen 1910
- De praescriptione haereticorum (lat. und franz.). Introd., texte critique et notes de R. F. Refoulé, trad. de P. de Labbriolle, Paris 1957
Theiler, W., 1966: Gott und Seele im kaiserzeitlichen Denken, in: ders., Forschungen zum Neuplatonismus, Berlin 1966, 104–123
Theißen, G., 1974: Urchristliche Wundergeschichten. Ein Beitrag zur formgeschichtlichen Erforschung der snoptischen Evangelien, StNT 8, Gütersloh 1974
Till, W. C. (Hrsg.), 1955: Die Gnostischen Schriften des Koptischen Papyrus Berolinensis 8502, TU 60, Berlin 1955
Trilling, W., 1980: Der zweite Brief an die Thessalonicher, EKK XIV, Zürich/Einsiedeln/Köln/Neukirchen-Vluyn 1980
Tröger, K.-W., 1971: Mysterienglaube und Gnosis in CH XIII, TU 110, Berlin 1971
- (Hrsg.), 1973: Gnosis und Neues Testament. Studien aus Religionswissenschaft und Theologie, Gütersloh 1973
- 1975: Der zweite Logos des Grossen Seth. Gedanken zur Christologie in der zweiten Schrift des Codex VII (p. 49, 10–70, 12), in: M. Krause (ed.), 1975 a, 268–276
- 1977: Doketistische Christologie in Nag-Hammadi-Texten, Kairos 19, 1977, 45–52
- (Hrsg.), 1980 a: Altes Testament – Frühjudentum – Gnosis. Neue Studien zu „Gnosis und Bibel", Gütersloh 1980
- 1980 b: Zum gegenwärtigen Stand der Gnosis- und Nag-Hammadi Forschung, in: K.-W. Tröger (Hrsg.), 1980 a, 11–33
- 1981: Die gnostische Anthropologie, Kairos XXIII, 1981, 31–42
Tuckett, Chr., 1986: Nag Hammadi and the Gospel Tradition. Synoptic Tradition in the Nag Hammadi Library, Edinburgh 1986
Ungeheuer, G., 1974: Kommunikationssemantik: Skizze eines Problemfeldes, Zeitschrift für germanistische Linguistik 2, 1974, 1–24
Vielhauer, Ph., 1965 a: Aufsätze zum Neuen Testament, ThB 31, München 1965
- 1965 b: ANAPAUSIS. Zum gnostischen Hintergrund des Thomasevangeliums, in: Ph. Vielhauer 1965 a, 215–234
- 1975: Geschichte der urchristlichen Literatur. Einleitung in das Neue Testament, die Apokryphen und die Apostolischen Väter, Berlin/New York 1975
- 1979 a: Oikodome. Aufsätze zum Neuen Testament Bd. 2, ThB 65, München 1979
- 1979 b: Paulus und die Kephaspartei in Korinth, in: Ph. Vielhauer 1979 a, 169–182
Vielhauer, Ph./Strecker, G., 1989: Apokalypsen und Verwandtes, in: W. Schneemelcher (Hrsg.), 1989, 491–515

Vogt, J., 1975: Der Vorwurf der sozialen Niedrigkeit des frühen Christentums, Gymnasium 82, 1975, 401–411

Voss, M. H. van: Art. Fährmann, in: LÄ II (1977) 86

Walter, N., 1977: Die Philipper und das Leiden, in: Die Kirche des Anfangs, FS H. Schürmann, Freiburg 1977, 417–434

Watzlawik, P./Beavin, J. H./Jackson, D. D., 1974: Menschliche Kommunikation. Formen, Störungen, Paradoxien, 4. Auflage, Bern/Stuttgart/Wien 1974

Weder, H., 1984: Die Gleichnisse Jesu als Metaphern. Traditions- und redaktionsgeschichtliche Analysen und Interpretationen, FRLANT 120, 3. Auflage, Göttingen 1984

Weinrich, H., 1971: Für eine Literaturgeschichte des Lesers, in: H. Weinrich, Literatur für Leser, Stuttgart/Berlin/Köln/Mainz 1971, 23–34

– 1975: Über Negation in der Syntax und Semantik, in: H. Weinrich (Hrsg.), Positionen der Negativität, Poetik und Hermeneutik VI, München 1975, 39–63

– 1976: Sprache in Texten, Stuttgart 1976

– 1985: Tempus. Besprochene und erzählte Welt, 4. Auflage, Stuttgart/Berlin/Köln/Mainz 1985

Weiser, A., 1981: Die Apostelgeschichte. Kapitel 1–12, ÖTK 5/1, Gütersloh/Würzburg 1981

Weiß, H. F., 1969 a: Einige Randbemerkungen zum Verhältnis von „Judentum und Gnosis", OLZ 64, 1969, 540–551

– 1969 b: Paulus und die Häretiker. Zum Paulusverständnis in der Gnosis, in: W. Eltester (Hrsg.), 1969, 116 ff.

Werner, A. (für den Berliner Arbeitskreis für Koptisch-Gnostische Schriften), 1974: Die Apokalypse des Petrus. Die dritte Schrift aus Nag-Hammadi-Codex VII, ThLZ 99, 1974, 575–584

– 1989: Koptisch-gnostische Apokalypse des Petrus, in: Schneemelcher II, 633–643

Westermann, C., 1964: Sprache und Struktur der Prophetie Deuterojesajas, in: C. Westermann, Forschung am Alten Testament, ThB 24, München 1964, 92–170

Widengren, G. (ed.), 1977: Proceedings of the International Colloquium on Gnosticism (Stockholm, August 20–25, 1973), Stockholm/Leiden 1977

Williams, M. A., 1981: Stability as a Soteriological Theme in Gnosticism, in: B. Layton (ed.), 1981, 819–829

– 1985: The Immovable Race. A Gnostic Designation and the Theme of Stability in Late Antiquity, NHS 29, Leiden 1985

Wilson, R. McL. (ed.), 1978: Nag Hammadi and Gnosis. Papers read at the First International Congress of Coptology (Cairo, December 1976), NHS XIV, Leiden 1978

– 1981: Twenty Years after, in: B. Barc (éd.), 1981, 59–67

– Art. Gnosis/Gnostizismus. II. Neues Testament, Judentum, Alte Kirche, in: TRE XIII (1984) 535–551

Wisse, F., 1983: Prolegomena to the Study of the New Testament and Gnosis, in: A. H. B. Logan/A. J. M. Wedderburn (ed.), 1983, 138–145

Wlosok, A., 1960/61: Laktanz und die philosophische Gnosis. Untersuchungen zu Geschichte und Terminologie der gnostischen Erlösungsvorstellung, AAH Phil. hist. Kl. 1960/62, Heidelberg 1960/61

Wunderlich, D. (Hrsg.), 1972: Linguistische Pragmatik, Frankfurt/Main 1972

Würthwein, E., 1970: Gott und Mensch in Dialog und Gottesreden des Buches Hiob, in: E. Würthwein, Wort und Existenz. Gesammelte Studien zum Alten Testament, Göttingen 1970, 217–292

Zeller, D., 1984: Kommentar zur Logienquelle, SKK 21, Stuttgart 1984

Ziegler, K. : Art. Plutarchos, in: PW XXI/41. Halbband (1951) 636–662

Zimmermann, H., 1974: Neutestamentliche Methodenlehre. Darstellung der historisch-kritischen Methode, 4. Auflage, Stuttgart 1974